W9-BQS-594

Una Historia
No Oficial

Mario Vargas Llosa

UNA HISTORIA
NO OFICIAL

Edición de Miguel García-Posada

ESPASA

SPA
863
VARGAS
LLOSA

ESPASA ⓒ SELECCIÓN

Director Editorial: Juan González Álvaro
Editora: Pilar Cortés

© Mario Vargas Llosa, 1997
© De la selección de textos, prólogo y comentarios:
   Miguel García-Posada, 1997
© Espasa Calpe, S. A., 1997

Diseño de colección: Tasmanias
Ilustración portada: Juan Pablo Rada

Depósito legal: M. 11.274-1997
ISBN: 84-239-7832-X

Reservados todos los derechos. No se permite reproducir, alma-
cenar en sistemas de recuperación de la información ni transmitir alguna parte de esta publicación, cualquiera que sea el medio empleado
—electrónico, mecánico, fotocopia, grabación, etc.—, sin el permiso previo de los titulares de los derechos de la propiedad intelectual.

Impreso en España / Printed in Spain
Impresión: BROSMAC, S. L.

Editorial Espasa Calpe, S. A.
Carretera de Irún, km 12,200. 28049 Madrid

La novela es la historia privada de las naciones.

(BALZAC, *Pequeñas miserias de la vida conyugal,*
citado por M. V. Ll. al frente
de *Conversación en La Catedral.*)

ÍNDICE

Introducción

por Miguel García-Posada

La inquisición de la verdad, la persecución dolorosa pero implacable del rostro veraz de la vida o de la Historia, es la sustancia misma de uno de los grandes mitos de Occidente: el mito de Edipo. Aunque la verdad pueda destruirlo, el héroe trágico no se detendrá en su búsqueda, en su descenso terrible a los fondos de la revelación. El modelo trágico se nutre del mito, echa con vigor sus raíces en los espacios donde se manifiesta lo sagrado. Pero ¿cuál será el destino de la investigación edípica allí donde los valores laicos se han impuesto a los religiosos y rituales, allí donde la ambigüedad ha reemplazado a la unidad? Este es el gran problema al que ha tratado de dar respuesta la novela moderna —«epopeya de un mundo sin dioses» la llamó Lukács—, basada en el cuestionamiento de la objetividad extrínseca al hombre y en el imperio de la perspectiva individualista. Por eso, el *Quijote* continúa siendo el modelo magistral e imprescindible. Lo real y lo ficticio se confunden, imbrican y superponen en las páginas cervantinas, donde los individuos expresan constantemente sus puntos de vista sin que el acuerdo llegue nunca a producirse. De ahí la célebre pregunta orteguiana: ¿de qué se burla Cervantes en su novela?, y su luminosa definición del *Quijote* como un equívoco.

El mito edípico nutre toda la obra de madurez de Mario Vargas Llosa. Desde *La ciudad y los perros* hasta *Lituma en los Andes* toda su trayectoria literaria ha estado en buena medida vertebrada por este impulso de esclarecimiento, de iluminación de la verdad, de las verdades, de los hombres, de su naturaleza, de su historia, de la Historia, en fin. *¿Quién mató a Palomino Molero?* se titula una de sus novelas, pero la obra entera de Mario Vargas Llosa es, de un modo u otro, una respuesta a esa interrogación o a interrogaciones semejantes: ¿quién mató a Palomino Molero?, ¿quién mató al pobre colegial, Ricardo Arana, *El Esclavo,* del Leoncio Prado *(La ciudad y los perros)?*, ¿quién mató a una de las prostitutas de *Conversación en La Catedral?*, ¿quién mató a los tres desaparecidos de Naccos en *Lituma en los Andes?*, ¿por qué el senador Zavala *(Conversación)* se entregó a todas las corrupciones del poder?, ¿por qué Antonio el Consejero *(La guerra del fin del mundo)* arrastró a las masas campesinas de los sertones pese a su oscurantismo y su fanatismo?, ¿por qué se hundió el matrimonio de don Rigoberto y doña Lucrecia *(Elogio de la madrastra)?* ¿Por qué...? En esta línea de interrogaciones y perplejidades, el relato *Los cachorros* da el protagonismo al castrado, que se convierte en la contrafigura irónica de una sociedad devorada por la mitología machista, a la vez que también en la representación de la alta burguesía limeña: muestra, pues, también el otro rostro de las personas y los valores.

Los registros pueden cambiar. La crítica ha distinguido varios períodos en la obra de Vargas Llosa: el primero estaría constituido por el ciclo de las tres grandes novelas iniciales, presididas por la voluntad de alcanzar un universo novelesco que sea el doble del mundo real; el segundo lo integraría el resto de las novelas, aunque dentro de ellas habría que distinguir entre las de orden político y las que conciernen a asuntos más privados. El autor reflexiona sobre cuestiones candentes de la sociedad latinoamericana a la vez que sobre el arte de la narración, todo ello dentro de una evidente moderación de aquella anterior voluntad totalizadora. Habría también que señalar la presencia, nueva en Vargas, de una cierta poética de lo grotesco en algunos de estos títulos. Sin embargo, es muy cierto que el cambio de registros y de tonalidades no afecta a esa búsqueda radical de la verdad, de las verdades, a esa interrogación constante sobre el fondo último de los móviles de los hombres. El mito edípico vertebra la obra entera de Vargas Llosa, y cabe postular que parte al menos de la adhesión que ha suscitado deriva del tirón que ha tenido en el universo lector la radicalidad de estos planteamientos, que exceden las postulaciones ideológicas. El Vargas Llosa ya neoliberal de *¿Quién mató?* es el mismo de *La ciudad.*

Las interrogaciones son permanentes. Incluso cuando no se formulan las interrogaciones, el propósito es el mismo: rastrear la verdad, iluminar los horrores de la historia o de la naturaleza. Poco importa que las apariencias puedan ser risueñas: el capitán Pantoja *(Pantaleón y las visitadoras)* funda un batallón de soldaderas para resolver las necesidades sexuales de los soldados destinados en las Amazonías peruanas y el resultado es que la máquina burocrática del ejército acabará volviéndose contra él y triturándolo; la novela será la historia de esa trituración. La verdad oficial sepulta a menudo en la obra de Vargas Llosa a la verdad real. Así sucede en *La ciudad,* en *Conversación,* en *La casa verde,* en *Pantaleón,* en *Lituma...* Sucede de modo explícito, porque siempre de un modo u otro el novelista trata de indagar en esa otra verdad que discurre por debajo de las máscaras del poder y de las convenciones sociales. Al frente del drama *La Chunga* coloca Vargas Llosa una cita de Oscar Wilde que me parece muy ilustradora: «La verdad es raramente pura y nunca simple.» Una verdad, unas verdades que son casi necesariamente distintas de las que nutren el orden oficial, hecho de dogmas, hipocresías —acaso ineludibles, pero esta es otra cuestión— y pactos tácitos de relativismo. De ahí la cita de Balzac que figura al frente de *Conversación* y que ya he aducido: la novela como historia privada de las naciones. Pues bien, Vargas Llosa lleva más de treinta años escribiendo esa historia no oficial, esa historia cotidiana y menuda encarnada en personas y circunstancias muy concretas que cumplen con el objetivo que el autor de *La comedia humana* asignaba a la novela. No la historia del poder, no la historia consabida, no la historia de las convenciones sociales, no la historia institucional, sino la historia de quienes padecen el poder, de quienes son víctimas de sus ocultaciones o de quienes desafían los usos establecidos (valga la relación entre niño y madrastra de *Elogio*). Toda la obra novelesca de Vargas Llosa constituye una grandiosa historia no oficial.

Más allá de las cambiantes creencias ideológicas del escritor, este es un factor absolutamente decisivo que ilumina de principio a fin su entera escritura. Frente a la petrificada y nociva institución militar cual se cifra en el colegio Leoncio Prada de Lima, se erige la proclamación de que tal conjunto de normas y usos sólo conduce a la sacralización de la violencia y, en definitiva, a la destrucción de los individuos (*La ciudad*). El teniente Gamboa pagará allí con el traslado forzoso su negativa a aceptar la verdad oficial. Es el primero de los héroes de este universo novelesco que sufre la expulsión y la marginación por oponerse a la verdad oficial. La realidad plural, difícil, cambiante y proteica de Piura y la selva amazónica transparece plural, difícil, cambiante y proteica también en las páginas de *La casa verde*. El prostíbulo entona su himno grandioso a la vida frente a las precariedades y los dogmas mortecinos de la Iglesia; los indígenas y las pobres gentes tratan de ganarse la vida frente a la hostilidad y la persecución del ejército y los grandes patronos; una cosa es, al cabo, la realidad oficial del Perú y otra la realidad candente, brutal, dolorosa y atormentada de la vida de cada día. ¿Qué pasó aquella noche entre ella y la joven y atractiva Merche?, preguntan a la Chunga, un personaje extraído de la novela, los contertulios del prostíbulo en el drama homónimo. Yendo más allá del episodio de la obra dramática, yendo más allá de esa pregunta, que a lo mejor podría tener una respuesta lésbica, toda *La casa verde* es una gigantesca respuesta a una pregunta de alcance mucho más vasto que el novelista no ha formulado de modo explícito pero encontró escrita en el aire, en la sangre y en la historia de su país: ¿cómo explicar esa realidad de la selva peruana? Una realidad, ya lo he dicho, plural, multivalente, que sólo podía ser aprehendida en esos mismos términos. La pasión de la carne, la pasión del poder, la miseria de la explotación, el fantasma del fanatismo religioso, el aherrojamiento de las poblaciones indígenas, se dan cita en esa obra que es en sí misma una imagen de la selva abrumadora e inabarcable como la vida misma.

La dictadura del general Odría fue nefasta para el Perú, como lo fueron las dictaduras anteriores y lo serían otras que le sucedieron. Lo más grave de las dictaduras, como la historia ha demostrado hasta la saciedad, es el envilecimiento moral que producen. *Conversación* es la historia de un envilecimiento que afecta a todo un microcosmos social pero especialmente a la familia de Santiago Zavala, Zavalita, el lúcido periodista desengañado que descubre aterrado pero firme cómo su padre, el senador Zavala, llega a la abyección y al crimen, verdugo y víctima de las arbitrariedades de un poder despótico. Zavalita se queda sin clase social: renuncia a la alta burguesía a la que pertenece; pierde los afectos familiares; se queda flotando con las raíces al aire, pero a cambio ha encontrado algo sumamente valioso: ha visto con sus propios ojos el fondo de la corrupción política, la verdad de las mentiras, por decirlo cambiando el sentido del título de un ensayo de Vargas Llosa. Zavalita sabe, tras la conversación con el negro Ambrosio, de la abyecta sarta de falsedades en que lo habían querido involucrar. Zavalita, en fin, descubre, Edipo contemporáneo, la indignidad de su padre, capaz de la homosexualidad vergonzante y del crimen, pero no se arranca los ojos: será sólo un periodista de sucesos dispuesto a contar humildemente lo que ve y sólo lo que ve. La elección de Zavalita es la más radical: se queda sin nada, y al quedarse sin nada descubre la libertad como atributo fundamental de la condición humana.

La condición humana también puede ser mostrada desde el ángulo de lo grotesco: tal es el sentido de *Pantaleón.* El capitán Pantoja cree prestar un servicio al ejército al crear, o recrear, la muy vieja institución de las soldaderas. Su celo extremo lo conducirá al enfrentamiento con el poder militar. En 1973, conviene recalcarlo, en plena apoteosis del militarismo latinoamericano, Vargas Llosa no tenía inconveniente en mostrar a una luz cómica los excesos e incongruencias del militarismo, como ya lo había hecho diez años antes, pero ahora en otro registro. Hay algo de valleinclanesco, de esperpéntico, en el ángulo con que Vargas se aproxima a esa realidad. No por azar se debe a Valle la primera novela de tirano de Latinoamérica, que fue también la primera en poner en solfa el pretorianismo de aquellos países: *Tirano Banderas.* Conviene retener la fecha, 1973, porque ilumina cuanto hay de transgresión en una fábula que corre el riesgo de ser captada sólo en sus más cómicas y corticales perspectivas.

La familia es una de las grandes fuentes de la novela moderna. *La tía Julia* y *el escribidor* es, en parte, una novela familiar. En ella Vargas Llosa traspone literariamente sus relaciones sentimentales, que desembocaron en matrimonio, con su tía Julia Urquidi, unas relaciones especialmente mal vistas por los padres, sobre todo por su progenitor, que el narrador cuenta con absoluta desnudez. Años más tarde, en su libro de memorias *El pez en el agua,* Vargas Llosa volvería sobre este episodio insertándolo en el marco más amplio de la historia familiar y aportando una imagen aún más subrayadamente problemática de su padre. En todo caso, y volviendo a *La tía Julia,* el hecho es que la novela aborda con valentía una relación sentimental heterodoxa, que bordea lo incestuoso. Henos de nuevo ante la sempiterna ley que rige la escritura del autor: la fidelidad a la verdad no oficial. En este caso, a la verdad que quiebra las rígidas y ritualizadas relaciones familiares para imponer el triunfo del deseo frente a los obstáculos que se le alzan. Vargas Llosa no clama el «¡Familias, os odio!» de André Gide; con más humildad viene, sin embargo, a decir lo mismo. Pero la novela es también la historia de los delirantes folletines dramáticos que urde un escribidor llamado Pedro Camacho. El escritor parodia a su través la cultura radiofónica de los seriales que tanta boga tuvieron en España y en América Latina en los años cincuenta. No obstante, el texto va más allá, puesto que a través de Camacho y sus delirios folletinescos es toda una cultura seudopopular y de masas la que es puesta en la picota. Camacho no constituye sólo una desviación de la auténtica vocación literaria. Camacho es, también, la negación de la verdad de la literatura, que no consiste ni en halagar los instintos más soeces, ni en postular las extravagancias más radicales, ni en pergeñar las fábulas más inverosímiles. La verdad de la literatura es una verdad de coherencia, de rigor, de pasión por la belleza expresiva y, sobre todo, de pasión por la verdad, por las verdades de la historia y de la naturaleza. Camacho es la negación de todo esto. El joven escritor enamorado de la tía Julia, que enhebra ya sus primeras historias, encuentra en Camacho su denegación, su irrisión y su burla. Por eso, *La tía Julia* contiene dos afirmaciones que son complementarias: la afirmación de la literatura y la afirmación del deseo.

Una de las funciones primordiales de la historia no oficial es la lucha contra el olvido. Lo sabe muy bien el joven y miope periodista que asiste aterrado, conmovido y puntual a la lucha entre el ejército profesional brasileño y los insurrectos que se alzaron contra la República en la ciudad de Canudos a finales del siglo XIX siguiendo los dictados del fanático Antonio el Consejero. Esta rebelión de carácter religioso y antirrepublicano fue contada por Euclides da Cunha en su obra *Los sertones* (1902). Muchos años después Mario Vargas Llosa volvía sobre el libro de Da Cunha para trazar *(La guerra del fin del mundo)* una grandiosa recreación novelesca de aquel episodio que mostró con singular fuerza una contradicción gravísima: la República federal y laica era mucho más injusta socialmente que el evangelismo espiritualista, aunque políticamente reaccionario, del Consejero. De ahí la adhesión que suscitó éste entre las masas de sertaneros cansados de la explotación de los terratenientes. La lucha entre la tolerancia y la intolerancia no es unívoca: bajo los discursos oscurantistas pueden latir elementos salvadores, y al revés. Los discursos sedicentemente progresistas pueden ser la coartada de un orden injusto. *La guerra del fin del mundo* es la grandiosa recreación de esta contradicción de fondo. Es pues de nuevo el testimonio de la verdad no oficial, una verdad en este caso nada hegeliana ni marxista. Y es esta verdad la que el joven y miope periodista se apresta a contar, caiga quien caiga, porque no está dispuesto a sufrir las insidias del olvido. Un periodista que se erige en portavoz de la poética profunda del narrador.

Mucho más insignificante que la rebelión de los sertones fue el oscuro levantamiento de filiación trotskista que protagonizó allá en la ciudad de Jauja, en 1958, un desconocido personaje llamado Alejandro Mayta. En el Perú de apristas y antiapristas, la intentona golpista de Mayta pasó inadvertida. Veintitantos años más tarde Vargas Llosa la reconstruye en las páginas de *Historia de Mayta.* La novela está montada como una encuesta en la que el narrador interroga a todos cuantos tuvieron relaciones decisivas con el personaje. La sombra de Edipo planea, pues, sobre él, y planea no sin insistencia trágica porque la investigación que la novela pone en marcha pretende desvelar una doble incógnita: quién fue Alejandro Mayta, pero también por qué la violencia es el «ingrediente esencial, invariable, de la historia de este país [el Perú] desde sus tiempos más remotos». Lo edípico es un impulso y un punto de partida, pero no puede ser nunca un punto de llegada. El novelista mismo se lo confiesa a los encuestados en varias ocasiones; valga ésta: «No va a ser la historia real sino, efectivamente, una novela [...] Una versión muy pálida, remota, y si quieres, falsa.» Falsedad, claro, que no afecta a las categorizaciones generales sino al enmarcamiento concreto de los hechos, a la articulación narrativa y a la configuración de los ambientes y mundos novelescos. Porque el novelista es consciente —e *Historia de Mayta* es en este punto paradigmática— de la imposibilidad de acceder a la edípica verdad absoluta. «Me pregunto —dice un personaje— si alguna vez se llega a saber la Historia con mayúsculas [...]. O si en ella no hay tanta o más invención que en las novelas.» La historia de Mayta es en cierta medida la historia de las utopías revolucionarias en Latinoamérica, pero es también la historia de los límites de la verdad novelesca: así cuando, por fin, el narrador topa con el verdadero Mayta el lector se da cuenta de que media un abismo entre el personaje novelesco y el personaje «real». «Todas las preguntas se me mueren en la garganta», dirá el narrador enfrentado a este desencuentro de raíz cervantina. Pero el lector, que ha sido conducido a un juego de espejos, sabe que el Alejandro Mayta de la novela es una verdad categórica, no anecdótica.

¿Quién mató a Palomino Molero? fue la siguiente obra de Vargas Llosa. Henos enfrentados una vez más con las conflictivas relaciones entre la sociedad y el ejército. El universo enclaustrado por el que transitaba la pobre perra, la *Malpapeada (La ciudad),* y que en clave grotesca reaparecería después *(Pantaleón),* constituye el plano esencial y ciertamente sombrío del mundo de *¿Quién mató?:* el prusianismo, el orgullo de casta cerrado, el desprecio de los demás, son los elementos dorsales de la terrible historia que aquí se narra: la pasión excluyente e incestuosa de un alto oficial por su hija, que concluye trágicamente. El teniente Silva y el guardia Lituma investigan la verdad de lo ocurrido y pagarán su insolencia con la marginación y el aislamiento. Descubrirán, en efecto, lo sucedido, pero los estamentos implicados no tolerarán la difusión de esa verdad: un pueblo, Talara, desinformado y escéptico, será cómplice involuntario del oscurecimiento de los hechos. Como Zavalita en *Conversación,* el teniente y el guardia preguntan, indagan, y el resultado final no es sino un amargo encogerse de hombros ante la inutilidad de cualquier acción del individuo para quebrar los mecanismos institucionales, sociales de la corrupción. *¿Quién mató?* enlaza sin solución de continuidad con *Historia de Mayta.* Como en ésta, asistimos aquí a la inquisición tenaz, lúcida, en busca de la verdad. Como en ella, esa verdad se diluye, es disfrazada, se pierde entre sombras finalmente. *Historia de Mayta* era la utopía enloquecida; *¿Quién mató?* habita el reverso de lo utópico, pero vive también en la locura irracional, aun de otro signo, del orden ciego que pretende negar el curso de los tiempos, las pulsaciones de la vida.

La novela que siguió, *El hablador,* indaga en un tema clásico de la literatura latinoamericana, el indigenismo. Pero Vargas Llosa da un sesgo inesperado a esta materia para construir una narración sobre la narración, en concreto sobre la función del narrador *(el hablador)* en las sociedades prehistóricas peruanas, cifradas en la comunidad de los indios machiguengas. La novela es pues la historia de un hablador machiguenga, pero es también la de un novelista del siglo xx enfrentado al mito, la fábula y la leyenda, esas formas naturales de la literatura, en la persona de un «colega» coetáneo y remoto a la vez. Vargas Llosa reflexiona sobre el hecho y el ser de la narración, no al modo metalingüístico de la novela contemporánea sino yendo directamente a los orígenes. Con ello, y aun de modo parabólico, es evidente que el autor medita sobre la función del narrador en las sociedades contemporáneas y, de manera más concreta, sobre la que tiene o puede tener en aquellos ámbitos como el americano donde el desarrollo de otros medios de comunicación no ha alcanzado todavía a sustituir al novelista tradicional. Mediante esta parábola Vargas Llosa retoma, en definitiva, la frase de Balzac citada al frente de *Conversación* sobre la condición de historia privada de las naciones que posee la novela. Como el hablador de los machiguengas, el narrador contemporáneo tiene la obligación de asegurar la memoria de su tribu. Una memoria, digámoslo otra vez, no oficial.

Novela familiar llamé antes a *La tía Julia;* vuelve a serlo *Elogio,* que cuenta la historia de las relaciones entre un niño y su madrastra. ¿Por qué de pronto esta novela en el universo de Mario Vargas Llosa? A mi juicio por dos razones complementarias: la primera, por dar cuenta de nuevo de la *privacidad* del fenómeno novelesco; la segunda por abordar un fenómeno que las concepciones culturales del hombre han tratado de ignorar: la fuerza de la naturaleza sobre nosotros, el peso en nuestras actuaciones de los instintos, que no pueden ser neutralizados por una visión cultural y estrictamente histórica del hombre. El desconocimiento de la significación de la naturaleza humana está en la base de los fracasos de las utopías totalitarias de este siglo. Así, Vargas Llosa aborda aquí el difícil género de la literatura erótica sorteando sus más graves y evidentes escollos con notable habilidad y elevándolo a las categorías de lo mitológico mediante procedimientos artísticos de absoluta legitimidad. Al final, Fonchito, el niño seductor, resulta ser una suerte de Cupido redivivo y como tal algo demoníaco. Vargas Llosa entra en un tema escabroso, que vuelve a poner en solfa los sacrosantos arquetipos familiares. Tema escabroso pero verdadero. Y privado, donde los haya, que ya el novelista había abordado *mutatis mutandis* en *¿Quién mató?,* donde las consecuencias son mucho más trágicas.

La última novela, por ahora, del autor (a la espera de *Los cuadernos de don Rigoberto*) ha sido *Lituma en los Andes.* De nuevo la materia peruana, de nuevo la inmersión en los desastres del Perú contemporáneo, víctima de la violencia terrorista y de una irracionalidad de raíces muy antiguas, precolombinas, arcaicas. El personaje conductor del relato es un viejo conocido, el guardia Lituma, que ya aparecía en *La casa verde* y que jugaba un papel esencial como investigador de la verdad en *¿Quién mató?* Vuelve a repetir aquí este rol convirtiéndose, aquí también, en una especie de *álter ego* moral del escritor. A su través el autor se enfrenta al atroz terrorismo de signo maoísta de Sendero Luminoso, pero también a la irracionalidad precolombina y bárbara que había detectado en algunos de sus ensayos sobre la realidad peruana. Valgan, por ejemplo, sus luminosos textos periodísticos englobados bajo el título de «Sangre y mugre de Uchuraccay» sobre el asesinato de ocho periodistas en 1983, en la región andina de Ayacucho, y, en especial, el reportaje «Historia de una matanza». Los periodistas —podía leerse allí— fueron asesinados porque los aterrorizados campesinos los tomaron por miembros de Sendero Luminoso, pero la matanza, a la vez que política y social, tuvo también dimensiones mágico-religiosas que reproducían las creencias arcaicas de aquellas comunidades. Esta doble conjunción de elementos nutre toda la novela, que cuenta las indagaciones que lleva a cabo el policía Lituma en torno a tres extrañas desapariciones ocurridas en la localidad andina de Naccos. Tras considerar en un principio la hipótesis terrorista, la investigación conduce a Lituma a concluir que los asesinatos fueron sacrificios rituales. Vargas Llosa toca aquí el fondo del horror cuando la novela sugiere la realización de actos de antropofagia: el fondo del horror que es el fondo de la verdad, una verdad especialmente desagradable en la medida en que declara abolidos siglos de civilización cristiana y occidental y restituye a las deidades más oscuras a un puesto preeminente en un país euroamericano. Universo atroz, desesperante en su falta de salidas, el que se nos presenta en *Lituma*. El mundo es aquí una máquina horrible manejada por fuerzas oscuras. Lo precolombino bárbaro y lo contemporáneo no menos bárbaro se suman y confunden en síntesis de angustiosa coherencia. Triunfo de la sinrazón, ceremonia de la ignorancia, delirio de lo más abyecto. Pero triunfo también del escritor, enmascarado en su detective Lituma, trasunto moral suyo, según ya he dicho, que busca a toda costa establecer la verdad de los hechos, por muy atroz, por muy poco oficial que esta verdad resulte.

MIGUEL GARCÍA-POSADA
Madrid, diciembre de 1996

BIBLIOGRAFÍA

Obras de Mario Vargas Llosa mencionadas en el prólogo:

Narración

La ciudad y los perros, Seix Barral, Barcelona, 1963.
La casa verde, Seix Barral, Barcelona, 1966.
Los cachorros [1967], Seix Barral, Barcelona, 1980 (se edita con *Los jefes* [1959]).
Conversación en La Catedral, Seix Barral, Barcelona, 1969.
Pantaleón y las visitadoras, Seix Barral, Barcelona, 1973.
La tía Julia y el escribidor, Seix Barral, Barcelona, 1977.
La guerra del fin del mundo, Seix Barral, Barcelona, 1981.
Historia de Mayta, Seix Barral, Barcelona, 1984.
¿Quién mató a Palomino Molero?, Seix Barral, Barcelona, 1986.
El hablador, Seix Barral, Barcelona, 1987.
Elogio de la madrastra, Tusquets, Barcelona, 1988.
Lituma en los Andes, Planeta, Barcelona, 1993.

Teatro

La Chunga, Seix Barral, Barcelona, 1986.

Ensayo

La verdad de las mentiras. Ensayos sobre literatura, Seix Barral, Barcelona, 1990.
«Sangre y mugre de Uchuraccay», en *Contra viento y marea, III (1964-1988),* Seix Barral, Barcelona, 1990.

Memorias

El pez en el agua, Seix Barral, Barcelona, 1993.

Otras obras de Mario Vargas Llosa:

Ensayo

García Márquez: historia de un deicidio, Barral Editores, Barcelona, 1971.

La orgía perpetua. Flaubert y «Madame Bovary», Seix Barral, Barcelona, 1975.

Contra viento y marea I, *(1962-1972),* Seix Barral, Barcelona, 1983 y 1986.

Contra viento y marea II, *(1972-1983),* Seix Barral, Barcelona, 1983 y 1986.

Carta de batalla por «Tirant lo Blanc», Seix Barral, Barcelona, 1991.

Teatro

La señorita de Tacna, Seix Barral, Barcelona, 1981.
Kathie y el hipopótamo, Seix Barral, Barcelona, 1983.
El loco de los balcones, Seix Barral, Barcelona, 1993.

* * *

En pruebas esta edición aparecen dos nuevas obras de Vargas Llosa:

Los cuadernos de don Rigoberto, Alfaguara, Madrid, 1977.
La utopía arcaica. José María Arguedas y las ficciones del indigenismo [ensayo], FCE, México, 1997.

Una historia no oficial

I
¿Quién mató a...?

La ciudad y los perros

El escenario central de *La ciudad y los perros* es el colegio militar Leoncio Prado, en Lima. Un colegio de enseñanza secundaria y sometido a régimen castrense al que asisten alumnos difíciles y, en general, procedentes de estratos medios y bajos y de origen serrano en buena parte. Las novatadas y las crueldades de los cadetes, que responden así a la férrea disciplina cuartelera que se les impone, desemboca en el asesinato de uno de ellos, Ricardo Arana, alias *El Esclavo,* a cargo de un cadete pendenciero y ladrón conocido como *El Jaguar,* jefe del llamado Círculo (organización defensiva creada por los alumnos de tercer curso, denominados despectivamente «los perros»), el cual en el transcurso de unas maniobras militares dispara por detrás a la víctima y venga así el hecho de que ésta había delatado a otro compañero, Cava, al que acusó del robo de unos exámenes. (Además tenía relaciones con una muchacha de la que estaba enamorado *El Esclavo.*) El cadete Alberto Fernández, trasunto en algún sentido de Mario Vargas Llosa, miembro de la alta burguesía limeña y autor de «novelitas» eróticas, denuncia lo sucedido ante el oficial encargado del curso, el teniente Gamboa. Pero su denuncia no prospera ante el horror de los altos mandos militares a que se conozca un suceso de esta índole; el teniente Gamboa es trasladado fuera de Lima y Alberto debe olvidar lo ocurrido y terminar sus estudios en el Leoncio Prado, para reintegrarse después a su medio habitual.

Textos seleccionados

(1) Toque de diana.
(2) El Esclavo es sometido a vejaciones.
(3) Monólogo del denominado *Boa,* a quien acompaña la perra *Malpapeada,* mascota y objeto sexual de algunos cadetes. Peleas en el colegio.
(4) Soledad del Esclavo; denuncia a Cava.

(5) Maniobras militares; el Esclavo es herido.

(6) Monólogo del Boa, la *Malpapeada*. Sufrimiento de la perra, enferma con las pulgas.

(7) Monólogo del Boa, la *Malpapeada*. Vejaciones padecidas por la perra.

(8) Monólogo del Jaguar: consecuencias de la denuncia.

(9) Monólogo del Boa; andanzas del Círculo.

(10) Alberto conversa con el padre del Esclavo, que agoniza.

(11) Los mandos militares rechazan la denuncia del teniente Gamboa.

(12) Gamboa es trasladado.

¿Quién mató a Palomino Molero?

La historia gira en torno a la investigación que el teniente Silva y su ayudante, el guardia Lituma, llevan a cabo sobre el asesinato de Palomino Molero, un soldado cholo, mestizo, que aparece muerto y bárbaramente torturado: ahorcado y ensartado en un viejo algarrobo a la salida de la localidad de Talara, nariz y boca rajadas, moretones y desgarraduras, testículos descolgados y desnudo de la cintura para abajo. La novela cuenta esa investigación. De ella se deduce que el asesinado, un cholo tierno y cantante de boleros, estaba muy enamorado de Alicia, la hija del coronel Mindreau, jefe de la Base Aérea de Talara, tanto que, sin estar obligado a hacer el servicio militar, se presentó voluntario con tal de ser destinado a la Base. La muchacha le correspondía, pero el coronel, brutalmente atraído por la hija («El amor no tiene fronteras, dice. El mundo no entendería. La sangre llama a la sangre, dice», según contaría la misma hija, cap. VI), manda matar a Molero valiéndose de un oficial débil de carácter, el teniente Dufó, también enamorado de Alicia. Descubierto, el coronel mata a su hija y se suicida. Pese a las averiguaciones de Silva y Lituma, la verdad real de lo ocurrido no se sabrá y ambos serán castigados con el traslado obligatorio y la marginación.

Textos seleccionados

(1) El coronel Mindreau recibe en la Base Aérea a Silva y Lituma, que acuden a investigar la muerte de Molero. El coronel muestra una actitud reticente primero y luego hostil a que tales investigaciones se lleven a cabo en los medios militares, a la vez que se muestra complaciente con su hija, que entra en su despacho.

(2) y (3) El teniente Dufó, acusado del asesinato de Molero. Por el pueblo corren versiones dispares de lo sucedido, incluidas las muertes del coronel y su hija. El teniente Silva y el guardia Lituma son castigados con traslado forzoso.

Lituma en los Andes

La novela cuenta las pesquisas que en torno a tres misteriosas desapariciones ocurridas en la localidad andina de Naccos lleva a cabo el policía Lituma, secundado por su ayudante Tomás Carreño. Tras barajar en un principio la hipótesis de Sendero Luminoso como causante de los crímenes, la investigación de Lituma lo lleva, de modo gradual pero inexorable, a concluir que los asesinatos fueron obra de gentes del lugar y que, en realidad, aunque jurídicamente asesinatos, se trató de sacrificios humanos: sacrificios de carácter antropófago a los espíritus de las montañas para evitar desgracias naturales, las acciones de los senderistas y la ruina económica de la zona. En este episodio crucial intervienen dos de los personajes más odiosos de la novela, doña Adriana, esposa siniestra del no menos sombrío cantinero Dionisio. Esta pareja, antitética de la que forman Lituma y su ayudante, concentra en sí misma buena parte de la significación de la obra al encarnar la irracionalidad de las creencias arcaicas. Ellos son los oficiantes de los ritos sacrificiales. El nombre de Dionisio conviene en todo al personaje masculino, nítida expresión del mito dionisíaco. La esposa, que se presenta como una iniciada por el marido, posee atributos inequívocos de brujería, que remiten al mismo mundo de superstición y barbarie.

Textos seleccionados

(1) Monólogo de doña Adriana. Reconoce que su marido, Dionisio, la inició en los ritos dionisíacos, báquicos, y en la brujería.

(2) Lituma obtiene de un barrenero de la región de Naccos, zona minera, la confesión de que los tres desaparecidos lo fueron como consecuencia de una ceremonia antropófaga, de carácter sacrificial, a la que en modo alguno resultaron ajenos doña Adriana y Dionisio.

(1)

Unos instantes después del toque de diana, Alberto, sin abrir los ojos todavía, piensa: «hoy es la salida». Alguien dice: «son las seis menos cuarto. Hay que apedrear a ese maldito». La cuadra queda de nuevo en silencio. Abre los ojos: por las ventanas entra a la habitación una luz indecisa, gris. «Los sábados debía salir sol.» Se abre la puerta del baño. Alberto ve la cara pálida del Esclavo: las literas lo degüellan a medida que avanza. Está peinado y afeitado. «Se levanta antes de la diana para llegar primero a la fila», piensa Alberto. Cierra los ojos. Siente que el Esclavo se detiene junto a su cama y le toca el hombro. Entreabre los ojos: la cabeza del Esclavo culmina un cuerpo esquelético, devorado por el pijama azul.

—Está de turno el teniente Gamboa.

—Ya sé —responde Alberto—. Tengo tiempo.

—Bueno —dice el Esclavo—. Creí que estabas durmiendo.

Esboza una sonrisa y se aleja. «Quiere ser mi amigo», piensa Alberto. Vuelve a cerrar los ojos y queda tenso: el pavimento de la calle Diego Ferré brilla por la humedad; las aceras de Porta y Ocharán están cubiertas de hojas desprendidas de los árboles por el viento nocturno; un joven elegante camina por allí, fumando un Chesterfield. «Juro que hoy iré donde las polillas.»

—¡Siete minutos! —grita Vallano, a voz en cuello, desde la puerta de la cuadra. Hay una conmoción. Las literas están oxidadas y chirrían; las puertas de los armarios crujen; los tacones de los botines martillan la loza; al rozarse o chocar, los cuerpos despiden un rumor sordo; pero las blasfemias y los juramentos prevalecen sobre cualquier otro ruido, como lenguas de fuego entre el humo. Sucesivos, ametrallados por una garganta colectiva, los insultos no son, sin embargo, precisos: apuntan a blancos abstractos como Dios, el oficial y la madre y los cadetes parecen recurrir a ellos más por su música que por su significado.

Alberto salta de la cama, se pone las medias y los botines, todavía sin cordones. Maldice. Cuando termina de pasarlos, la mayor parte de los cadetes ha tendido su cama y empieza a vestirse. «¡Esclavo!, grita

Vallano. Cántame algo. Me gusta oírte mientras me lavo.» «Imaginaria, brama Arróspide. Me han robado un cordón. Eres responsable.» «Te quedarás consignado, cabrón.» «Ha sido el Esclavo, dice alguien. Juro. Yo lo vi.» «Hay que denunciarlo al capitán, propone Vallano. No queremos ladrones en la cuadra.» «¡Ay!, dice una voz quebrada. La negrita tiene miedo a los ladrones.» «Ay, ay», cantan varios. «Ay, ay, ay», aúlla la cuadra entera. «Todos son unos hijos de puta», afirma Vallano. Y sale, dando un portazo. Alberto está vestido. Corre al baño. En el lavatorio contiguo, el Jaguar termina de peinarse.

—Necesito cincuenta puntos de Química —dice Alberto, la boca llena de pasta de dientes—. ¿Cuánto?

—Te jalarán, poeta—. El Jaguar se mira en el espejo y trata en vano de apacigar sus cabellos: las púas, rubias y obstinadas, se enderezan tras el peine—. No tenemos el examen. No fuimos.

—¿No consiguieron el examen?

—Nones. Ni siquiera intentamos.

Suena el silbato. El hirviente zumbido que brota de los baños y de las cuadras aumenta y se desvanece de golpe. La voz del teniente Gamboa surge desde el patio, como un trueno:

—¡Brigadieres, tomen los tres últimos!

El zumbido estalla nuevamente, ahogado. Alberto echa a correr: va guardando en su bolsillo la escobilla de dientes y el peine y se enrolla la toalla como una faja entre el sacón y la camisa. La formación está a la mitad. Cae aplastado contra el de adelante, alguien se aferra a él por detrás. Alberto tiene cogido de la cintura a Vallano y da pequeños saltos para evitar los puntapiés con que los recién llegados tratan de desprender los racimos de cadetes a fin de ganar un puesto. «No manosees, cabrón», grita Vallano. Poco a poco, se establece el orden en las cabezas de fila y los brigadieres comienzan a contar los efectivos. En la cola, el desbarajuste y la violencia continúan, los últimos se esfuerzan por conquistar un sitio a codazos y amenazas. El teniente Gamboa observa la formación desde la orilla de la pista de desfile. Es alto, macizo. Lleva la gorra ladeada con insolencia; mueve la cabeza muy despacio, de un lado a otro, y su sonrisa es burlona.

—¡Silencio! —grita.

Los cadetes enmudecen. El teniente tiene los brazos en jarras; baja las manos, que se balancean un momento junto a su cuerpo antes de quedar inmóviles. Camina hacia el batallón; su rostro seco, muy moreno, se ha endurecido. A tres pasos de distancia, lo siguen los suboficiales Varúa, Morte y Pezoa. Gamboa se detiene. Mira su reloj.

—Tres minutos —dice. Pasea la vista de un extremo a otro, como un pastor que contempla su rebaño—. ¡Los perros forman en dos minutos y medio!

Una onda de risas apagadas estremece el batallón. Gamboa levanta la cabeza, curva las cejas: el silencio se restablece en el acto.

—Quiero decir, los cadetes de tercero.

Otra onda de risas, esta vez más audaz. Los rostros de los cadetes se mantienen adustos, las risas nacen en el estómago y mueren a las orillas de los labios, sin alterar la mirada ni las facciones. Gamboa se lleva la mano rápidamente a la cintura: de nuevo el silencio, instantáneo como una cuchillada. Los suboficiales miran a Gamboa, hipnotizados. «Está de buen humor», murmura Vallano.

—Brigadieres —dice Gamboa—. Parte de sección.

Acentúa la última palabra, se demora en ella mientras sus párpados se pliegan ligeramente. Un respiro de alivio anima la cola del batallón. En el acto Gamboa da un paso al frente; sus ojos perforan las hileras de cadetes inmóviles.

—Y parte de los tres últimos —añade.

Del fondo del batallón brota un murmullo bajísimo. Los brigadieres penetran en las filas de sus secciones, las papeletas y los lápices en las manos. El murmullo vibra como una maraña de insectos que pugna por escapar de la tela encerada. Alberto localiza con el rabillo del ojo a las víctimas de la primera: Urioste, Núñez, Revilla. La voz de éste, un susurro, llega a sus oídos: «Mono, tú estás consignado un mes, ¿qué te hacen seis puntos? Dame tu sitio.» «Diez soles», dice el Mono. «No tengo plata; si quieres, te los debo.» «No, mejor jódete.»

—¿Quién habla ahí! —grita el teniente. El murmullo sigue flotando, disminuido, moribundo.

—¡Silencio! —brama Gamboa—. ¡Silencio, carajo!

Es obedecido. Los brigadieres emergen de las filas, se cuadran a dos metros de los suboficiales, chocan los tacones, saludan. Después de entregar las papeletas, murmuran: «permiso para regresar a la formación, mi suboficial». Éste hace una venia o responde: «siga». Los cadetes vuelven a sus secciones al paso ligero. Luego, los suboficiales entregan las papeletas a Gamboa. Éste hace sonar los tacones espectacularmente y tiene una manera de saludar propia: no lleva la mano a la sien, sino a la frente, de modo que la palma casi cubre su ojo derecho. Los cadetes contemplan la entrega de partes, rígidos. En las manos de Gamboa, las papeletas se mecen como un abanico. ¿Por qué no da la orden de marcha? Sus ojos espían el batallón, divertidos. De pronto, sonríe.

—¿Seis puntos o un ángulo recto? —dice.

Estalla una salva de aplausos. Algunos gritan: «viva Gamboa».

—¿Estoy loco o alguien habla en la formación? —pregunta el teniente. Los cadetes se callan. Gamboa se pasea frente a los brigadieres, las manos en la cintura.

—Aquí los tres últimos —grita—. Rápido. Por secciones.

Urioste, Núñez y Revilla abandonan su sitio a la carrera. Vallano les dice, al pasar: «tienen suerte que esté Gamboa de servicio, palomitas». Los tres cadetes se cuadran ante el teniente.

—Como ustedes prefieran —dice Gamboa—. Ángulo recto o seis puntos. Son libres de elegir.

Los tres responden: «ángulo recto». El teniente asiente y se encoge de hombros. «Los conozco como si los hubiera parido», susurran sus labios y Núñez, Urioste y Revilla sonríen con gratitud. Gamboa ordena:

—Posición de ángulo recto.

Los tres cuerpos se pliegan como bisagras, quedan con la mitad superior paralela al suelo. Gamboa los observa; con el codo baja un poco la cabeza a Revilla.

—Cúbranse los huevos —indica—. Con las dos manos.

Luego hace una seña al suboficial Pezoa, un mestizo pequeño y musculoso, de grandes fauces carnívoras. Juega muy bien al fútbol y su patada es violentísima. Pezoa toma distancia. Se ladea ligeramente: una centella se desprende del suelo y golpea. Revilla emite un quejido. Gamboa indica al cadete que retorne a su puesto.

—¡Bah! —dice luego—. Está usted débil, Pezoa. Ni lo movió.

El suboficial palidece. Sus ojos oblicuos están clavados en Núñez. Esta vez patea tomando impulso y con la punta. El cadete chilla al salir proyectado; trastabillea unos dos metros y se desploma. Pezoa busca ansiosamente el rostro de Gamboa. Éste sonríe. Los cadetes sonríen. Núñez, que se ha incorporado y se frota el trasero con las dos manos, también sonríe. Pezoa vuelve a tomar impulso. Urioste es el cadete más fuerte de la primera y, tal vez, del colegio. Ha abierto un poco las piernas para guardar mejor el equilibrio. El puntapié apenas lo remece.

—Segunda sección —ordena Gamboa—. Los tres últimos.

Luego pasan los de las otras secciones. A los de la octava, la novena y la décima, que son pequeños, los puntapiés de los suboficiales los mandan rodando hasta la pista de desfile. Gamboa no olvida preguntar a ninguno si prefieren el ángulo recto o los seis puntos. A todos les dice: «son libres de elegir».

Alberto ha prestado atención a los primeros ángulos rectos. Luego, trata de recordar las últimas clases de Química. En su memoria nadan algunas fórmulas vagas, algunos nombres desorganizados. «¿Habrá estudiado Vallano?» El Jaguar está a su lado, ha desplazado a alguien. «Jaguar, murmura Alberto. Dame al menos veinte puntos. ¿Cuánto?» «¿Eres imbécil?, responde el Jaguar. Te dije que no tenemos el examen. No vuelvas a hablar de eso. Por tu bien.»

—Desfilen por secciones —ordena Gamboa.

2

El Esclavo estaba solo y bajaba las escaleras del comedor hacia el descampado, cuando dos tenazas cogieron sus brazos y una voz murmuró a su oído: «venga con nosotros, perro». Él sonrió y los siguió dócilmente. A su alrededor, muchos de los compañeros que había conocido esa mañana, eran abordados y acarreados también por el campo de hierba hacia las cuadras de cuarto año. Ese día no hubo clases. Los perros estuvieron en manos de los de cuarto desde el almuerzo hasta la comida, unas ocho horas. El Esclavo no recuerda a qué sección fue llevado ni por quién. Pero la cuadra estaba llena de humo y de uniformes y se oían risas y gritos. Apenas cruzó la puerta, sonrisa en los labios aún, se sintió golpeado en la espalda. Cayó al suelo, giró sobre sí mismo, quedó tendido boca arriba. Trató de levantarse, pero no pudo: un pie se había instalado sobre su estómago. Diez rostros indiferentes lo contemplaban como a un insecto; le impedían ver el techo. Una voz dijo:

—Para empezar, cante cien veces «soy un perro», con ritmo de corrido mexicano.

No pudo. Estaba maravillado y tenía los ojos fuera de las órbitas. Le ardía la garganta. El pie presionó ligeramente su estómago.

—No quiere —dijo la voz—. El perro no quiere cantar.

Y entonces los rostros abrieron las bocas y escupieron sobre él, no una, sino muchas veces, hasta que tuvo que cerrar los ojos. Al cesar la andanada, la misma voz anónima que giraba como un torno repitió:

—Cante cien veces «soy un perro», con ritmo de corrido mexicano.

Esta vez obedeció y su garganta entonó roncamente la frase ordenada con la música de «Allá en el rancho grande»; era difícil: despojada de su letra original, la melodía se transformaba por momentos en chillidos. Pero a ellos no parecía importarles; lo escuchaban atentamente.

—Basta —dijo la voz—. Ahora, con ritmo de bolero.

Luego fue con música de mambo y de vals criollo. Después le ordenaron:

—Párese.

Se puso de pie y se pasó la mano por la cara. Se limpió en el fundillo. La voz preguntó

—¿Alguien le ha dicho que se limpie la jeta? No, nadie le ha dicho.

Las bocas volvieron a abrirse y él cerró los ojos, automáticamente, hasta que aquello cesó. La voz dijo:

—Eso que tiene usted a su lado son dos cadetes, perro. Póngase en posición de firmes. Así, muy bien. Esos cadetes han hecho una apuesta y usted va a ser el juez.

El de la derecha golpeó primero y el Esclavo sintió fuego en el antebrazo. El de la izquierda lo hizo casi inmediatamente.

—Bueno —dijo la voz—. ¿Cuál ha pegado más fuerte?

—El de la izquierda.

—¿Ah, sí? —replicó la voz cambiante—. ¿De modo que yo soy un pobre diablo? A ver, vamos a ensayar de nuevo, fíjese bien.

El Esclavo se tambaleó con el impacto, pero no llegó a caer: las manos de los cadetes que lo rodeaban lo contuvieron y lo devolvieron a su sitio.

—Y ahora, ¿qué piensa? ¿Cuál pega más fuerte?

—Los dos igual.

—Quiere decir que han quedado tablas —precisó la voz—. Entonces tienen que desempatar.

Un momento después, la voz incansable preguntó:

—A propósito, perro. ¿Le duelen los brazos?

—No —dijo el Esclavo.

Era verdad; había perdido la noción de su cuerpo y del tiempo. Su espíritu contemplaba embriagado el mar sin olas de Puerto Eten y escuchaba a su madre que le decía: «cuidado con las rayas, Ricardito» y tendía hacia él sus largos brazos protectores, bajo un sol implacable.

—Mentira —dijo la voz—. Si no le duelen, ¿por qué está llorando, perro?

Él pensó: «ya terminaron». Pero sólo acababan de comenzar.

—¿Usted es un perro o un ser humano?

—Un perro, mi cadete.

—Entonces, ¿qué hace de pie? Los perros andan a cuatro patas.

Él se inclinó, al asentar las manos en el suelo, surgió el ardor en los brazos, muy intenso. Sus ojos descubrieron junto a él a otro muchacho, también a gatas.

—Bueno —dijo la voz—. Cuando dos perros se encuentran en la calle, ¿qué hacen? Responda, cadete. A usted le hablo.

El Esclavo recibió un puntapié en el trasero y al instante contestó:

—No sé, mi cadete.

—Pelean —dijo la voz—. Ladran y se lanzan uno encima de otro. Y se muerden.

El Esclavo no recuerda la cara del muchacho que fue bautizado con él. Debía ser de una de las últimas secciones, porque era pequeño. Estaba con el rostro desfigurado por el miedo y, apenas calló la voz, se vino contra él, ladrando y echando espuma por la boca y de pronto el Esclavo sintió en el hombro un mordisco de perro rabioso y entonces todo su cuerpo reaccionó y mientras ladraba y mordía, tenía la certeza de que su piel se había cubierto de una pelambre dura, que su boca era un hocico puntiagudo y que, sobre su lomo, su cola chasqueaba como un látigo.

—Basta —dijo la voz—. Ha ganado usted. En cambio, el enano nos engañó. No es un perro sino una perra. ¿Saben qué pasa cuando un perro y una perra se encuentran en la calle?

—No, mi cadete —dijo el Esclavo.

—Se lamen. Primero se huelen con cariño y después se lamen.

Y luego lo sacaron de la cuadra y lo llevaron al estadio y no podía recordar si aún era de día o había caído la noche. Allí lo desnudaron y la voz le ordenó nadar de espaldas, sobre la pista de atletismo, en torno a la cancha de fútbol. Después lo volvieron a una cuadra de cuarto y tendió muchas camas y cantó y bailó sobre un ropero, imitó a artistas de cine, lustró varios pares de botines, barrió una loseta con la lengua, fornicó con una almohada, bebió orines, pero todo eso era un vértigo febril y de pronto él aparecía en su sección, echado en su litera, pensando: «juro que me escaparé. Mañana mismo». La cuadra estaba silenciosa. Los muchachos se miraban unos a otros y, a pesar de haber sido golpeados, escupidos, pintarrajeados y orinados, se mostraban graves y ceremoniosos. Esa misma noche, después del toque de silencio, nació el Círculo.

(3)

Pero mejor que la gallina y el enano, la del cine. Quieta Malpapeada, estoy sintiendo tus dientes. Mucho mejor. Y eso que estábamos en cuarto, pero aunque había pasado un año desde que Gamboa mató el Círculo grande, el Jaguar seguía diciendo: «un día todos volverán al redil y nosotros cuatro seremos los jefes». Y fue mejor todavía que antes, porque cuando éramos perros el Círculo sólo era la sección y esa vez fue como si todo el año estuviera en el Círculo y nosotros éramos los que en realidad mandábamos y el Jaguar más que nosotros. Y también cuando lo del perro que se quebró el dedo se vio que la sección estaba con nosotros y nos apoyaba. «Súbase a la escalera, perro, decía el Rulos, y rápido que me enojo.» Cómo miraba el muchacho, cómo nos miraba. «Mis cadetes, la altura me da vértigos.» El Jaguar se retorcía de risa y Cava estaba enojado: «¿sabes de quién te vas a burlar, perro?». En mala hora subió, pero debía tener tanto miedo. «Trepa, trepa, muchacho», decía el Rulos. «Y ahora canta, le dijo el Jaguar, pero igual que un artista, moviendo las manos.» Estaba prendido como un mono y la escalera tac-tac sobre la loza. «¿Y si me caigo, mis cadetes?» «Te caes», le dije. Se paró temblando y comenzó a cantar. «Ahorita se rompe la crisma», decía Cava y el Jaguar doblado en dos de risa. Pero la caída no era nada, yo he saltado de más alto en campaña. ¿Para qué se agarró del lavador? «Creo que se ha sacado el dedo», decía el Jaguar al ver cómo le chorreaba la mano. «Consignados un mes o más, decía el capitán todas las noches, hasta que aparezcan los culpables.» La sección se portó bien y el Jaguar les decía: «¿por qué no quieren entrar al Círculo de nuevo si son tan machos?». Los perros eran muy mansos, tenían eso de malo. Mejor que el bautizo las peleas con el quinto, ni muerto me olvidaré de ese año y sobre todo de lo que pasó en el cine. Todo se armó por el Jaguar, estaba a mi lado y por poco me abollan el lomo. Los perros tuvieron suerte, casi ni los tocamos esa vez, tan ocupados que estábamos con los de quinto. La venganza es dulce, nunca he gozado tanto como ese día en el estadio, cuando encontré delante la cara de uno de esos que me bautizó cuando era perro. Casi nos botan, pero valía la pena, juro que sí. Lo de cuarto y tercero es un juego, la verdadera rivalidad es entre cuarto y quinto. ¿Quién se va a olvidar del bautizo que nos dieron? Y eso de ponernos en el cine entre los de quinto y los perros, era a propósito para que se armara. Lo de las cristinas también fue invento del Jaguar. Si veo que viene uno de quinto lo dejo acercarse, y cuando está a un metro me llevo la mano a la cabeza como si fuera a saludarlo, él saluda y yo me quito la cristina. «¿Está usted tomándome el pelo?» «No, mi cadete, estoy rascándome la nuca que tengo mucha caspa.» Había una guerra, se vio bien claro con lo de la soga y antes, en el cine. Hasta hacía calor y era invierno, pero se comprende con ese techo de calamina y más de mil tipos apretados, nos ahogábamos. Yo no le vi la cara cuando entramos, sólo le oí la voz y apuesto que era un serrano. «Qué apretura, yo tengo mucho poto para tan poco banca», decía el Jaguar, que estaba cerrando la fila de cuarto y el poeta le cobrara a alguien, «oye, ¿te crees que trabajo gratis o por tu linda cara?», ya estaba oscuro y le decían «cállate o va a llover». Seguro que el Jaguar no puso los ladrillos para taparlo, sólo para ver mejor. Yo estaba agachadito, prendiendo un fósforo y al oír al de quinto, el cigarrillo se cayó y me arrodillé para buscarlo y todos comenzaron a moverse. «Oiga, cadete, saque esos ladrillos de su asiento que quiero ver la película.» «¿A mí me habla, cadete?», le pregunté. «No, al que está a su lado.» «¿A mí?», le dijo el Jaguar. «¿A quién sino a usted?» «Hágame un favor, dijo el Jaguar; cállese y déjeme ver a esos cow-boys.» «¿No va a sacar esos ladrillos?» «Creo que no», dijo el Jaguar. Y entonces yo me senté, sin buscar más el cigarrillo, quién se lo encontraría. Aquí se arma, mejor me aprieto un poco el cinturón. «¿No quiere usted obedecer?», dijo el de quinto. «No, dijo el Jaguar, ¿por qué?», le estaba tomando el pelo a su gusto. Y entonces los de atrás comenzaron a silbar. El poeta se puso a cantar «ay, ay, ay» y toda la sección lo siguió. «¿Se están burlando de mí?», preguntó el de quinto. «Parece que sí, mi cadete», le dijo el Jaguar. Se va a armar a oscuras, va a ser de contarlo por calles y plazas, a oscuras y en el salón de actos, cosa nunca vista. El Jaguar dice que él fue el primero, pero mi memoria no me engaña. Fue el otro. O algún amigo que sacó la cara por él. Y debía estar furioso, se tiró sobre el Jaguar a la bruta, me duelen los tímpanos con el griterío. Todo el mundo se levantó y yo veía las sombras encima mío y comencé a recibir más patadas. Eso sí, de la película no me acuerdo, sólo acababa de comenzar. ¿Y el poeta, de veras lo estaban machucando, o gritaba por hacerse el loco? Y también se oían los gritos del teniente Huarina, «luces, suboficial, luces, ¿está usted sordo?». Y los perros se pusieron a gritar, «luces, luces», no sabían qué pasaba y dirían ahorita se nos echan encima los dos años aprovechando la oscuridad. Los cigarrillos volaban, todos querían librarse de ellos, no era cosa de dejar que nos chaparan fumando, milagro que no hubo un incendio. Qué mechadera, muchachos no dejan uno sano, ha llegado el momento de la revancha. Pirinolas, no sé cómo salió vivo el Jaguar. Las sombras pasaban y pasaban a mi lado y me dolían las manos y los pies de tanto darles, seguro que también sacudí a algunos de cuarto, en esas tinieblas quién iba a distinguir. «¿Y qué pasa con las malditas luces, suboficial Varúa?, gritaba Huarina, ¿no ve que estos animales se están matando?» Llovía de todas partes, es la pura verdad, suerte que no hubo un malogrado. Y cuando se prendieron las luces, sólo se oían silbatos. A Huarina ni se lo veía, pero sí a los tenientes de quinto y de tercero y a los suboficiales. «Abran paso, carajos, abran paso», maldita sea si alguien abría paso. Y qué brutos, al final se calentaron y empezaron a repartir combos a ciegas, cómo me voy a olvidar si la Rata me lanzó un directo al pecho que me cortó la respiración. Yo lo buscaba con los ojos, decía si lo han averiado me las pagan, pero ahí estaba más fresco que nadie, repartiendo manotazos y muerto de risa, tiene más vidas que los gatos. Y después qué manera de disimular, todos son formidables cuando se trata de fregar a los tenientes y a los suboficiales, aquí no pasó nada, todos somos amigos, yo no sé una palabra del asunto, y lo mismo los de quinto, hay que ser justos. Después los hicieron salir a los perros, que andaban aturdidos, y luego a los de quinto. Nos quedamos solos en el salón de actos y comenzamos a cantar «ay, ay, ay». «Creo que le hice tragar los dos ladrillos que tanto lo fregaban», decía el Jaguar. Y todos comenzaron a decir: «los de quinto están furiosos, los hemos dejado en ridículo ante los perros, esta noche asaltarán las cuadras de cuarto». Los oficiales andaban de un lado a otro como ratones preguntando «¿cómo empezó esta sopa?», «hablen o al calabozo». Ni siquiera los oíamos. Van a venir, van a venir, no podemos dejar que nos sorprendan en las cuadras, saldremos a esperarlos al descampado. El Jaguar estaba en el ropero y todos lo escuchaban como cuando éramos perros y el Círculo se reunía en el baño para planear las venganzas. Hay que defenderse, hombre precavido vale por dos, que los imaginarias vayan a la pista de desfile y vigilen. Apenas se acerquen, griten para que salgamos. Preparen proyectiles, enrollen papel higiénico y ténganlo apretado en la mano, así los puñetazos parecen patada de burro, pónganse hojas de afeitar en la puntera del zapato como si fueran gallos del Coliseo, llénense de piedras los bolsillos, no se olviden de los suspensores, el hombre debe cuidar los huevos más que el alma. Todos obedecían y el Rulos saltaba sobre las camas, es como cuando el Círculo, sólo que ahora todo el año está metido en esta salsa, oigan, en las otras cuadras también se preparan para la gran mechadera. «No hay bastantes piedras, qué caray, decía el poeta, vamos a sacar unas cuantas losetas.» Y todo el mundo se convidaba cigarrillos y se abrazaba. Nos metimos a la cama con los uniformes y algunos con zapatos. ¿Ya vienen, ya vienen? Quieta Malpapeada, no metas los dientes, maldita. Hasta la perra andaba alborotada, ladrando y saltando, ella que es tan tranquila, tendrás que ir a dormir con la vicuña, Malpapeada, yo tengo que cuidar a éstos para que no los machuquen los de quinto.

(4)

Podía soportar la soledad y las humillaciones que conocía desde niño y sólo herían su espíritu: lo horrible era el encierro, esa gran soledad exterior que no elegía, que alguien le arrojaba encima como una camisa de fuerza. Estaba frente al cuarto del teniente, todavía no levantaba la mano para tocar. Sin embargo, sabía que iba a hacerlo, había demorado tres semanas en decidirse, ya no tenía miedo ni angustia. Era su mano la que lo traicionaba: permanecía quieta, blanda, pegada al pantalón, muerta. No era la primera vez. En el Colegio Salesiano le decían «muñeca»; era tímido y todo lo asustaba. «Llora, llora muñeca», gritaban sus compañeros en el recreo, rodeándolo. Él retrocedía hasta que su espalda encontraba la pared. Las caras se acercaban, las voces eran más altas, las bocas de los niños parecían hocicos dispuestos a morderlo. Se ponía a llorar. Una vez se dijo: «tengo que hacer algo». En plena clase desafió al más valiente del año: ha olvidado su nombre y su cara, sus puños certeros y su resuello. Cuando estuvo frente a él, en el canchón de los desperdicios, encerrado dentro de un círculo de espectadores ansiosos, tampoco sintió miedo, ni siquiera excitación: sólo un abatimiento total. Su cuerpo no respondía ni esquivaba los golpes; debió esperar que el otro se cansara de pegarle. Era para castigar a ese cuerpo cobarde y transformarlo que se había esforzado en aprobar el ingreso al Leoncio Prado; por ello había soportado esos veinticuatro meses largos. Ahora ya no tenía esperanza; nunca sería como el Jaguar, que se imponía por la violencia, ni siquiera como Alberto, que podía desdoblarse y disimular para que los otros no hicieran de él una víctima. A él lo conocían de inmediato, tal como era, sin defensas, débil, un esclavo. Sólo la libertad le interesaba ahora para manejar su soledad a su capricho, llevarla a un cine, encerrarse con ella en cualquier parte. Levantó la mano y dio tres golpes en la puerta.

¿Había estado durmiendo el teniente Huarina? Sus ojos hinchados parecían dos enormes llagas en su cara redonda; tenía el pelo alborotado y lo miraba a través de una niebla.

—Quiero hablar con usted, mi teniente.

El teniente Remigio Huarina era en el mundo de los oficiales lo que él en el de los cadetes: un intruso. Pequeño, enclenque, sus voces de mando inspiraban risa, sus cóleras no asustaban a nadie, los suboficiales le entregaban los partes sin cuadrarse y lo miraban con desprecio; su compañía era la peor organizada, el capitán Garrido lo reprendía en público, los cadetes lo dibujaban en los muros con pantalón corto, masturbándose. Se decía que tenía un almacén en los Barrios Altos donde su mujer vendía galletas y dulces. ¿Por qué había entrado en la Escuela Militar?

—¿Qué hay?

—¿Puedo entrar? Es un asunto grave, mi teniente.

—¿Quiere una audiencia? Debe usted seguir la vía jerárquica.

No sólo los cadetes imitaban al teniente Gamboa: como él, Huarina había adoptado la posición de firmes para citar el reglamento. Pero con esas manos delicadas y ese bigote ridículo, una manchita negra colgada de la nariz, ¿podía engañar a alguien?

—No quiero que nadie se entere, mi teniente. Es algo grave.

El teniente se hizo a un lado y él entró. La cama estaba revuelta y el Esclavo pensó de inmediato en la celda de un convento: debía ser algo así, desnuda, lóbrega, un poco siniestra. En el suelo había un cenicero lleno de colillas; una humeaba todavía.

—¿Qué hay? —insistió Huarina.

—Es sobre lo del vidrio.

—Nombre y sección —dijo el teniente, precipitadamente.

—Cadete Ricardo Arana, quinto año, primera sección.

—¿Qué pasa con el vidrio?

Era la lengua ahora la cobarde: se negaba a moverse, estaba seca, la sentía como una piedra áspera. ¿Era miedo? El Círculo se había ensañado con él; después del Jaguar, Cava era el peor; le quitaba los cigarrillos, el dinero, una vez había orinado sobre él mientras dormía. En cierto modo, tenía derecho; todos en el colegio respetaban la venganza. Y sin embargo, en el fondo de su corazón, algo lo acusaba. «No voy a traicionar al Círculo —pensó—, sino a todo el año, a todos los cadetes.»

—¿Qué hay? —dijo el teniente Huarina, irritado—. ¿Ha venido a mirarme la cara? ¿No me conoce?

—Fue Cava —dijo el Esclavo. Bajó los ojos: —¿Podré salir este sábado?

—¿Cómo? —dijo el teniente. No había comprendido, todavía podía inventar algo y salir.

—Fue Cava el que rompió el vidrio —dijo—. Él robó el examen de Química. Yo lo vi pasar a las aulas. ¿Se suspenderá la consigna?

—No —dijo el teniente—. Ya veremos. Primero repita lo que ha dicho.

La cara de Huarina se había redondeado y habían surgido unos pliegues en sus mejillas, cerca de la comisura de los labios, que estaban separados y temblaban ligeramente. Sus ojos mostraban satisfacción. El Esclavo se sintió tranquilo. Había dejado de importarle el colegio, la salida, el futuro. Se dijo que el teniente Huarina no parecía agradecido. Después de todo era natural, no era de su mundo, tal vez lo despreciaba.

—Escriba —dijo Huarina—. Ahora mismo. Ahí tiene papel y lápiz.

—¿Qué cosa, mi teniente?

—Yo le dicto. «Vi al cadete, ¿cómo se llama?, Cava, de tal sección, tal día, a tal hora, pasar hacia las aulas, para apropiarse indebidamente del examen de Química.» Escriba claro. «Hago esta declaración a pedido del teniente Remigio Huarina, que descubrió al autor del robo y también mi participación…»

—Mi teniente, yo no…

—«… mi involuntaria participación en el asunto, como testigo.» Fírmelo. Y escriba su nombre en letras de imprenta. Grandes.

—Yo no vi el robo —dijo el Esclavo—. Sólo que pasaba hacia las aulas. Hace cuatro semanas que no salgo, mi teniente.

—No se preocupe. Yo me encargo de todo. No tenga miedo.

—No tengo miedo —gritó el Esclavo y el teniente levantó la vista, sorprendido—. Hace cuatro semanas que no salgo, mi teniente. Este sábado harán cinco.

Huarina asintió.

—Firme ese papel —dijo—. Le doy permiso para que salga hoy, después de clase. Vuelva a las once.

El Esclavo firmó. El teniente leyó el papel; sus ojos bailaban en las órbitas; movía los labios al leer.

—¿Qué le harán? —dijo el Esclavo. La pregunta era estúpida y él lo sabía; pero había que decir algo. El teniente tenía cogida la hoja de papel con la punta de los dedos, cuidadosamente; no quería arrugarla.

—¿Ha hablado con el teniente Gamboa de esto?—. Un instante, la animación de ese rostro sin ángulos y lampiño quedó como suspendida; aguardaba la respuesta del Esclavo con alarma. Hubiera sido fácil apagar la alegría de Huarina, quitarle sus aires de vencedor; basta decir sí.

—No, mi teniente. Con nadie.

—Bien. Ni una palabra —dijo el teniente—. Espere mis instrucciones. Venga a verme después de clase, con uniforme de salida. Lo llevaré hasta la Prevención.

—Sí, mi teniente. —El Esclavo vaciló antes de añadir: —No quisiera que los cadetes supieran…

—Un hombre —dijo Huarina, de nuevo en posición de firmes—, debe asumir sus responsabilidades. Es lo primero que se aprende en el Ejército.

—Sí, mi teniente. Pero si saben que yo lo denuncié…

—Ya sé —dijo Huarina, llevándose a los ojos el papel por cuarta vez—. Lo harán papilla. Pero no tema. Los Consejos de Oficiales son siempre secretos.

«Quizá me expulsen a mí también», pensó el Esclavo. Salió del cuarto de Huarina. Nadie podía haberlo visto, después del almuerzo los cadetes se tendían en sus literas o en la hierba del estadio. En el descampado, observó a la vicuña: esbelta, inmóvil, olfateaba el aire. «Es un animal triste», pensó. Estaba sorprendido: debería sentirse excitado o aterrado, algún trastorno físico debía recordarle la delación. Creía que los criminales, después de cometer un asesinato se hundían en un vértigo y quedaban como hipnotizados. Él sólo sentía indiferencia. Pensó: «estaré seis horas en la calle. Iré a verla pero no podré decirle nada de lo que ha pasado». ¡Si hubiera alguien con quien hablar, que pudiera comprender o al menos escucharlo! ¿Cómo fiarse de Alberto? No sólo se había negado a escribir en su nombre a Teresa, sino que los últimos días lo provocaba constantemente —a solas, es verdad, pues ante los otros lo defendía—, como si tuviera algo que reprocharle. «No puedo fiarme de nadie —pensó—. ¿Por qué todos son mis enemigos?»

Un leve temblor en las manos: fue la única reacción de su cuerpo al empujar los batientes de la cuadra y ver a Cava, de pie junto al ropero. «Si me mira se dará cuenta que acabo de fregarlo», pensó.

—¿Qué te pasa? —dijo Alberto.

—Nada. ¿Por qué?

—Estás pálido. Anda a la enfermería, seguro que te internan.

—No tengo nada.

—No importa —dijo Alberto—. ¿Qué más quieres que te internen, si estás consignado? Ojalá pudiera ponerme así de pálido. En la enfermería se come bien y se descansa.

—Pero se pierde la salida —dijo el Esclavo.

—¿Cuál salida? Todavía tenemos para rato aquí adentro. Aunque dicen que tal vez haya salida general el próximo domingo. Es cumpleaños del coronel. Eso dicen, al menos, ¿De qué te ríes?

—De nada.

¿Cómo podía hablar Alberto con esa indiferencia de la consigna, cómo podía acostumbrarse a la idea de no salir?

—Salvo que quieras tirar *contra* —dijo Alberto—. Pero de la enfermería es más fácil. En la noche no hay control. Eso sí, tienes que descolgarte por el lado de la Costanera y te puedes ensartar en la reja como un anticucho.

—Ahora tiran *contra* muy pocos —dijo el Esclavo—. Desde que pusieron la ronda.

—Antes era más fácil —dijo Alberto—. Pero todavía salen muchos. El cholo Urioste salió el lunes y volvió a las cuatro de la mañana.

Después de todo, ¿por qué no ir a la enfermería? ¿Para qué salir a la calle? Doctor, se me nubla la vista, me duele la cabeza, tengo palpitaciones, sudo frío, soy un cobarde. Cuando estaban consignados, los cadetes trataban de ingresar a la enfemería. Allí se pasaba el día sin hacer nada, en pijama, y la comida era abundante. Pero los enfermeros y el médico del colegio eran cada vez más estrictos. La fiebre no bastaba; sabían que poniéndose cáscaras de plátano en la frente un par de horas, la temperatura sube a treinta y nueve grados. Tampoco las gonorreas, desde que se descubrió la estratagema del Jaguar y el Rulos que se presentaron a la enfermería con el falo bañado en leche condensada. El Jaguar había inventado también los ahogos. Conteniendo la respiración hasta llorar, varias veces seguidas, antes del examen médico, el corazón se acelera y empieza a tronar como un bombo. Los enfermeros decretaban: «Internamiento por síntomas de taquicardia.»

—Nunca he tirado *contra* —dijo el Esclavo.

—No me extraña —dijo Alberto—. Yo sí, varias veces, el año pasado. Una vez fuimos a una fiesta en la Punta con Arróspide y volvimos poco antes del toque de diana. En cuarto año, la vida era mejor.

—Poeta —gritó Vallano—. ¿Tú has estado en el colegio «La Salle».

—Sí —dijo Alberto—. ¿Por qué?

—El Rulos dice que todos los de «La Salle» son maricas. ¿Es cierto?

—No —dijo Alberto—. En «La Salle» no había negros.

El Rulos se rió.

—Estás fregado —le dijo a Vallano—. El poeta te come.

—Negro, pero más hombre que cualquiera —afirmó Vallano—. Y el que quiera hacer la prueba, que venga.

—Uy, qué miedo —dijo alguien—. Uy, mamita.

«Ay, ay, ay», cantó el Rulos.

—Esclavo —gritó el Jaguar—. Anda y haz la prueba. Después nos cuentas si el negro es tan hombre como dice.

—Al Esclavo lo parto en dos —dijo Vallano.

—Uy, mamita.

—A ti también —gritó Vallano—. Anímate y ven. Estoy a punto.

—¿Qué pasa? —dijo la voz ronca del Boa, que acababa de despertar.

—El negro dice que eres un marica, Boa —afirmó Alberto.

—Dijo que le consta que eres un marica.

—Eso dijo.

—Se pasó más de una hora rajando de ti.

—Mentira, hermanito —dijo Vallano—. ¿Crees que hablo de la gente por la espalda?

Hubo nuevas risas.

—Se están burlando de ti —agregó Vallano—. ¿No te das cuenta? —Levantó la voz—. Me vuelves a hacer una broma así, poeta, y te machuco. Te advierto. Por poco me haces tener un lío con el muchacho.

—Uy —dijo Alberto—. ¿Has oído, Boa? Te ha dicho muchacho.

—¿Quieres algo conmigo, negro? —dijo la voz ronca.

—Nada, hermanito —repuso Vallano—. Tú eres mi amigo.

—Entonces no digas muchacho.

—Poeta, te juro que te voy a quebrar.

—Negro que ladra no muerde —dijo el Jaguar.

El Esclavo pensó: «en el fondo, todos ellos son amigos. Se insultan y se pelean de la boca para afuera, pero en el fondo se divierten juntos. Sólo a mí me miran como a un extraño».

(5)

—Bien. Igualemos los relojes —dijo el capitán—. Comenzaremos a las nueve. Abran fuego a las nueve y media. Los tiros deben cesar apenas empiece el asalto. ¿Entendido?

—Si, mi capitán.

—A las diez, todo el mundo en la cumbre; hay sitio para todos. Lleven a sus compañías a los emplazamientos al paso ligero, para que los muchachos entren en calor.

Los oficiales se alejaron. El capitán permaneció en el sitio. Escuchó las voces de mando de los tenientes; la de Gamboa era la más alta, la más enérgica. Poco después, estaba solo. El batallón se había escindido en tres cuerpos, que se alejaban en direcciones opuestas para rodear el cerro. Los cadetes corrían sin dejar de hablar: el capitán podía distinguir algunas frases sueltas entre el barullo. Los tenientes iban a la cabeza de las secciones y los suboficiales a los flancos. El capitán Garrido se llevó los prismáticos a los ojos. A la mitad del cerro, separados por cuatro o cinco metros, se divisaban los blancos: unas redondelas perfectas. Él también hubiera querido dispararles. Pero eso correspondía ahora a los cadetes; para él, la campaña era aburrida, consistía solamente en observar. Abrió un paquete de cigarrillos negros y extrajo uno. Quemó varios fósforos antes de encenderlo, pues había mucho viento. Luego fue a paso vivo tras la primera compañía. Era entretenido ver actuar a Gamboa, que se tomaba la campaña tan en serio.

Al llegar a las faldas del cerro, Gamboa comprobó que los cadetes estaban realmente fatigados; algunos corrían con la boca abierta y el rostro lívido, y todos tenían los ojos clavados en él; en sus miradas Gamboa veía la angustia con que esperaban la voz de alto. Pero no dio esa orden; miró las circunferencias blancas, las laderas desnudas, ocres, que descendían hasta hundirse en el campo de algodones, y, al otro lado de los blancos, varios metros más arriba, la cresta del cerro, una gran comba maciza, esperándolos. Y siguió corriendo, primero junto al cerro, luego a campo abierto, a toda la velocidad que podía, luchando por no abrir la boca, aunque sentía él también que su corazón y sus pulmones reclamaban una gran bocanada de viento puro; las venas de su garganta se anchaban y su piel, desde los cabellos hasta los pies, se humedecía con un sudor frío. Se volvió todavía una vez, para calcular si se habían alejado ya unos mil metros del objetivo y luego, cerrando los ojos, consiguió apresurar la carrera dando saltos más largos y azotando el aire con los brazos; así llegó hasta los matorrales que alborotaban la tierra salvaje, fuera del sembrío, junto a la acequia indicada en las instrucciones de la campaña como límite del emplazamiento de la primera compañía. Allí se detuvo y sólo entonces abrió la boca y respiró, los brazos extendidos. Antes de dar media vuelta, se limpió el sudor de la cara, a fin de que los cadetes no supieran que él también estaba agotado. Los primeros en llegar a los matorrales fueron los suboficiales y el brigadier Arróspide. Luego llegaron los demás, en completo desorden: las columnas habían desaparecido, quedaban sólo racimos, grupos dispersos. Poco después, las tres secciones se reagrupaban formando una herradura en torno a Gamboa. Éste escuchaba la respiración animal de los ciento veinte cadetes, que habían apoyado los fusiles en la tierra.

—Vengan los brigadieres —dijo Gamboa. Arróspide y otros dos cadetes abandonaron la fila—. Compañía, ¡descanso!

El teniente se alejó unos pasos, seguido de los suboficiales y de los tres brigadieres. Luego, trazando cruces y rayas en la tierra, les explicó detalladamente los diferentes movimientos del asalto.

—¿Comprendida la disposición de los cuerpos? —dijo Gamboa y sus cinco oyentes asintieron—. Bien. Los grupos de combate comenzarán a desplegarse en abanico desde que se dé la orden de marcha; desplegarse quiere decir no ir como carneros, sino separados, aunque en una misma línea. ¿Comprendido? Bien. A nuestra compañía le corresponde atacar el frente Sur, ése que tenemos delante. ¿Visto?

Los suboficiales y brigadieres miraron el cerro y dijeron: «visto».

—¿Y qué instrucciones hay para la progresión, mi teniente? —murmuró Morte. Los brigadieres se volvieron a mirarlo y el suboficial se ruborizó.

—A eso voy —dijo Gamboa—. Saltos de diez en diez metros. Una progresión intermitente. Los cadetes recorren esa distancia a toda carrera y se arrojan, al que entierre el fusil le parto el culo a patadas. Cuando todos los hombres de la vanguardia están tendidos, toco silbato y la segunda línea dispara. Un solo tiro. ¿Entendido? Los tiradores saltan y progresan diez metros, se arrojan. La tercera línea dispara y progresa.

Luego comenzamos desde el principio. Todos los movimientos se hacen a mis órdenes. Así llegamos a cien metros del objetivo. Allí los grupos pueden cerrarse un poco para no invadir el terreno donde operan las otras compañías. El asalto final lo dan las tres secciones a la vez, porque el cerro ya está casi limpio y quedan apenas unos cuantos focos enemigos.

—¿Qué tiempo hay para ocupar el objetivo? —preguntó Morte.

—Una hora —dijo Gamboa—. Pero eso es asunto mío. Los suboficiales y brigadieres deben preocuparse de que los hombres no se abran ni se peguen demasiado, de que nadie se quede atrás y deben estar siempre en contacto conmigo, por si los necesito.

—¿Vamos adelante o en la retaguardia, mi teniente? —preguntó Arróspide.

—Ustedes con la primera línea, los suboficiales atrás. ¿Alguna pregunta? Bueno, vayan a explicar la operación a los jefes de grupo. Comenzamos dentro de quince minutos.

Los suboficiales y brigadieres se alejaron al paso ligero. Gamboa vio venir al capitán Garrido y se iba a incorporar, pero el Piraña le indicó con la mano que permaneciera como estaba, en cuclillas. Ambos quedaron mirando a las secciones que se desmenuzaban en grupos de doce hombres. Los cadetes se apretaban los cinturones, anudaban los cordones de sus botines, se encasquetaban las cristinas, limpiaban el polvo de los fusiles, comprobaban la soltura de la corredera.

—Esto sí les gusta —dijo el capitán—. Ah, pendejos. Mírelos, parece que fueran a un baile.

—Sí —dijo Gamboa—. Se creen en la guerra.

—Si algún día tuvieran que pelear de veras —dijo el capitán—, éstos serían desertores o cobardes. Pero, por suerte para ellos, acá los militares sólo disparamos en las maniobras. No creo que el Perú tenga nunca una verdadera guerra.

—Pero, mi capitán —repuso Gamboa—. Estamos rodeados de enemigos. Usted sabe que el Ecuador y Colombia esperan el momento oportuno para quitarnos un pedazo de selva. A Chile todavía no le hemos cobrado lo de Arica y Tarapacá.

—Puro cuento —dijo el capitán, con un gesto escéptico—. Ahora todo lo arreglan los grandes. El 41 yo estuve en la campaña contra el Ecuador. Hubiéramos llegado hasta Quito. Pero se metieron los grandes y encontraron una solución diplomática, qué tales riñones. Los civiles terminaron resolviendo todo. En el Perú, uno es militar por las puras huevas del diablo.

—Antes era distinto —dijo Gamboa.

El suboficial Pezoa y los seis cadetes que lo acompañaron, regresaban corriendo. El capitán lo llamó.

—¿Dio la vuelta a todo el cerro?

—Sí, mi capitan. Completamente despejado.

—Van a ser las nueve, mi capitán —dijo Gamboa—. Voy a comenzar.

—Vaya —dijo el capitán. Y agregó, con repentino mal humor: —Sáqueles la mugre a esos ociosos.

Gamboa se acercó a la compañía. La observó largamente, de un extremo a otro, como midiendo sus posibilidades ocultas, el límite de su resistencia, su coeficiente de valor. Tenía la cabeza algo echada hacia atrás; el viento agitaba su camisa comando y unos cabellos negros que asomaban por la cristina.

—¡Más abiertos, carajo! —gritó—. ¿Quieren que los apachurren? Entre hombre y hombre debe haber cuando menos cinco metros de distancia. ¿Creen que van a misa?

Las tres columnas se estremecieron. Los jefes de grupo, abandonando la formación, ordenaban a gritos a los cadetes que se separaran. Las tres hileras se alargaron elásticamente, se hicieron más ralas.

—La progresión se hace en zig-zag —dijo Gamboa; hablaba en voz muy alta, para que pudieran oírlo los extremos—. Eso ya lo saben desde hace tres años, cuidado con avanzar uno tras otro como en la procesión. Si alguien se queda de pie, se adelanta o se atrasa cuando yo dé la orden, es hombre muerto. Y los muertos se quedan encerrados, sábado y domingo. ¿Está claro?

Se volvió hacia el capitán Garrido, pero éste parecía distraído. Miraba el horizonte, con ojos vagabundos. Gamboa se llevó el silbato a los labios. Hubo un breve temblor en las columnas.

—Primera línea de ataque. Lista para entrar en acción. Los brigadieres adelante, los suboficiales a la retaguardia.

Miró su reloj. Eran las nueve en punto. Dio un pitazo largo. El sonido penetrante hirió los oídos del capitán, que hizo un gesto de sorpresa. Comprendió que, durante unos segundos, había olvidado la campaña y se sintió en falta. Vivamente se trasladó junto a los matorrales, detrás de la compañía, para seguir la operación.

Antes que cesara el sonido metálico, el capitán Garrido vio que la primera fila de ataque, dividida en tres cuerpos, salía impulsada en un movimiento simultáneo: los tres grupos se abrían en abanico, avanzaban a toda velocidad desplegándose adelante y hacia los lados, igual a un pavo real que yergue su poderoso plumaje. Precedidos de los brigadieres, los cadetes corrían doblados sobre sí mismos, la mano derecha aferrada al fusil, que colgaba perpendicular, el cañón apuntando al cielo de través, la culata a pocos centímetros del suelo. Luego escuchó un segundo silbato, menos largo pero más agudo que el primero y más lejano —porque el teniente Gamboa también corría de medio lado, para controlar los detalles de la progresión—, y al instante la línea, como pulverizada por una ráfaga invisible, desaparecía entre las hierbas: el capitán pensó en los soldados de latón de las tómbolas cuando el perdigón los derriba. Y en el acto, los rugidos de Gamboa poblaban la mañana como seres eléctricos —«¿por qué se adelanta ese grupo? Rospigliosi, pedazo de asno, ¿quiere que le vuelen la cabeza?, ¡cuidado con enterrar el fusil!»—; y nuevamente se escuchaba el silbato y la línea cimbreante surgía de entre las hierbas y se alejaba a toda carrera y, poco después, al conjuro de otro silbato, volvía a desaparecer de su vista y la voz de Gamboa se distanciaba y perdía: el capitán escuchaba groserías insólitas, nombres desconocidos, veía avanzar la vanguardia, se distraía por momentos, en tanto que las columnas del centro y de la retaguardia comenzaban a hervir. Los cadetes, olvidando la presencia del capitán, hablaban a voz en cuello, se burlaban de los que avanzaban con Gamboa: «el negro Vallano se arroja como un costal, debe tener huesos de jebe; y esa mierda del Esclavo, tiene miedo de rasguñarse la carita».

De pronto, Gamboa surgió ante el capitán Garrido, gritando: «Segunda línea de ataque: lista para entrar en acción.» Los jefes de grupo levantaron el brazo derecho, treinta y seis cadetes quedaron inmóviles. El capitán miró a Gamboa: tenía el rostro sereno, los puños apretados, y lo único excepcional era su mirada móvil: brincaba de un punto a otro, se animaba, se exasperaba, sonreía. La segunda línea se desbordó por el campo. Los cadetes se empequeñecían, el teniente corría de nuevo, el silbato en la mano, la cara vuelta hacia la formación.

Ahora el capitán veía dos líneas, extendidas en el campo, sumiéndose en la tierra y resurgiendo, alternativamente, llenando de vida el campo desolado. No podía saber ya si los cadetes ejecutaban el salto como prescribían los manuales, dejándose caer sobre la pierna, el costado y el brazo izquierdo, ladeando el cuerpo de tal modo que el fusil, antes que tocar el suelo, golpeara sus costillas, ni si las líneas de ataque conservaban sus distancias y los grupos de combate mantenían la cohesión, ni si los brigadieres continuaban a la cabeza, como puntas de lanza y sin perder de vista al teniente. El frente comprendía unos cien metros y una profundidad cada vez mayor. De pronto, Gamboa reapareció ante él, el rostro siempre sereno, los ojos afiebrados, tocó el silbato y la retaguardia, encuadrada por los suboficiales, salió despedida hacia el cerro. Ahora eran tres las columnas que avanzaban, lejos de él, que había quedado solo junto a los matorrales espinosos. Permaneció en el sitio unos minutos, pensando en lo lentos, lo torpes que eran los cadetes, si los comparaba con los soldados o con los alumnos de la Escuela Militar.

Luego caminó detrás de la compañía; a ratos, observaba con los prismáticos. Desde lejos, la progresión sugería un movimiento simultáneo de retroceso y avance: cuando la línea delantera estaba tendida, la segunda columna progresaba a toda carrera, superaba la posición de aquélla y pasaba a la vanguardia; la tercera columna avanzaba hasta el emplazamiento abandonado por la segunda línea. Al avance siguiente, las tres columnas volvían al orden inicial, segundos después se desarticulaban, se igualaban. Gamboa agitaba los brazos, parecía apuntar y disparar con el dedo a ciertos cadetes y, aunque no podía oírlo, el capitán Garrido adivinaba fácilmente sus órdenes y sus observaciones.

Y súbitamente, oyó los disparos. Miró su reloj. «Exacto —pensó—. Las nueve y media en punto.» Observó con los prismáticos; en efecto, la vanguardia se hallaba a la distancia prevista. Miró los blancos, pero no alcanzó a distinguir los tiros acertados. Corrió unos veinte metros y esta vez comprobó que las circunferencias tenían una docena de perforaciones. «Los soldados son mejores —pensó—; y éstos salen con grado de oficiales de reserva. Es un escándalo.» Siguió avanzando, casi sin quitarse los prismáticos de la cara. Los saltos eran más cortos: las columnas progresaban de diez en diez metros. Disparó la segunda línea y, apenas apagado el eco, el silbato indicó que las columnas de adelante y atrás podían avanzar. Los cadetes se destacaban diminutos contra el horizonte, parecían brincar en el sitio, caían. Un nuevo silbato y la columna que estaba tendida disparaba. Después de cada ráfaga, el capitán examinaba los blancos y calculaba los impactos. A medida que la compañía se acercaba al cerro, los tiros eran mejores: las circunferencias estaban acribilladas. Observaba las caras de los tiradores: rostros congestionados, infantiles, lampiños, un ojo cerrado y otro fijo en la ranura del alza. El retroceso de la culata conmovía esos cuerpos jóvenes que, el hombro todavía resentido, debían incorporarse, correr agazapados y volver a arrojarse y disparar, envueltos por una atmósfera de violencia que sólo era un simulacro. Porque el capitán Garrido sabía que la guerra no era así.

En ese momento vio la silueta verde que hubiera podido pisar si no la divisaba a tiempo, y ese fusil con el cañón monstruosamente hundido en la tierra, en contra de todas las instrucciones sobre el cuidado del arma. No atinaba a comprender qué podían significar ese cuerpo y ese fusil derribados. Se inclinó. El muchacho tenía la cara contraída por el dolor y los ojos y la boca muy abiertos. La bala le había caído en la cabeza: un hilo de sangre corría por el cuello.

El capitán dejó caer los prismáticos que tenía en la mano, cargó al cadete, pasándole un brazo por las piernas y otro por la espalda y echó a correr, atolondrado, hacia el cerro, gritando: «¡teniente Gamboa, teniente Gamboa!» Pero tuvo que correr muchos metros antes que lo oyeran. La primera compañía —escarabajos idénticos que escalaban la pendiente hacia los blancos— debía estar demasiado absorbida por los gritos de Gamboa y el esfuerzo que exigía el ascenso rampante para mirar atrás. El capitán trataba de localizar el uniforme claro de Gamboa o a los suboficiales. De pronto, los escarabajos se detuvieron, giraron y el capitán se sintió observado por decenas de cadetes. «Gamboa, suboficiales —gritó—. ¡Vengan rápido!» Ahora los cadetes se descolgaban por la pendiente a toda carrera y él se sintió ridículo con el muchacho en los brazos.

«Tengo una suerte de perro —pensó—. El coronel meterá esto en mi foja de servicios.»

El primero en llegar a su lado fue Gamboa. Miró asombrado al cadete y se inclinó para observarlo, pero el capitán gritó:

—Rápido a la enfermería. A toda carrera.

Los suboficiales Morte y Pezoa cargaron al muchacho y se lanzaron por el campo, velozmente, seguidos por el capitán, el teniente y los cadetes que, desde todas direcciones, miraban con espanto el rostro que se balanceaba por efecto de la carrera: un rostro pálido, demacrado, que todos conocían.

—Rápido —decía el capitán—. Más rápido.

De pronto, Gamboa arrebató el cadete a los suboficiales, lo echó sobre sus hombros y aceleró la carrera; en pocos segundos sacó una distancia de varios metros.

—Cadetes —gritó el capitán—. Paren el primer coche que pase.

Los cadetes se apartaron de los suboficiales y cortaron camino, transversalmente. El capitán quedó retrasado, junto a Morte y Pezoa.

—¿Es de la primera compañía? —preguntó.

—Sí, mi capitán —dijo Pezoa—. De la primera sección.

—¿Cómo se llama?

—Ricardo Arana, mi capitán. —Vaciló un instante y añadió: —Le dicen el Esclavo.

(6)

Tengo pena por la perra Malpapeada que anoche estuvo llora y llora. Yo la envolvía bien con la frazada y después con la almohada pero ni por esas dejaban de oírse los aullidos tan largos. A cada rato parecía que se ahogaba y atoraba y era terrible, los aullidos despertaban toda la cuadra. En otra época, pase. Pero como todos andan nerviosos, comenzaban a insultar y a carajear y a decir «sácala o llueve» y tenía que estar guapeando a uno y a otro desde mi cama, hasta que a eso de la medianoche ya no había forma. Yo mismo tenía sueño y la Malpapeada lloraba cada vez más fuerte. Varios se levantaron y vinieron a mi cama con los botines en la mano. No era cosa de machucarse con toda la sección, ahora que estamos tan deprimidos. Entonces la saqué y la llevé hasta el patio y la dejé pero al darme la vuelta sentí que me estaba siguiendo y le dije de mala manera: «quieta ahí, perra, quédese donde la he dejado por llorona», pero la Malpapeada siempre detrás de mí, la pata encogida sin tocar el suelo, y daba compasión ver los esfuerzos que hacía por seguirme. Así que la cargué y la llevé hasta el descampado y la puse sobre la hierbita y le rasqué un rato el cogote y después me vine y esta vez no me siguió.

Pero dormí mal, mejor dicho no dormí. Me estaba viniendo el sueño y, zas, los ojos se me abrían solos y pensaba en la perra y además comencé a estornudar, porque cuando la saqué al patio no me puse los zapatos y todo mi pijama está lleno de huecos y creo que había mucho viento y a lo mejor llovía. Pobre la Malpapeada, congelándose ahí afuera, ella que es tan friolenta. Muchas veces la he pescado en la noche enfureciéndose porque yo me muevo y me destapo. Tiesa de cólera, se incorpora murmurando y con los dientes jala la frazada hasta volver a taparse o se mete sin más hasta el fondo de la cama para sentir el calorcito de mis pies. Los perros son bien fieles, más que los parientes, no hay nada que hacer. La Malpapeada es chusca, una mezcla de toda clase de perros, pero tiene un alma blanca. No me acuerdo cuándo vino al colegio. Seguro no la trajo nadie, pasaba y le dio ganas de meterse a ver, y le gustó y se quedó. Se me ocurre que ya estaba en el colegio cuando entramos. A lo mejor nació aquí y es leoncipradina. Era una enanita, yo me fijé en ella, andaba metiéndose en la sección todo el tiempo desde la época del bautizo, parecía sentirse en su casa, cada vez que entraba uno de cuarto se le lanzaba a los pies y le ladraba y quería morderlo. Era machaza: la hacían volar a patadones y ella volvía a la carga, ladrando y mostrando sus dientes, unos dientes chiquitos de perrita muy joven. Ahora ya está crecida, debe tener más de tres años, ya está vieja para ser perra, los animales no viven mucho, sobre todo sin son chuscos y comen poco. No recuerdo haber visto que la Malpapeada coma mucho. Algunas veces le tiro cáscaras, esos son sus mejores banquetes. Porque la hierba sólo la mastica: se chupa el jugo y la escupe. Se mete un poco de hierba en la boca y se queda horas masca y masca, como un indio su coca. Siempre estaba metida en la sección y algunos decían que traía pulgas y la sacaban, pero la Malpapeada siempre volvía, la botaban mil veces y al poquito rato la puerta comenzaba a crujir y ahí abajo aparecía, casi junto al suelo, el hocico de la perra y nos daba risa su terquedad y a veces la dejábamos entrar y jugábamos con ella. No sé a quién se le ocurrió ponerle Malpapeada. Nunca se sabe de dónde salen los apodos. Cuando empezaron a decirme Boa me reía y después me calenté y a todos les preguntaba quién inventó eso y todos decían Fulano y ahora ni cómo sacarme de encima ese apodo, hasta en mi barrio me dicen así. Se me ocurre que fue Vallano. Él me decía siempre: «haznos una demostración, orina por encima de la correa», «muéstrame esa paloma que te llega a la rodilla». Pero no me consta.

(7)

Además la Malpapeada no era la que traía las pulgas; yo creo que el colegio le contagió las pulgas a la perra, las pulgas de los serranos. Una vez le echaron ladillas encima a la pobre, el Jaguar y el Rulos, qué desgraciados. El Jaguar había metido las narices no sé dónde, en las pocilgas de la primera cuadra de Huatica, me figuro, y le habían pegado unas ladillas enormes. Las hacía correr por el baño y se veían sobre los mosaicos grandotas como hormigas. El Rulos le dijo: «¿por qué no se las echamos a alguien?» y la Malpapeada estaba mirando, para su mala suerte. A ella le tocó. El Rulos la tenía colgada del pescuezo, pataleando, y el Jaguar le pasaba sus bichos con las dos manos y después se excitaron y el Jaguar gritó: «todavía me quedan toneladas, ¿a quién bautizamos?» y el Rulos gritó: «al Esclavo». Yo fui con ellos. Él estaba durmiendo; me acuerdo que lo cogí de la cabeza y le tapé los ojos y el Rulos le sujetó las piernas. El Jaguar le incrustaba las ladillas entre los pelos y yo le gritaba: «con más cuidado, carambolas, me las estás metiendo por las mangas». Si yo hubiera sabido que al muchacho le iba a pasar lo que le ha pasado, no creo que le hubiera agarrado la cabeza esa vez, ni lo habría fundido tanto. Pero no creo que a él le pasara nada con las ladillas y en cambio a la Malpapeada la fregaron. Se peló casi enterita y andaba frotándose contra las paredes y tenía una pinta de perro pordiosero y leproso con el cuerpo pura llaga. Debía picarle mucho, no paraba de frotarse, sobre todo en la pared de la cuadra que tiene raspaduras. Su lomo parecía una bandera peruana, rojo y blanco, blanco y rojo, yeso y sangre. Entonces el Jaguar dijo: «si le echamos ají se va a poner a hablar como un ser humano», y me ordenó: «Boa, anda róbate un poco de ají de la cocina.» Fui y el cocinero me regaló varios rocotos. Los molimos con una piedra, sobre el mosaico, y el serrano Cava decía «rápido, rápido». Después el Jaguar dijo: «cógela y tenla mientras la curo». De veras que casi se pone a hablar. Daba brincos hasta los roperos, se torcía como una culebra y qué aullidos los que daba. Vino el suboficial Morte, asustado con el ruido, y al ver los saltos de la Malpapeada se puso a llorar de risa y decía: «qué tales pendejos, qué tales pendejos». Pero lo más raro del caso es que la perra se curó. Le volvió a salir el pelo y hasta me parece que engordó. Seguro creyó que yo le había echado el ají para curarla, los animales no son inteligentes y vaya usted a saber lo que se le metió en la cabeza. Pero desde ese día, dale a estar detrás de mí todo el tiempo. En las filas se me metía entre los pies y no me dejaba marchar; en el comedor se instalaba bajo mi silla y movía el rabo por si yo le tiraba una cáscara; me esperaba en la puerta de la clase y, en los recreos, al verme salir comenzaba a hacerme gracias con el hocico y las orejas; y en las noches se trepaba a mi cama y quería pasarme la lengua por toda la cara. Y era por gusto que yo le pegara. Se retiraba pero volvía, midiéndome con los ojos, esta vez me vas a pegar o no, me acerco un poquito más y me alejo, a que ahora no me pateas, qué sabida. Y todos comenzaron a burlarse y a decir «te la tiras, bandolero», pero no era verdad, ni siquiera se me había pasado por la cabeza todavía manducarme a una perra. Al principio me daba cólera el animal tan pegajoso, aunque a veces, como de casualidad, le rascaba la cabeza y ahí le descubrí el gusto. En las noches se me montaba encima y se revolcaba, sin dejarme dormir, hasta que le metía los dedos al cogote y la rascaba un poco. Entonces se quedaba tranquila. Lo de las noches era viveza de la perra. Al oírla moverse todos empezaban a fundirme, «ya Boa, deja en paz a ese animal, lo vas a estrangular», ah bandida, eso sí que te gusta, ¿no?, ven acá, que te rasque la crisma y la barriguita. Y ahí mismo se ponía quieta como una piedra pero en mi mano yo siento que está temblando del gusto y si dejo de rascar un segundo, brinca, y veo en la oscuridad que ha abierto el hocico y está mostrando sus dientes tan blancos. No sé por qué los perros tienen los dientes tan blancos, pero todos los tienen así, nunca he visto un perro con un diente negro ni me acuerdo haber oído que a un perro se le cayó un diente o se le carió y tuvieron que sacárselo. Eso es algo raro de los perros y también es raro que no duerman. Yo creía que sólo la Malpapeada no dormía, pero después me contaron que todos los perros son iguales, desvelados. Al comienzo me daba recelo, también un poco de susto. Basta que abriera los ojos y ahí mismo la veía, mirándome y a veces yo no podía dormir con la idea de que la perra se pasaba la noche a mi lado sin bajar los párpados, eso es algo que pone nervioso a cualquiera, que lo estén espiando, aunque sea una perra que no comprende las cosas pero a veces parece que comprende.

(8)

Los sábados a la Malpapeada le da la tristeza. Antes no era así. Al contrario, venía con nosotros a la campaña, correteaba y daba brincos al oír los disparos que le pasaban zumbando, y estaba en todas partes, y se excitaba más que los otros días. Pero después se hizo mi pata y cambió de maneras. Los sábados se ponía media rara y se prendía a mí como una lapa, y andaba pegada a mis pies, lamiéndome y mirándome con sus lagañas. Hace tiempo que me di cuenta, cada vez que regresamos de campaña y nos llevan a los baños, o si no después, al volver a la cuadra para ponerme el uniforme de salida, ella se mete debajo de la cama o se zambulle en el ropero y comienza a llorar bajito, de pena porque voy a salir. Y sigue llorando bajito cuando formamos, y me sigue, caminando con su cabeza agachada, como un alma en pena. Se para en la puerta del colegio, levanta su hocico y se pone a mirarme, y yo la siento cuando estoy lejos, incluso cuando estoy llegando a la avenida de las Palmeras, siento que la Malpapeada sigue en la puerta del colegio, frente a la Prevención mirando la carretera por donde me he ido y esperando. Eso sí, nunca ha tratado de seguirme fuera del colegio, aunque nadie le ha dicho que se quede adentro, parece que fuera cosa de ella, como una penitencia, eso también es algo raro. Pero cuando regreso los domingos en la noche, ahí está la perra en la puerta, toda nerviosa, corriendo entre los cadetes que entran y su hocico no se está quieto, se mueve y huele y yo sé que me siente desde lejos porque la oigo que se acerca, ladrando, y apenas me ve brinca, para la cola y se tuerce todita de puro contenta. Es un animal bien leal, me compadezco de haberla machucado. No es que siempre la haya tratado bien, muchas veces la he molido sólo porque estaba deprimido o jugando. Y no se puede decir que la Malpapeada se enojara, más bien parecía que le gustaba, seguro creía que eran cariños. «¡Salta Malpapeada, no tengas miedo!», y la perra, arriba del ropero, roncando y ladrando, mirando con un susto, como el perro en la punta de la escalera. «¡Salta, salta Malpapeada!» y no se decidía hasta que yo me acercaba por detrás y un pequeño empujón y la perra cayendo con los pelos parados, rebotando en el suelo. Pero era una broma. Ni yo me compadecía de ella, ni la Malpapeada se molestaba aunque le doliera. Pero hoy fue distinto, le di a la mala, con intención. No se puede decir que yo tenga la culpa de todo. Hay que tener en cuenta las cosas que han pasado. El pobre cholo Cava, a cualquiera se le ponen los nervios como alambres, y el Esclavo con su pedazo de plomo en la cabeza, es natural que todos estemos muñequeados. Además no sé por qué nos hicieron poner el uniforme azul, justamente con ese sol de verano y todos estábamos transpirando y teníamos como diablos azules en la barriga. A qué hora lo traen, cómo estará, habrá cambiado con tantos días de encierro, debe haberse enflaquecido, a lo mejor lo tenían a pan y agua, metido en un cuarto todo el día, con los muñecos del Consejo de Oficiales, salir sólo para cuadrarse ante el coronel y los capitanes, ya me imagino las preguntas, los gritos, le deben haber sacado la mugre. Para qué, aunque serrano, se ha portado como un hombre, ni una palabra para acusar a nadie, aguantó solito el bolondrón, yo fui, yo me tiré el examen de Química, yo solito, nadie sabía, rompí el vidrio y todavía me arañé las manos, miren los rasguños. Y luego otra vez la Prevención, a esperar que el soldado le pase la comida por la ventana —ya se me ocurre qué comida, la de la tropa— y a pensar lo que le hará su padre cuando vuelva a la sierra y le diga: «me expulsaron». Su padre debe ser muy bruto, todos los serranos son muy brutos, en el colegio yo tenía un amigo que era puneño y su padre lo mandaba a veces con tremendas cicatrices de los correazos que le daba. Debe haber pasado unos días muy negros el serrano Cava, me compadezco de él. Seguro que nunca lo volveré a ver. Así es la vida, hemos estado tres años juntos y ahora se irá a la sierra y ya no volverá a estudiar, se quedará a vivir con los indios y las llamas, será un chacarero bruto. Eso es lo peor de este colegio, los años aprobados no les valen a los expulsados, han pensado muy bien en la manera de joder a la gente estos cabrones. Debe haberlas pasado muy mal estos días el serrano y toda la sección estuvo pensando en eso, como yo, mientras nos tenían con el uniforme azul, plantados en el patio, con ese sol tan fuerte, esperando que lo trajeran. No se podía levantar la cabeza porque los ojos se ponían a llorar. Y nos tuvieron esperando un rato sin que pasara nada. Después llegaron los tenientes con sus uniformes de parada, y el Mayor jefe del cuartel y de repente llegó el coronel y entonces nos cuadramos. Los tenientes fueron a darle el parte, qué escalofríos que teníamos. Cuando el coronel habló había un silencio que daba miedo toser. Pero no sólo estábamos asustados. También entristecidos, sobre todo los de la primera, no era para menos sabiendo que dentro de un ratito iban a ponernos delante a alguien que ha estado viviendo con nosotros tanto tiempo, un muchacho al que hemos visto calato tantas veces, con el que hemos hecho tantas cosas, habría que ser de piedra para no sentir algo en el corazón. Ya el coronel había empezado a hablar con su vocecita rosquetona. Estaba blanco de cólera y decía cosas terribles contra el serrano, contra la sección, contra el año, contra todo el mundo y ahí comencé a darme cuenta que la Malpapeada estaba jode y jode con el zapato. Fuera Malpapeada, zafa de aquí perra sarnosa, anda a morderle los cordones al coronel, quédate quieta, no te aproveches del momento para fregarme la paciencia. Y no poder darle siquiera una patadita suave para que se largue. El teniente Huarina y el suboficial Morte están cuadrados a menos de un metro y si respiro me sienten, perra no abuses de las circunstancias. Deténte animal feroz que el hijo de Dios nació primero que vos. Ni por esas, nunca la vi tan porfiada, jaló y jaló el cordón hasta que lo rompió y sentí que el pie me quedaba chico dentro del zapato. Pero dije, ya se dio gusto, ahora se mandará mudar, por qué no te largaste Malpapeada, tú tienes la culpa de todo. En vez de quedarse ahí quieta dale a joder con el otro zapato, como si se hubiera dado cuenta que yo no podía moverme ni un milímetro, ni siquiera mirarla, ni siquiera decirle palabrotas. Y en eso lo trajeron al serrano Cava. Venía en medio de dos soldados, como si fueran a fusilarlo y estaba bien pálido. Sentí que me crecía el estómago, que me subía un jugo por la garganta, algo bien doloroso. El serrano, amarillo, marcaba el paso entre los dos soldados, también dos serranos, los tres tenían la misma cara, parecían trillizos, sólo que Cava estaba amarillo. Se acercaban por la pista de desfile y todos los miraban. Dieron la vuelta y se quedaron marcando el paso frente al batallón, a pocos metros del coronel y de los tenientes. Yo decía «por qué siguen marcando el paso» y me di cuenta que ni él ni los soldados sabían qué hacer delante de los oficiales y a nadie se le ocurría decir «firmes». Hasta que Gamboa se adelantó, hizo un gesto, y los tres se cuadraron. Los soldados retrocedieron y lo dejaron solito en el matadero y él no se atrevía a mirar a ningún lado, hermanito no sufras, el Círculo está contigo de corazón y algún día te vengaremos. Yo dije «ahorita se echa a llorar», no te eches a llorar serrano, les darías un gusto a esos mierdas, aguanta firme, bien cuadrado y sin temblar, para que aprendan. Estáte quieto y tranquilo, ya verás que se acaba rápido, si puedes sonríe un poco y verás cómo les arde. Yo sentía que toda la sección era un volcán y que teníamos unas ganas de estallar. El coronel se había puesto a hablar de nuevo y le decía cosas al serrano para bajarle la moral, hay que ser perverso, hacer sufrir a un muchacho al que han fregado ya a su gusto. Le daba consejos que todos oíamos, le decía que aprovechara la lección, le contaba la vida de Leoncio Prado, que a los chilenos que lo fusilaron les dijo «quiero comandar yo mismo el pelotón de ejecución», qué tal baboso. Después tocaron la corneta y el Piraña, las mandíbulas machuca y machuca, fue hasta el serrano Cava y yo pensaba «voy a llorar de pura rabia» y la maldita Malpapeada dale y dale a morder el zapato y la basta del pantalón, me la vas a pagar malagradecida, te vas a arrepentir de lo que haces. Aguanta serrano, ahora viene lo peor, después te irás tranquilo a la calle y no más militares, no más consignas, no más imaginarias. El serrano estaba inmóvil pero se seguía poniendo más pálido, su cara que es tan oscura se había blanqueado, desde lejos se notaba que le temblaba la barbilla. Pero aguantó. No retrocedió ni lloró cuando el Piraña le arrancó la insignia de la cristina y las solapas y después el emblema del bolsillo y lo dejó todo harapos, el uniforme roto y otra vez tocaron la corneta y los dos soldados se le pusieron a los lados y comenzaron a marcar el paso. El serrano casi no levantaba los pies. Después se fueron hasta la pista de desfile. Tenía que torcer los ojos para verlo alejarse. El pobre no podía seguir el paso, se tropezaba y a ratos bajaba la cabeza, seguro para ver cómo le había quedado el uniforme de jodido. Los soldados en cambio levantaban bien las piernas para que los viera el coronel. Después los tapó el muro y yo pensé espérate Malpapeada, sigue comiéndote el pantalón, ahora te toca tu turno, ya las vas a pagar, y todavía no nos hicieron romper filas porque el coronel volvió a hablar sobre los próceres. Ya debes estar en la calle, serrano, esperando el ómnibus, mirando la Prevención por última vez, no te olvides de nosotros, y aunque te olvides, aquí quedan tus amigos del Círculo para ocuparse de la revancha. Ya no eres un cadete, sino un civil cualquiera, puedes acercarte a un teniente o a un capitán y no tienes que saludarlo, ni cederle el asiento ni la vereda. Malpapeada, por qué mejor no das un salto y me muerdes la corbata o la nariz, haz lo que quieras, estás en tu casa. Hacía un calor terrible y el coronel seguía hablando.

(9)

Pero cuando rompimos filas me hice el disimulado. Ven Malpapeada, perrita, qué graciosa eres, chusquita ven. Y vino. Todo es culpa suya, por confiada, si en ese momento se escapa después hubiera sido otra cosa. Me compadezco de ella. Pero al ir al comedor todavía estaba furioso, me importaba un pito que la Malpapeada estuviera en el pasto con su pata encogida. Se va a quedar coja, estoy casi seguro. Mejor le hubiera salido sangre, esas heridas se curan, la piel se cierra y queda sólo una cicatriz. Pero no le salió sangre, ni ladró. La verdad, yo le había tapado el hocico con una mano y con la otra le daba vueltas a la pata, como al pescuezo de la gallina que se tiró el serrano Cava, pobre. Le estaba doliendo, sus ojos decían que le estaba doliendo, toma perra para que aprendas a fregar cuando estoy en fila, para que te aproveches, soy tu pata pero no tu cholito, nunca muerdas cuando hay oficiales delante. La perra temblaba calladita pero sólo cuando la solté me di cuenta que la había fregado, no podía pararse, se caía y su pata se había arrugado, se levantaba y se caía, se levantaba y se caía, y comenzó a aullar suavecito y de nuevo me dieron ganas de zumbarle. Pero en la tarde me vino la compasión, cuando al volver de las aulas la encontré quietecita en la hierba, en el mismo sitio de la mañana. Le dije: «venga acá perra malcriada, venga a pedirme perdón». Ella se levantó y se cayó, dos o tres veces se levantó y se cayó y al fin pudo moverse, pero sólo con tres patas y cómo aullaba, seguro le dolía muchísimo. La he fregado, se quedará coja para siempre. Me dio pena y la cargué y quise sobarle la pata y dio un chillido, así que dije tiene algo quebrado, mejor ni la toco. La Malpapeada no es rencorosa, todavía me lamía la mano y se quedaba con la cabeza colgando entre mis brazos, yo comencé a arañarle el pescuezo y la barriga. Pero apenas la ponía en el suelo para hacerla caminar se caía o sólo daba un brinquito y le resultaba difícil hacer equilibrio con tres patas y aullaba, se nota que cuando hace cualquier esfuerzo lo siente en la pata que le machuqué. El serrano Cava no quería a la Malpapeada, la detestaba. Varias veces lo pesqué tirándole piedras, pateándola al descuido cuando yo no lo veía. Los serranos son bien hipócritas y en eso Cava era bien serrano. Mi hermano siempre dice: si quieres saber si un tipo es serrano, míralo a los ojos, verás que no aguanta y tuerce la vista. Mi hermano los conoce bien, para algo ha sido camionero. De chico yo quería ser camionero como él. Iba a la sierra, a Ayacucho, dos veces por semana, para regresar al día siguiente y eso durante años, y no recuerdo una sola vez que no llegara hablando pestes de los serranos. Se tomaba unas copas y ahí mismo empezaba a buscar un serrano, para zumbarle. Dice que lo pescaron borracho y debe ser la pura verdad, me parece imposible que si lo agarran seco lo hubieran machucado en esa forma. Algún día iré a Huancayo y sabré quiénes fueron y les pesará en el alma lo que le hicieron. Oiga, dijo el policía, ¿aquí vive la familia Valdivieso? Sí, le contesté, si es que habla de la familia de Ricardo Valdivieso y me acuerdo que mi madre me jaló de las cerdas y me metió adentro y se adelantó toda asustada y mirando al cachaco con una desconfianza le dijo: «hay muchos Ricardo Valdivieso en el mundo y además nosotros no tenemos que pagar las culpas de nadie. Somos pobres, pero honrados, señor policía, usted no tiene que hacer caso de lo que dice la criatura». El cachaco se rió y dijo: «no es que Ricardo Valdivieso haya hecho nada, sino que está en la Asistencia Pública más cortado que una lombriz. Lo han chaveteado por todas partes y dijo que avisaran a la familia». «Fíjate cuánta plata queda en esa botella, me dijo mi madre. Habrá que llevarle unas naranjas.» Por gusto le compramos fruta, ni pudimos dársela, estaba todo vendado, sólo se le veían los ojos. El policía ese estuvo conversando con nosotros y nos decía, qué tal bruto, ¿usted sabe señora dónde lo cortaron? En Huancayo. ¿Y sabe dónde lo recogieron? Cerca de Chosica, qué tal bruto. Se subió a su camión y se vino a Lima lo más fresco. Cuando lo encontraron ahí, salido de la carretera, se había quedado dormido sobre el timón, yo creo que más de borracho que de herido. Y si usted viera cómo está ese camión, todo pegajoso de la sangre que este bruto vino chorreando por el camino, señora, perdóneme que se lo diga, pero es un bruto como no hay dos. ¿Usted sabe lo que le dijo el doctor? Todavía estás borracho, hombre, tú no has venido desde Huancayo en ese estado, te hubieras más que muerto a medio camino, si te han metido más de treinta chavetazos. Y mi madre le decía, sí señor policía, su padre también era así, una vez me lo trajeron medio muerto, casi ni podía hablar y quería que le fuera a comprar más licor y como no podía levantar los brazos de tanto que le dolían, yo misma tenía que meterle a la boca la botella de pisco, se da usted cuenta qué familia. El Ricardo ha salido a su padre, para mi desgracia. Un día, como su padre, se irá y no volveremos a saber dónde anda ni qué hace. En cambio, el padre, de éste (y me dio un manazo) era tranquilo, un hombre de su casa, todo lo contrario del otro. De su trabajo a su hogar y al fin de la semana me entregaba su sobre con la plata y yo le daba para sus cigarrillos y sus pasajes y el resto lo guardaba. Un hombre muy distinto del otro, señor policía, y casi no probaba licor. Pero mi hijo mayor, quiero decir, ese que está ahí vendado, le tenía tirria. Y le hacía pasar muy malos ratos. Cuando el Ricardo, que todavía era un muchacho, llegaba tarde, mi pobre compañero se ponía a temblar, ya sabía que este bruto vendría borracho y empezaría a preguntar ¿dónde está ese señor que dice que es mi padrastro para conversar un poquito con él? Y mi pobre compañero se escondía en la cocina, hasta que el Ricardo lo encontraba y lo hacía correr por toda la casa. Y tanto lo cargó, que éste también se me fue. Pero con razón. Y el cachaco se reía como un chancha de contento y el Ricardo se movía en su cama, furioso de no poder abrir la boca para decirle a su madre que se callara y no lo hiciera quedar tan mal. Mi madre le regaló una naranja al cachaco y las otras las llevamos a casa. Y cuando el Ricardo se curó me dijo: «cuídate siempre de los serranos, que son lo más traicionero que hay en el mundo. Nunca se te paran de frente, siempre hacen las cosas a la mala, por detrás. Esperaron que yo estuviera bien borracho, con pisco que ellos mismos me convidaron, para echárseme encima. Y ahora como me han quitado el brevete, no podré volver a Huancayo a arreglarles las cuentas». Será por eso que los serranos siempre me han caído atravesados. Pero en el colegio había pocos, dos o tres.

Y estaban acriollados. En cambio, cómo me chocó cuando entré aquí la cantidad de serranos. Son más que los costeños. Parece que se hubiera bajado toda la puna, ayacuchanos, puneños, ancashinos, cuzqueños, huancaínos, carajo y son serranos completitos, como el pobre Cava. En la sección hay varios pero a él se le notaba más que a nadie. ¡Qué pelos! No me explico cómo un hombre puede tener esos pelos tan tiesos. Me consta que se avergonzaba. Quería aplastárselos y se compraba no sé qué brillantina y se bañaba en eso la cabeza para que no se le pararan los pelos y le debía doler el brazo de tanto pasarse el peine y echarse porquerías. Ya parecía que se estaban asentando, cuando, juácate, se levantaba un pelo, y después otro, y después cincuenta pelos, y mil, sobre todo de las patillas, ahí es donde los pelos se les paran como agujas a los serranos y también atrás, encima del cogote. El serrano Cava ya estaba medio loco de tanto que lo batían por sus pelos y su brillantina que echaba un olor salvaje a podredumbre. Siempre voy a acordarme de tanto que lo batían cuando aparecía con su cabeza brillando y todos lo rodeaban y comenzaban a contar, uno, dos, tres, cuatro, a grito pelado, y antes que llegáramos a diez ya habían saltado los pelos, y él aguantando verde y los pelos saltando uno tras otro y antes que contáramos cincuenta todos sus pelos estaban como un sombrero de espinas. Eso es lo que más los friega, la pelambre. Pero a Cava más que a los otros, qué manera de tener pelos, casi no se le ve la frente, le crecen sobre las cejas, no debe ser cómodo tener esa peluca, ser un hombre sin frente, y eso era otra cosa que le fregaba mucho. Una vez lo encontraron afeitándose la frente, el negro Vallano, creo. Entró a la cuadra y dijo: «corran que el serrano Cava se está sacando los pelos de la frente, es algo que vale la pena». Fuimos corriendo al baño de las aulas, porque hasta ahí se había ido para que nadie lo pescara, y ahí estaba el serrano con la frente enjabonada como si fuera la barba y se metía la navaja con mucho cuidadito para no cortarse y qué tal manera de batirlo. Se puso medio loco de cólera y esa fue la vez que se trompeó con el negro Vallano, ahí mismo, en el baño. Qué manera de sonarse, pero el negro era más fuerte, le dio sin misericordia. Y el Jaguar dijo: «oigan, tanto que quiere quitarse los pelos, por qué no lo ayudamos». No creo que hiciera bien, el serrano era del Círculo, pero él no pierde la oportunidad de fregar. Y el negro Vallano, que estaba enterito a pesar de la pelea, fue el primero que se lanzó sobre el serrano y después yo y cuando lo tuvimos bien cogido, el Jaguar le echó la misma espuma que quedaba en la brocha, le embadurnó toda la frente peluda y cerca de media cabeza y comenzó a afeitarlo. Quieto serrano, la navaja se te va a meter al cráneo si te mueves. El serrano Cava hinchaba los músculos bajo mis brazos, pero no podía moverse y miraba al Jaguar con una furia. Y el Jaguar, rapa y rapa, aféitale media mitra, qué manera de batir. Y después el serrano se quedó quieto y el Jaguar le limpió la espuma con pelos y de pronto le aplastó la mano en la cara: «come, serrano, no tengas asco, espumita rica, come». Y qué manera de reírnos cuando se paró y corrió a mirarse en el espejo. Creo que nunca me he reído tanto como esa vez, al ver a Cava caminando delante de nosotros por la pista de desfile, con la mitad de la cabeza afeitada y la otra mitad con los pelos tiesos, y el poeta daba saltos y gritaba: «aquí está el último mohicano, den parte a la Prevención», y todo el mundo se acercaba y el serrano iba rodeado de cadetes que lo señalaban con el dedo y en el patio lo vieron dos suboficiales y también comenzaron a reírse y entonces al serrano no le quedó más remedio que reírse. Y después en la fila el teniente Huarina dijo: «¿qué les pasa, mierdas, que andan riéndose como locas? A ver, brigadieres, vengan aquí». Y los brigadieres, nada mi teniente, efectivo completo y los suboficiales dijeron: «un cadete de la primera anda con la cabeza medio pelada» y Huarina dijo: «aquí el cadete». No hay quien se aguantara la risa cuando el serrano Cava se cuadró frente a Huarina y éste le dijo «quítese la cristina» y él se la quitó. «Silencio —dijo Huarina—, ¿qué es eso de reírse en la formación?», pero él también miraba la cabeza del serrano y se le torcía la boca. «¿Qué ha pasado, oiga?», y el serrano, nada mi teniente, cómo que nada, usted cree que el Colegio Militar es un circo, no mi teniente, por qué tiene la cabeza así, me he cortado el pelo por el calor mi teniente, y Huarina entonces se rió y le dijo a Cava: «es usted una putita perdida, pero éste no es un colegio de locas, vaya a la peluquería y que lo rapen, así se le van a quitar los calores y no saldrá hasta que tenga el pelo como dice el reglamento». Pobre serrano, no era mala gente, después nos llevamos bien. Al principio me caía mal, sólo por ser serrano, por las cosas que le hicieron al Ricardo. Siempre andaba batiéndolo. Cuando se reunía el Círculo y había que sortear a uno que zumbara a otro de cuarto y salía el serrano, yo decía mejor elegimos a otro, éste se hará chapar y nos caerán encima. Y Cava se quedaba callado, asimilando. Y después, cuando el Círculo se deshizo y el Jaguar nos propuso: «el Círculo se acabó pero si quieren formamos otro, nosotros cuatro», yo dije nada con serranos, son unos cobardes y el Jaguar dijo: «esto hay que arreglarlo de una vez, nada de estas bromas entre nosotros». Lo llamó a Cava y le dijo: «el Boa nos ha dicho que eres un cobarde y que no debes formar parte del Círculo, tienes que demostrarle que está equivocado». Y el serrano dijo bueno. Esa noche fuimos los cuatro al estadio, y nos quitamos las hombreras para que al pasar por cuarto y quinto no vieran que éramos perros y nos llevaran a tender camas. Y logramos pasar y llegamos al estadio y el Jaguar dijo: «peleen sin decir lisuras ni gritar, las cuadras de cuarto y quinto están llenas de hijos de perra a estas horas». Y el Rulos dijo: «mejor sería que se quitaran las camisas, no vayan a romperlas y mañana hay revista de prendas». Así que nos quitamos las camisas y el Jaguar dijo: «comiencen cuando quieran». Yo ya sabía que el serrano no podía, pero cómo iba a pensar que resistiera tanto. Eso también había sido cierto, los serranos son bien duros para el castigo, aunque no lo parezcan, siendo tan bajitos. Y Cava es bajo, pero eso sí, muy maceteado. No tiene cuerpo, es todo cuadrado, ya me había fijado. Y cuando le daba, parecía que no le hacía nada, aguantaba lo más fresco. Pero es muy bruto, muy serrano, se me prendía del pescuezo y la cintura y no había modo de zafarse, le molía la espalda y la cabeza para que se alejara, pero al ratito volvía como un toro, qué resistencia. Y daba pena ver lo poco ágil que era. Eso también lo sabía, los serranos no saben usar los pies. Sólo los chalacos manejan las patas como se debe, mejor que las manos, ellos deben haber inventado la chalaca, pero no es fácil, cualquiera no levanta las dos patas a la vez y las planta en la cara del enemigo. Los serranos pelean sólo con las dos manos. Ni siquiera saben usar la cabeza como los criollos, y eso que la tienen dura. Creo que los chalacos son los mejores peleadores del mundo. El Jaguar dice que es de Bellavista, pero yo creo que es chalaco, en todo caso está tan cerquita. No conozco a nadie que maneje como él la cabeza y los pies. Casi no usa las manos para pelear, chalaca y cabezazo todo el tiempo, no quisiera pelearme nunca con el Jaguar. Mejor paramos, serrano, le dije. «Como tú quieras —me contestó—, pero nunca más digas que soy un cobarde.» «Pónganse las camisas —dijo el Rulos— y límpiense las caras, ahí viene alguien, creo que son suboficiales.» Pero no eran suboficiales sino cadetes de quinto. Y eran cinco. «¿Por qué están sin cristinas?», dijo uno. «Ustedes son de cuarto o perros, no disimulen.» Y otro gritó: «cuádrense y vayan sacando la plata y los cigarrillos». Yo estaba muy cansado, me quedé quieto mientras el tipo ése me rebuscaba los bolsillos. Pero el que estaba registrando al Rulos dijo: «éste está lleno de plata y de incas, qué tesoro». Y el Jaguar les dijo, con su risita: «ustedes son muy valientes porque están en quinto, ¿no?». Y uno preguntó: «¿qué ha dicho este perro?». No se les veían las caras porque estaba oscuro. Y otro tipo dijo: «¿quiere repetir lo que ha dicho, perro?» y el Jaguar le dijo: «si usted no estuviera en quinto, mi cadete, seguro que no se atrevía a sacarnos la plata y los cigarros». Y los cadetes se rieron. Le preguntaron: «¿usted es muy maldito, por lo que parece?». «Sí —les dijo el Jaguar—. Una barbaridad de maldito. Y también creo que no se atreverían a meterme las manos al bolsillo si estuviéramos en la calle.» «Qué me cuentan, qué me cuentan», dijo otro, «¿oyen lo que estoy oyendo?». Y otro dijo: «si usted quiere, cadete, podría quitarme las insignias y tirarlas al suelo y se me ocurre que también sin insignias le meto la mano donde se me antoje». «No, mi cadete —dijo el Jaguar—, no creo que se atrevería.» «Vamos a probar», dijo el cadete. Y se quitó el sacón y las insignias y al ratito el Jaguar lo había tumbado y lo machucaba contra el suelo, así que el tipo se puso a gritar: «¡qué esperan para ayudarme!». Y los otros se echaron sobre el Jaguar y el Rulos dijo: «esto sí que no lo permito». Y yo me fui sobre el montón, qué pelea más rara, nadie veía nada, y a ratos me caían como pedradas y yo pensaba: «se me hace que son las patas del Jaguar». Y ahí estuvimos en el cargamontón hasta que sonó el pito y todos salimos corriendo. Qué manera de estar molidos. En la cuadra, cuando nos quitamos las camisas, los cuatro estábamos hinchados de arriba abajo y nos moríamos de risa. Toda la sección se amontonó en el baño y decían: «cuenten». Y el poeta nos echó pasta de dientes en la cara para bajar la hinchazón. Y en la noche el Jaguar dijo: «ha sido como el bautizo del nuevo Círculo». Y después yo fui hasta la cama del pobre Cava y le dije: «oye, quedamos como amigos». Y él me dijo: «por supuesto».

(10)

Bebieron las colas sin hablar. Paulino los miraba descaradamente, con sus ojos malignos. El padre de Arana bebía del pico de la botella, a tragos cortos; a veces, se quedaba con la botella suspendida sobre la boca y los ojos ausentes. Reaccionaba haciendo una mueca y volvía a tomar otro trago. Alberto bebía sin ganas, el gas le hacía cosquillas en el estómago. Procuraba no hablar, temía que el hombre se lanzara a nuevas confidencias. Miraba a un lado y a otro. No se veía a la vicuña, probablemente estaba en el estadio. El animal huía al otro extremo del colegio cuando los cadetes estaban libres. Durante las clases, en cambio, venía a recorrer el campo de hierba a pasos lentos y gimnásticos. El padre de Arana pagó las bebidas y dio a Paulino una propina. El edificio de las aulas no se veía, aún estaban sin encender las luces de la pista de desfile y la neblina había descendido hasta el suelo.

—¿Sufría mucho? —preguntó el hombre—. El sábado, al traerlo aquí. ¿Sufría mucho?

—No, señor. Estaba desmayado. Lo subieron a un coche en la avenida Progreso. Y lo trajeron directamente a la enfermería.

—Sólo nos avisaron el sábado en la tarde —dijo el hombre, con voz fatigada—. A eso de las cinco. Hacía como un mes que no salía y su madre quería venir a verlo. Siempre lo castigaban por una cosa u otra. Yo pensaba que eso lo obligaba a estudiar más. Nos llamó por teléfono el capitán Garrido. Fue algo duro para nosotros, joven. Vinimos al instante, casi choco en la Costanera. Y ni siquiera nos dejaron estar con él. Eso no habría ocurrido en una clínica.

—Si ustedes quisieran, podrían llevarlo a otra clínica. No se atreverán a prohibirles eso.

—El médico dice que ahora no se lo puede mover. Está muy grave, esa es la verdad, para qué engañarse. Su madre se va a volver loca. Está furiosa conmigo, sabe usted, eso es lo más injusto, por lo del viernes. Las mujeres son así, todo lo tergiversan. Si yo he sido severo con el muchacho, ha sido por su bien. Pero el viernes no pasó nada, una tontería. Y me lo saca en cara todo el tiempo.

65

—Arana no me contó nada —dijo Alberto—. Y eso que siempre me hablaba de sus cosas.

—Le digo que no pasó nada. Vino a la casa por unas horas, le habían dado un permiso no sé por qué. Hacía un mes que no salía. Y apenas llegó quiso ir a la calle. Era una desconsideración, no es cierto, qué es eso de llegar y salir disparado de su casa. Le dije que se quedara con su madre, que tanto se desespera cuando no sale. Nada más, fíjese si no es una tontería. Y ahora ella me dice que yo lo martiricé hasta el final, ¿no es injusto y estúpido?

—Su señora debe estar nerviosa —dijo Alberto—. Es natural. Una cosa así...

—Sí, sí —dijo el hombre—. No hay manera de convencerla que descanse. Se pasa todo el día en la enfermería, esperando al médico. Y para nada. Apenas nos habla, fíjese. Calma, un poco de paciencia señores, estamos haciendo todo lo posible, ya les avisaremos. El capitán puede ser muy amable, nos quiere tranquilizar, pero hay que ponerse en nuestro caso. Parece tan increíble, después de tres años, ¿cómo le puede ocurrir a un cadete un accidente así?

—Es decir —dijo Alberto—. No se sabe. Mejor dicho...

—El capitán nos explicó —dijo el hombre—. Lo sé todo. Ya sabe usted, los militares son partidarios de la franqueza. Al pan pan y al vino vino. No hablan con rodeos.

—¿Le contó todo con detalles?

—Sí —dijo el padre—. Se me ponían los pelos de punta. Parece que el fusil chocó cuando él apretaba el gatillo. ¿Se da usted cuenta? En parte es culpa del colegio. ¿Qué clase de instrucción les dan?

—¿Le dijo que se había disparado él mismo? —lo interrumpió Alberto.

—Fue un poco brusco en eso —dijo el hombre—. No debió decirlo delante de su madre. Las mujeres son débiles. Pero los militares no tienen pelos en la lengua. Yo quería que mi hijo fuera así, una roca. ¿Sabe lo que nos dijo? En el Ejército los errores se pagan caros, así, tal como se lo cuento. Y nos dio explicaciones, que los peritos revisaron el arma, que todo funciona perfectamente, que la culpa fue sólo del muchacho. Pero yo tengo mis dudas. Yo pienso que la bala se escapó por accidente. En fin, uno no puede saber. Los militares entienden de estas cosas más que uno. Además, ahora qué importa.

—¿Le dijo todo eso? —insistió Alberto.

El padre de Arana lo miró.

—Sí. ¿Por qué?

—Por nada —repuso Alberto—. Nosotros no vimos. Estábamos en el cerro.

—Me disculpan —dijo Paulino—. Pero tengo que cerrar.

—Será mejor que vuelva a la enfermería —dijo el hombre—. Tal vez ahora podamos verlo un rato.

Se levantaron y Paulino les hizo un saludo con la mano. Volvieron a avanzar sobre la hierba. El padre de Arana caminaba con las manos a la espalda; se había subido las solapas del saco. «El Esclavo nunca me habló de él», pensó Alberto. «Ni de su madre.»

—¿Puedo pedirle un favor? —dijo—. Quisiera ver a Arana un momento. No digo ahora. Mañana, o pasado, cuando esté mejor. Usted podría hacerme entrar a su cuarto diciendo que soy un pariente, o un amigo de la familia.

—Sí —dijo el hombre—. Ya veremos. Hablaré con el capitán Garrido. Parece muy correcto. Un poco estricto, como todos los militares. Después de todo es su oficio.

—Sí —dijo Alberto—. Los militares son así.

—¿Sabe? —dijo el hombre—. El muchacho está muy resentido conmigo. Yo me doy cuenta. Le hablaré y si no es bruto comprenderá que todo ha sido por su bien. Verá que las responsables son su madre y la vieja loca de Adelina.

—¿Es una tía suya, creo? —dijo Alberto.

—Sí —afirmó el hombre, enfurecido—. La histérica esa. Lo crió como a una mujercita. Le regalaba muñecas y le hacía rizos. A mí no pueden engañarme. He visto fotos que le tomaron en Chiclayo. Lo vestían con faldas y le hacían rulos, a mi propio hijo, ¿comprende usted? Se aprovecharon de que yo estaba lejos. Pero no se iban a salir con la suya.

—¿Usted viaja mucho, señor?

—No —respondió brutalmente el hombre—. No he salido nunca de Lima. Ni me interesa. Pero cuando yo lo recobré estaba maleado, era un inservible, un inútil. ¿Quién me puede culpar por haber querido hacer de él un hombre? ¿Eso es algo de que tengo que avergonzarme?

—Estoy seguro que sanará pronto —dijo Alberto—. Seguro.

—Pero tal vez he sido un poco duro —prosiguió el hombre—. Por exceso de cariño. Un cariño bien entendido. Su madre y esa loca de Adelina no pueden comprender. ¿Quiere usted un consejo? Cuando tenga hijos, póngalos lejos de la madre. No hay nada peor que las mujeres para malograr a un muchacho.

—Bueno —dijo Alberto—. Ya llegamos.

—¿Qué pasa allá? —dijo el hombre—. ¿Por qué corren?

—Es el silbato —dijo Alberto—. Para formar. Tengo que irme.

—Hasta luego —dijo el hombre—. Gracias por acompañarme.

Alberto echó a correr. Pronto alcanzó a uno de los cadetes que habían pasado antes. Era Urioste.

—Todavía no son las siete —dijo Alberto.

—El Esclavo ha muerto —dijo Urioste, jadeando—. Estamos yendo a dar la noticia.

(11)

No entiendo una palabra —dijo el mayor—. Ni una.

Era un hombre obeso y colorado, con un bigotillo rojizo que no llegaba a las comisuras de los labios. Había leído el parte cuidadosamente, de principio a fin, pestañeando sin cesar. Antes de levantar la vista hacia el capitán Garrido, que estaba de pie, frente al escritorio, de espaldas a la ventana que descubría el mar gris y los llanos pardos de la Perla, volvió a leer algunos párrafos de las diez hojas a máquina.

—No entiendo —repitió—. Explíqueme usted, capitán. Alguien se ha vuelto loco aquí y creo que no soy yo. ¿Qué le ocurre al teniente Gamboa?

—No sé, mi mayor. Estoy tan sorprendido como usted. He hablado con él varias veces sobre este asunto. He tratado de demostrarle que un parte como éste era descabellado...

—¿Descabellado? —dijo el mayor—. Usted no debió permitir que se metiera a esos muchachos al calabozo ni que el parte fuera redactado en semejantes términos. Hay que poner fin a este lío de inmediato. Sin perder un minuto.

—Nadie se ha enterado de nada, mi mayor. Los dos cadetes están aislados.

—Llame a Gamboa —dijo el mayor—. Que venga en el acto.

El capitán salió, precipitadamente. El mayor volvió a coger el parte. Mientras lo releía, trataba de morderse los pelos rojizos del bigote, pero sus dientes eran muy pequeñitos y sólo alcanzaban a arañar los labios e irritarlos. Uno de sus pies taconeaba, nervioso. Minutos después el capitán volvió seguido del teniente.

—Buenos días —dijo el mayor, con una voz que la irritación llenaba de altibajos—. Estoy muy sorprendido, Gamboa. Vamos a ver, usted es un oficial destacado, sus superiores lo estiman. ¿Cómo se le ha ocurrido pasar este parte? Ha perdido el juicio, hombre, esto es una bomba. Una verdadera bomba.

—Es verdad, mi mayor —dijo Gamboa. El capitán lo miraba, masticando furiosamente—. Pero el asunto escapa ya a mis atribuciones. He averiguado todo lo que he podido. Sólo el Consejo de Oficiales...

—¿Qué? —lo interrumpió el mayor—. ¿Cree que el Consejo va a reunirse para examinar esto? No diga tonterías, hombre. El Leoncio Prado es un colegio, no vamos a permitir un escándalo así. En realidad, algo anda mal en su cabeza, Gamboa. ¿Piensa de veras que voy a dejar que este parte llegue al Ministerio?

68

—Es lo que yo he dicho al teniente, mi mayor —insinuó el capitán—. Pero él se ha empeñado.

—Veamos —dijo el mayor—. No hay que perder los controles, la serenidad es capital en todo momento. Veamos. ¿Quién es el muchacho que hizo la denuncia?

—Fernández, mi mayor. Un cadete de la primera sección.

—¿Por qué metió al otro al calabozo sin esperar órdenes?

—Tenía que comenzar la investigación, mi mayor. Para interrogarlo, era imprescindible que lo separara de los cadetes. De otro modo, la noticia se habría difundido por todo el año. Por prudencia no he querido hacer un careo entre los dos.

—La acusación es imbécil, absurda —estalló el mayor—. Y usted no debió prestarle la menor importancia. Son cosas de niños y nada más. ¿Cómo ha podido dar crédito a esa historia fantástica? Jamás pensé que fuera tan ingenuo, Gamboa.

—Es posible que usted tenga razón, mi mayor. Pero permítame hacerle una observación. Yo tampoco creía que se robaban los exámenes, que había bandas de ladrones, que metían al colegio naipes, licor. Y todo eso lo he comprobado personalmente, mi mayor.

—Eso es otra cosa —dijo el mayor—. Es evidente que en el quinto año se burla la disciplina. No cabe ninguna duda. Pero en este caso los responsables son ustedes. Capitán Garrido, el teniente Gamboa y usted se van a ver en apuros. Los muchachos se los han comido vivos. Veremos la cara del coronel cuando sepa lo que pasa en las cuadras. No puedo hacer nada, tengo que pasar el parte y poner en orden las cosas. Pero —el mayor intentó nuevamente morderse el bigote— lo otro es inadmisible y absurdo. Ese muchacho se pegó un tiro por error. El asunto está liquidado.

—Perdón, mi mayor —dijo Gamboa—. No se comprobó que él mismo se matara.

—¿No? —El mayor fulminó a Gamboa con los ojos—. ¿Quiere que le muestre el parte sobre el accidente?

—El coronel nos explicó la razón de ese parte, mi mayor. Era para evitar complicaciones.

—¡Ah! —dijo el mayor, con un gesto triunfal—. Justamente. ¿Y para evitar complicaciones hace usted ahora un informe lleno de horrores?

—Es distinto, mi mayor —dijo Gamboa, imperturbable—. Todo ha cambiado. Antes, la hipótesis del accidente era la más verosímil, mejor dicho la única. Los médicos dijeron que el balazo vino de atrás. Pero yo y los demás oficiales pensábamos que se trataba de una bala perdida, de un accidente. En esas condiciones, no importaba atribuir el error a la propia víctima, para no hacer daño a la institución. En realidad, mi mayor, yo creí que el cadete Arana era culpable, al menos en parte, por estar mal

69

emplazado, por haber demorado en el salto. Incluso, hasta podía pensarse que la bala salió de su propio fusil. Pero todo cambia desde que una persona afirma que se trata de un crimen. La acusación no es del todo absurda, mi mayor. La disposición de los cadetes...

—Tonterías —dijo el mayor con cólera—. Usted debe leer novelas, Gamboa. Vamos a arreglar este enredo de una vez y basta de discusiones inútiles. Vaya a la Prevención y mande a esos cadetes a su cuadra. Dígales que si hablan de este asunto serán expulsados y que no se les dará ningún certificado. Y haga un nuevo informe, omitiendo todo lo relativo a la muerte del cadete Arana.

—No puedo hacer eso, mi mayor —dijo Gamboa—. El cadete Fernández mantiene sus acusaciones. Hasta donde he podido comprobar por mí mismo, lo que dice es cierto. El acusado se hallaba detrás de la víctima durante la campaña. No afirmo nada, mi mayor. Quiero decir sólo que, técnicamente, la denuncia es aceptable. Sólo el Consejo puedo pronunciarse al respecto.

—Su opinión no me interesa —dijo el mayor, con desprecio—. Le estoy dando una orden. Guárdese esas fábulas para usted y obedezca. ¿O quiere que lo lleve ante el Consejo? Las órdenes no se discuten, teniente.

—Usted es libre de llevarme al Consejo, mi mayor —dijo Gamboa, suavemente—. Pero no voy a rehacer el parte. Lo siento. Y debo recordarle que usted está obligado a llevarlo donde el comandante.

El mayor palideció de golpe. Olvidando las formas, trataba ahora de alcanzar los bigotes con los dientes a toda costa y hacía muecas sorprendentes. Se había puesto de pie. Sus ojos eran violáceos.

—Bien —dijo—. Usted no me conoce, Gamboa. Soy manso sólo cuando se portan bien conmigo. Pero soy un enemigo peligroso, ya lo va a comprobar. Esto le va a costar caro. Le juro que se va a acordar de mí. Por lo pronto, no saldrá del colegio hasta que todo se aclare. Voy a transmitir el parte, pero también pasaré un informe sobre su manera de comportarse con los superiores. Váyase.

—Permiso, mi mayor —dijo Gamboa y salió, caminando sin prisa.

—Está loco —dijo el mayor—. Se ha vuelto loco. Pero yo lo voy a curar.

—¿Va usted a pasar el parte, mi mayor? —preguntó el capitán.

—No puedo hacer otra cosa. —El mayor miró al capitán y pareció sorprenderse de encontrarlo allí—. Y usted también se ha fregado, Garrido. Su foja de servicios va a quedar negra.

—Mi mayor —balbució el capitán—. No es mi culpa. Todo ha ocurrido en la primera compañía, la de Gamboa. Las otras marchan perfectamente, como sobre ruedas, mi mayor. Siempre he cumplido las instrucciones al pie de la letra.

—El teniente Gamboa es su subordinado —repuso el mayor, secamente—. Si un cadete viene a revelarle lo que pasa en su batallón, quiere decir que usted ha estado en la luna todo el tiempo. ¿Qué clase de oficiales son ustedes? No pueden imponer la disciplina a niños de colegio. Le aconsejo que trate de poner un poco de orden en quinto año. Puede retirarse.

El capitán dio media vuelta y sólo cuando estuvo en la puerta recordó que no había saludado. Giró e hizo chocar los tacones: el mayor revisaba el parte, movía los labios y su frente se plegaba y desplegaba. El capitán Garrido fue a un paso muy ligero, casi al trote, hasta la secretaría del año. En el patio, tocó su silbato, con mucha fuerza. Momentos después, el suboficial Morte entraba a su despacho.

—Llame a todos los oficiales y suboficiales del año —le dijo el capitán. Se pasó la mano por las frenéticas mandíbulas—. Todos ustedes son los responsables verdaderos y me las van a pagar caro, carajo. Es su culpa y de nadie más. ¿Qué hace ahí con la boca abierta? Vaya y haga lo que le he dicho.

(12)

El teniente Gamboa salió de su cuarto y se detuvo un instante en el pasillo para limpiarse la frente con el pañuelo. Estaba transpirando. Acababa de terminar una carta a su mujer y ahora iba a la Prevención a entregársela al teniente de servicio para que la despachara con el correo del día. Llegó a la pista de desfile. Casi sin proponérselo, avanzó hacia «La Perlita». Desde el descampado, vio a Paulino abriendo con sus dedos sucios los panes que vendería rellenos de salchicha, en el recreo. ¿Por qué no se había tomado medida alguna contra Paulino, a pesar de haber indicado él en el parte el contrabando de cigarrillos y de licor a que el injerto se dedicaba? ¿Era Paulino el verdadero concesionario de «La Perlita» o un simple biombo? Fastidiado, desechó esos pensamientos. Miró su reloj: dentro de dos horas habría terminado su servicio y quedaría libre por veinticuatro horas. ¿Adónde ir? No le entusiasmaba la idea de encerrarse en la solitaria casa del Barranco; estaría preocupado, aburrido. Podía visitar a alguno de sus parientes, siempre lo recibían con alegría y le reprochaban que no los buscara con frecuencia. En la noche, tal vez fuera a un cine, siempre había films de guerra o de gangsters en los cinemas de Barranco. Cuando era cadete, todos los domingos él y Rosa iban al cine en matiné y en vermuth y a veces repetían la película. Él se burlaba de la muchacha, que sufría en los melodramas mexicanos y buscaba su mano en la oscuridad, como pidiéndole protección, pero ese contacto súbito lo conmovía y lo exaltaba secretamente. Habían pasado cerca de ocho años. Hasta algunas semanas atrás, nunca había recordado el pasado, ocupaba su tiempo libre en hacer planes para el futuro. Sus objetivos se habían realizado hasta ahora, nadie le había arrebatado el puesto que obtuvo al salir de la Escuela Militar. ¿Por qué, desde que surgieron estos problemas recientes, pensaba constantemente en su juventud, con cierta amargura?

—¿Qué le sirvo, mi teniente? —dijo Paulino, haciéndole una reverencia.

—Una Cola.

El sudor dulce y gaseoso de la bebida le dio náuseas. ¿Valía la pena haber dedicado tantas horas a aprender de memoria esas páginas áridas, haber puesto el mismo empeño en el estudio de los códigos y reglamentos que en los cursos de estrategia, logística y geografía militar? «El orden y la disciplina constituyen la justicia —recitó Gamboa, con una sonrisa ácida en los labios—, y son los instrumentos indispensables de una vida colectiva racional. El orden y la disciplina se obtienen adecuando la realidad a las leyes.» El capitán Montero les obligó a meterse en la cabeza hasta los prólogos del reglamento. Le decían «el leguleyo» porque era un fanático de las citas jurídicas. «Un excelente profesor —pensó Gamboa—. Y un gran oficial. ¿Seguiría pudriéndose en la guarnición de Borja?» Al regresar de Chorrillos, Gamboa imitaba los ademanes del capitán Montero. Había sido destacado a Ayacucho y pronto ganó fama de severo. Los oficiales le decían «el Fiscal» y la tropa «el Malote». Se burlaban de su estrictez, pero él sabía que en el fondo lo respetaban con cierta admiración. Su compañía era la más entrenada, la de mayor disciplina. Ni siquiera necesitaba castigar a los soldados; después de un adiestramiento rígido y de unas cuantas advertencias, todo comenzaba a andar sobre ruedas. Imponer la disciplina había sido hasta ahora para Gamboa, tan fácil como obedecerla. Él había creído que en el Colegio Militar sería lo mismo. Ahora dudaba. ¿Cómo confiar ciegamente en la superioridad después de lo ocurrido? Lo sensato sería tal vez hacer como los demás. Sin duda, el capitán Garrido tenía razón: los reglamentos deben ser interpretados con cabeza, por encima de todo hay que cuidar su propia seguridad, su porvenir. Recordó que al poco tiempo de ser destinado al Leoncio Prado, tuvo un incidente con un cabo. Era un serrano insolente, que se reía en su cara mientras él lo reprendía. Gamboa le dio una bofetada y el cabo le dijo entre dientes: «si fuera cadete no me hubiera pegado, mi teniente». No era tan torpe ese cabo, después de todo.

Pagó la Cola y regresó a la pista de desfile. Esa mañana había elevado cuatro nuevos partes sobre los robos de exámenes, el hallazgo de las botellas de licor, las timbas en las cuadras y las *contras*. Teóricamente, más de la mitad de los cadetes de la primera deberían ser llevados ante el Consejo de Oficiales. Todos podían ser severamente sancionados, algunos con la expulsión. Sus partes se referían sólo a la primera sección. Una revista en las otras cuadras sería inútil: los cadetes habían tenido tiempo de sobra para destruir o esconder los naipes y las botellas. En los partes, Gamboa no aludía siquiera a las otras compañías; que se ocuparan de ellas sus oficiales. El capitán Garrido leyó los partes en su delante, con aire distraído. Luego le preguntó:

—¿Para qué esos partes, Gamboa?

—¿Para qué, mi capitán? No entiendo.

—El asunto está liquidado. Ya se han tomado todas las disposiciones del caso.

—Está liquidado lo del cadete Fernández, mi capitán. Pero no lo demás.

El capitán hizo un gesto de hastío. Volvió a tomar los partes y los revisó; sus mandíbulas proseguían, incansables, su masticación gratuita y espectacular.

—Lo que digo, Gamboa, es para qué los papeles. Ya me ha presentado un parte oral. ¿Para qué escribir todo esto? Ya está consignada casi toda la primera sección. ¿Adónde quiere usted llegar?

—Si se reúne el Consejo de Oficiales, se exigirán partes escritos, mi capitán.

—Ah —dijo el capitán—. No se le quita de la cabeza la idea del Consejo, ya veo. ¿Quiere que sometamos a disciplina a todo el año?

—Yo sólo doy parte de mi compañía, mi capitán. Las otras no me incumben.

—Bueno —dijo el capitán—. Ya me dio los partes. Ahora, olvídese del asunto y déjelo a mi cargo. Yo me ocupo de todo.

Gamboa se retiró. Desde ese momento, el abatimiento que lo perseguía, se agravó. Esta vez, estaba resuelto a no ocuparse más de esa historia, a no tomar iniciativa alguna. «Lo que me haría bien esta noche —pensó—, es una buena borrachera.» Fue hasta la Prevención y entregó la carta al oficial de guardia. Le pidió que la despachara certificada. Salió de la Prevención y vio, en la puerta del edificio de la administración, al comandante Altuna. Éste le hizo una seña para que se acercara.

—Hola, Gamboa —le dijo—. Venga, lo acompaño.

El comandante había sido siempre muy cordial con Gamboa, aunque sus relaciones eran estrictamente las del servicio. Avanzaron hacia el comedor de oficiales.

—Tengo que darle una mala noticia, Gamboa. —El comandante caminaba con las manos cogidas a la espalda—. Ésta es una información privada, entre amigos. ¿Comprende lo que le quiero decir, no es verdad?

—Sí, mi comandante.

—El mayor está muy resentido con usted, Gamboa. Y el coronel, también. Hombre, no es para menos. Pero ése es otro asunto. Le aconsejo que se mueva rápido en el Ministerio. Han pedido su traslado inmediato. Me temo que la cosa esté avanzada, no tiene mucho tiempo. Su foja de servicios lo protege. Pero en estos casos las influencias son muy útiles, usted ya sabe.

«No le hará ninguna gracia salir de Lima, ahora —pensó Gamboa—. En todo caso tendré que dejarla un tiempo aquí, con su familia. Hasta encontrar una casa, una sirvienta.»

—Le agradezco mucho, mi comandante —dijo—. ¿No sabe usted adónde pueden trasladarme?

—No me extrañaría que fuera a alguna guarnición de la selva. O a la puna. A estas alturas del año no se hacen cambios, sólo hay puestos por cubrir en las guarniciones difíciles. Así que no pierda tiempo. Tal vez pueda conseguir una ciudad importante, digamos Arequipa o Trujillo. Ah, y no olvide que esto que le digo es confidencial, de amigo a amigo. No quisiera tener inconvenientes.

—No se preocupe, mi comandante —lo interrumpió Gamboa—. Y nuevamente, muchas gracias.

(1)

En la Prevención de la Base, el oficial de servicio los examinó de arriba abajo, como si no los conociera. Y los tuvo esperando bajo el sol candente, sin ocurrírsele hacerlos pasar a la sombra de la oficina. Mientras esperaban, Lituma echó una ojeada al contorno. ¡Puta, qué lecheros! ¡Vivir y trabajar en un sitio así! A la derecha se alineaban las casas de los oficiales, igualitas, de madera, empinadas sobre pilotes, pintadas de azul y de blanco, con pequeños jardines de geranios bien cuidados y rejillas para los insectos en puertas y ventanas. Vio señoras con niños, muchachas regando las flores, oyó risas. ¡Los aviadores vivían casi tan bien como los gringos de la International, carajo! Daba envidia ver todo tan limpio y ordenado. Hasta tenían su piscina, ahí, detrás de las casas. Lituma nunca la había visto pero se la imaginó, llena de señoras y chicas en ropa de baño, tomando el sol y remojándose. A la izquierda estaban las dependencias, hangares, oficinas, y, al fondo, la pista. Había varios aviones formando un triángulo. «Se dan la gran vida», pensó. Como los gringos de la International, éstos, detrás de sus muros y rejas, vivían igual que en las películas. Y gringos y aviadores podían mirarse la cara por sobre las cabezas de los talareños, que se asaban de calor allá abajo en el pueblo, apretado a orillas del mar sucio y grasiento. Porque, desde la Base, sobrevolando Talara, se divisaban en un promontorio rocoso, detrás de rejas protegidas día y noche por vigilantes armados, las casitas de los ingenieros, técnicos y altos empleados de la International. También ellos tenían su piscina, con trampolines y todo, y en el pueblo se decía que las gringas se bañaban medio calatas.

Por fin, después de una larga espera, el Coronel Mindreau los hizo pasar a su despacho. Mientras iban hacia las oficinas, entre oficiales y avioneros, a Lituma se le ocurrió: «Algunos de éstos saben lo que ha pasado, carajo.»

—Adelante —les dijo el Coronel, desde su escritorio.

Hicieron chocar sus tacones, en el umbral, y avanzaron hasta el centro de la pieza. En el escritorio había un banderín peruano, un calendario, una agenda, expedientes, lápices, y varias fotografías del Coronel Mindreau con su hija y de ésta sola. Una joven de carita larga y respondona, muy seria. Todo estaba ordenado con manía, igual que los armarios, los diplomas y el gran mapa del Perú que servía de telón de fondo a la silueta del Jefe de la Base Aérea de Talara. El Coronel Mindreau era un hombre bajito, fortachón, con unas entradas que avanzaban por ambas sienes hasta media cabeza y un bigotito entrecano, milimétricamente recortado. Daba la misma impresión de pulcritud que su escritorio. Los observaba con unos ojitos grises y acerados, sin el menor asomo de bienvenida.

—¿En qué puedo servirlos? —murmuró, con una urbanidad que su expresión glacial contradecía.

—Venimos otra vez por el asesinato de Palomino Molero —repuso el Teniente, con mucho respeto—. A solicitarle su colaboración, mi Coronel.

—¿No he colaborado ya? —lo atajó el Coronel Mindreau. En su vocecita había como un sedimento de burla—. ¿No estuvieron en este mismo despacho hace tres días? Si perdió el Memorándum que le di, conservo una copia.

Abrió rápidamente un expediente que tenía frente a él, sacó un papelito y leyó, con voz átona:

«Molero Sánchez, Palomino. Nacido en Piura el 13 de febrero de 1936, hijo legítimo de Doña Asunta Sánchez y de Don Teófilo Molero, difunto. Instrucción primaria completa y secundaria hasta tercero de Media en el Colegio Nacional San Miguel, de Piura. Inscrito en la clase de 1953. Comenzó a servir en la Base Aérea de Talara el 15 de enero de 1954, en la Compañía tercera, donde, bajo el mando del Teniente Adolfo Capriata, recibió instrucción junto con los demás reclutas que iniciaban su servicio. Desapareció de la Base en la noche del 23 al 24 de marzo, no reportándose a su compañía luego de haber gozado de un día de franco. Se le declaró desertor y se dio parte a la autoridad correspondiente.»

El Coronel carraspeó y miró al Teniente Silva:

—¿Quiere una copia?

«¿Por qué nos odias?», pensó Lituma. «¿Y por qué eres tan déspota, concha de tu madre?»

—No hace falta, mi Coronel —sonrió el Teniente Silva—. El Memorándum no se ha perdido.

—¿Y entonces? —enarcó una ceja el Coronel, con impaciencia—. ¿En qué quiere usted que colabore? El Memorándum dice todo lo que sabemos de Palomino Molero. Yo mismo hice la investigación, con oficiales, clases y avioneros de su compañía. Nadie lo vio y nadie sabe quién pudo haberlo matado ni por qué. Mis superiores han recibido un informe detallado y están satisfechos. Usted no, por lo visto. Bueno, es problema suyo. La gente de la Base está limpia de polvo y paja en este asunto y no hay nada más que averiguar aquí dentro. Era un tipo callado, no se juntaba con nadie, no hacía confidencias a nadie. Por lo visto, no tenía amigos ni tampoco enemigos, en la Base. Algo flojo para la instrucción, según los partes. Desertó por eso, tal vez. Busque afuera, averigüe quién lo conocía en el pueblo, con quién estuvo desde que desertó hasta que lo mataron. Aquí pierde su tiempo, Teniente. Y yo no puedo darme el lujo de perder el mío.

¿Intimidaría a su jefe el tonito perentorio, sin concesiones, del Coronel Mindreau? ¿Lo haría retirarse? Pero Lituma vio que su jefe no se movía.

—No hubiéramos venido a molestarlo si no tuviéramos un motivo, mi Coronel. —El Teniente seguía en posición de firmes y hablaba tranquilo, sin apresurarse.

Los ojitos grises pestañearon, una vez, y hubo en su cara un amago de sonrisa.

—Había que empezar por ahí, entonces.

—El guardia Lituma ha hecho unas averiguaciones en Piura, mi Coronel.

Lituma tuvo la impresión de que el Jefe de la Base se sonrojaba. Sentía una incomodidad creciente y le pareció que nunca conseguiría dar un informe bien dado a una persona tan hostil. Pero, casi atorándose, habló. Contó que, en Piura, había sabido que Palomino Molero se presentó al servicio sin tener obligación de hacerlo, porque, según le dijo a su madre, era de vida o muerte para él salir de la ciudad. Hizo una pausa. ¿Lo estaba escuchando? El Coronel examinaba, entre disgustado y benevolente, una foto en la que aparecía su hija rodeada de dunas de arena y algarrobos. Por fin, lo vio volverse hacia él:

—¿Qué quiere decir eso de vida o muerte?

—Pensamos que tal vez lo había explicado aquí, al presentarse —intervino el Teniente—. Que a lo mejor aclaró por qué tenía que salir de Piura con tanta urgencia.

¿Se hacía el cojudo su jefe? ¿O estaba tan nervioso como él por las maneritas del Coronel?

El jefe de la Base paseó sus ojos por la cara del oficial, como contándole los barritos. Al Teniente Silva le arderían las mejillas con semejante mirada. Pero no demostraba la menor emoción; esperaba, inexpresivo, que el Coronel se dignara hablarle.

—¿No se le ocurrió que si nosotros supiéramos semejante cosa, lo habríamos dicho en el Memorándum? —deletreó, como si sus interlocutores desconocieran la lengua o fueran tarados—. ¿No pensó que si nosotros, aquí en la Base, hubiéramos sabido que Palomino Molero se sentía amenazado y perseguido por alguien, se lo hubiéramos comunicado en el acto a la policía o al juez?

Debió callarse, porque comenzó a roncar un avión, muy cerca. El ruido creció, creció, y Lituma creyó que iban a reventarle los tímpanos. Pero no se atrevió a taparse los oídos.

—El guardia Lituma también averiguó otra cosa, mi Coronel —dijo el Teniente, al disminuir el ruido de las hélices. Imperturbable, parecía no haber oído las preguntas del Coronel Mindreau.

—¿Ah, sí? —dijo éste, ladeando la cabeza hacia Lituma—. ¿Qué cosa?

Lituma se aclaró la garganta antes de contestar. La expresión sardónica del Coronel lo enmudecía.

—Palomino Molero estaba muy enamorado —balbuceó—. Y parece que...

—¿Por qué tartamudea? —le preguntó el Coronel—. ¿Le pasa algo?

—No eran amores muy santos —susurró Lituma—. Tal vez por eso se escapó de Piura. Es decir...

La cara del Coronel, cada vez más desabrida, hizo que se sintiera tonto y la voz se le cortó. Hasta entrar en el despacho, las conjeturas que había hecho la víspera le parecían convincentes, y el Teniente le había dicho que, en efecto, tenían su peso. Pero, ahora, ante esa expresión escéptica, sarcástica, del Jefe de la Base Aérea, se sentía inseguro y hasta avergonzado de ellas.

—En otras palabras, mi Coronel, podría ser que a Palomino Molero lo chapara en sus amoríos un marido celoso y lo amenazara de muerte —vino a ayudarlo el Teniente Silva—. Y que, por eso, el muchacho se enrolara aquí.

El Coronel los consideró a uno y a otro, callado, pensativo. ¿Qué majadería iba a soltar?

—¿Quién es ese marido celoso? —dijo, al fin.

—Eso es lo que nos gustaría saber —repuso el Teniente Silva—. Si supiéramos eso, sabríamos un montón de cosas.

—¿Y cree que yo estoy al tanto de los amoríos de los cientos de clases y avioneros que hay en la Base? —volvió a deletrear, con infinitas pausas, el Coronel Mindreau.

—Usted tal vez no, mi Coronel —se disculpó el Teniente—. Pero se nos ocurrió que alguien en la Base, tal vez. Un compañero de cuadra de Palomino Molero, algún instructor, alguien.

—Nadie sabe nada de la vida privada de Palomino Molero —lo interrumpió de nuevo el Coronel—. Yo mismo lo he averiguado. Era introvertido, no hablaba con nadie de sus cosas. ¿No está en el Memorándum, acaso?

A Lituma se le ocurrió que al Coronel le importaba un carajo la desgracia del flaquito. Ni ahora ni la vez pasada había traslucido la menor emoción por ese crimen. Ahora mismo se refería al avionero como a un don nadie, con mal disimulado desprecio. ¿Era por lo que había desertado tres o cuatro días antes de que lo mataran? Además de antipático, el Jefe de la Base tenía fama de ser un monstruo de rectitud, un maniático del Reglamento. Como el flaquito, seguramente harto de la disciplina y el encierro, se fugó, el Coronel lo tendría por un réprobo. Pensaría, incluso, que un desertor se merecía lo que le pasó.

—Es que, mi Coronel, hay sospechas de que Palomino Molero tenía amoríos con alguien de la Base Aérea de Piura —oyó que decía el Teniente Silva.

Vio, casi al mismo tiempo, que las mejillas pálidas y bien rasuradas del Coronel enrojecían. Su expresión se avinagró y encendió. Pero no llegó a decir lo que iba a decir porque, de improviso, se abrió la puerta y Lituma vio en el marco, recortada contra la luz nívea del pasillo, a la chica de la fotografía. Era delgadita, más aún que en las fotos, con unos cabellos cortos y crespos y una naricilla respingada y despectiva. Vestía una blusa blanca, una falda azul, zapatillas de tenis y parecía tan malhumorada como su propio padre.

—Me estoy yendo —dijo, sin entrar al despacho y sin hacer siquiera una venia al Teniente y a Lituma—. ¿Me lleva el chófer o me voy en bici?

Había en su manera de decir las cosas un disgusto contenido, como cuando hablaba el Coronel Mindreau. «De tal palo tal astilla», pensó el guardia.

—¿Y adónde, hijita? —se dulcificó al instante el Jefe de la Base.

«No sólo no la riñe por interrumpir así, por no saludar, por hablarle con tanta grosería», pensó Lituma. «Encima le pone voz de paloma cuculí.»

—Ya te lo dije esta mañana —replicó con salvajismo la muchacha—. A la piscina de los gringos, la de aquí no estará llena hasta el lunes, ¿te has olvidado? ¿Me lleva el chófer o me voy en la bici?

—Que te lleve el chófer, Alicia —baló el Coronel—. Pero que venga pronto, eso sí, lo necesito. Dile a qué hora quieres que te recoja.

La muchacha cerró la puerta de un tirón y desapareció sin despedirse. «Tu hija nos venga», pensó Lituma.

—O sea que... —comenzó a decir el Teniente, pero el Coronel Mindreau le impidió proseguir.

—Eso que usted ha dicho es un disparate —sentenció, recobrando el rubor de las mejillas.

—¿Perdón, mi Coronel?

—¿Cuáles son las pruebas, los testigos? —El Jefe de la Base se volvió a Lituma y lo escrutó como a un insecto—. ¿De dónde ha sacado usted que Palomino Molero tenía amores con una señora de la Base Aérea de Piura?

—No tengo pruebas, mi Coronel —balbuceó el guardia, asustado—. Averigüé que se iba a dar serenatas en secreto por ahí.

—¿A la Base Aérea de Piura? —deletreó el Coronel—. ¿Sabe usted quiénes viven allá? Las familias de los oficiales. No las de los avioneros ni las de los clases. Sólo las madres, esposas, hermanas e hijas de los oficiales. ¿Está usted insinuando que ese avionero tenía amores adúlteros con la esposa de un oficial?

Un racista de mierda. Eso es lo que era: un racista de mierda.

—Podría ser con alguna sirvienta, mi Coronel —oyó Lituma que decía el Teniente Silva. Se lo agradeció con toda el alma, porque se sentía acorralado y mudo ante el furor frío del aviador—. Con alguna cocinera o niñera de la Base. No estamos sugiriendo nada, sólo tratando de esclarecer este crimen, mi Coronel. Es nuestra obligación. La muerte de ese muchacho ha provocado malestar en todo Talara. Hay habladurías, dicen que la Guardia Civil no hace nada porque hay complicados peces gordos. Estamos algo perdidos y por eso exploramos cualquier indicio que se presente. No es para tomarlo a mal, mi Coronel.

El Jefe de la Base asintió. Lituma notó el esfuerzo que hacía para aplacar su mal humor.

—No sé si usted sabe que yo he sido jefe de la Base Aérea de Piura hasta hace tres meses —dijo, casi sin abrir la boca—. Serví allá dos años. Sé la vida y milagros de esa Base, porque ha sido mi hogar. Que un avionero haya podido tener amores adúlteros con la esposa de uno de mis oficiales es algo que nadie va a decir en mi presencia, a no ser que pueda probarlo.

—No he dicho que sea la esposa de un oficial —se atrevió a musitar Lituma—. Podría ser una sirvienta, como dijo el Teniente. ¿No hay sirvientas casadas en la Base? Iba a dar serenatas allá, a ocultas. De eso sí tenemos pruebas, mi Coronel.

—Bueno, encuentren a esa sirvienta, interróguenla, interroguen a su marido sobre las supuestas amenazas a Molero y, si confiesa, tráiganmelo. —La frente del Coronel brillaba con un sudor que había brotado desde la fugaz irrupción de su hija en el despacho—. No vuelvan más aquí, en relación a este asunto, a no ser que tengan algo concreto que pedirme.

Se puso de pie, con rapidez, dando por terminada la entrevista. Pero Lituma advirtió que el Teniente Silva no saludaba ni pedía permiso para retirarse.

—Tenemos algo concreto que pedirle, mi Coronel —dijo, sin vacilar—. Quisiéramos interrogar a los compañeros de cuadra de Palomino Molero.

De encarnada, la tez del Jefe de la Base Aérea de Talara pasó otra vez a pálida. Unas ojeras violáceas circundaron sus ojitos. «Además de conchesumadre, es medio loco», pensó Lituma. ¿Por qué se ponía así? ¿Por qué le daban esas rabietas interiores?

—Se lo voy a explicar de nuevo, ya que, por lo visto, no lo entendió la vez pasada. —El Coronel arrastraba cada palabra como si pesara muchos kilos—. Los Institutos Armados gozan de fueros, tienen sus tribunales donde sus miembros son juzgados y sentenciados. ¿No le enseñaron eso en la Escuela de la Guardia Civil? Bien, se lo enseño yo ahora, entonces. Cuando se suscitan problemas de índole delictiva, las investigaciones las hacen los propios Institutos Armados. Palomino Molero murió en circunstancias no aclaradas, fuera de la base, cuando se encontraba en condición de prófugo del servicio. Ya he elevado el informe debido a la superioridad. Si la jefatura lo considera oportuno, ordenará una nueva investigación, a través de sus propios organismos. O trasladará todo el expediente al Poder Judicial. Pero mientras no venga una orden de este tipo, del Ministerio de Aviación o del Comando Supremo de las Fuerzas Armadas, ningún guardia civil va a violar los fueros castrenses en una Base a mi mando. ¿Está claro, Teniente Silva? Contésteme. ¿Está claro?

—Muy claro, mi Coronel —dijo el Teniente.

El Coronel Mindreau señaló la puerta con ademán terminante:

—Entonces, pueden ustedes retirarse.

(2)

Doña Adriana se rió de nuevo y a Lituma le pareció que, en tanto que todo Talara chismeaba, lloriqueaba o especulaba sobre los grandes acontecimientos, la dueña de la fondita no hacía más que reírse. Estaba igual hacía tres días. Así los había recibido y despedido a la hora del desayuno, el almuerzo y la comida, trasantesdeayer, antes de ayer, ayer y hoy mismo: a carcajada limpia. El Teniente Silva, en cambio, andaba enfurruñado e incómodo, ni más ni menos que si se hubiera comido el pavo más grande de la vida. Por decimaquinta vez en tres días, Lituma pensó: «¿Qué chucha ha pasado entre este par?» Las campanas del Padre Domingo repicaron en el pueblo, llamando a misa. Sin dejar de reírse, Doña Adriana se persignó.

—¿Y qué cree que le harán al tenientito ése, al Dufó ése? —carraspeó Don Jerónimo.

Era la hora del almuerzo y, además del taxista de Talara, el Teniente Silva y Lituma, también se hallaba en la fonda una pareja joven que había venido desde Zorritos para asistir a un bautizo.

—Lo juzgará el fuero privativo —repuso de mal modo el Teniente Silva, sin levantar los ojos de su plato semivacío—. Es decir, un Tribunal militar.

81

—Pero, algo le harán, ¿no? —insistió Don Jerónimo. Iba comiendo un saltadito con arroz blanco y abanicándose con un periódico; masticaba con la boca abierta y regaba el contorno de residuos—. Porque se supone que un tipo que hace lo que dicen que hizo ese Dufó con Palomino Molero no se puede ir tan tranquilo a su casa, ¿no, Teniente?

—Se supone que no se puede ir tan tranquilo a su casa —asintió el Teniente, con la boca llena y un disgusto evidente de que no lo dejaran comer en paz—. Algo le harán, supongo.

Doña Adriana volvió a reírse y Lituma sintió que el Teniente se ponía tenso y que se hundía en su asiento al ver acercarse a la dueña de la pensión. Cómo estaría de muñequeado que ni espantaba las moscas de su cara. Ella llevaba un vestidito floreado, de escote muy abierto, y venía braceando y moviendo pechos y caderas con mucho ímpetu. Se la veía saludable, contenta de sí misma y del mundo.

—Tome un poquito de agüita, Teniente, y no coma tan rápido que el bocado se le puede ir por otro lado —se rió Doña Adriana, dando unas palmaditas aún más burlonas que sus palabras en la espalda del oficial.

—Qué buen humor se gasta últimamente —dijo Lituma, mirándola sin reconocerla. Era otra persona, se había vuelto una coqueta, qué mosca le había picado.

—Por algo será —dijo Doña Adriana, recogiendo los platos de la pareja de Zorritos y alejándose hacia la cocina. Se iba moviendo el trasero como si les estuviera haciendo adiós, adiós. «Jesucristo», pensó Lituma.

—¿Usted sabe por qué está así, tan reilona, hace tres días, mi Teniente? —preguntó.

En vez de contestar, el oficial le lanzó una mirada homicida, desde detrás de sus gafas oscuras, y se volvió a contemplar la calle. Allá, en la arena, un gallinazo picoteaba algo con furia. Súbitamente aleteó y se elevó.

—¿Quiere que le diga una cosa, Teniente? —dijo Don Jerónimo—. Espero que no se enoje.

—Si me puedo enojar, mejor no me la diga —gruñó el Teniente—. No estoy de humor para huevadas.

—Mensaje recibido y entendido —gruñó el taxista.

—¿Va a haber más muertos? —se rió Doña Adriana, desde la cocina.

«Hasta se ha puesto ricotona», se dijo el guardia. Pensó: «Tengo que ir a visitar a las polillas del Chino Liau. Me estoy ahuesando.» La mesa del oficial y Lituma y la del taxista estaban separadas y sus voces, para llegar a sus destinatarios, tenían que pasar sobre la pareja de Zorritos. Eran jóvenes, estaban emperifollados y se volvían a mirar a unos y otros, interesados en lo que se decía.

—Aunque no le guste, se lo voy a decir nomás, para que usted lo sepa —decidió Don Jerónimo, golpeando la mesa con el periódico—. No hay un solo talareño, hombre, mujer o perro, que se trague el cuento ése. Ni el gallinazo que está ahí se lo traga.

Porque el ave rapaz había vuelto y ahí estaba, negruzco y torvo, encarnizándose contra una lagartija que tenía en el pico. El Teniente siguió comiendo, indiferente, concentrado en sus pensamientos y en su hosquedad.

—¿Y cuál es el cuento ése, si se puede saber, Don Jerónimo? —preguntó Lituma.

—Que el Coronel Mindreau mató a su hija y que luego se mató —dijo el taxista, escupiendo residuos—. Quién va a ser el idiota que se crea semejante cosa, pues.

—Yo —afirmó Lituma—. Yo soy uno de esos idiotas que creo que el Coronel mató a la muchacha y que después se mató.

—No se haga usted el inocente, amigo Lituma —carraspeó Don Jerónimo, frunciendo la cara—. A esos dos se los cargaron para que no hablaran. Para poder achacarle el asesinato de Palomino Molero a Mindreau. No se haga, hombre.

—¿Eso es lo que andan diciendo ahora? —levantó la cabeza del plato el Teniente Silva—. ¿Que al Coronel Mindreau lo mataron? ¿Y quiénes dicen que lo mataron?

—Los peces gordos, por supuesto —abrió los brazos Don Jerónimo—. Quién si no. No se haga usted tampoco, Teniente, que aquí estamos en confianza. Lo que pasa es que usted no puede hablar. Todo el mundo anda diciendo que a usted le han tapado la boca y no lo dejan aclarar las cosas. Lo de siempre, pues.

El Teniente se encogió de hombros, como si todas esas habladurías le importaran un pito.

—Si hasta le han inventado que abusaba de su hijita —salpicó arroces Don Jerónimo—. Qué cochinos. Pobre tipo. ¿No le parece, Adrianita?

—Me parecen muchas cosas, jajajá —se rió la esposa de Don Matías.

—O sea que la gente cree que todo eso es inventado —murmuró el Teniente, volviendo a su plato con una mueca agria.

—Por supuesto —dijo Don Jerónimo—. Para tapar a los culpables, para qué iba a ser.

Sonó la sirena de la refinería y el gallinazo alzó la cabeza y se agazapó. Unos segundos estuvo así, encogido, esperando. Se alejó, por fin, dando saltitos.

—Y entonces por qué cree la gente que mataron a Palomino Molero —preguntó Lituma.

—Por un contrabando de muchos millones —afirmó Don Jerónimo con seguridad—. Primero mataron al avionero, porque chapó algo. Y, como el

Coronel Mindreau descubrió el pastel, o estaba por descubrirlo, lo mataron y mataron a la muchacha. Y como saben lo que le gusta a la gente, inventaron esa inmundicia de que se había cargado a Molero por celos de una hija a la que dizque abusaba. Con esa cortina de humo consiguieron lo que querían. Que nadie hable de lo principal. Los milloncitos.

—Puta que son inventivos —suspiró el Teniente. Rascaba el tenedor contra el plato como si quisiera romperlo.

—No diga lisuras que se le va a caer la lengua —dijo Doña Adriana, riéndose. Se plantó junto al Teniente con un platito de dulce de mango, y, al colocarlo en la mesa, se pegó tanto que su ancho muslo rozó el brazo del oficial. Éste lo retiró, rápido—. Jajajá...

«Qué disfuerzos», pensó Lituma. ¿Qué le pasaba a Doña Adriana? No sólo se burlaba del Teniente; lo estaba coqueteando de lo lindo. Su jefe seguía sin reaccionar. Parecía cohibido y desmoralizado con los desplantes y burlas de Doña Adriana. También él era otra persona. En cualquier otra ocasión, esos capotazos de la dueña de la fonda lo hubieran vuelto loco de felicidad y habría embestido a cien por hora. Ahora, nada lo sacaba de la apatía de rumiante triste en que estaba sumido hacía tres días. ¿Qué chucha había pasado esa noche, pues?

—En Zorritos también se ha sabido eso del contrabando —intervino de pronto el hombre que había venido al bautizo. Era joven, con el pelo engomado y un diente de oro. Tenía una camisa color lúcuma, tiesa de almidón, y hablaba atropellándose. Miró a la que debía ser su mujer—. ¿No es cierto, Marisita?

—Sí, Panchito —dijo ella—. Ciertísimo.

—Parece que hasta se traían frigidaires y cocinas —añadió el muchacho—. Para haber cometido semejantes crímenes tenía que haber muchos millones de por medio.

—A mí la que me da pena es Alicita Mindreau —dijo la de Zorritos, entornando los ojos como si fuera a lagrimear—. La chiquilla es la víctima inocente de todo esto. Pobre niña. Qué abusos se cometen. Lo que da más cólera es que a los verdaderos culpables no les hagan nada. Se quedarán con la plata y libres. ¿No, Panchito?

—Aquí, los únicos que se friegan siempre somos los pobres —rezongó Don Jerónimo—. Los peces gordos, jamás. ¿No, Teniente?

El Teniente se puso de pie tan bruscamente que su mesa y su silla se tambalearon.

—Bueno, me voy —anunció, harto de todo y de todos. Y, a Lituma—: ¿Tú te quedas?

—Ya voy ahorita, mi Teniente. Déjeme por lo menos tomarme mi café.

3

También se anda diciendo que podría ser cosa de mariconerías —insinuó el de Zorritos.

—¿De mariconerías? ¿Ah, sí? —pestañeó Don Jerónimo, relamiéndose—. Podría, podría.

—Claro que podría —dijo el de Zorritos—. En los cuarteles abundan los casos de mariconería. Y las mariconerías, ya se sabe, tarde o temprano terminan en crímenes. Perdona que hablemos de estas cosas en tu delante, Marisita.

—No tiene nada de malo, Panchito. La vida es la vida, pues.

—Podría, podría —reflexionaba Don Jerónimo—. ¿Quién con quién? ¿Cómo sería eso?

—Nadie se cree la historia del suicidio del Coronel Mindreau —cambió de tema, de pronto, Doña Adriana.

—Así estoy viendo —murmuró Lituma.

—La verdad es que yo tampoco —añadió la dueña de la fonda—. En fin, cómo será.

—¿Usted tampoco se la cree? —Lituma se puso de pie y firmó el vale por el almuerzo—. Sin embargo, yo sí me creo la historia que usted me ha contado. Y eso que es más fantástica que el suicidio del Coronel Mindreau. Hasta luego, Doña Adriana.

—Oye, Lituma —lo llamó ella. Puso unos ojos brillantes y pícaros y bajó mucho la voz—: Dile al Teniente que esta noche le haré el tacu-tacu con apanado que tanto le gusta. Para que me quiera de nuevo un poquito.

Lanzó una risita coqueta y a Lituma se le salió también la risa.

—Se lo diré tal cual, Doña Adriana. Hasta lueguito.

Pucha, quién entendía a las mujeres. Avanzaba hacia la puerta cuando oyó a Don Jerónimo, a su espalda:

—Amigo Lituma, por qué no nos dice cuánto le pagaron al Teniente los peces gordos para inventar la historia ésa del suicidio del Coronel.

—No me gustan esas bromas —repuso, sin volverse—. Y al Teniente, menos. Si supiera lo que usted dice, le pesaría, Don Jerónimo.

Oyó que el viejo taxista murmuraba «Cachaco de mierda», y, un segundo, dudó si regresar. Pero no lo hizo. Salió al calor agobiante de la calle. Avanzó por el ardiente arenal, entre una algarabía de chiquillos que pateaban una pelota de trapo y cuyas sombras tejían una agitada geografía alrededor de sus pies. Comenzó a sudar; la camisa se le pegó al cuerpo. Increíble lo que le había contado Doña Adriana. ¿Sería cierto? Sí, debía ser. Ahora entendía por qué el Teniente andaba con el ánimo en las patas desde esa noche. La verdad, también el Teniente era cosa seria. Antojarse de su gorda en ese momento, en medio de la tragedia. Vaya antojo. Pero qué mal le salió la cosa. Doña Adrianita, quién se la hubiera creído, una mujer de armas tomar. La imaginó, calata, burlándose del Teniente, el robusto cuerpo vibrando mientras accionaba, y al oficial, alelado, no queriendo creer lo que oía y veía. Cualquiera hubiera perdido la vida y sentido ganas de salir corriendo. Le vino un ataque de risa.

En el Puesto encontró al Teniente sin camisa, en su escritorio, empapado de sudor. Con una mano se abanicaba y en la otra sostenía un telegrama, muy cerca de sus anteojos. Lituma adivinó, bajo los cristales oscuros, los ojos del oficial moviéndose sobre las líneas del telegrama.

—Lo cojonudo de todo esto es que nadie se cree que el Coronel Mindreau mató a la muchacha y luego se mató —dijo—. Hablan las cojudeces más grandes, mi Teniente. Que fue un crimen por el contrabando, que por espionaje, que metió la mano el Ecuador. Y hasta que fue por cosas de rosquetes. Figúrese la estupidez.

—Malas noticias para ti —dijo el Teniente, volviéndose hacia él—. Te han transferido a un puestecito medio fantasma, en el departamento de Junín. Tienes que estar allá en el término de la distancia. Te pagan el ómnibus.

—¿A Junín? —dijo Lituma, mirando hipnotizado el telegrama—. ¿Yo?

—A mí también me trasladan, pero aún no sé adónde —asintió el Teniente—. A lo mejor allá, también.

—Eso debe estar lejísimos —balbuceó Lituma.

—Ya ves, pedazo de huevón —lo amonestó su jefe, con cierto afecto—. Tanto que querías aclarar el misterio de Palomino Molero. Ya está, te lo aclaré. Y qué ganamos. Que te manden a la sierra, lejos de tu calorcito y de tu gente. Y a mí tal vez a un hueco peor. Así se agradecen los buenos trabajos en esta Guardia Civil a la que tuviste la cojudez de meterte. Qué va a ser de ti allá, Lituma, dónde se ha visto gallinazo en puna. Me muero de pena sólo de pensar en el frío que vas a sentir.

—Jijunagrandísimas —filosofó el guardia.

(1)

Timoteo Fajardo no fue mi primer marido del todo, mi único marido completo ha sido Dionisio. Con Timoteo nunca nos casamos, solamente nos juntamos. Mi familia se portó mal con él y la gente de Quenka peor. Pese a haberlos librado del pishtaco Salcedo, nadie lo ayudó a convencer a mi padre que le permitiera casarse conmigo. Más bien le metían cizaña contra Timoteo, diciéndole: «Cómo va a permitir que a su hija se la lleve ese morochuco narigudo, ¿no tienen ésos famas de abigeos?» Por eso nos escapamos y nos vinimos a Naccos. Al salir, desde el abra donde se divisa el pueblo, echamos una maldición a esos ingratos. Nunca volví ni volveré a Quenka.

Ni niego ni asiento y si me quedo mirando los cerros absorta y con los labios fruncidos, no es porque las preguntas me incomoden. Sino porque ha pasado mucho tiempo. Ya no estoy segura de si fuimos felices o infelices. Felices, más bien, los primeros tiempos, mientras creía que el aburrimiento y la rutina eran la felicidad. Timoteo consiguió trabajo en la mina Santa Rita y yo le cocinaba, le lavaba la ropa y todos nos consideraban marido y mujer. A diferencia de ahora, entonces había muchas mujeres en Naccos. Y cuando pasaba por aquí Dionisio, con sus danzantes y sus locas, se ponían medio locas ellas también. Maridos y padres les rajaban los lomos a fuetazos para que no se desmandasen, pero igual corrían tras él.

¿Qué tenía que se dejaban embrujar así por un borrachín gordinflón? Fama, leyenda, misterio, alegría, don profético, botellones de perfumado pisco de Ica y un soberano pichulón. ¿Quieren más que eso? Era conocidísimo en toda la sierra, no había feria ni fiestas ni velorio de principal en los pueblos de Junín, Ayacucho, Huancavelica y Apurímac sin él. Mejor dicho, ellos. Porque Dionisio andaba entonces con una coleta de músicos y bailarines huancaínos y jaujinos que por nada se le despegaban. Y ese puñado de locas que de día cocinaban y en las noches se enloquecían y hacían barbaridades.

87

Hasta que no se presentaba en la entrada del pueblo la comparsa de Dionisio, haciendo sonar sus tambores, silbar sus quenas, rasguear sus charangos y atronando el suelo con sus zapateos, la fiesta no comenzaba. Aunque ya hubieran reventado los cohetes y el cura echado sus rezos, sin Dionisio no había fiesta. Los contrataban de todas partes, siempre estaban yendo y viniendo de un sitio a otro, pese a la mala fama que tenían. ¿Mala fama de qué? De hacer cosas sucias y ser engendros de Satán. De quemar iglesias, descabezar santos y vírgenes y de robarse a los recién nacidos. Eran las malas lenguas de los párrocos, sobre todo. Tenían celos de Dionisio y se vengaban de su popularidad calumniándolo.

La primera vez que lo vi, me corrieron culebritas de la cabeza a los pies. Él estaba ahí, vendiendo pisco de unas tinajas que cargaban unas mulas, en lo que era entonces la placita de Naccos, donde está ahora la oficina de la compañía. Había puesto unos tablones sobre dos caballetes y un cartel: «Ésta es la cantina.» «No tomen cerveza ni cañazo, muchachos. ¡Aprendan a chupar!», predicaba a los mineros. «Saboreen el pisco purito de uva de Ica, hace olvidar las penas y saca al hombre feliz de tus adentros.» «¡Visita a tu animal!» Eran las Fiestas Patrias y había bandas de música, concursos de disfraces, magos y danzantes de tijeras. Pero yo no podía disfrutar con ninguna de las diversiones; aunque no lo quisiera, los pies y la cabeza se me desviaban hacia él. Era más joven, pero no muy distinto de lo que es ahora. Medio gordito, medio fofo, ojos negrísimos, pelo crespito y esa manera de caminar medio saltando, medio tropezando, que todavía tiene. Atendía a los clientes y salía a bailar y contagiaba a todos su alegría, «Ahora una muliza» y lo seguían, «El pasillo» y le obedecían, «Le toca a huaynito» y zapateaban, «El trencito» y formaban una cola larguísima detrás de él. Cantaba, brincaba, saltaba, tocaba el charango, soplaba la quena, brindaba, gritaba, chasqueaba los platillos, aporreaba el tambor. Horas de horas, sin cansarse nunca. Horas de horas, poniéndose y quitándose las máscaras del Carnaval de Jauja, hasta que todo Naccos era un remolino de gente borracha y feliz: nadie sabía ya quién era quién, dónde empezaba uno y dónde terminaba aquél, quién hombre, quién animal, quién humano, quién mujer. Cuando, en un momento de la fiesta, me tocó bailar con él, me apretó, me manoseó, me hizo sentir su verga tiesa contra mi barriga y tragarme su lengua que chisporroteaba como fritura en la sartén. Esa noche Timoteo Fajardo me sangró a patadas, diciendo: «Si te lo pedía, te ibas con él, ¿no, puta?»

No me lo pidió, pero tal vez me hubiera ido con él si me lo pedía, una más de la comparsa de Dionisio, otra loca siguiéndolo por los anexos y los distritos de la sierra, viajando por todos los caminos de los Andes, trepando a las punas frías, bajando a los valles calientes, caminando bajo la lluvia, caminando bajo el sol, cocinándole, lavándole su ropa, obedeciéndole los caprichos, y, en las ferias de los sábados, alegrando a los feriantes y hasta puteando para darle gusto. Decían que, cuando bajaban a la costa a renovar la provisión de pisco, en esos arenales de junto al mar, las locas y los danzantes bailaban calatos en las noches de luna llena y que Dionisio convocaba al demonio vestido de mujer.

Se decían todas las cosas habidas y por haber de él, con miedo y admiración. Pero nadie sabía de verdad gran cosa de su vida, chismografías nomás. Que a su madre la había carbonizado un rayo en una tormenta, por ejemplo. Que lo habían criado las mujeres de una comunidad de iquichanos, todavía idólatras, en las alturas de Huanta. Que había estado loco, de joven, en una misión de los padres dominicos y que le devolvió la razón el diablo, con el que hizo pacto. Que había vivido en la selva, entre chunchos caníbales. Que descubrió el pisco viajando por los desiertos de la costa y que, desde entonces, recorría la sierra vendiéndolo. Que tenía mujeres e hijos por todas partes, que había muerto y resucitado, que era pishtaco, muki, despenador, brujo, estrellero, rabdomante. No había misterio o barbaridad que no se le achacara. A él le gustaba su mala fama.

Era más que un vendedor ambulante de pisco, por supuesto, de eso se daban cuenta todos; más que un empresario de músicos y bailarines folclóricos, más que un animador y también más que patrón de un putarral ambulante. Sí, sí, clarísimo. Pero, ¿qué más? ¿Demonio? ¿Ángel? ¿Dios? Timoteo Fajardo me leía en los ojos que yo estaba acordándome de Dionisio y, rabioso, se me echaba encima. Los hombres le tenían celos, pero todos reconocían: «Sin él, no hay fiesta.» Apenas aparecía y levantaba su tenderete, corrían a comprarle mulitas de pisco y a brindar con él. «Yo los eduqué», decía Dionisio. «Antes se intoxicaban con chicha, cerveza o cañazo y ahora con pisco, la bebida de los tronos y los serafnes.»

Yo supe algo más de él por una ayacuchana de Huancasancos. Había sido una de sus locas y luego los dejó. Vino aquí como mujer de un jefe de cuadrilla de la mina Santa Rita, más o menos por la época en que el pishtaco ése secó a Juan Apaza. Nos hicimos amigas, íbamos a lavar la ropa juntas a la torrentera y un día le pregunté por qué tenía tantas cicatrices. Entonces, me contó. Había estado corriendo mundo bastante tiempo con la comparsa de Dionisio, durmiendo a la intemperie donde los cogía la noche, unos sobre otros para aguantar el frío, de feria en feria y mercado en mercado, y viviendo de la caridad de los festejantes. Cuando se alegraban entre ellos, lejos de las miradas de los demás, los de la comparsa se enloquecían. O, como dice Dionisio, visitaban a su animal. Pasaban del amor a los golpes entre las locas. De los cariños a los rasguños, de los besos a los mordiscos, de los abrazos a los empujones, sin dejar de bailar. «¿Y no te dolía, mamita?» «Me dolía después, mamay; con la música, el baile y el mareo, rico era. Se desaparecían las preocupaciones, el corazón palpitaba fuerte y te sentías cernícalo, molle, cuesta, cóndor, río. Hasta las estrellas subíamos, bailando, queriéndonos o pegándonos.»

«¿Por qué si te gustaba tanto te apartaste de ellos?» Porque se le hinchaban los pies y ya no podía seguirlos en sus correrías. Eran muchos y no
siempre conseguían un camión que los llevara. Hacían sus viajes a patita,
días yendo, semanas viniendo. En ese tiempo se podía, no había terrucos
ni sinchis por los Andes. Por eso, al fin, la de Huancasancos se resignó a
casarse con el jefe de cuadrilla y a sentar cabeza aquí en Naccos. Pero
vivía soñando con sus antiguas aventuras, extrañando los viajes y los
vicios. Entonaba unos huaynitos tristes, recordándose, y suspiraba: «Yo
fui, ay, feliz.» Se tocaba los rasguñitos con nostalgia.

Así que, picada de curiosidad, inquieta desde que bailé con él y me
puso sus manos encima en esas Fiestas Patrias, la próxima vez que
Dionisio vino a Naccos y me preguntó si quería casarme con él, le dije
bueno. La mina se estaba desmoronando. Se había acabado el metal en
Santa Rita, y el Padrillo, después de secar a Sebastián, el amigo de
Timoteo, tenía a la gente despavorida. Dionisio no me pidió que me jun-
tara a las locas, que fuera una más de su comparsa. Me pidió que me
casara con él. Estaba enamorado de mí desde que supo cómo ayudé a
Timoteo a cazar al pishtaco Salcedo, en las grutas de Quenka. «Me estás
predestinada», me aseguró. Las estrellas y las cartas me confirmaron que
era así, después.

Nos casamos en la comunidad de Muquiyauyo, donde a él lo celebraban mucho desde que curó a todos los jóvenes comuneros de una epidemia de garrotillo. Sí, de pichulitis. Los atacó un verano lluvioso. Para car-
cajearse, sí, pero ellos lloraban, desesperados. Desde que abrían los ojos
con el canto del gallo, la tenían hinchada, coloradota y picante como un
ají. No sabían qué hacer. Se lavaban con agua fría y nada, se la corrían y
volvía a enderezarse como muñeco de resortes. Y mientras ordeñaban o
sembraban o podaban e hicieran lo que tenían que hacer, ella seguía gor-
dota y pesada entre sus piernas, como un espolón o el badajo de una campana. Trajeron un sacerdote del convento de San Antonio de Ocopa. Les
dijo una misa y los exorcizó con incienso. Ni por ésas: seguían empu-
jando y creciendo hasta romper las braguetas y salir a ver el sol.
Entonces, llegó Dionisio. Le contaron lo que pasaba y organizó una procesión alegre, con baile y música. En vez de un santo, pasearon en andas
una pichula de arcilla que modeló el mejor alfarero de Muquiyauyo. La
banda le tocaba un himno marcial y las muchachas la adornaban con
guirnaldas de flores. Siguiendo sus instrucciones, la zambulleron en el
Mantaro. Los jóvenes atacados de la epidemia se echaron al río, también.
Cuando salieron a secarse, ya eran normales, ya la tenían arrugadita y
dormitida otra vez.

El cura de Muquiyauyo no quería casarnos, al principio. «Ése no es
católico, es un pagano y un salvaje», decía, espantándolo con su mano.
Pero después de tomarse sus copitas, se ablandó y nos casó. Las fiestas

duraron tres días, bailando y comiendo, bailando y comiendo, bailando y bailando hasta perder la razón. Al anochecer del segundo día, Dionisio me cogió de la mano, me hizo trepar una cuesta y me señaló el cielo. «¿Ves ese grupito de estrellas, allá, formando una corona?» Se destacaban clarísimo de todas las otras. «Sí, las veo.» «Son mi regalo de bodas.»

Pero no pudo tomarme todavía, porque antes tenía una promesa que cumplir. Lejos de Muquiyauyo, en la otra banda del Mantaro, subiendo las sierras de Jauja, en el anexo de Yanacoto, donde Dionisio había estado de niño. Cuando su madre desapareció, quemada por el rayo, él no se conformaba a esa muerte. Y anduvo buscándola, seguro de que en alguna parte la encontraría. Se volvió andariego, vivió como alma extraviada, yendo y viniendo por todos los rincones hasta que, en las haciendas de Ica, descubrió el pisco y se hizo su comerciante y promotor. Un día la vio en sueños: su madre le dio cita, el domingo de Carnaval a medianoche, en el cementerio de Yanacoto. Hasta allá fue, emocionado. Pero el guardián, un tullido con la nariz comida por la uta que se llamaba Yaranga, no quería dejarlo entrar si no se bajaba primero el pantalón. Discutieron y llegaron a un acuerdo: Yaranga lo dejaría entrar a su cita a condición de que volviera y se le agachara antes de consumar su boda. Dionisio entró, habló con su madre, se despidió de ella, y ahora, en su fiesta de boda, quince años después, tuve que acompañarlo a que cumpliera lo prometido.

Nos tomó dos días subir hasta Yanacoto, el primero en camión y el segundo en mula. Había nieve en la puna y la gente andaba con los labios amoratados y la cara cortada por el frío. El cementerio ya no tenía el murito que Dionisio recordaba, ni tampoco guardián. Preguntando, nos dijeron que Yaranga había muerto hacía años, loco. Dionisio no paró de averiguar, hasta que le mostraron su tumba. Entonces, esa noche, cuando la familia que nos había dado posada dormía, me cogió de la mano y me llevó hasta donde estaba enterrado Yaranga. Todo el día yo lo había visto muy afanoso labrando algo, con su chaveta, en una rama de sauce. Una pinga templadita, eso era. La encebó con manteca de velas, la clavó en la tumba de Yaranga, se bajó el pantalón y se sentó encima, dando un aullido. Después, a pesar del hielo, me arrancó el calzón y me tumbó. Me tomó por delante y por detrás, varias veces. Pese a no ser ya virgen, di más aullidos que él, creo, hasta que perdí el sentido. Así fue nuestra noche de bodas.

A la mañana siguiente comenzó a enseñarme la sabiduría. Yo tenía buena disposición para distinguir los vientos, escuchar los sonidos del interior de la tierra y comunicarme con el corazón de las gentes tocándoles la cara. Creía que sabía bailar y él me enseñó a meterme dentro de la música y a meterla dentro de mí y hacer que ella me bailara a mí en vez de yo a ella. Creía que sabía cantar y él me enseñó a dejarme dominar por el canto y a ser la sirvienta de las canciones que cantaba. Poco a poco fui aprendiendo a leer las líneas de la mano, a descifrar las figuras de las hojas de la coca cuando se posan en el suelo después de revolotear en el aire, a localizar los daños pasando un cuy vivo por el cuerpo de los enfermos. Seguíamos viajando, bajando a la costa a renovar el cargamento de pisco, animando muchas fiestas. Hasta que los caminos empezaron a volverse peligrosos con tanta matanza y los pueblos a vaciarse y a encerrarse en una desconfianza feroz hacia los foráneos. Las locas se fueron, los músicos nos abandonaron, los danzantes se hicieron humo. «Es hora de que tú y yo echemos raíces, también», me dijo un día Dionisio. Nos habíamos vuelto viejos, parece.

No sé qué sería de Timoteo Fajardo, nunca lo supe. De las habladurías, sí supe. Me persiguieron como mi sombra años de años, por todas partes. ¿Le pusiste veneno en el plato de chuño y lo mataste para escaparte con el chupaco gordinflón? ¿Lo mató él, amañado con el muki? ¿Se lo regalaste al pishtaco? ¿Se lo llevaron a sus aquelarres en lo alto del cerro y allí las locas borrachas despedazaron al narizón? ¿Después se lo comieron, brujilda? Ya habían comenzando a decirme bruja y doña entonces.

(2)

Afuera los esperaba una oscuridad glacial. No llovía ni soplaba el viento de otras noches, pero la temperatura había bajado mucho desde la tarde y Lituma sintió que al barrenero le entrechocaban los dientes. Lo sentía tiritar y encogerse bajo sus ropas-camisa de fuerza.

—Supongo que estás durmiendo en el barracón que no se llevó el huayco —le dijo, sosteniéndolo del codo—. Te acompaño, compadre. Démonos el brazo, en esta tiniebla y con tanto hueco nos podemos romper la crisma.

Avanzaron despacito, tambaleándose, tropezando, por las sombras que la miríada de estrellas y el tenue resplandor de la media luna no conseguían atenuar. A los pocos pasos, Lituma sintió que el hombrecito se doblaba en dos, cogiéndose el estómago.

—¿Tienes retortijones? Vomita, te hará bien. Trata, trata, hasta que te salga la porquería. Te voy a ayudar.

Inclinado, el hombrecito se estremecía con las arcadas, y Lituma, detrás de él, le apretaba el estómago con las dos manos, como había hecho tantas veces con los inconquistables allá en Piura, cuando salían muy mareados del barcito de la Chunga.

—Me está usted punteando —protestó el barrenero, de pronto, en su media lengua.

—Eso es lo que tú quisieras —se rió Lituma—. A mí no me gustan los hombres, so cojudo.

—A mí tampoco —rugió el otro, entre arcadas—. Pero, en Naccos, uno se vuelve mostacero y hasta peores cosas.

Lituma sintió que le latía muy fuerte el corazón. A éste algo le comía sus adentros y quería también buitrearlo. Éste quería desfogarse, contárselo a alguien.

Por fin, el barrenero se irguió, con un suspiro de alivio.

—Ya estoy mejor —escupió, abriendo los brazos—. Qué frío de mierda hace aquí.

—A uno se le hiela hasta el cerebro —asintió Lituma—. Movámonos, mejor.

Volvieron a cogerse de los brazos y avanzaron, maldiciendo cada vez que tropezaban contra una piedra o hundían los pies en el barro. Por fin, la mole del barracón apareció frente a ellos, más espesa que las sombras del contorno. Se oía zumbar el viento en lo alto de los cerros, pero aquí todo estaba silencioso y tranquilo. A Lituma se le había pasado el efecto del alcohol. Se sentía despejado y lúcido. Hasta se había olvidado de Mercedes y Tomasito, amistándose allá arriba en el puesto, y de la Meche de hacía tantos años, en el barcito de los arenales contiguos al Estadio de Piura. En su cabeza, a punto de estallar, crepitaba una decisión: «Se lo tengo que sacar.»

—Bueno, fumémonos un cigarro, compadre —dijo—. Antes de dormir.

—¿Se va a quedar aquí? —También al barrenero parecía habérsele pasado la borrachera.

—Me da flojera trepar ahora hasta allá arriba. Además, no quiero tocar violín, interrumpiendo a esa parejita. Supongo que sobrará una cama, aquí.

—Dirá catre. Ya se llevaron los colchones.

Lituma oyó unos ronquidos, al fondo del barracón. El hombrecito se dejó caer en el primer camastro de la derecha, junto a la puerta. Ayudándose con un fósforo, el cabo se orientó: había dos literas de tablones, junto a la que ocupaba el barrenero. Se sentó en la más próxima. Sacó su cajetilla y encendió dos cigarrillos. Alcanzó uno al peón, con voz amable:

—No hay como un último puchito, ya en la cama, esperando el sueño.

—Puedo estar mamado, pero no soy ningún cojudo —dijo el hombre. El cabo vio avivarse en la tiniebla la brasa del cigarrillo y recibió una bocanada de humo en plena cara—: ¿Por qué se ha quedado aquí? ¿Qué quiere conmigo?

—Saber qué les pasó a esos tres —dijo Lituma, muy bajito, sorprendido de su temeridad: ¿no estaba echándolo todo a perder?—. No para detener a nadie. No para enviar ningún parte a la comandancia de Huancayo. No por el servicio. Sólo por curiosidad, compadre. Te lo juro. ¿Qué les pasó a Casimiro Huarcaya, a Pedrito Tinoco, a

Medardo Llantac, alias Demetrio Chanca? Cuéntamelo, mientras nos fumamos este último cigarrito.

—Ni muerto —roncó el hombre, respirando fuerte. Se movía en el catre y a Lituma se le ocurrió que ahorita se pondría de pie y saldría corriendo del barracón, a refugiarse donde Dionisio y doña Adriana—. Ni aunque me mate. Ni aunque me eche gasolina y me prenda un fósforo. Puede empezar esas torturas que les hacen ustedes a los terrucos, si quiere. Ni así se lo diré.

—No te voy a tocar ni un pelo, compadre —dijo Lituma, despacito, exagerando la amabilidad—. Me lo cuentas y me voy. Mañana tú partes de Naccos y yo también. Cada uno por su lado. Nunca nos volveremos a ver las caras. Después que me lo cuentes, los dos nos vamos a sentir mejor. Tú, de haberte sacado el clavo que tienes adentro. Y yo también, de haberme sacado el que me ha estado punzando aquí todo este tiempo. No sé cómo te llamas ni quiero que me lo digas. Sólo que me cuentes qué pasó. Para que los dos durmamos tranquilos, compadre.

Hubo un largo silencio, entrecortado por los esporádicos ronquidos del fondo del barracón. Lituma veía cada tanto encenderse la brasa del cigarrillo del barrenero y elevarse una nubecilla de humo que a veces se le metía en las narices, haciéndole cosquillas. Se sentía tranquilo. Tenía la absoluta seguridad de que el tipo iba a hablar.

—¿Los sacrificaron a los apus, no es cierto?

—¿A los apus? —preguntó el hombre, moviéndose. Su inquietud contagiaba al cabo, quien sentía a ratos una comezón urgente en distintas partes del cuerpo.

—Los espíritus de las montañas —le aclaró Lituma—. Los amarus, los mukis, los dioses, los diablos, como se llamen. Ésos que están metidos dentro de los cerros y provocan las desgracias. ¿Los sacrificaron para que no cayera el huayco? ¿Para que no vinieran los terrucos a matar a nadie ni a llevarse a la gente? ¿Para que los pishtacos no secaran a ningún peón? ¿Fue por eso?

—No sé quechua —roncó el hombre—. Nunca había oído esa palabra hasta ahora. ¿Apu?

—¿No es cierto que fue por eso, compadre? —insistió Lituma.

—Medardo era mi paisano, yo también soy de Andamarca —dijo el hombre—. Él había sido el alcalde de allá. Eso es lo que jodió a Medardo.

—¿El capataz es el que más te apena? —preguntó Lituma—. Los otros te importarán menos que tu paisano, me figuro. A mí, el que más es el mudito. Pedrito Tinoco. ¿Eran muy amigos, tú y Demetrio, quiero decir Medardo Llantac?

—Conocidos éramos. Él vivía con su mujer, allá arriba, en la ladera. Temblando de que los terrucos supieran que estaba acá. Se les escapó con las justas, esa vez en Andamarca. ¿Sabe cómo? Metiéndose en una tumba. A veces conversábamos. A él lo jodían estos ayacuchanos, abanquinos y huancavelicanos. Diciéndole: «Tarde o temprano, te agarrarán.» Diciéndole: «Nos comprometes a todos, viviendo en Naccos. Lárgate, lárgate de acá.»

—¿Por eso lo sacrificaron al capataz? ¿Para quedar bien con los terrucos?

—No sólo por eso —protestó el barrenero, agitado. Fumaba y echaba el humo sin parar, y era como si le hubiera vuelto la borrachera—. No sólo por eso, pues, carajo.

—¿Por qué más, entonces?

—Esos conchas de su madre dijeron que él ya estaba condenado, que tarde o temprano vendrían a ajusticiarlo. Y como hacía falta alguien, mejor uno que estaba en su lista y que tarde o temprano iba a morir.

—Y como hacía falta sangre humana quieres decir, ¿no?

—Pero fue una gran engañifa, nos metieron el dedo a su gusto —se exasperó el hombre—. ¿No nos hemos quedado sin trabajo? ¿Y sabe lo que todavía dicen?

—¿Qué dicen?

—Que no les dimos todo el reconocimiento y que por eso se ofendieron. Según esos conchas de su madre, hubiéramos tenido que hacer todavía más cosas. ¿Se da cuenta?

—Claro que me doy —susurró Lituma—. Qué cosa más horrible que matar a ese albino, a ese capataz y a ese mudito por unos apus que nunca nadie vio ni se sabe si existen.

—Matar sería lo de menos —rugió el hombre tendido y Lituma pensó que ése o esos que dormían al fondo del barracón se despertarían y los harían callar. O vendrían de puntillas y le taparían la boca al barrenero. Y a él, por haber oído lo que había oído, se lo llevarían hasta la mina abandonada y lo lanzarían al socavón—. ¿No hay muertos por todas partes? Matar es lo de menos. ¿No se ha vuelto una cojudez, como mear o hacer la caca? No es eso lo que tiene jodida a la gente. No sólo a mí, también a muchos de los que ya se fueron. Sino lo otro.

—¿Lo otro? —Lituma sintió frío.

—El gusto en la boca —susurró el barrenero y se le rajó la voz—. No se va, por más que uno se la enjuague. Ahorita lo estoy sintiendo. Aquí en mi lengua, en mis dientes. También en la garganta. Hasta en la barriga lo siento. Como si acabara de estar masticando.

Lituma sintió que el pucho le quemaba las yemas de los dedos y lo soltó. Pisoteó las chispitas. Entendía lo que el hombre estaba diciendo y no quería saber más.

—O sea que, además, eso también —murmuró y se quedó con la boca abierta, jadeando.

—Ni cuando duermo se quita —afirmó el barrenero—. Cuando chupo, nomás. Por eso me he vuelto tan chupaco. Pero me hace mal, se me abren las úlceras. Ya estoy cagando con sangre de nuevo.

Lituma trató de sacar otro cigarrillo, pero las manos le temblaban tanto que la cajetilla se le cayó. La buscó, tanteando en el suelo húmedo, lleno de guijarros y palitos de fósforo.

—Todos comulgaron y, aunque yo no quise, también comulgué —dijo el peón, atropellándose—. Eso es lo que me está jodiendo. Los bocados que tragué.

Por fin, Lituma consiguió rescatar la cajetilla. Sacó dos cigarrillos. Se los puso en la boca y tuvo que esperar un buen rato antes de que su mano pudiera sujetar el fósforo para encenderlos. Le alcanzó uno al hombre tendido, sin decirle nada. Lo vio fumar, recibió una vez más una hedionda bocanada de humo en la cara, sintió la comezón en la nariz.

—Encima, ahora tengo hasta susto de dormir —dijo el barrenero—. Me he vuelto cobarde, cosa que nunca he sido. ¿Pero acaso puede uno pelearle al sueño? Si no chupo, me viene la pesadilla.

—¿Te ves comiéndote a tu paisano? ¿Eso es lo que te sueñas?

—Yo rara vez entro en el sueño —aclaró el barrenero, con total docilidad—. Ellos nomás. Cortándoles sus criadillas, tajándoselas y banqueteándose como si fueran un manjar. —Le vino una arcada y Lituma lo sintió encogerse—. Cuando entro en el sueño yo también, es peor. Esos dos vienen y me las arrancan a mí con sus manos. Se las comen en mi delante. Prefiero chupar antes que soñar eso. Pero, ¿y la úlcera? Dígame si eso es vida, pues, carajo.

Lituma se puso de pie, bruscamente.

—Espero que se te pase, compadre —dijo, sintiendo vértigo. Tuvo que apoyarse un momento en la tarima—. Ojalá puedas encontrar trabajo donde vayas. No será fácil, me imagino. No creo que eso se te olvide tan fácil. ¿Sabes una cosa?

—¿Qué?

—Me arrepiento de haberme entercado tanto en saber lo que les pasó a ésos. Mejor me quedaba sospechando. Ahora, me voy y te dejo dormir, aunque tenga que pasar la noche a la intemperie, para no molestar a Tomasito. No quiero dormir a tu lado, ni cerca de esos que roncan. No quiero despertarme mañana y verte la cara y que hablemos normalmente. Me voy a respirar un poco de aire, puta madre.

A tropezones, fue hacia la puerta del barracón y salió. Recibió un golpe de viento helado y, pese a su aturdimiento, advirtió que la espléndida media luna y las estrellas iluminaban siempre con nitidez, desde un cielo sin nubes, las astilladas cumbres de los Andes.

II
La mentira de las mentiras

Conversación en La Catedral

«La Catedral» es un bar de Lima. En ella conversa unas horas Santiago Zavala, Zavalita, periodista de *La Crónica,* miembro de la alta burguesía limeña, hijo del potentado don Fermín Zavala, con el negro Ambrosio, a quien ha encontrado en la perrera municipal adonde había acudido a buscar a un perrillo propiedad suya y de su esposa, Ana. La conversación (que se escucha de un modo u otro a través de toda la novela) es una rememoración de algunos sucesos acaecidos durante la dictadura del general Odría, en los años cincuenta, al hilo de los cuales se ofrece la crónica política del período, así como de los conflictos de orden privado en los que estuvo implicado el padre de Zavalita, don Fermín Zavala, que fue socio y estrecho colaborador de Cayo Bermúdez. Éste era el verdadero hombre fuerte de la dictadura, que defendió duramente mediante el firme control de la policía y el uso de todos los medios, incluidos el soborno y la represión. Bermúdez tenía una amante lesbiana, Hortensia, que a su vez se relacionaba con una tal Queta, ambas situadas al borde cuando no en el ámbito de la prostitución, que acompañaban a Bermúdez en sus actos sexuales, los cuales poseían un fuerte componente sadomasoquista. Caído Odría, Hortensia intentará chantajear a don Fermín Zavala, homosexual vergonzante, que tenía relaciones con el negro Ambrosio, hombre de oficios inestables, colaborador de la policía política, casado con una muchacha negra, Amalia —excriada de Zavala, servidora de la amante de Bermúdez—, y chófer al fin de don Fermín Zavala. Habitual de la amante de Bermúdez y de su amiga, la matará a aquélla por orden de Zavala, aunque este punto no quede oficialmente aclarado. Zavalita conocerá la historia, lo que acentuará su desclasamiento, que lo había llevado a interesarse por el comunismo y lo conduce a vivir de modo independiente, al margen por completo de su influyente y poderosa familia.

(1) Santiago Zavala, Zavalita, considera su edad y su situación.

(2) Zavalita recuerda su primer año en la universidad de San Marcos; sus amigos, Aída, Jacobo.

(3) Zavalita, detenido por una huelga universitaria, es sacado de la Prefectura por la gestión de su padre con Bermúdez. Sus interlocutores son, en dos tiempos, un compañero del periódico, Carlitos, y Ambrosio.

(4) Don Fermín Zavala habla de negocios a Cayo Bermúdez.

(5) Bermúdez alecciona a un ministro sobre la necesidad de actuar como él actúa.

(6) Continúa la anterior conversación; noticias de la conspiración.

(7) Hortensia, Queta y Cayo Bermúdez.

(8) Zavalita se entera de la homosexualidad de su padre y de que se le asocia con el asesinato de la amante de Bermúdez; telefonea a su casa; queda citado con su padre en el Club y allí hablan.

(9) Zavalita (en unión de Ana, con quien acaba de casarse) visita a sus padres; enfrentamiento con la madre, contrariada por la boda.

(10) Ambrosio cuenta a Queta sus relaciones con don Fermín Zavala.

(11) Ambrosio le habla a Queta del chantaje a que Hortensia trata de someter a don Fermín Zavala y le ruega que le pida a aquélla que deje de hacerlo. Don Fermín le dice a Ambrosio que no debía haberle ocultado su condición de hombre casado.

(12) Zavalita rechaza la herencia de su padre.

Historia de Mayta

La clave argumental de la novela reside en la reconstrucción de la personalidad de un trotskista peruano, Alejandro Mayta (nombre éste imaginario, pues el personaje real vivía cuando Vargas Llosa escribió su obra), que en 1958 encabezó una intentona revolucionaria en la ciudad de Jauja, que fracasó, y después fue preso varias veces más en circunstancias muy confusas, que orillaban, si no franqueaban, el delito común, hasta desvanecerse posteriormente en el anonimato y el olvido. Según se dijo ya, la novela está montada sobre el artificio de una encuesta, una investigación, que lleva a cabo en 1983 el narrador, trasunto del propio autor, en torno a la personalidad y vicisitudes de Mayta entre quienes lo trataron y conocieron (parientes, antiguos correligionarios, políticos, profesores suyos), que permite conocer más o menos cómo sucedieron los hechos y el papel que el revolucionario jugó en ellos, para concluir con una entrevista entre el ex cabecilla y el autor.

Textos seleccionados

(1) El narrador se entrevista en Jauja con el profesor Ubilluz, profesor de Filosofía e Historia, simpatizante de la izquierda, en cuya evocación se intercalan referencias a los preparativos, por parte de Mayta y sus compañeros del Partido Obrero Revolucionario Trotskista (POR [T]), de la intentona revolucionaria en Jauja.

(2) Mayta sueña con la revolución.

(3) El narrador se entrevista en Lima con Alejandro Mayta, que ahora trabaja en una heladería, muy cambiado ya respecto a quien fue en su juventud.

Pantaleón y las visitadoras

El aislamiento en la Amazonía de los efectivos militares es causa de un evidente malestar, que un oficial extremoso en el cumplimiento de los deberes castrenses, el capitán Pantaleón Pantoja, decide contrarrestar o atenuar mediante la militarización de un grupo de prostitutas. La espontánea realidad *clásica* de las soldaderas, que comparece en muchas comedias españolas del Siglo de Oro, es sustituida aquí por el eufemísticamente denominado «Servicio de Visitadoras», que Pantoja crea en la localidad de Iquitos. Tan peculiar invención desborda todas las expectativas hasta que el escándalo estalla no sólo a causa de las críticas de la ciudad, de las que se hace eco ostentoso el presentador de un programa radiofónico, *La Voz del Sinchi,* sino con motivo del homenaje público que en su entierro rinde el capitán a la prostituta denominada *La Brasileña,* que muere salvajemente inmolada por la secta de fanáticos religiosos del «niño-mártir». El capitán estaba sentimentalmente relacionado con *La Brasileña,* relación que le costó la estabilidad conyugal. Los mandos militares, que apoyaron la creación del «Servicio de Visitadoras», desautorizan a Pantoja y ordenan su traslado forzoso a la lejana guarnición de Pomata.

Textos seleccionados

(1) Amanecer en el cuartel de Chiclayo. Desfile de las «visitadoras».

(2) Resolución secreta sobre el uso de un hidroavión por el SVGPFA (Servicio de Visitadoras para Guarniciones, Puestos de

Frontera y Afines). Disposición Interna del Servicio de Sanidad e Informe del alférez Santana sobre la operación piloto efectuada por el SVGPFA.

(3) Parte número quince sobre la «celebración y balance del primer aniversario e Himno de las Visitadoras».

(4) Oficio confidencial del contralmirante Carrillo sobre el descontento que ha causado en la Armada su omisión en el Himno de las Visitadoras.

(5) Parte número veintiséis del capitán Pantoja donde rectifica la omisión de la Armada en el Himno.

(6) Emisión de *La Voz del Sinchi* donde denuncia el escándalo de las «visitadoras».

(7) Elegía del capitán Pantoja en el entierro de *La Brasileña*, la «visitadora» salvajemente crucificada por los fanáticos de la secta del «niño-mártir».

(1)

Desde la puerta de «La Crónica» Santiago mira la avenida Tacna, sin amor: automóviles, edificios desiguales y descoloridos, esqueletos de avisos luminosos flotando en la neblina, el mediodía gris. ¿En qué momento se había jodido el Perú? Los canillitas merodean entre los vehículos detenidos por el semáforo de Wilson voceando los diarios de la tarde y él echa a andar, despacio, hacia la Colmena. Las manos en los bolsillos, cabizbajo, va escoltado por transeúntes que avanzan, también, hacia la Plaza San Martín. Él era como el Perú, Zavalita, se había jodido en algún momento. Piensa: ¿en cuál? Frente al Hotel Crillón un perro viene a lamerle los pies: no vayas a estar rabioso, fuera de aquí. El Perú jodido, piensa, Carlitos jodido, todos jodidos. Piensa: no hay solución. Ve una larga cola en el paradero de los colectivos a Miraflores, cruza la Plaza y ahí está Norwin, hola hermano, en una mesa del Bar Zela, siéntate Zavalita, manoseando un chilcano y haciéndose lustrar los zapatos, le invitaba un trago. No parece borracho todavía y Santiago se sienta, indica al lustrabotas que también le lustre los zapatos a él. Listo jefe, ahoritita jefe, se los dejaría como espejos, jefe.

—Siglos que no se te ve, señor editorialista —dice Norwin—. ¿Estás más contento en la página editorial que en locales?

—Se trabaja menos —alza los hombros, a lo mejor había sido ese día que el Director lo llamó, pide una Cristal helada, ¿quería reemplazar a Orgambide, Zavalita?, él había estado en la Universidad y podría escribir editoriales, ¿no, Zavalita? Piensa: ahí me jodí—. Vengo temprano, me dan mi tema, me tapo la nariz y en dos o tres horas, listo, jalo la cadena y ya está.

—Yo no haría editoriales ni por todo el oro del mundo —dice Norwin—. Estás lejos de la noticia y el periodismo es noticia, Zavalita, convéncete. Me moriré en policiales, nomás. A propósito, ¿se murió Carlitos?

—Sigue en la clínica, pero le darán de alta pronto —dice Santiago—. Jura que va a dejar el trago esta vez.

—¿Cierto que una noche al acostarse vio cucarachas y arañas? —dice Norwin.

—Levantó la sábana y se le vinieron encima miles de tarántulas, de ratones —dice Santiago—. Salió calato a la calle dando gritos.

Norwin se ríe y Santiago cierra los ojos: las casas de Chorrillos son cubos con rejas, cuevas agrietadas por temblores, en el interior hormiguean cachivaches y polvorientas viejecillas pútridas, en zapatillas, con varices. Una figurilla corre entre los cubos, sus alaridos estremecen la aceitosa madrugada y enfurecen a las hormigas, alacranes y escorpiones que la persiguen. La consolación por el alcohol, piensa, contra la muerte lenta los diablos azules. Estaba bien, Carlitos, uno se defendía del Perú como podía.

—El día menos pensado yo también me voy a encontrar a los bichitos. —Norwin contempla su chilcano con curiosidad, sonríe a medias—. Pero no hay periodista abstemio, Zavalita. El trago inspira, convéncete.

El lustrabotas ha terminado con Norwin y ahora embetuna los zapatos de Santiago, silbando. ¿Cómo iban las cosas por «Última Hora», qué se contaban esos bandoleros? Se quejaban de tu ingratitud, Zavalita, que viniera alguna vez a visitarlos, como antes. O sea, que ahora tenías un montón de tiempo libre, Zavalita, ¿trabajabas en otro sitio?

—Leo, duermo siestas —dice Santiago—. Quizá me matricule otra vez en Derecho.

—Te alejas de la noticia y ya quieres un título. —Norwin lo mira apenado—. La página editorial es el fin, Zavalita. Te recibirás de abogado, dejarás el periodismo. Ya te estoy viendo hecho un burgués.

—Acabo de cumplir treinta años —dice Santiago—. Tarde para volverme un burgués.

—¿Treinta, nada más? —Norwin queda pensativo—. Yo treinta y seis y parezco tu padre. La página policial lo muele a uno, convéncete.

Caras masculinas, ojos opacos y derrotados sobre las mesas del Bar Zela, manos que se alargan hacia ceniceros y vasos de cerveza. Qué fea era la gente aquí, Carlitos tenía razón. Piensa: ¿qué me pasa hoy? El lustrabotas espanta a manazos a dos perros que jadean entre las mesas.

—¿Hasta cuándo va a seguir la campaña de «La Crónica» contra la rabia? —dice Norwin—. Ya se ponen pesados, esta mañana le dedicaron otra página.

—Yo he hecho todos los editoriales contra la rabia —dice Santiago—. Bah, eso me fastidia menos que escribir sobre Cuba o Vietnam. Bueno, ya no hay cola, voy a tomar el colectivo.

—Vente a almorzar conmigo, te invito —dice Norwin—. Olvídate de tu mujer, Zavalita. Vamos a resucitar los buenos tiempos.

Cuyes ardientes y cerveza helada, el «Rinconcito Cajamarquino» de Bajo el Puente y el espectáculo de las vagas aguas del Rímac escurriéndose entre rocas color moco, el café terroso del Haití, la timba en casa de Milton, los chilcanos y la ducha en casa de Norwin, la apoteosis de medianoche en el bulín con Becerrita que conseguía rebajas, el sueño ácido y los mareos y las deudas del amanecer. Los buenos tiempos, puede que ahí.

—Ana ha hecho chupe de camarones y eso no me lo pierdo —dice Santiago—. Otro día, hermano.

—Le tienes miedo a tu mujer —dice Norwin—. Uy, qué jodido estás, Zavalita.

No por lo que tú creías, hermano. Norwin se empeña en pagar la cerveza, la lustrada, y se dan la mano. Santiago regresa al paradero, el colectivo que toma es un Chevrolet y tiene la radio encendida, Inca Cola refrescaba mejor, después un vals, ríos, quebradas, la veterana voz de Jesús Vásquez, era mi Perú. Todavía hay embotellamientos en el centro, pero República y Arequipa están despejadas y el auto puede ir deprisa, un nuevo vals, las limeñas tenían alma de tradición. ¿Por qué cada vals criollo sería tan, tan huevón? Piensa: ¿qué me pasa hoy? Tiene el mentón en el pecho y los ojos entrecerrados, va como espiándose el vientre: caramba, Zavalita, te sientas y esa hinchazón en el saco. ¿Sería la primera vez que tomó cerveza? ¿Quince, veinte años atrás? Cuatro semanas sin ver a la mamá, a la Teté. Quién iba a decir que Popeye se recibiría de arquitecto, Zavalita, quién que acabarías escribiendo editoriales contra los perros de Lima. Piensa: dentro de poco seré barrigón. Iría al baño turco, jugaría tenis en el Terrazas, en seis meses quemaría la grasa y otra vez un vientre liso como a los quince. Apurarse, romper la inercia, sacudirse. Piensa: deporte, ésa es la solución. El parque de Miraflores ya, la Quebrada, el Malecón, en la esquina de Benavides maestro. Baja, camina hacia Porta, las manos en los bolsillos, cabizbajo, ¿qué me pasa hoy? El cielo sigue nublado, la atmósfera es aún más gris y ha comenzado la garúa: patitas de zancudos en la piel, caricias de telarañas. Ni siquiera eso, una sensación más furtiva y desganada todavía. Hasta la lluvia andaba jodida en este país. Piensa: si por lo menos lloviera a cántaros. ¿Qué darían en el Colina, en el Montecarlo, en el Marsano? Almorzaría, un capítulo de «Contrapunto» que iría languideciendo y lo llevaría en brazos hasta el sueño viscoso de la siesta, si dieran una policial como «Rififí», una cowboy como «Río Grande». Pero Ana tendría su dramón marcado en el periódico, qué me pasa hoy día. Piensa: si la censura prohibiera las mexicanadas pelearía menos con Ana. ¿Y después de la vermouth? Darían una vuelta por el Malecón, fumarían bajo las sombrillas de cemento del Parque Necochea sintiendo rugir el mar en la oscuridad, volverían a la Quinta de los duendes de la mano, peleamos mucho amor, discutimos mucho amor, y entre bostezos Huxley. Los dos cuartos se llenarían de humo y olor a aceite, ¿estaba con mucha hambre, amor? El despertador de la madrugada, el agua fría de la ducha, el colectivo, la caminata entre oficinistas por la Colmena, la voz del Director, ¿preferías la huelga bancaria, Zavalita, la crisis pesquera o Israel? Tal vez valdría la pena esforzarse un poco y sacar el título.

¿Había sido ese primer año, Zavalita, al ver que San Marcos era un burdel y no el paraíso que creías? ¿Qué no le había gustado, niño? No que las clases comenzaran en junio en vez de abril, no que los catedráticos fueran decrépitos como los pupitres, piensa, sino el desgano de sus compañeros cuando se hablaba de libros, la indolencia de sus ojos cuando de política. Los cholos se parecían terriblemente a los niñitos bien, Ambrosio. A los profesores les pagarían miserias, decía Aída, trabajarían en ministerios, darían clases en colegios, quién les iba a pedir más. Había que comprender la apatía de los estudiantes, decía Jacobo, el sistema los formó así: necesitaban ser agitados, adoctrinados, organizados. ¿Pero dónde estaban los comunistas, dónde aunque fuera los apristas? ¿Todos encarcelados, todos deportados? Eran críticas retrospectivas, Ambrosio, entonces no se daba cuenta y le gustaba San Marcos. ¿Qué sería del catedrático que en un año glosó dos capítulos de la Síntesis de Investigaciones Lógicas publicada por la Revista de Occidente? Suspender fenomenológicamente el problema de la rabia, poner entre paréntesis, diría Husserl, la grave situación creada por los perros de Lima: ¿qué cara pondría el Director? ¿Qué del que sólo hacía pruebas de ortografía, qué del que preguntó en el examen errores de Freud?

—Te equivocas, uno tiene que leer incluso a los oscurantistas —dijo Santiago.

—Lo lindo sería leerlos en su propio idioma —dijo Aída—. Quisiera saber francés, inglés, hasta alemán.

—Lee todo, pero con sentido crítico —dijo Jacobo—. Los progresistas siempre te parecen malos y los decadentes siempre buenos. Eso es lo que te critico.

—Sólo digo que «Así se templó el acero» me aburrió y que me gustó «El castillo» —protestó Santiago—. No estoy generalizando.

—La traducción de Ostrovski debe ser mala y la de Kafka buena, ya no discutan —dijo Aída.

¿Qué del anciano pequeñito, barrigón, de ojos azules y melena blanca, que explicaba las fuentes históricas? Era tan bueno que daban ganas de seguir Historia y no Psicología, decía Aída, y Jacobo sí, lástima que fuera hispanista y no indigenista. Las aulas abarrotadas de los primeros días se fueron vaciando, en setiembre sólo asistía la mitad de los alumnos y ya no era difícil pescar asiento en las clases. No se sentían defraudados, no era que los profesores no supieran o quisieran enseñar, piensa, a ellos tampoco les interesaba aprender. Porque eran pobres y tenían que trabajar, decía Aída, porque estaban contaminados de formalismo burgués y sólo querían el título, decía Jacobo; porque para recibirse no hacía falta asistir ni interesarse ni estudiar: sólo esperar. ¿Estaba contento en San Marcos flaco, de veras enseñaban ahí las cabezas del Perú flaco, por qué se había vuelto tan reservado flaco? Sí estaba papá, de veras papá, no se había vuelto papá. Entrabas y salías de la casa como un fantasma, Zavalita, te encerrabas en tu cuarto y no le dabas cara a la familia, pareces un oso, decía la señorita Zoila, y el Chispas te ibas a volver virolo de tanto leer, y la Teté por qué ya no salías nunca con Popeye, supersabio. Porque Jacobo y Aída bastaban, piensa, porque ellos eran la amistad que excluía, enriquecía y compensaba todo. ¿Ahí, piensa, me jodí ahí?

Se habían matriculado en los mismos cursos, se sentaban en la misma banca, iban juntos a la Biblioteca de San Marcos o a la Nacional, a duras penas se separaban para dormir. Leían los mismos libros, veían las mismas películas, se enfurecían con los mismos periódicos. Al salir de la Universidad, a mediodía y en las tardes, conversaban horas en «El Palermo» de la Colmena, discutían horas en la pastelería «Los Huérfanos» de Azángaro, comentaban horas las noticias políticas en un café-billar a espaldas del Palacio de Justicia. A veces se zambullían en un cine, a veces recorrían librerías, a veces emprendían como una aventura largas caminatas por la ciudad. Asexuada, fraternal, la amistad parecía también eterna.

—Nos importaban las mismas cosas, odiábamos las mismas cosas, y nunca estábamos de acuerdo en nada —dice Santiago—. Eso era formidable, también.

—¿Por qué estaba amargado, entonces? —dice Ambrosio—. ¿Por la muchacha?

—Nunca la veía a solas —dice Santiago—. No estaba amargado; a ratos un gusanito en el estómago, nada más.

—Usted quería enamorarla y no podía, teniendo ahí al otro —dice Ambrosio—. Sé lo que se siente estando cerca de la mujer que uno quiere y no pudiendo hacer nada.

—¿Te pasó eso con Amalia? —dice Santiago.

—Vi una película con ese tema —dice Ambrosio.

La Universidad era un reflejo del país, decía Jacobo, hacía veinte años esos profesores a lo mejor eran progresistas y leían, después por tener que trabajar en otras cosas y por el ambiente se habían mediocrizado y aburguesado, y ahí, de pronto, viscoso y mínimo en la boca del estómago: el gusanito. También era culpa de los alumnos, decía Aída, les gustaba este sistema, ¿y si todos tenían la culpa no había más remedio que conformarnos?, decía Santiago, y Jacobo: la solución era la reforma universitaria. Un cuerpo diminuto y ácido en la maleza de las conversaciones, súbito en el calor de las discusiones, interfiriendo, desviando, malogrando la atención con ráfagas de melancolía o nostalgia. Cátedras paralelas, co-gobierno, universidades populares, decía Jacobo: que entrara a enseñar todo el que fuera capaz, que los alumnos pudieran tachar a los malos profesores, y como el pueblo no podía venir a la Universidad que la Universidad fuera al pueblo. ¿Melancolía de esos imposibles diálogos a solas con ella que deseaba, nostalgia de esos paseos a solas con ella que inventaba? Pero si la Universidad era un reflejo del país, San Marcos nunca iría bien mientras el Perú fuera tan mal, decía Santiago, y Aída si se quería curar el mal de raíz no había que hablar de reforma universitaria, sino de Revolución. Pero ellos eran estudiantes y su campo de acción era la Universidad, decía Jacobo, trabajando por la reforma trabajarían por la Revolución: había que ir por etapas y no ser pesimista.

—Estaba usted celoso de su amigo —dice Ambrosio—. Y los celos son lo más venenoso que hay.

—A Jacobo le pasaría lo mismo que a mí —dice Santiago—. Pero los dos disimulábamos.

—Él también sentiría ganas de desaparecerlo de una mirada mágica para quedarse solo con la muchacha —se ríe Ambrosio.

—Era mi mejor amigo —dice Santiago—. Yo lo odiaba, pero a la vez lo quería y lo admiraba.

—No debes ser tan escéptico —dijo Jacobo—. Eso de todo o nada es típicamente burgués.

—No soy escéptico —dijo Santiago—. Pero hablamos y hablamos y ahí nos quedamos.

—Es cierto, hasta ahora no pasamos de la teoría —dijo Aída—. Deberíamos hacer algo más que conversar.

—Solos no podemos —dijo Jacobo—. Primero tenemos que ponernos en contacto con los universitarios progresistas.

—Hace dos meses que entramos y no hemos encontrado a ninguno —dijo Santiago—. Estoy por creer que no existen.

—Tienen que cuidarse y es lógico —dijo Jacobo—. Tarde o temprano aparecerán.

Y, en efecto, sigilosos, recelosos, misteriosos, poco a poco habían ido apareciendo, como sombras furtivas: ¿estaban en primero de Letras, no? Entre clases ellos acostumbraban sentarse en alguna banca del patio de la Facultad, parecía que estaban haciendo una colecta, o dar vueltas alrededor de la pila de Derecho, para comprarles colchones a los estudiantes presos, y allí cambiaban a veces unas palabras con alumnos de otras facultades u otros años, que los tenían en los calabozos de la Penitenciaría durmiendo en el suelo, y en esos rápidos diálogos huidizos, detrás de la desconfianza, abriéndose camino a través de la sospecha, ¿nadie les había hablado de la colecta todavía?, advertían o creían advertir una sutil exploración de su manera de pensar, no se trataba de nada político, un discreto sondeo, sólo de una acción humanitaria, vagas indicaciones de que se prepararan para algo que llegaría, y hasta de simple caridad cristiana, o un secreto llamado para que manifestaran de la misma cifrada manera que se podía confiar en ellos: ¿podían dar siquiera un sol? Aparecían solitarios y esfumados en los patios de San Marcos, se les acercaban a charlar unos instantes sobre temas ambiguos, desaparecían por muchos días y de pronto reaparecían, cordiales y evasivos, la misma cautelosa expresión risueña en los mismos rostros indios, cholos, chinos, negros, y las mismas palabras ambivalentes en sus acentos provincianos, con los mismos trajes gastados y descoloridos y los mismos zapatos viejos y a veces alguna revista o periódico o libro bajo el brazo. ¿Qué estudiaban, de dónde eran, cómo se llamaban, dónde vivían? Como un escueto relámpago en el cielo nublado, ese muchacho de Derecho había sido uno de los que se encerró en San Marcos cuando la revolución de Odría, una brusca confidencia rasgaba de pronto las conversaciones grises, y había estado preso y hecho huelga de hambre en la cárcel, y las encendía y afiebraba, y sólo lo habían soltado hacía un mes, y esas revelaciones y descubrimientos, y ése había sido delegado de Económicas cuando funcionaban los Centros Federados y la Federación Universitaria, despertaban en ellos una ansiosa excitación, antes que la política destrozara los organismos estudiantiles encarcelando a los dirigentes, una feroz curiosidad.

—Llegas tarde para no comer con nosotros, y cuando nos haces el honor no abres la boca —dijo la señora Zoila—. ¿Te han cortado la lengua en San Marcos?

—Habló contra Odría y contra los comunistas —dijo Jacobo—. ¿Aprista, no creen?

—Se hace el mudo para dárselas de interesante —dijo el Chispas—. Los genios no pierden su tiempo hablando con ignorantes, ¿no es cierto, supersabio?

—¿Cuántos hijos tiene la niña Teté? —dice Ambrosio—. ¿Y usted cuántos, niño?

—Más bien trozkista, porque habló bien de Lechín —dijo Aída—. ¿No dicen que Lechín es trozkista?

—La Teté dos, yo ninguno —dice Santiago—. No quería ser papá, pero tal vez me decida un día de éstos. Al paso que vamos, qué más da.

—Y además andas medio sonámbulo y con ojos de carnero degollado —dijo la Teté—. ¿Te has enamorado de alguna en San Marcos?

—A la hora que llego veo la lamparita de tu velador encendida —dijo don Fermín—. Muy bien que leas, pero también deberías ser un poco sociable, flaco.

—Sí, de una con trenzas que anda sin zapatos y sólo habla quechua —dijo Santiago—. ¿Te interesa?

—La negra decía cada hijo viene con su pan bajo el brazo —dice Ambrosio—. Por mí, hubiera tenido un montón, le digo. La negra, es decir mi mamacita, que en paz descanse.

—Llego un poco cansado y por eso me meto a mi cuarto, papá —dijo Santiago—. Ni que me hubiera vuelto loco para no querer hablar con ustedes.

—Eso me pasa por hablar contigo, que eres una mula chúcara —dijo la Teté.

—No loco, pero sí raro —dijo don Fermín—. Ahora estamos solos, flaco, háblame con confianza. ¿Tienes algún problema?

—Ése sí pudiera ser del Partido —dijo Jacobo—. Su interpretación de lo que pasa en Bolivia era marxista.

—Ninguno, papá —dijo Santiago—. No me pasa nada, palabra.

(3)

—Zavala, venga conmigo. Sí, usted solito.

El retaco tomaba impulso y, al salir de la habitación, vio los ojos de Solórzano que se abrían, enrojecidos. Un corredor lleno de puertas, gradas, un pasillo de losetas que se revolvía, subía y bajaba, un guardia con fusil frente a una ventana. El tipo caminaba con las manos en los bolsillos, a su lado; placas de metal que no alcanzaba a leer. Entre ahí, oyó, y se quedó solo. Un cuarto grande, casi a oscuras: un escritorio con una lamparita sin pantalla, paredes desnudas, una fotografía de Odría envuelto en la banda presidencial como un bebé en un pañal. Retrocedió, miró su reloj, las doce y media, tomaba impulso y, las piernas blandas, ganas de orinar. Un momento después se abrió la puerta, ¿Santiago Zavala?, dijo una voz sin cara. Sí: aquí estaba el sujeto, señor. Pasos, voces, el perfil de don Fermín atravesando el cono de luz de la lámpara, sus brazos abriéndose, su cara contra mi cara, piensa.

—¿Estás bien, flaco? ¿No te han hecho nada, flaco?

—Nada, papá. No sé por qué me han traído, no he hecho nada, papá.

Don Fermín lo miró a los ojos, lo abrazó otra vez, lo soltó, sonrió a medias y se volvió hacia el escritorio, donde el otro se había sentado ya.

—Ya ve, don Fermín —se le veía apenas la cara, Carlitos, una vocecita desganada, servil—. Ahí tiene al heredero, sano y salvo.

—Este joven no se cansa de darme dolores de cabeza —el pobre quería ser natural y era teatral y hasta cómico, Carlitos—. Lo envidio por no tener hijos, don Cayo.

—Cuando uno se va poniendo viejo —sí, Carlitos, Cayo Bermúdez en persona— le gustaría tener quien lo represente en el mundo cuando ya no esté.

Don Fermín soltó una risita incómoda, se sentó en una esquina del escritorio, y Cayo Bermúdez se puso de pie: ése era pues, ahí estaba pues.

Una cara seca, apergaminada, insípida. ¿No quería sentarse, don Fermín? No, don Cayo, aquí estaba bien.

—Vea en qué lío se ha metido, joven —con amabilidad, Carlitos, como si lo lamentara—. Por dedicarse a la política en vez de los estudios.

—Yo no hago política —dijo Santiago—. Estaba con unos compañeros, no hacíamos nada.

Pero Bermúdez se había inclinado a ofrecer cigarrillos a don Fermín que, inmediatamente, con una sonrisita postiza, sacó un Inca, él, que sólo podía fumar Chesterfield y odiaba el tabaco negro Carlitos, y se lo puso en la boca. Aspiraba con avidez y tosía, contento de hacer algo que disimulara su malestar, Carlitos, su terrible incomodidad. Bermúdez miraba los remolinos de humo, aburrido, y de pronto sus ojos encontraron a Santiago:

—Está bien que un joven sea rebelde, impulsivo —como si estuviera diciendo tonterías en una reunión social, Carlitos, como si le importara un comino lo que decía—. Pero conspirar con los comunistas ya es otra cosa. ¿No sabe que el comunismo está fuera de la ley? Figúrese si se le aplicara la Ley de Seguridad Interior.

—La Ley de Seguridad Interior no es para mocosos que no saben dónde están parados, don Cayo —con una furia frenada, Carlitos, sin alzar la voz, aguantándose las ganas de decirle perro, sirviente.

—Por favor, don Fermín —como escandalizado, Carlitos, de que no le entendieran las bromas—. Ni para los mocosos ni mucho menos para el hijo de un amigo del régimen como usted.

—Santiago es un muchacho difícil, lo sé de sobra —sonriendo y poniéndose serio, Carlitos, cambiando a cada palabra de tono—. Pero no exagere, don Cayo. Mi hijo no conspira, y menos con comunistas.

—Que él mismo le cuente, don Fermín —amistosa, obsequiosamente, Carlitos—. Qué hacía en ese hotelito del Rímac, qué es la Fracción, qué es Cahuide. Que le explique todos esos nombrecitos.

Arrojó una bocanada de humo, contempló las volutas melancólicamente.

—En este país los comunistas ni siquiera existen, don Cayo —atragantándose con la tos y la cólera, Carlitos, pisoteando con odio el cigarrillo.

—Son poquitos, pero fastidian —como si yo me hubiera ido, Carlitos, o nunca hubiera estado ahí—. Sacan un periodiquito a mimeógrafo, Cahuide. Pestes de Estados Unidos, del Presidente, de mí. Tengo la colección completa y se la enseñaré, alguna vez.

—No tengo nada que ver —dijo Santiago—. No conozco a ningún comunista en San Marcos.

—Los dejamos que jueguen a la revolución, a lo que quieran, con tal que no se excedan —como si todo lo que él mismo decía lo aburriera, Carlitos—. Pero una huelga política, de apoyo a los tranviarios, imagínese qué tendrá que ver San Marcos con los tranviarios, eso ya no.

—La huelga no es política —dijo Santiago—. La decretó la Federación. Todos los alumnos...

—Este joven es delegado de año, delegado de la Federación, delegado al Comité de huelga —sin oírme ni mirarme, Carlitos, sonriéndole al viejo como si le estuvieran contando un chiste—. Y miembro de Cahuide, así se llama la organización comunista, desde hace años. Dos de los que fueron detenidos con él tienen un prontuario cargado, son terroristas conocidos. No había más remedio, don Fermín.

—Mi hijo no puede seguir detenido, no es un delincuente —ya sin contenerse, Carlitos, golpeando la mesa, alzando la voz—. Yo soy amigo del régimen, y no de ayer, de la primera hora, y se me deben muchos favores. Voy a hablar con el Presidente ahora mismo.

—Don Fermín, por favor —como herido, Carlitos, como traicionado por su mejor amigo—. Lo he llamado para arreglar esto entre nosotros, yo sé mejor que nadie que usted es un buen amigo del régimen. Quería informarle de las andanzas de este joven, nada más. Por supuesto que no está detenido. Puede usted llevárselo ahora mismo, don Fermín.

—Se lo agradezco mucho, don Cayo —confundido otra vez, Carlitos, pasándose el pañuelo por la boca, tratando de sonreír—. No se preocupe por Santiago, yo me encargo de ponerlo en el buen camino. Ahora, si no le importa, preferiría irme. Ya se imagina cómo estará su madre.

—Por supuesto, vaya a tranquilizar a la señora —compungido, Carlitos, queriendo reivindicarse, congraciarse—. Ah, y claro, el nombre del joven no aparecerá para nada. No hay ficha de él, le aseguro que no quedará rastro de este incidente.

—Sí, eso hubiera perjudicado al muchacho más tarde —sonriéndole, asintiendo, Carlitos, tratando de demostrarle que ya se había reconciliado con él—. Gracias, don Cayo.

Salieron. Iban adelante don Fermín y la figurita pequeña y angosta de Bermúdez, su terno gris a rayas, sus pasitos cortos y rápidos. No contestaba los saludos de los guardias, las buenas noches de los soplones. El patio, la fachada de la Prefectura, las rejas, aire puro, la avenida. El auto estaba al pie de las gradas. Ambrosio se quitó la gorra, abrió la puerta, sonrió a Santiago, buenas noches niño. Bermúdez hizo una venia y desapareció en la puerta principal. Don Fermín entró al auto: rápido a la casa, Ambrosio. Partieron y el auto enfiló hacia Wilson, dobló hacia Arequipa, aumentando en cada esquina la velocidad, y por la ventanilla entraba cuánto aire, Zavalita, para respirar, para no pensar.

—El hijo de puta éste me las va a pagar —el fastidio de su cara, piensa, el cansacio de sus ojos que miraban adelante—. El cholo de mierda éste no me va a humillar así. Yo voy a enseñar-le cuál es su sitio.

—La primera vez que le oía decir palabrotas, Carlitos —dijo Santiago—. Insultar a alguien así.

112

—Me las va a pagar —su frente comida de arrugas, piensa, su cólera helada—. Yo le voy a enseñar a tratar a sus señores.

—Siento mucho haberte hecho pasar ese mal rato, papá, te juro que…—y su cara girando de golpe, piensa, y el manotón que te cerraba la boca, Zavalita.

—La primera, la única vez que me pegó —dice Santiago—. ¿Te acuerdas, Ambrosio?

—Tú también tienes que arreglar cuentas conmigo, mocoso —su voz convertida en un gruñido, piensa—. ¿No sabes que para conspirar hay que ser vivo? ¿Que era imbécil conspirar desde tu casa por teléfono? ¿Que la policía podía escuchar? El teléfono estaba intervenido, imbécil.

(4)

Está usted perdiendo mucho dinero con ese criterio —dijo don Fermín—. Absurdo que se contente con sumas miserables, absurdo que tenga su capital inmovilizado en un Banco.

—Sigue empeñado en meterme al mundo de los negocios —sonrió él—. No, don Fermín, ya escarmenté. Nunca más.

—Por cada veinte o cincuenta mil soles que usted recibe, hay quienes sacan el triple —dijo don Fermín—. Y no es justo, porque usted es quien decide las cosas. De otro lado, ¿cuándo se va a decidir a invertir? Le he propuesto cuatro o cinco asuntos que hubieran entusiasmado a cualquiera.

Él lo escuchaba con una sonrisita cortés en los labios, pero tenía los ojos aburridos. El churrasco estaba en la mesa hacía unos minutos y todavía no lo probaba.

—Ya le he explicado —cogió el cuchillo y el tenedor, se quedó observándolos—. Cuando el régimen se termine, el que cargará con los platos rotos seré yo.

—Es una razón de más para que asegure su futuro —dijo don Fermín.

—Todo el mundo se me echará encima, y los primeros, los hombres del régimen —dijo él, mirando deprimido la carne, la ensalada—. Como si echándome el barro a mí quedaran limpios. Tendría que ser idiota para invertir un medio en este país.

—Vaya, está pesimista hoy, don Cayo —don Fermín apartó el consomé, el mozo le trajo la corvina—. Cualquiera creería que Odría va a caer de un momento a otro.

—Todavía no —dijo él—. Pero no hay gobiernos eternos, usted sabe. No tengo ambiciones, por lo demás. Cuando esto termine, me iré a vivir afuera tranquilo, a morirme en paz.

Miró su reloj, intentó pasar algunos bocados de carne. Masticaba con disgusto, bebiendo sorbos de agua mineral, y por fin indicó al mozo que se llevara el plato.

—A las tres tengo cita con el Ministro y ya son dos y cuarto. ¿No teníamos otro asuntito, don Fermín?

Don Fermín pidió café para ambos, encendió un cigarrillo. Sacó de su bolsillo un sobre y lo puso en la mesa.

—Le he preparado un memorándum, para que estudie los datos con calma, don Cayo. Un denuncio de tierras, en la región de Bagua. Son unos ingenieros jóvenes, dinámicos, con muchas ganas de trabajar. Quieren traer ganado vacuno, ya verá. El expediente está plantado en Agricultura hace seis meses.

—¿Apuntó el número del expediente? —guardó el sobre en su maletín, sin mirarlo.

—Y la fecha en que se inició el trámite y los departamentos por los que ha pasado —dijo don Fermín—. Esta vez no tengo ningún interés en la empresa. Es gente que quiero ayudar. Son amigos.

—No puedo prometerle nada antes de informarme —dijo él—. Además, el Ministro de Agricultura no me quiere mucho. En fin, ya le diré.

—Lógicamente, estos muchachos aceptarán sus condiciones —dijo don Fermín—. Está bien que yo les haga un favor por amistad, pero no que usted se tome molestias de balde por gente que no conoce.

—Lógicamente —dijo él, sin sonreír—. Sólo me tomo molestias de balde por el régimen.

Bebieron el café, callados. Cuando el mozo trajo la cuenta, los dos sacaron la cartera, pero don Fermín pagó. Salieron juntos a la Plaza San Martín.

—Me imagino que estará muy ocupado con el viaje del Presidente a Cajamarca —dijo don Fermín.

—Sí, algo, lo llamaré cuando pase este asunto —dijo él, dándole la mano—. Ahí está mi carro. Hasta pronto, don Fermín.

Subió al auto, ordenó al Ministerio, rápido. Ambrosio dio la vuelta a la Plaza San Martín, avanzó hacia el Parque Universitario, torció por Abancay. Él hojeaba el sobre que le había entregado don Fermín, y a ratos sus ojos se apartaban y se fijaban en la nuca de Ambrosio: el puta no quería que su hijo se junte con cholos, no querría que le contagiaran malos modales. Por eso invitaría a su casa a tipos como Arévalo o Landa, hasta a los gringos que llamaba patanes, a todos pero no a él. Se rió, sacó una pastilla del bolsillo y se llenó la boca de saliva: no querría que le contagies malos modales a su mujer, a sus hijos.

(5)

En ese caso, voy a verme obligado a recurrir al Presidente, don Cayo —el doctor Arbeláez se calzó los anteojos, en los puños duros de su camisa destellaban unos gemelos de plata—. He procurado mantener las mejores relaciones con usted, jamás le he tomado cuentas, he aceptado que la Dirección de Gobierno me subestime totalmente en mil cosas. Pero no debe olvidar que yo soy el Ministro y que usted está a mis órdenes.

Él asintió, los ojos clavados en los zapatos. Tosió, el pañuelo contra la boca. Alzó la cara, como resignándose a algo que lo entristecía.

—No vale la pena que moleste al Presidente —dijo, casi con timidez—. Yo me permití explicarle el asunto. Naturalmente, no me hubiera atrevido a negarme a su solicitud, sin el respaldo del Presidente.

Lo vio cogerse las manos, quedar absolutamente inmóvil, mirándolo con un odio minucioso y devastador.

—De modo que ya habló con el Presidente —le temblaban el mentón, los labios, la voz—. Usted le habrá presentado las cosas desde su punto de vista, claro.

—Voy a hablarle con franqueza, doctor —dijo él, sin malhumor, sin interés—. Estoy en la Dirección de Gobierno por dos razones. La primera, porque me lo pidió el General. La segunda, porque él aceptó mi condición: disponer del dinero necesario y no dar cuenta a nadie de mi trabajo, sino a él en persona. Perdóneme que se lo diga con crudeza, pero las cosas son así.

Miró a Arbeláez, esperando. Su cabeza era grande para su cuerpo, sus ojitos miopes lo arrasaban despacio, milimétricamente. Lo vio sonreír haciendo un esfuerzo que descompuso su boca.

—No pongo en duda su trabajo, sé que es sobresaliente, don Cayo —hablaba de una manera artificiosa y jadeante, su boca sonreía, sus ojos lo fulminaban, incansables—. Pero hay problemas que resolver y usted tiene que ayudarme. El fondo de seguridad es exorbitante.

—Porque nuestros gastos son exorbitantes —dijo él—. Se lo voy a demostrar, doctor.

—Tampoco dudo que usted utiliza esa partida con la mayor responsabilidad —dijo el doctor Arbeláez—. Simplemente...

—Lo que cuestan las directivas sindicales adictas, las redes de información en centros de trabajo, Universidades y en la administración —recitó él, mientras sacaba un expediente de su maletín y lo ponía sobre el escritorio—. Lo que cuestan las manifestaciones, lo que cuesta conocer las actividades de los enemigos del régimen aquí y en el extranjero.

El doctor Arbeláez no había mirado el expediente; lo escuchaba acariciando un gemelo, sus ojitos odiándolo siempre con morosidad.

—Lo que cuesta aplacar a los descontentos, a los envidiosos y a los ambiciosos que surgen cada día dentro del mismo régimen —recitaba él—. La tranquilidad no sólo es cuestión de palo, doctor, también de soles. Usted pone mala cara y tiene razón. De esas cosas feas me ocupo yo, usted no tiene siquiera que enterarse. Échele una ojeada a estos papeles y me dirá después si usted cree que se pueden hacer economías sin poner en peligro la seguridad.

(6)

Yo también estoy en este cargo porque me lo pidió el Presidente —dijo el doctor Arbeláez, suavizando la voz y él pensó bueno, hagamos las paces—. Estoy tratando de realizar una labor positiva y...

—Todo lo positivo de este Ministerio lo hace usted, doctor —dijo él, con energía—. Yo me ocupo de lo negativo. No, no estoy bromeando, es cierto. Le aseguro que le hago un gran servicio, eximiéndolo de todo lo que se refiere a la baja policía.

—No he querido ofenderlo, don Cayo —el mentón del doctor Arbeláez no temblaba ya.

—No me ha ofendido, doctor —dijo él—. Hubiera querido hacer esos cortes en el fondo de seguridad. Simplemente, no puedo. Lo va a comprobar usted mismo.

El doctor Arbeláez cogió el expediente y se lo alcanzó:

—Guárdelo, no necesito que me demuestre nada, le creo sin pruebas —trató de sonreír, separando apenas los labios—. Ya veremos qué inventamos para renovar esos patrulleros y comenzar las obras en Tacna y Moquegua.

Se dieron la mano, pero el doctor Arbeláez no se levantó a despedirlo. Fue directamente a su oficina y el doctor Alcibíades entró detrás de él.

—El Mayor y Lozano acaban de irse, don Cayo —le entregó un sobre—. Malos informes de México, parece.

Dos páginas a máquina, corregidas a mano, anotadas en los márgenes con letra nerviosa. El doctor Alcibíades le encendió el cigarrillo mientras él leía, despacio.

—Así que la conspiración avanza —se aflojó la corbata, dobló los papeles y los metió otra vez en el sobre—. ¿Eso les parecía tan urgente al Mayor y a Lozano?

—En Trujillo y Chiclayo ha habido reuniones de apristas y Lozano y el Mayor creen que tiene relación con la noticia de que ese grupo de exilados están listos para partir de México —dijo el doctor Alcibíades—. Han ido a hablar con el Mayor Paredes.

—Ojalá vinieran esos pájaros al país, para echarles mano —dijo él, bostezando—. Pero no vendrán. Ésta es la décima o undécima vez ya, doctorcito, no se olvide. Dígales al Mayor y a Lozano que nos reuniremos mañana. No hay apuro.

—Los cajamarquinos llamaron para confirmar la reunión a las cinco, don Cayo.

116

—Sí, está bien —sacó un sobre de su maletín y se le entregó—. ¿Quiere averiguarme en qué estado anda este trámite? Es una denuncia de tierras en Bagua. Vaya personalmente, doctorcito.

—Mañana mismo, don Cayo —el doctor Alcibíades hojeó el memorándum, asintiendo—. Sí, cuántas firmas faltan, qué informes, ya veo. Muy bien, don Cayo.

—Ahorita llegará la noticia de que ha desaparecido la plata de la conspiración —sonrió él, observando el sobre del Mayor y Lozano—. Ahorita los comunicados de los líderes acusándose unos a otros de traidores y de ladrones. Uno se aburre a veces de que pasen siempre las mismas cosas ¿no?

El doctor Alcibíades asintió y educadamente sonrió.

(7)

Llegó primero Hortensia, sin ruido: vio su silueta en el umbral, vacilando como una llama, y la vio tantear en la penumbra y encender la lamparilla de pie. Surgió el cubrecama negro en el espejo que tenía al frente, la cola encrespada del dragón animó el espejo del tocador y oyó que Hortensia comenzaba a decir algo y se le enredaba la voz. Menos mal, menos mal. Venía hacia él haciendo equilibrio y su cara extraviada en una expresión idiota se borró cuando entró a la sombra del rincón donde estaba él. La atajó con una voz que oyó difícil y ansiosa: ¿y la loca, se había ido ya la loca? En vez de seguir hacia él la silueta de Hortensia se desvió y avanzó zigzagueando hasta la cama, donde se desplomó con suavidad. Allí le daba a medias la luz, vio su mano que se alzaba para señalarle la puerta, y miró: Queta había llegado sigilosamente también. Su larga figura de formas llenas, su cabellera rojiza, su postura agresiva. Y oyó a Hortensia: no quería nada con ella, te llamaba a ti Quetita, a ella la basureaba y sólo pregunta por ti. Si fueran mudas, pensó, y empuñó decidido la tijera, un solo tajo silencioso, taj, y vio las dos lenguas cayendo al suelo. Las tenía a sus pies, dos animalitos chatos y rojos que agonizaban manchando la alfombra. En su oscuro refugio se rió y Queta que seguía en el umbral como esperando una orden, también se rió: ella no quería nada con Cayito mierda, chola, ¿no quería irse, no se iba a largar? Que se fuera nomás, no lo necesitaban y él con infinita angustia pensó: no está borracha, ella no. Hablabla como una mediocre actriz que además ha comenzado a perder la memoria y recita despacio, miedosa de olvidar el papel. Adelante, señora Heredia, murmuró, sintiendo una invencible decepción, una ira que le turbaba la voz. La vio moverse, avanzar simulando inseguridad, y oyó a Hortensia, ¿lo oíste, tú conoces a esa mujer, Quetita? Queta se había sentado junto a Hortensia, ninguna miraba hacia su rincón y él suspiró. No lo necesitaban, chola, que se fuera donde esa mujer: por qué fingía, por qué hablaba, taj. No movía la cara, sólo sus ojos giraban de la cama al espejo del closet al de la pared a la cama y sentía el cuerpo endurecido y todos los nervios alertas como si de los almohadones del silloncito pudieran brotar de pronto clavos. Ellas ya habían comenzado a desnudarse una a la otra y a la vez se acariciaban, pero sus movimientos eran demasiado vehementes para ser ciertos, sus abrazos demasiado rápidos o lentos o estrechos, y demasiada súbita la furia con que sus bocas se embestían y él las mató sí, las mataba sí. Pero no se reían: se habían tendido, entreverado, todavía a medio desnudar, al fin calladas, besándose, sus cuerpos frotándose con una demorada lentitud. Sintió que su furia disminuía, las manos mojadas de sudor, la presencia amarga de la saliva en la boca. Ahora estaban quietas, presas en el espejo del tocador, una mano sobre los imperdibles de un sostén, unos dedos estirándose bajo una enagua, una rodilla acuñada entre dos muslos. Esperaba, tenso, los codos aplastados contra los brazos del sillón. No se reían, sí se habían olvidado de él, no miraban hacia su rincón y tragó la saliva. Pareció que despertaban, que de pronto fueran más, y sus ojos iban rápidamente de un espejo a otro espejo y a la cama para no perder a ninguna de las figurillas diligentes, sueltas, hábiles que desabotonaban un tirante, enrollaban una media, deslizaban un calzón, y se ayudaban y jalaban y no hablaban. Las prendas iban cayendo a la alfombra y una ola de impaciencia y de calor llegó hasta su rincón. Ya estaban desnudas y vio a Queta, arrodillada, dejándose caer blandamente sobre Hortensia hasta cubrirla casi enteramente con su gran cuerpo moreno, pero saltando del techo al cubrecama al closet todavía alcanzaba a divisarla fragmentada bajo la sólida sombra tendida sobre ella: un pedazo de nalga blanca, un pecho blanco, un pie blanquísimo, unos talones, y sus cabellos negros entre los alborotados rojizos de Queta, que había empezado a mecerse. Las oía respirar, jadear, sentía el suavísimo crujido de los resortes, y vio las piernas de Hortensia desprenderse de las de Queta y elevarse y posarse sobre ellas, vio el brillo creciente de las pieles y ahora podía también oler. Sólo las cinturas y nalgas se movían, en un movimiento profundo y circular, en tanto que la parte superior de sus cuerpos permanecían soldados e inmóviles. Tenía las ventanillas de la nariz muy abiertas y aun así faltaba aire; cerró y abrió los ojos, aspiró por la boca con fuerza y le parecía que olía a sangre manando, a pus, a carne en descomposición, y oyó un ruido y miró. Queta estaba ahora de espaldas y Hortensia se veía pequeñita y blanca, ovillada, su cabeza inclinándose con los labios entreabiertos y húmedos entre las piernas oscuras viriles que se abrían. Vio desaparecer su boca, sus ojos cerrados que apenas sobresalían de la mata de vellos negros y sus manos desabotonaban su camisa, arrancaban la camiseta, bajaban su pantalón, y jalaban la correa con furia. Fue hacia la cama con la correa en alto, sin pensar, sin ver, los ojos fijos en la oscuridad del fondo, pero sólo llegó a golpear una vez: unas cabezas que se levantaban, unas manos que se prendían de la correa, jalaban y lo arrastraban. Oyó una lisura, oyó su propia risa. Trató de separar los dos cuerpos que se rebelaban contra él y se sentía empujado, aplastado, sudado, en un remolino ciego y sofocante, y oía los latidos de su corazón. Un instante después sintió el aguazo en las sienes y como un golpe en el vacío. Quedó un momento inmóvil, respirando hondo, y luego se apartó de ellas, ladeando el cuerpo, con un disgusto que sentía crecer cancerosamente. Permaneció tendido, los ojos cerrados, envuelto en una modorra confusa, sintiendo oscuramente que ellas volvían a mecerse y a jadear. Por fin se levantó, mareado, y sin mirar atrás pasó al cuarto de baño: dormir más.

(8)

Di menos mal que te encontré —dijo Santiago—. No sé qué hubiera hecho esa noche sin ti, Carlitos.

Sí, había sido una suerte encontrarlo, una suerte ir a parar a la plaza San Martín y no a la pensión de Barranco, una suerte no ir a llorar la boca contra la almohada en la soledad del cuartito, sintiendo que se había acabado el mundo y pensando en matarte o en matar al pobre viejo, Zavalita. Se había levantado, dicho hasta luego, salido del saloncito, chocado en el pasillo con Robertito, caminado hasta la plaza Dos de Mayo sin encontrar taxi. Respirabas el aire frío con la boca abierta, Zavalita, sentías latir tu corazón y a ratos corrías. Habías tomado un colectivo, bajado en la Colmena, andado aturdido bajo el Portal y de pronto ahí estaba la silueta desbaratada de Carlitos levantándose de una mesa del Bar Zela, su mano llamándote. ¿Ya habían regresado de donde Ivonne, Zavalita, había aparecido la tal Queta? ¿Y Periquito y Becerrita? Pero cuando llegó junto a Santiago, cambió de voz: qué pasaba, Zavalita.

—Me siento mal —lo habías cogido del brazo, Zavalita—. Muy mal, viejo.

Ahí estaba Carlitos mirándote desconcertado, vacilando, ahí el golpecito que te dio en el hombro: mejor se iban a tomar un trago, Zavalita. Se dejó arrastrar, bajó como un sonámbulo la escalerita del «Negro-Negro», cruzó ciego y tropezando las tinieblas semivacías del local, la mesa de siempre estaba libre, dos cervezas alemanas dijo Carlitos al mozo y se recostó contra las carátulas del New Yorker.

—Siempre naufragamos aquí, Zavalita —su cabeza crespa, piensa, la amistad de sus ojos, su cara sin afeitar, su piel amarilla—. Este antro nos tiene embrujados.

—Si me iba a la pensión, me iba a volver loco, Carlitos —dijo Santiago.

—Creí que era llanto de borracho, pero ahora veo que no —dijo Carlitos—. Todos acaban teniendo un lío con Becerrita. ¿Se emborrachó y te echó de carajos en el bulín? No le hagas caso, hombre.

Ahí las carátulas brillantes, sardónicas y multicolores, el rumor de las conversaciones de la gente invisible. El mozo trajo las cervezas, bebieron al mismo tiempo. Carlitos lo miró por encima de su vaso, le ofreció un cigarrillo y se lo encendió.

—Aquí tuvimos nuestra primera conversación de masoquistas, Zavalita —dijo—. Aquí nos confesamos que éramos un poeta y un comunista fracasados. Ahora somos sólo dos periodistas. Aquí nos hicimos amigos, Zavalita.

—Tengo que contárselo a alguien porque me está quemando, Carlitos —dijo Santiago.

—Si te vas a sentir mejor, okey —dijo Carlitos—. Pero piénsalo. A veces me pongo a hacer confidencias en mis crisis y después me pesa y odio a la gente que conoce mis puntos flacos. No vaya a ser que mañana me odies, Zavalita.

Pero Santiago se había puesto a llorar otra vez. Doblado sobre la mesa, ahogaba los sollozos apretando el pañuelo contra la boca, y sentía la mano de Carlitos en el hombro: calma, hombre.

—Bueno, tiene que ser eso —suave, piensa, tímida, compasivamente—. ¿Becerrita se emborrachó y te aventó lo de tu padre delante de todo el bulín?

No en el momento que lo supiste, Zavalita, sino ahí. Piensa: sino en el momento que supe que todo Lima sabía que era marica menos yo. Toda la redacción, Zavalita, menos tú. El pianista había comenzado a tocar, una risita de mujer a ratos en la oscuridad, el gusto ácido de la cerveza, el mozo venía con su linterna a llevarse las botellas y a traer otras. Hablablas estrujando el pañuelo, Zavalita, secándote la boca y los ojos. Piensa: no se iba a acabar el mundo, no te ibas a volver loco, no te ibas a matar.

—Conoces la lengua de la gente, la lengua de las putas —adelantando y retrocediendo en el asiento, piensa, asombrado, asustado él también—. Soltó esa historia para bajarle los humos a Becerrita, para taparle la boca por el mal rato que le hizo pasar.

—Hablaban de él como si fueran de tú y voz —dijo Santiago—. Y yo ahí, Carlitos.

—Lo jodido no es esa historia del asesinato, eso tiene que ser mentira, Zavalita —tartamudeando él también, piensa, contradiciéndose él también—. Sino que te enteraras ahí de lo otro, y por boca de quién. Yo creí que tú lo sabías ya, Zavalita.

—Bola de Oro, su cachero, su chófer —dijo Santiago—. Como si lo conocieran de toda la vida. Él en medio de toda esa mugre, Carlitos. Y yo ahí.

No podía ser y fumabas, Zavalita, tenía que ser mentira y tomabas un trago y te atorabas, y se le iba la voz y repetía siempre no podía ser. Y Carlitos, su cara disuelta en humo, delante de las indiferentes carátulas: te parecía terrible pero no era, Zavalita, había cosas más terribles. Te acostumbrarías, te importaría un carajo y pedía más cerveza.

—Te voy a emborrachar —dijo, haciendo una mueca—, tendrás el cuerpo tan jodido que no podrás pensar en otra cosa. Unos tragos más y verás que no merecía la pena amargarse tanto, Zavalita.

Pero se había emborrachado él, piensa, como ahora tú. Carlitos se levantó, desapareció en las sombras, la risita de la mujer que moría y renacía y el piano monótono: quería emborracharte a ti y el que se ha emborrachado soy yo, Ambrosio. Ahí estaba Carlitos de nuevo: había orinado un litro de cerveza, Zavalita, qué manera de desperdiciar la plata ¿no?

—¿Y para qué quería emborracharme? —se ríe Ambrosio—. Yo no me emborracho jamás, niño.

—Todos en la redacción sabían —dijo Santiago—. Cuando yo no estoy ¿hablan del hijo de Bola de Oro, del hijo del maricón?

—Hablas como si el problema fuera tuyo y no de él —dijo Carlitos—. No seas conchudo, Zavalita.

—Nunca oí nada, ni en el colegio, ni en el barrio, ni en la Universidad —dijo Santiago—. Si fuera cierto habría oído algo, sospechado algo. Nunca, Carlitos.

—Puede ser uno de esos chismes que corren en este país —dijo Carlitos—. Ésos que de tanto durar se convierten en verdades. No pienses más.

—O puede ser que no lo haya querido saber —dijo Santiago—. Que no haya querido darme cuenta.

—No te estoy consolando, no hay ninguna razón, tú no estás en la salsa —dijo Carlitos, eructando—. Habría que consolarlo a él, más bien. Si es mentira, por haberle clavado eso, y si es verdad, porque su vida debe ser bastante jodida. No pienses más.

—Pero lo otro no puede ser cierto, Carlitos —dijo Santiago—. Lo otro tiene que ser una calumnia. Eso no puede ser, Carlitos.

—La puta le debe tener odio por algo, ha inventado esa historia para vengarse de él por algo —dijo Carlitos—. Algún enredo de cama, algún chantaje para sacarle plata, quizás. No sé cómo se lo puedes advertir. Sobre todo que hace años que no lo ves ¿no?

—¿Advertírselo yo? ¿Se te ocurre que voy a verle la cara después de esto? —dijo Santiago—. Me moriría de vergüenza, Carlitos.

—Nadie se muere de vergüenza —sonrió Carlitos, y eructó de nuevo—. En fin, tú sabrás lo que haces. De todos modos, esa historia quedará enterrada de una manera o de otra.

—Tú conoces a Becerrita —dijo Santiago—. No está enterrada. Tú sabes lo que va a hacer.

—Consultar con Arispe y Arispe con el Directorio, claro que sé —dijo Carlitos—. ¿Crees que Becerrita es cojudo, que Arispe es cojudo? La gente bien no aparece nunca en la página policial. ¿Te preocupa eso, el escándalo? Sigues siendo un burgués, Zavalita.

Eructó y se echó a reír y siguió hablando, desvariando cada vez más: esta noche te hiciste hombre, Zavalita, o nunca jamás. Sí, había sido una suerte: verlo emborracharse, piensa, oírlo eructar, delirar, tener que sacarlo a rastras del «Negro-Negro», sujetarlo en el Portal mientras un chiquillo llamaba un taxi. Una suerte haber tenido que llevarlo hasta Chorrillos, subirlo colgado del hombro por la viejísima escalera de su casa, y desnudarlo y acostarlo, Zavalita. Sabiendo que no estaba borracho, piensa, que se hacía para distraerte y ocuparte, para que pensaras en él y no en ti. Piensa: te llevaré un libro, mañana iré. Pese al mal sabor en la boca, a la bruma en el cerebro y a la descomposición del cuerpo, a la mañana siguiente se había sentido mejor. Adolorido y al mismo tiempo más fuerte, piensa, los músculos entumecidos por el incómodo sillón donde durmió vestido, más tranquilo, cambiado por la pesadilla, mayor. Ahí estaba la pequeña ducha apretada entre el lavatorio y el excusado del cuarto de Carlitos, el agua fría que te hizo estremecer y acabó de despertarte. Se vistió, despacio. Carlitos seguía durmiendo de barriga, la cabeza colgando fuera de la cama, en calzoncillos y medias. Ahí la calle y la luz del sol que la neblina de la mañana no conseguía ocultar, sólo estropear, ahí el cafetín de esa esquina y el grupo de tranviarios, con gorras azules, hablando de fútbol junto al mostrador. Pidió un café con leche, preguntó la hora, eran las diez, ya estaría en la oficina, no te sentías nervioso ni conmovido, Zavalita. Para llegar hasta el teléfono tuvo que pasar bajo el mostrador, atravesar un corredor con costales y cajas, mientras marcaba el número vio una columna de hormigas subiendo por una viga. Sus manos se humedecieron de golpe al reconocer la voz del Chispas: sí, ¿aló?

—Hola, Chispas —ahí las cosquillas en todo el cuerpo, la impresión de que el suelo se ablandaba—. Sí, soy yo, Santiago.

—Hay moros en la costa —ahí la voz susurrante y casi inaudible del Chispas, su tono cómplice—. Llámame más tarde, el viejo está aquí.

—Quiero hablar con él —dijo Santiago—. Sí, con el viejo. Pásamelo, es urgente.

Ahí el largo silencio estupefacto o consternado o maravillado, el remoto tableteo de una máquina de escribir, y la tosecita desquiciada del Chispas que estaría tragándose el teléfono con los ojos y no sabría qué decir, qué hacer, y ahí su alarido teatral: pero si era el flaco, pero si era el supersabio, y la máquina de escribir que callaba en el acto. ¿Dónde andabas metido tú, flaco, de dónde resucitabas tú, supersabio, qué esperabas tú para venir a la casa? Sí papá, el flaco papá, quería hablar contigo papá. Voces que se superponían a la del Chispas y la apagaban y ahí la oleada de calor en la cara, Zavalita.

—¿Aló, aló, flaco? —ahí la idéntica voz de años atrás que se quebraba, Zavalita, llena de angustia, de alegría, su voz atolondrada que gritaba—. ¿Hijito? ¿Flaco? ¿Estás ahí?

—Hola, papá —ahí, al fondo del corredor, detrás del mostrador, los tranviarios que se reían, y a tu lado una hilera de botellas de Pasteurina y las hormigas que desaparecían entre latas de galletas—. Sí, aquí estoy, papá. ¿Cómo está la mamá, cómo están todos, papá?

—Enojados contigo, flaco, esperándote todos los días, flaco —la voz terriblemente esperanzada, Zavalita, turbada, atropellada—. ¿Y tú, estás bien? ¿De dónde llamas, flaco?

—De Chorrillos, papá —pensando mentiras, no era, piensa, calumnias, no podía ser—. Quiero hablar contigo de algo, papá. ¿No estás ocupado ahora, podría verte en la mañana?

—Sí, ahora mismo, voy para allá —y de repente alarmada, ansiosa—. ¿No te pasa nada, no es cierto, flaco? ¿No te habrás metido en ningún lío, no?

—No, papá, ningún lío. Si quieres, te espero en la puerta del Regatas. Estoy aquí cerca.

—Ahora mismo, flaco. Una media hora, a lo más. Salgo en este instante. Aquí te paso al Chispas, flaco.

Ahí los ruidos adivinables de sillas, puertas, y la máquina de escribir otra vez, y a lo lejos bocinas y motores de autos.

—El viejo ha rejuvenecido veinte años en un segundo —dijo el Chispas, eufórico—. Ha salido como alma que lleva el diablo. Y yo que no sabía cómo disimular, hombre. ¿Qué te pasa, estás en un lío?

—No, nada —dijo Santiago—. Ha pasado mucho tiempo ya. Voy a amistarme con él.

—Ya era hora, ya era hora —repetía el Chispas, feliz, todavía incrédulo—. Espérate, voy a llamar a la mamá. No vayas a la casa hasta que le avise. Para que no le dé un síncope cuando te vea.

—No voy a ir a la casa ahora, Chispas —ahí su voz que comenzaba a protestar, pero hombre, tú no puedes—. El domingo, dile que voy a ir el domingo a almorzar.

—Está bien, el domingo, la Teté y yo la prepararemos —dijo el Chispas—. Está bien, niño caprichoso. Le diré que te haga chupe de camarones.

—¿Te acuerdas la última vez que nos vimos? —dice Santiago—. Hará unos diez años, en la puerta del «Regatas».

Salió del cafetín, bajó por la avenida hasta el Malecón, y en vez de tomar la escalera que descendía hacia el Regatas, siguió por la pista, despacio, distraído, piensa asombrado de lo que acababas de hacer. Veía allá abajo las dos playitas vacías del Club. La marea estaba alta, el mar se había comido la arena, las olitas rompían contra los diques, algunas lenguas de espuma lamían la plataforma ahora desierta donde en verano había tantas sombrillas y bañistas. ¿Cuántos años que no te bañabas en el Regatas, Zavalita? Desde antes de entrar a San Marcos, cinco o seis años que ya entonces parecían cien. Piensa: ahora mil.

—Claro que me acuerdo, niño —dice Ambrosio—. El día que usted se amistó con su papá.

¿Estaban construyendo una piscina? En la cancha de basquet, dos hombres en buzos azules tiraban a la canasta; la poza donde se entrenaban los bogas parecía seca, ¿seguía siendo boga el Chispas en esa época? Ya eras un extraño para la familia, Zavalita, ya no sabías cómo eran tus hermanos, qué hacían, en qué y cuánto habían cambiado. Llegó a la entrada del Club, se sentó en el poyo que sujetaba la cadena, también la garita del guardián estaba vacía. Podía ver Agua Dulce desde allí, la playa sin carpas, los quioscos cerrados, la neblina que ocultaba los acantilados de Barranco y Miraflores. En la playita rocosa que separaba Agua Dulce del «Regatas», los cholos de la gente diría la mamá piensa, había unos botes varados, uno de ellos con el cascarón enteramente agujereado. Hacía frío, el viento le revolvía los cabellos y sentía un gusto salado en los labios. Dio unos pasos por la playita, se sentó en un bote, encendió un cigarrillo: si no me hubiera ido de la casa no hubiera sabido nunca, papá. Las gaviotas volaban en círculos, se posaban un instante en las rocas y partían, los patillos se zambullían y a veces emergían con un pescadito casi invisible retorciéndose en el pico. El color verde plomizo del mar, piensa, la espuma terrosa de las olitas que se despedazaban en las rocas, a veces divisaba una colonia brillante de malaguas, madejas de muimuis, nunca debí entrar a San Marcos papá. No llorabas, Zavalita, no te temblaban las piernas, vendría y te portarías como un hombre, no correrías a echarte en sus brazos, dime que es mentira papá, dime que no es cierto papá. El auto apareció al fondo, zigzagueando para sortear los baches de Agua Dulce, levantando polvo, y él se paró y fue a su encuentro. ¿Tengo que disimular, que no se me note nada, no debo llorar? No, piensa, más bien ¿venía manejando él, vería la cara de él? Sí, ahí estaba la gran sonrisa de Ambrosio en la ventanilla, ahí su voz, niño Santiago cómo está, y ahí la figura del viejo. Cuántas canas más, piensa, cuántas arrugas y había adelgazado tanto, ahí su voz rota: flaco. No dijo nada más, piensa, había abierto los brazos, lo tuvo un largo rato apretado contra él, ahí su boca en tu mejilla, Zavalita, el olor a colonia, ahí tu voz rota, hola papá, cómo estás papá: mentiras, calumnias, nada era verdad.

—Usted no sabe qué contento se puso el señor —dice Ambrosio—. No se imagina lo que fue para él que se amistaran al fin.

—Te debes haber muerto de frío esperando aquí, con este día tan feo —su mano en tu hombro, Zavalita, hablaba tan despacio para que no se notara su emoción, te empujaba hacia el Regatas—. Ven, entremos, tienes que tomar algo caliente.

Cruzaron las canchas de basquet, caminando lentamente y silenciosos, entraron al edificio del Club por una puerta lateral. No había nadie en el comedor, las mesas no estaban puestas. Don Fermín dio unas palmadas y al rato apareció un mozo, apresurado, abotonándose el saco. Pidieron cafés.

—Al poco tiempo dejaste de trabajar en la casa ¿no? —dice Santiago.

—No sé para qué sigo siendo socio de esto, no vengo jamás —hablaba con la boca de una cosa, piensa, y con los ojos cómo estás, cómo has estado, estuve esperando cada día, cada mes, cada año, flaco—. Creo que ya ni tus hermanos vienen. Un día de éstos voy a vender mi acción. Ahora valen treinta mil soles. A mí me costó sólo tres mil.

—No me acuerdo bien —dice Ambrosio—. Sí, creo que poco después.

—Estás flaco y ojeroso, tu madre se va a asustar cuando te vea —quería reñirte y no podía, Zavalita, su sonrisa era conmovida y triste—. No te sienta el trabajo de noche. Tampoco te sienta vivir solo, flaco.

—Si más bien he engordado, papá. En cambio tú has enflaquecido mucho.

—Ya creía que no me ibas a llamar nunca, me has dado una alegría tan grande, flaco —hubiera bastado que abriera un poquito más los ojos, Carlitos—. Fuera por lo que fuera. ¿Qué te pasa?

—A mí nada, papá —que hubiera cerrado las manos de golpe, Carlitos, o cambiado de cara un segundo—. Hay un asunto que, no sé, de repente podía traerte alguna complicación, no sé. Quería avisarte.

El mozo trajo los cafés; don Fermín ofreció cigarrillos a Santiago; por los cristales se veían a los dos hombres en buzos haciéndose pases, disparando a la canasta, y don Fermín esperaba, la expresión apenas intrigada.

—No sé si has visto los periódicos, papá, ese crimen —pero no, pero nada, Carlitos, me miraba a mí, me examinaba la ropa, el cuerpo, ¿iba a disimular así, Carlitos?—. Esa cantante que mataron en Jesús María, ésa que fue amante de Cayo Bermúdez cuando Odría.

—Ah, sí —don Fermín hizo un gesto vago, tenía la misma expresión afectuosa, sólo curiosa, de antes—. La Musa, ésa.

—En «La Crónica» están averiguando todo lo que pueden de la vida de ella —todo era cuento entonces, Zavalita, ya ves, yo tenía razón, dijo Carlitos, no había para qué amargarse tanto—. Están explotando a fondo esa noticia.

—Estás temblando, ni siquiera te has puesto una chompa, con este frío —casi aburrido con mi historia, Carlitos, atento sólo a mi cara, reprochándome con los ojos que viviera solo, que no lo hubiera llamado antes—. Bueno, no tiene nada de raro, «La Crónica» es un periódico un poco sensacionalista. ¿Pero qué pasa con ese asunto?

—Anoche llegó un anónimo al periódico, papá. —¿Iba a hacer todo ese teatro, queriéndote tanto, Zavalita?—. Diciendo que el que mató a esa mujer fue un ex matón de Cayo Bermúdez, uno que ahora es chófer de, y ponía tu nombre, papá. Han podido mandar el mismo anónimo a la policía, y de repente —sí, piensa, precisamente porque te quería tanto—, en fin, quería avisarte, papá.

—¿Ambrosio, estás hablando de él? —ahí su sonrisita extrañada, Zavalita, su sonrisita tan natural, tan segura, como si recién se interesara, como si recién entendiera algo—. ¿Ambrosio, matón de Bermúdez?

—No es que nadie vaya a creer en ese anónimo, papá —dijo Santiago—. En fin, quería advertirte.

—¿El pobre negro, matón? —ahí su risa tan franca, Zavalita, tan alegre, ahí esa especie de alivio en su cara, y sus ojos que decían menos mal que era una tontería así, menos mal que no se trataba de ti, flaco—. El pobre no podría matar una mosca aunque quisiera. Bermúdez me lo pasó porque quería un chófer que fuera también policía.

—Yo quería que supieras, papá —dijo Santiago—. Si los periodistas y la policía se ponen a averiguar, a lo mejor van a molestarte a la casa.

—Muy bien hecho, flaco —asentía, Zavalita, sonreía, tomaba sorbitos de café—. Hay alguien que quiere fregarme la paciencia. No es la primera vez, no será la última. La gente es así. Si el pobre negro supiera que lo creen capaz de una cosa así.

Se rió otra vez, tomó el último traguito de café, se limpió la boca: si tú supieras la cantidad de anónimos canallas que ha recibido tu padre en su vida, flaco. Miró a Santiago con ternura y se inclinó para cogerlo del brazo.

—Pero hay algo que no me gusta nada, flaco. ¿Te hacen trabajar en eso, en «La Crónica»? ¿Tú tienes que ocuparte de los crímenes?

—No, papá, yo no tengo nada que ver con eso. Estoy en la sección de noticias locales.

—Pero el trabajo de noche no te sienta, si sigues enflaqueciendo así te puedes enfermar del pulmón. Basta ya de periodismo, flaco. Busquemos algo que te convenga más. Algún trabajo de día.

—El trabajo de «La Crónica» no es casi nada, papá, unas pocas horas al día. Menos que en cualquier otro puesto. Y me queda el día libre para la Universidad.

—¿Estás yendo a clases, de veras estás yendo? Clodomiro me cuenta que vas, que pasas los exámenes, pero yo nunca sé si creerle. ¿Es verdad, flaco?

—Claro que sí, papá —sin enrojecer, sin vacilar, a lo mejor heredé eso de ti papá—. Te puedo enseñar las notas. Estoy en tercero de Derecho ya. Voy a recibirme, ya verás.

126

—¿No has dado tu brazo a torcer todavía? —dijo don Fermín, despacio.

—Ahora va a ser distinto, el domingo voy a ir a la casa a almorzar, papá. Pregúntale al Chispas, le dije que avisara a la mamá. Voy a ir a verlos seguido, te prometo.

Ahí la sombra que empañó sus ojos, Zavalita. Se enderezó en el asiento, soltó el brazo de Santiago y trató de sonreír pero su cara siguió abatida, su boca apenada.

—No te exijo nada, pero al menos piénsalo y no digas que no antes de oírme —murmuró—. Sigue en «La Crónica» si tanto te gusta. Tendrás llave de la casa, te arreglaremos el cuartito junto al escritorio. Estarás completamente independiente ahí, tanto como ahora. Pero así tu madre se sentirá más tranquila.

—Tu madre sufre, tu madre llora, tu madre reza —dijo Santiago—. Pero ella se acostumbró desde el primer día, Carlitos, yo la conozco. Es él quien vive contando los días, él quien no se acostumbra.

—Ya te has demostrado que puedes vivir solo y mantenerte —insistía don Fermín—. Ya es hora de que vuelvas a tu casa, flaco.

—Déjame un tiempo más así, papá. Voy a ir a la casa todas las semanas, se lo he dicho al Chispas ya, pregúntale. Te lo prometo, papá.

—No sólo estás flaco, tampoco tienes ni qué ponerte, estás pasando apuros. ¿Por qué eres tan orgulloso, Santiago? Para qué está tu padre si no es para ayudarte.

—No necesito plata, papá. Con lo que gano me alcanza de sobra.

—Ganas mil quinientos soles y te estás muriendo de hambre —bajando los ojos, Zavalita, avergonzándose de que supieras que él sabía—. No te estoy riñendo, flaco. Pero no entiendo, que no quieras que te ayude no lo entiendo.

—Si necesitara plata te hubiera pedido, papá. Pero me alcanza, yo no soy gastador. La pensión es muy barata. No paso apuros, te juro que no.

—Ya no tienes que avergonzarte de que tu padre sea un capitalista —sonrió don Fermín, sin ánimos—. El canallita de Bermúdez nos puso al borde de la quiebra. Nos canceló los libramientos, varios contratos, nos mandó auditores para que nos expulgaran los libros con lupa y nos arruinaran con impuestos. Y ahora, con Prado, el gobierno se ha vuelto una mafia terrible. Los contratos que recuperamos cuando salió Bermúdez nos los volvieron a quitar para dárselos a pradistas. A este paso voy a volverme un comunista, como tú.

—Y todavía quieres darme plata —trató de bromear Santiago—. De repente el que te va a ayudar soy yo, papá.

—Todos se quejaban de Odría porque se robaba —dijo don Fermín—. Ahora se roba tanto o más que antes, y todos contentos.

—Es que ahora se roba guardando ciertas formas, papá. La gente lo nota menos.

—¿Y entonces cómo puedes trabajar en un diario de los Prado? —se humillaba, Carlitos, si le hubiera dicho pídeme de rodillas que vuelva y vuelvo, se hubiera arrodillado—. ¿No son ellos más capitalistas que tu padre? ¿Puedes ser un empleadito de ellos y no trabajar conmigo en unos pequeños negocios que se están viniendo abajo?

—Estábamos hablando de lo más bien y de repente te has enojado, papá —se humillaba pero tenía razón, Zavalita, dijo Carlitos—. Mejor no hablemos más de eso.

—No me he enojado, flaco —asustándose, Zavalita pensando no irá el domingo, no me llamará, pasarán más años sin verlo—. Me amarga que sigas despreciando a tu padre, nada más.

—No digas eso, papá, tú sabes que eso no es cierto, papá.

—Está bien, no discutamos, no me he enojado —llamaba al mozo, sacaba su cartera, trataba de disfrazar su decepción, volvía a sonreír—. Te esperamos el domingo, entonces. Cómo se va a poner tu madre de contenta.

Volvieron a pasar por las canchas de basquet y los jugadores ya no estaban. La neblina se había diluido y alcanzaban a verse los acantilados, lejanos y pardos, y los techos de las casas del Malecón. Se detuvieron a unos metros del auto, Ambrosio había bajado a abrir la puerta.

—No puedo entenderlo, flaco —sin mirarte, Zavalita, cabizbajo, como hablando a la tierra húmeda o a los pedruscos musgosos—. Creí que te habías ido de la casa por tus ideas, porque eras comunista y querías vivir como un pobre, para luchar por los pobres. Pero ¿para esto, flaco? ¿Para tener un puestecito mediocre, un futuro mediocre?

—Por favor, papá. No discutamos eso, te ruego, papá.

—Te hablo así porque te quiero, flaco —los ojos dilatados, piensa, la voz hecha trizas—. Tú puedes llegar a mucho, puedes ser alguien, hacer grandes cosas. ¿Por qué estás arruinando así tu vida, Santiago?

—Yo me quedo por aquí nomás, papá —Santiago lo besó, se apartó de él—. Nos veremos el domingo, iré a eso de las doce.

Se alejó hacia la playita a grandes trancos, torció por la pista hacia el Malecón, cuando comenzaba a subir la cuesta oyó arrancar el automóvil: lo vio alejarse por Agua Dulce, brincar en los baches, desaparecer en el polvo. Nunca se había conformado, Zavalita. Piensa: si estuvieras vivo, seguirías inventando cosas para hacerme volver a la casa, papá.

(9)

Regresaron de Huacachina a Lima directamente, en el auto de una pareja de recién casados. La señora Lucía los recibió con suspiros en la puerta de la pensión, y después de abrazar a Ana se llevó a los ojos el ruedo del mandil. Había puesto flores en el cuartito, lavado las cortinas y cambiado las sábanas, y comprado una botellita de oporto para brindar por su felicidad. Cuando Ana empezaba a vaciar las maletas, llamó aparte a Santiago y le entregó un sobre con una sonrisita misteriosa: la había traído anteayer su hermanita. La letra miraflorina de la Teté, Zavalita, ¡bandido nos enteramos que te casaste!, su sintaxis gótica, ¡y qué tal raza por el periódico! Todos estaban furiosos contigo (no te lo creas supersabio) y locos por conocer a mi cuñada. Que vinieran a la casa volando, iban a buscarte mañana y tarde porque se morían por conocerla. Qué loco eras, supersabio, y mil besos de la Teté.

—No te pongas tan pálido —se rió Ana—. Qué tiene que se hayan enterado, ¿acaso íbamos a estar casados en secreto?

—No es eso —dijo Santiago—. Es que, bueno, tienes razón, soy un tonto.

—Claro que eres —volvió a reírse Ana—. Llámalos de una vez, o si quieres vamos a verlos de frente. Ni que fueran ogros, amor.

—Sí, mejor de una vez —dijo Santiago—. Les diré que iremos esta noche.

Con un cosquilleo de lombrices en el cuerpo bajó a llamar por teléfono y apenas dijo ¿aló? oyó el grito victorioso de la Teté: ¡ahí estaba el supersabio, papá! Ahí estaba su voz que se rebalsaba, ¡pero cómo habías hecho eso, loco!, su euforia, ¿de veras te habías casado?, su curiosidad, ¿con quién, loco?, su impaciencia, cuándo y cómo y dónde, su risita, pero por qué ni les dijiste que tenías enamorada, sus preguntas, ¿te habías robado a mi cuñada, se habían casado escapándose, era ella menor de edad? Cuenta, cuenta, hombre.

—Primero déjame hablar —dijo Santiago—. No puedo contestarte todo eso a la vez.

—¿Se llama Ana? —estalló de nuevo la Teté—. ¿Cómo es, de dónde es, cómo se apellida, yo la conozco, qué edad tiene?

—Mira, mejor le preguntas todo eso a ella —dijo Santiago—. ¿Van a estar a la noche en la casa?

—Por qué esta noche, idiota —gritó la Teté—. Vengan ahorita. ¿No ves que nos morimos de curiosidad?

—Iremos a eso de las siete —dijo Santiago—. A comer, okey. Chau, Teté.

Se había arreglado para esa visita más que para el matrimonio, Zavalita. Había ido a peinarse a una peluquería, pedido a doña Lucía que la ayudara a planchar una blusa, se había probado todos sus vestidos y zapatos y mirado y remirado en el espejo y demorado una hora en pintarse la boca y las uñas. Piensa: pobre flaquita. Había estado muy segura toda la tarde, mientras cotejaba y decidía su vestuario, muy risueña haciéndote preguntas sobre don Fermín y la señora Zoila y el Chispas y la Teté, pero al atardecer, cuando paseaba delante de Santiago, ¿cómo le quedaba esto amor, le caía esto otro amor?, ya su locuacidad era excesiva, su desenvoltura demasiado artificial y había esas chispitas de angustia en sus ojos. En el taxi, camino a Miraflores, había estado muda y seria, con la inquietud estampada en la boca.

—¿Me van a mirar como a un marciano, no? —dijo de pronto.

—Como a una marciana, más bien —dijo Santiago—. Qué te importa.

Sí le importó, Zavalita. Al tocar el timbre de la casa, la sintió buscar su brazo, la vio protegerse el peinado con la mano libre. Era absurdo, qué hacían aquí, por qué tenían que pasar ese examen: habías sentido furia, Zavalita. Ahí estaba la Teté, vestida de fiesta en el umbral, saltando. Besó a Santiago, abrazó y besó a Ana, decía cosas, daba grititos, y ahí estaban los ojitos de la Teté, como un minuto después los ojitos del Chispas y los ojos de los papás, buscándola, trepanándola, autopsiándola. Entre las risas, chillidos y abrazos de la Teté, ahí estaban ese par de ojos. La Teté cogió del brazo a cada uno, cruzó con ellos el jardín sin dejar un segundo de hablar, arrastrándolos en su remolino de exclamaciones y preguntas y felicidades, y lanzando siempre las inevitables, veloces miradas de soslayo hacia Ana que se tropezaba. Toda la familia esperaba reunida en la sala. El Tribunal, Zavalita. Ahí estaba: incluso Popeye, incluso Cary, la novia de Chispas, todos de fiesta. Cinco pares de fusiles, piensa, apuntando y disparando al mismo tiempo contra Ana. Piensa: la cara de la mamá. No la conocías bien a la mamá, Zavalita, creías que tenía más dominio de sí misma, más mundo, que se gobernaba mejor. Pero no disimuló ni su contrariedad ni su estupor ni su desilusión; sólo su cólera, al principio y a medias. Fue la última en acercarse a ellos, como un penitente que arrastra cadenas, lívida. Besó a Santiago murmurando algo que no entendiste —le temblaba el labio, piensa, le habían crecido los ojos— y después y con esfuerzo se volvió hacia Ana que estaba abriendo los brazos. Pero ella no la abrazó ni le sonrió; se inclinó apenas, rozó con su mejilla la de Ana y se apartó al instante: hola, Ana. Endureció todavía más la cara, se volvió hacia Santiago y Santiago miró a Ana: había enrojecido de golpe y ahora don Fermín trataba de arreglar las cosas. Se había precipitado hacia Ana, así que ésta era su nuera, la había abrazado de nuevo, éste el secreto que les tenía escondido el flaco. El Chispas abrazó a Ana con una sonrisa de hipopótamo y a Santiago le dio un palmazo en la espalda exclamando cortado qué guardadito te lo tenías. También en él aparecía a ratos la misma expresión embarazada y funeral que ponía don Fermín cuando descuidaba su cara un segundo y olvidaba sonreír. Sólo Popeye parecía divertido y a sus anchas. Menudita, rubiecita, con su voz de pito y su vestido negro de crepé, Cary había comenzado a hacer preguntas antes de que se sentaran, con una risita inocente que escarapelaba. Pero la Teté se había portado bien,

Zavalita, hecho lo imposible por rellenar los vacíos con púas de la conversación, por endulzar el trago amargo que la mamá, queriendo o sin querer, le hizo pasar a Ana esas dos horas. No le había dirigido la palabra ni una vez y cuando don Fermín, angustiosamente jocoso, abrió una botella de champagne y trajeron bocaditos, olvidó pasarle a Ana la fuente de palitos de queso. Y había permanecido tiesa y desinteresada —el labio siempre temblándole, las pupilas dilatadas y fijas—, cuando Ana, acosada por Cary y la Teté, explicó, equivocándose y contradiciéndose, cómo y dónde se habían casado. En privado, sin partes, sin fiesta, qué locos, decía la Teté, y Cary qué sencillo, qué bonito, y miraba al Chispas. A ratos, como recordando que debía hacerlo, don Fermín salía de su mutismo con un pequeño sobresalto, se adelantaba en el asiento y decía algo cariñoso a Ana. Qué incómodo se lo notaba, Zavalita, qué trabajo le costaba esa naturalidad, esa familiaridad. Habían traído más bocaditos, don Fermín sirvió una segunda copa de champagne, y en los segundos que bebían había un fugaz alivio en la tensión. De reojo, Santiago veía el empeño de Ana por tragar los bocaditos que le pasaba la Teté, y respondía como podía a las bromas —cada vez más tímidas, más falsas— que le hacía Popeye. Parecía que el aire se fuera a encender, piensa, que una fogata fuera a aparecer en medio del grupo. Imperturbable, con tenacidad, con salud, Cary metía la pata a cada instante. Abría la boca, ¿en qué colegio estudiaste, Ana?, y condensaba la atmósfera, ¿el María Parado de Bellido era un colegio nacional, no?, y añadía tics y temblores, ¡ah, había estudiado enfermería!, a la cara de la mamá, ¿pero no para voluntaria de la Cruz Roja sino como profesión? Así que sabías poner inyecciones Ana, así que habías trabajado en «La Maison de Santé» y en el hospital Obrero de Ica. Ahí la mamá, Zavalita, pestañeando, mordiéndose el labio, revolviéndose en el asiento como si fuera un hormiguero. Ahí el papá, la mirada en la punta del zapato, escuchando, alzando la cabeza y porfiando por sonreír contigo y con Ana. Encogida en el asiento, una tostada con anchoas bailando entre sus dedos, Ana miraba a Cary como un atemorizado alumno al examinador. Un momento después se levantó, fue hacia la Teté y le habló al oído en medio de un silencio eléctrico. Claro, dijo la Teté, ven conmigo. Se alejaron, desaparecieron en la escalera, y Santiago miró a la señora Zoila. No decía nada todavía, Zavalita. Tenía el ceño fruncido, su labio temblaba, te miraba. Pensabas no le va a importar que estén aquí Popeye y Cary, piensa, es más fuerte que ella, no se va a aguantar.

—¿No te da vergüenza? —su voz era dura y profunda, los ojos se le enrojecían, hablaba y se retorcía las manos—. ¿Casarte así, a escondidas, así? ¿Hacerles pasar esta vergüenza a tus padres, a tus hermanos?

Don Fermín seguía cabizbajo, absorto en sus zapatos, y a Popeye se le había cristalizado la sonrisa y parecía idiota. Cary miraba a uno y a otro, descubriendo que ocurría algo, preguntando con los ojos qué pasa, y el Chispas había cruzado los brazos y observaba a Santiago con severidad.

—Éste no es el momento, mamá —dijo Santiago—. Si hubiera sabido que te ibas a poner así, no venía.

—Hubiera preferido mil veces que no vinieras —dijo la señora Zoila, alzando la voz—. ¿Me oyes, me oyes? Mil veces no verte más que casado así, pedazo de loco.

—Cállate, Zoila —don Fermín la había cogido del brazo, Popeye y el Chispas miraban asustados hacia la escalera, Cary había abierto la boca—. Hija, por favor.

—¿No ves con quién se ha casado? —sollozó la señora Zoila—. ¿No te das cuenta, no ves? ¿Cómo voy a aceptar, cómo voy a ver a mi hijo casado con una que puede ser su sirvienta?

—Zoila, no seas idiota —pálido también él, Zavalita, aterrorizado también él—. Qué estupideces dices, hija. La chica te va a oír. Es la mujer de Santiago, Zoila.

La voz enronquecida y atolondrada del papá, Zavalita, los esfuerzos de él y del Chispas por calmar, callar a la mamá que sollozaba a gritos. La cara de Popeye estaba pecosa y granate, Cary se había acurrucado en el asiento como si hiciera un frío polar.

—No la vas a ver nunca más pero ahora cállate, mamá —dijo Santiago, por fin—. No te permito que la insultes. Ella no te ha hecho nada y...

—¿No me ha hecho nada, nada? —rugió la señora Zoila, tratando de zafarse del Chispas y de don Fermín—. Te engatusó, te volteó la cabeza ¿y esa huachafita no me ha hecho nada?

Uno mexicano, piensa, uno de ésos que te gustan. Piensa: sólo faltaron mariachis y charros, amor. El Chispas y don Fermín se habían llevado por fin a la señora Zoila casi a rastras hacia el escritorio y Santiago estaba de pie. Mirabas la escalera, Zavalita, ubicabas el baño, calculabas la distancia: sí, había oído. Ahí estaba esa indignación que no sentías hacía años, ese odio santo de los tiempos de Cahuide y la revolución, Zavalita. Adentro se oían los gemidos de la mamá, la desolada voz recriminatoria del papá. El Chispas había regresado a la sala un momento después, congestionado, increíblemente furioso:

—Le has hecho dar un vahído a la mamá —él furioso, piensa, el Chispas furioso, el pobre Chispas furioso—. No se puede vivir en paz aquí por tus locuras, parece que no tuvieras otra cosa que hacer que darles colerones a los viejos.

—Chispas, por favor —pió Cary, levantándose—. Por favor, por favor, Chispas.

—No pasa nada, amor —dijo el Chispas—. Sino que este loco siempre hace las cosas mal. El papá tan delicado y éste...

—A la mamá le puedo aguantar ciertas cosas pero no a ti —dijo Santiago—. No a ti, Chispas, te advierto.

—¿Me adviertes a mí? —dijo el Chispas, pero ya Cary y Popeye lo habían sujetado y lo hacían retroceder: ¿de qué se ríe, niño?, dice Ambrosio. No te reías, Zavalita, mirabas la escalera y oías a tu espalda la estrangulada voz de Popeye: no se calienten hombre, ya pasó hombre. ¿Estaba llorando y por eso no bajaba, subías a buscarla o esperabas? Aparecieron por fin en lo alto de la escalera y la Teté miraba como si hubieran fantasmas o demonios en la sala, pero tú te habías portado soberbiamente corazón, piensa, mejor que María Félix en ésa, que Libertad Lamarque en esa otra. Bajó la escalera despacio, agarrada al pasamano, mirando sólo a Santiago, y al llegar dijo con voz firme:

—¿Ya es tarde, no? ¿Ya tenemos que irnos, no amor?

—Sí —dijo Santiago—. Aquí en el óvalo conseguiremos un taxi.

—Nosotros los llevamos —dijo Popeye, casi gritando—. ¿Los llevamos, no Teté?

—Claro —balbuceó la Teté—. Como paseando.

Ana dijo hasta luego, pasó junto al Chispas y Cary sin darles la mano, y caminó rápidamente hacia el jardín, seguida por Santiago, que no se despidió. Popeye se adelantó a ellos a saltos para abrir la puerta de calle y dejar pasar a Ana; luego corrió como si lo persiguieran y trajo su carro y se bajó de un brinco a abrirle la puerta a Ana: pobre pecoso. Al principio no hablaron. Santiago se puso a fumar, Popeye a fumar, muy derecha en el asiento Ana miraba por la ventanilla.

—Ya sabes, Ana, llámame por teléfono —dijo la Teté, con la voz todavía estropeada, cuando se despidieron en la puerta de la pensión—. Para que te ayude a buscar departamento, para cualquier cosa.

—Claro —dijo Ana—. Para que me ayudes a buscar departamento, listo.

—Tenemos que salir los cuatro juntos, flaco —dijo Popeye, sonriendo con toda la boca y pestañeando con furia—. A comer, al cine. Cuando ustedes quieran, hermano.

—Claro, por supuesto —dijo Santiago—. Te llamo un día de éstos, pecoso.

En el cuarto, Ana se puso a llorar tan fuerte que doña Lucía vino a preguntar qué pasaba. Santiago la calmaba, le hacía cariños, le explicaba y Ana por fin se había secado los ojos. Entonces comenzó a protestar y a insultarlos: no iba a verlos nunca más, los detestaba, los odiaba. Santiago le daba la razón: sí corazón, claro amor. No sabía por qué no había bajado y la había cacheteado a la vieja ésa, a la vieja estúpida ésa: sí corazón. Aunque fuera tu madre, aunque fuera mayor, para que aprendiera a decirle huachafa, para que viera: claro amor.

¿No es por interés? —dijo Queta—. ¿Por qué, entonces? ¿Por miedo?

—A ratos —dijo Ambrosio—. A ratos más bien por pena. Por agradecimiento, por respeto. Hasta amistad, guardando las distancias. Ya sé que no me cree, pero es cierto. Palabra.

—¿No sientes nunca vergüenza? —dijo Queta—. De la gente, de tus amigos. ¿O a ellos les cuentas como a mí?

Lo vio sonreír con cierta amargura en la semioscuridad; la ventana de la calle estaba abierta pero no había brisa y en la atmósfera inmóvil y cargada de vaho de la habitación el cuerpo desnudo de él comenzaba a sudar. Queta se apartó unos milímetros para que no la rozara.

—Amigos como los que tuve en mi pueblo, aquí ni uno —dijo Ambrosio—. Sólo conocidos, como ése que está ahora de chófer de don Cayo, o Hipólito, el otro que lo cuida. No saben. Y aunque supieran no me daría. No les parecería mal ¿ve? Le conté lo que le pasaba a Hipólito con los presos ¿no se acuerda? ¿Por qué me iba a dar vergüenza con ellos?

—¿Y nunca tienes vergüenza de mí? —dijo Queta.

—De usted no —dijo Ambrosio—. Usted no va a ir a regar estas cosas por ahí.

—Y por qué no —dijo Queta—. No me pagas para que te guarde los secretos.

—Porque usted no quiere que sepan que yo vengo aquí —dice Ambrosio—. Por eso no las va a regar por ahí.

—¿Y si yo le contara a la loca lo que me cuentas? —dijo Queta—. ¿Qué harías si se lo contara a todo el mundo?

Él se rió bajito y cortésmente en la semioscuridad. Estaba de espaldas, fumando, y Queta veía cómo se mezclaban en el aire quieto las nubecillas de humo. No se oía ninguna voz, no pasaba ningún auto, a ratos el tic-tac del reloj del velador se hacía presente y luego se perdía y reaparecía un momento después.

—No volvería nunca más —dijo Ambrosio—. Y usted se perdería un buen cliente.

—Ya casi me lo he perdido —se rió Queta—. Antes venías cada mes, cada dos. ¿Y ahora hace cuánto? ¿Cinco meses? Más. ¿Qué ha pasado? ¿Es por Bola de Oro?

—Estar un rato con usted es para mí dos semanas de trabajo —explicó Ambrosio—. No puedo darme esos gustos siempre. Y además a usted no se la ve mucho tampoco. Vine tres veces este mes y ninguna la encontré.

—¿Qué te haría si supiera que vienes acá? —dijo Queta—. Bola de Oro.

—No es lo que usted cree —dijo Ambrosio muy rápido, con voz grave—. No es un desgraciado, no es un déspota. Es un verdadero señor, ya le he dicho.

—¿Qué te haría? —insistió Queta—. Si un día me lo encuentro en San Miguel y le digo Ambrosio se gasta tu plata conmigo.

—Usted sólo le conoce una cara, por eso está tan equivocada con él —dijo Ambrosio—. Tiene otra. No es un déspota. Es bueno, un señor. Hace que uno sienta respeto por él.

Queta se rió más fuerte y miró a Ambrosio: encendía otro cigarrillo y la llamita instantánea del fósforo le mostró sus ojos saciados y su expresión seria, tranquila, y el brillo de transpiración de su frente.

—Te ha vuelto a ti también —dijo, suavemente—. No es porque te paga bien ni por miedo. Te gusta estar con él.

—Me gusta ser su chófer —dijo Ambrosio—. Tengo mi cuarto, gano más que antes, y todos me tratan con consideración.

—¿Y cuando se baja los pantalones y te dice cumple tus obligaciones? —se rió Queta—. ¿Te gusta también?

—No es lo que usted cree —repitió Ambrosio, despacio—. Yo sé lo que usted se imagina. Falso, no es así.

—¿Y cuando te da asco? —dijo Queta—. A veces a mí me da, pero qué importa, abro las piernas y es igual. ¿Pero tú?

—Es algo de dar pena —susurró Ambrosio—. A mí me da, a él también. Usted se cree que eso pasa cada día. No, ni siquiera cada mes. Es cuando algo le ha salido mal. Yo ya sé, lo veo subir al carro y pienso algo le ha salido mal. Se pone pálido, se le hunden los ojos, la voz le sale rara. Llévame a Ancón, dice. O vamos a Ancón, o a Ancón. Yo ya sé. Todo el viaje mudo. Si le viera la cara diría se le murió alguien o le han dicho que se va a morir esta noche.

—¿Y qué te pasa a ti, qué sientes? —dijo Queta—. Cuando él te ordena llévame a Ancón.

—¿Usted siente asco cuando don Cayo le dice esta noche ven a San Miguel? —preguntó Ambrosio, en voz muy baja—. Cuando la señora la manda llamar.

—Ya no —se rió Queta—. La loca es mi amiga, somos amigas. Nos reímos de él, más bien. ¿Piensas ya comienza el martirio, sientes que lo odias?

—Pienso en lo que va a pasar cuando lleguemos a Ancón y me siento mal —se quejó Ambrosio y Queta lo vio tocarse el estómago—. Mal aquí, me comienza a dar vueltas. Me da miedo, me da pena, me da cólera. Pienso ojalá que hoy sólo conversemos.

—¿Conversemos? —se rió Queta—. ¿A veces te lleva sólo a conversar?

—Entra con su cara de entierro, cierra las cortinas y se sirve su trago

—dijo Ambrosio, con voz densa—. Yo sé que por dentro algo le está mordiendo, que se lo está comiendo. Él me ha contado ¿ve? Yo lo he visto hasta llorar ¿ve?

—¿Apúrate, báñate, ponte esto? —recitó Queta, mirándolo—. ¿Qué hace, qué te hace hacer?

—Su cara se le sigue poniendo más pálida y se le atraca la voz —murmuró Ambrosio—. Se sienta, dice siéntate. Me pregunta cosas, me conversa. Hace que conversemos.

—¿Te habla de mujeres, te cuenta porquerías, te muestra fotos, revistas? —insistió Queta—. Yo sólo abro las piernas. ¿Pero tú?

—Le cuento cosas de mí —se quejó Ambrosio—. De Chincha, de cuando era chico, de mi madre. De don Cayo, me hace que le cuente, me pregunta por todo. Me hace sentirme su amigo ¿ve?

—Te quita el miedo, te hace sentir cómodo —dijo Queta—. El gato con el ratón. ¿Pero tú?

—Se pone a hablar de sus cosas, de las preocupaciones que tiene —murmuró Ambrosio—. Tomando, tomando. Yo también. Y todo el tiempo veo en su cara que algo se lo está comiendo, que le está mordiendo.

—¿Ahí lo tuteas? —dijo Queta—. ¿En esos momentos te atreves?

—A usted no la tuteo a pesar de que vengo a esta cama hace como dos años ¿no? —se quejó Ambrosio—. Le sale todo lo que le preocupa, sus negocios, la política, sus hijos. Habla, habla y yo sé lo que le está pasando por adentro. Dice que le da vergüenza, él me ha contado ¿ve?

—¿De qué se pone a llorar? —dijo Queta—. ¿De lo que tú?

—A veces horas de horas así —se quejó Ambrosio—. Él hablando y yo oyendo, yo hablando y él oyendo. Y tomando hasta que siento que ya no me cabe una gota más.

—¿De lo que no te excitas? —dijo Queta—. ¿Te excita sólo con trago?

—Con lo que le echa al trago —susurró Ambrosio; su voz se adelgazó hasta casi perderse y Queta lo miró: se había puesto el brazo sobre la cara, como un hombre que se asolea en la playa boca arriba—. La primera vez que lo pesqué se dio cuenta que lo había pescado. Se dio cuenta que me asusté. ¿Qué es eso que le echó?

—Nada, se llama yobimbina —dijo don Fermín—. Mira, yo me echo también. Nada, salud, tómatelo.

—A veces ni el trago, ni la yobimbina, ni nada —se quejó Ambrosio—. Él se da cuenta, yo veo que se da. Pone unos ojos que dan pena, una voz. Tomando, tomando. Lo he visto echarse a llorar ¿ve? Dice anda vete y se encierra en su cuarto. Lo oigo hablando solo, gritándose. Se pone como loco de vergüenza ¿ve?

—¿Se enoja contigo, te hace escenas de celos? —dijo Queta—. ¿Cree que?

—No es tu culpa, no es tu culpa —gimió don Fermín—. Tampoco es mi culpa. Un hombre no puede excitarse con un hombre, yo sé.

—Se pone de rodillas ¿ve? —gimió Ambrosio—. Quejándose, a veces medio llorando. Déjame ser lo que soy, dice, déjame ser una puta, Ambrosio. ¿Ve, ve? Se humilla, sufre. Que te toque, que te lo bese, de rodillas, él a mí ¿ve? Peor que una puta ¿ve?

Queta se rió, despacito, volvió a tumbarse de espaldas, y suspiró.

—A ti te da pena él por eso —murmuró con una furia sorda—. A mí me da pena por ti más bien.

—A veces ni con ésas, ni por ésas —gimió Ambrosio, bajito—. Yo pienso se va a enfurecer, se va a enloquecer, va a. Pero no, no. Anda vete, dice, tienes razón, déjame solo, vuelve dentro de dos horas, dentro de una.

—¿Y cuando puedes hacerle el favor? —dijo Queta—. ¿Se pone feliz, saca su cartera y...?

—Le da vergüenza, también —gimió Ambrosio—. Se va al baño, se encierra y no sale nunca. Yo voy al otro bañito, me ducho, me jabono. Hay agua caliente y todo. Vuelvo y él no ha salido. Se está horas lavándose, se echa colonias. Sale pálido, no habla. Anda al auto, dice, ya bajo. Déjame en el centro, dice, no quiere que lleguemos juntos a su casa. Tiene vergüenza ¿ve?

—¿Y los celos? —dice Queta—. ¿Cree que tú nunca andas con mujeres?

—Nunca me pregunta nada de eso —dijo Ambrosio, apartando el brazo de su cara—. Ni qué hago en mi día libre ni nada, sólo lo que yo le cuento. Pero yo sé lo que sentiría si supiera que ando con mujeres. No por celos ¿no se da cuenta? Por vergüenza, miedo de que vayan a saber. No me haría nada, no se enojaría. Diría anda vete, nada más. Yo sé cómo es. No es de los que insultan, no sabe tratar mal a la gente. Diría no importa, tienes razón pero anda vete. Sufriría y sólo haría eso ¿ve? Es un señor, no lo que usted cree.

—Bola de Oro me da más asco que Cayo Mierda —dijo Queta.

(11)

No —repitió Ambrosio—. No he venido a pelear.

—Menos mal, porque si no llamo a Robertito, él es el que sabe pelear aquí —dijo Queta—. Dime a qué mierda has venido de una vez o anda vete.

No estaban desnudos, no estaban tumbados en la cama, la luz del cuarto no estaba apagada. De abajo subía siempre el mismo confuso rumor de música y voces del bar y las risas del saloncito. Ambrosio se había sentado en la cama y Queta lo veía envuelto por el cono de luz, quieto y macizo en su terno azul y sus zapatos negros puntiagudos y el cuello albo de su camisa almidonada. Veía su desesperada inmovilidad, la enloquecida cólera empozada en sus ojos.

—Usted sabe muy bien que por ella —Ambrosio la miraba de frente, sin pestañear—. Usted ha podido hacer algo y no ha hecho nada. Usted es su amiga.

—Mira, ya tengo bastantes preocupaciones —dijo Queta—. No quiero hablar de eso, yo vengo aquí a ganar dinero. Anda vete y, sobre todo, no vuelvas. Ni aquí ni a mi departamento.

—Usted ha debido hacer algo —repitió la voz empecinada, dura y distinta de Ambrosio—. Por su propio bien.

—¿Por mi propio bien? —dijo Queta; estaba apoyada de espaldas en la puerta, el cuerpo ligeramente arqueado, las manos en las caderas.

—Por el propio bien de ella, quiero decir —murmuró Ambrosio—. ¿No me dijo que era su amiga, que a pesar de sus locuras le tenía cariño?

Queta dio unos pasos, se sentó en la única silla del cuarto frente a él. Cruzó las piernas, lo observó con detenimiento y él resistió su mirada sin bajar los ojos, por primera vez.

—Te ha mandado Bola de Oro —dijo Queta, despacio—. ¿Por qué no te mandó donde la loca? Yo no tengo nada que ver con esto. Dile a Bola de Oro que a mí no me meta en sus líos. La loca es la loca y yo soy yo.

—No me ha mandado nadie, él ni siquiera sabe que a usted la conozco —dijo Ambrosio, con suma lentitud, mirándola—. He venido para que hablemos. Como amigos.

—¿Como amigos? —dijo Queta—. ¿Quién te ha hecho creer que eres mi amigo?

—Háblele, hágala entrar en razón —murmuró Ambrosio—. Hágale ver que se ha portado muy mal. Dígale que él no tiene plata, que sus negocios andan mal. Aconséjele que se olvide para siempre de él.

—¿Bola de Oro la va a hacer meter presa otra vez? —dijo Queta—. ¿Qué otra cosa le va a hacer el desgraciado ése?

—Él no la hizo meter, él fue a sacarla de la Prefectura —dijo Ambrosio, sin subir la voz, sin moverse—. Él la ha ayudado, le pagó el hospital, le ha dado plata. Sin tener ninguna obligación, por pura compasión. No le va a dar más. Dígale que se ha portado muy mal. Que no lo amenace más.

—Anda vete —dijo Queta—. Que Bola de Oro y la loca arreglen sus líos solos. No es asunto mío. Y tampoco tuyo, tú no te metas.

—Aconséjala —repitió la voz terca, tirante de Ambrosio—. Si lo sigue amenazando le va a ir mal.

Queta se rió y sintió su risita forzada y nerviosa. Él la miraba con tranquila determinación, con ese sosegado hervor frenético en los ojos. Estuvieron callados, observándose, las caras a medio metro de distancia.

—¿Estás seguro que no te ha mandado él? —dijo Queta, por fin—. ¿Está asustado Bola de Oro de la pobre loca? ¿Es tan imbécil de asustarse de la pobre? Él la ha visto, él sabe en qué estado está. Tú también sabes cómo está. Tú también tienes tu espía ahí ¿no?

—Eso también —roncó Ambrosio. Queta lo vio juntar las rodillas y encogerse, lo vio incrustarse los dedos en las piernas. La voz se le había cuarteado—. Yo no le había hecho nada, conmigo no era la cosa. Y Amalia ha estado ayudándola, acompañándola en todo lo que le ha pasado. Ella no tenía por qué ir a contar eso.

—Qué ha pasado —dijo Queta; se inclinó un poco hacia él—. ¿Le ha contado a Bola de Oro lo de ti y Amalia?

—Que es mi mujer, que nos vemos cada domingo desde hace años, que está encinta de mí —se desgarró la voz de Ambrosio y Queta pensó va a llorar. Pero no: sólo lloraba su voz, tenía los ojos secos y opacos muy abiertos—. Se ha portado muy mal.

—Bueno —dijo Queta, enderezándose—. Es por eso que estás así, es por eso tu furia. Ahora ya sé por qué has venido.

—Pero ¿por qué? —siguió atormentándose la voz de Ambrosio—. ¿Pensando que con eso lo iba a convencer? ¿Pensando que con eso le iba a sacar más plata? ¿Por qué ha hecho una maldad así?

—Porque la pobre loca está ya medio loca de verdad —susurró Queta—. ¿Acaso no sabes? Porque quiere irse de aquí, porque necesita irse. No ha sido por maldad. Ya ni sabe lo que hace.

—Pensando si le cuento eso va a sufrir —dijo Ambrosio. Asintió, cerró los ojos un instante. Los abrió—: Le va a hacer daño, lo va a destrozar. Pensando eso.

—Por ese hijo de puta de Lucas, ése del que se enamoró, uno que está en México —dijo Queta—. Tú no sabes. Le escribe diciéndole ven, trae plata, nos vamos a casar. Ella le cree, está loca. Ya ni sabe lo que hace. No ha sido por maldad.

—Sí —dijo Ambrosio; alzó las manos unos milímetros y las volvió a hundir en sus piernas con ferocidad, su pantalón se arrugó—. Le ha hecho daño, lo ha hecho sufrir.

—Bola de Oro tiene que entenderla —dijo Queta—. Todos se han portado con ella como unos hijos de puta. Cayo Mierda, Lucas, todos los que recibió en su casa, todos los que atendió y...

—¿Él, él? —roncó Ambrosio y Queta se calló; tenía las piernas listas para levantarse y correr, pero él no se movió—. ¿Él se portó mal? ¿Se puede saber qué culpa tiene él? ¿Le debe algo él a ella? ¿Tenía obligación de ayudarla? ¿No le ha estado dando bastante plata? ¿Y al único que fue bueno con ella le hace una maldad así? Pero ya no más, ya se acabó. Quiero que usted se lo diga.

—Ya se lo he dicho —murmuró Queta—. No te metas, la que va a salir perdiendo eres tú. Cuando supe que Amalia le había contado que estaba esperando un hijo tuyo, se lo advertí. Cuidado con decirle a la chica que Ambrosio, cuidado con ir a contarle a Bola de Oro que Amalia. No armes líos, no te metas. Es por gusto, no lo hace por maldad, quiere llevarle plata a ese Lucas. Está loca.

—Sin que él le haya hecho nada, sólo porque él fue bueno y la ayudó —murmuró Ambrosio—. A mí no me hubiera importado tanto que le contara a Amalia lo de mí. Pero no hacerle eso a él. Eso era pura maldad, pura maldad.

—No te hubiera importado que le cuente a tu mujer —dijo Queta, mirándolo—. Sólo te importa Bola de Oro, sólo te importa el maricón. Eres peor que él. Sal de aquí de una vez.

—Le ha mandado una carta a la esposa de él —roncó Ambrosio y Queta lo vio bajar la cabeza, avergonzarse—. A la señora de él. Tu marido es así, tu marido y su chófer, pregúntale qué siente cuando el negro y dos páginas así. A la esposa de él. Dígame por qué ha hecho eso.

—Porque está medio loca —dijo Queta—. Porque quiere irse a México y no sabe lo que hace para...

—Lo ha llamado por teléfono a su casa —roncó Ambrosio y alzó la cabeza y miró a Queta y ella vio la demencia embalsada en sus ojos, la silenciosa ebullición—. Van a recibir la misma carta tus parientes, tus amigos, tus hijos. La misma que tu mujer. Tus empleados. A la única persona que se ha portado bien, al único que la ayudó sin tener por qué.

—Porque está desesperada —repitió Queta, alzando la voz—. Quiere ese pasaje para irse y…. Que se lo dé, que...

—Se lo dio ayer —roncó Ambrosio—. Serás el hazmerreír, te hundo, te friego. Se lo llevó él mismo. No es sólo el pasaje. Está loca, quiere también cien mil soles. ¿Ve? Háblele usted. Que no lo moleste más. Dígale que es la última vez.

—No voy a decirle una palabra más —murmuró Queta—. No me importa, no quiero saber nada más. Que ella y Bola de Oro se maten, si quieren. No quiero meterme en líos. ¿Te has puesto así porque Bola de Oro te despidió? ¿Estas amenazas son para que el maricón te perdone lo de Amalia?

—No se haga la que no entiende —dijo Ambrosio—. No he venido a pelear, sino a que hablemos. Él no me ha despedido, él no me ha mandado aquí.

—Debiste decírmelo desde el principio —dijo don Fermín—. Tengo una mujer, vamos a tener un hijo, quiero casarme con ella. Debiste contarme todo, Ambrosio.

—Mejor para ti, entonces —dijo Queta—. ¿No la has estado viendo a escondidas tanto tiempo por miedo a Bola de Oro? Bueno, ya está. Ya sabe y no te despidió. La loca no lo hizo por maldad. No te metas más en este asunto, que se las arreglen ellos.

—No me botó, no le dio cólera, no me resondró —roncó Ambrosio—. Se compadeció de mí, me perdonó. ¿No ve que a una persona como él ella no puede hacerle maldades así? ¿No ve?

—Qué malos ratos habrás pasado, Ambrosio, cómo me habrás odiado —dijo don Fermín—. Teniendo que disimular así lo de tu mujer, tantos años. ¿Cuántos, Ambrosio?

—Haciéndome sentir una basura, haciéndome sentir no sé qué —gimió Ambrosio, golpeando la cama con fuerza y Queta se puso de pie de un salto.

—¿Creías que iba a resentirme contigo, pobre infeliz? —dijo don Fermín—. No, Ambrosio. Saca a tu mujer de esa casa, ten tus hijos. Puedes trabajar aquí todo el tiempo que quieras. Y olvídate de Ancón y de todo eso, Ambrosio.

—Él sabe manejarte —murmuró Queta, yendo de prisa hacia la puerta—. Él sabe lo que eres tú. No voy a decirle nada a Hortensia. Díselo tú. Y ay de ti si vuelves a poner los pies aquí o en mi casa.

—Está bien, ya me voy y no se preocupe, no pienso volver —murmuró Ambrosio, incorporándose; Queta había abierto la puerta y el ruido del bar entraba muy fuerte—. Pero se lo pido por última vez. Aconséjela, hágala entrar en razón. Que lo deje en paz para siempre ¿ve?

(12)

No es por fastidiar ni por nada —dice Ambrosio—. Pero ya es tardísimo, niño.

¿Qué más, Zavalita, qué mas? La conversación con el Chispas, piensa, nada más. Después de la muerte de don Fermín, Ana y Santiago comenzaron a ir los domingos a almorzar donde la señora Zoila y allí veían también al Chispas y Cary, a Popeye y la Teté, pero luego, cuando la señora Zoila se animó a viajar a Europa con la tía Eliana que iba a internar a su hija mayor en un colegio de Suiza y a hacer una gira de dos meses por España, Italia y Francia, los almuerzos familiares cesaron, y más tarde no se reanudaron ni se reanudarán más, piensa: qué importaba la hora Ambrosio, salud Ambrosio. La señora Zoila regresó menos abatida, tostada por el verano de Europa, rejuvenecida, con las manos llenas de regalos y la boca de anécdotas. Antes de un año se había recobrado del todo, Zavalita, retomado su agitada vida social, sus canastas, sus visitas, sus tele-teatros y sus tés. Ana y Santiago venían a verla al menos una vez al mes y ella los atajaba a comer y su relación era desde entonces distante pero cortés, amistosa más que familiar, y ahora la señora Zoila trataba a Ana con una simpatía discreta, con un afecto resignado y liviano. No se había olvidado de ella en el reparto de recuerdos europeos, Zavalita, también a ella le había tocado: una mantilla española, piensa, una blusa de seda italiana. En los cumpleaños y aniversarios, Ana y Santiago pasaban temprano y rápido a dar el abrazo, antes de que llegaran las visitas, y algunas noches Popeye y la Teté se aparecían en la quinta de los duendes a charlar o a sacarlos a dar una vuelta en auto. El Chispas y Cary nunca, Zavalita, pero cuando el Campeonato Sudamericano de Fútbol te había mandado de regalo un abono a primera. Andabas en apuros de plata y lo revendiste en la mitad de precio, piensa. Piensa: al fin encontramos la fórmula para llevarnos bien. De lejitos, Zavalita, con sonrisitas, con bromitas: a él sí le importaba, niño, con perdón. Ya era tardísimo.

La conversación había sido bastante tiempo después de la muerte de don Fermín, una semana después de haber pasado de la sección locales a la página editorial de «La Crónica», Zavalita, unos días antes que Ana perdiera su puesto en la Clínica. Te habían subido el sueldo quinientos soles, cambiado el horario de la noche a la mañana, ahora sí que no verías ya casi nunca a Carlitos, Zavalita, cuando encontró al Chispas saliendo de la casa de la señora Zoila. Habían hablado un momento de pie, en la vereda: ¿podían almorzar mañana juntos, supersabio? Claro, Chispas. Esa tarde habías pensado, sin curiosidad, de cuándo acá, qué querría. Y al día siguiente el Chispas vino a buscar a Santiago a la quinta de los duendes poco después del mediodía. Era la primera vez que venía y ahí estaba entrando, Zavalita, y ahí lo veías desde la ventana, dudando, tocando la puerta de la alemana, vestido de beige y con chaleco y esa camisa color canario de cuello muy alto. Y ahí estaba la mirada voraz de la alemana recorriendo al Chispas de pies a cabeza mientras le señalaba tu puerta: ésa, la letra «C». Y ahí estaba el Chispas pisando por primera y última vez la casita de duendes, Zavalita. Le dio una palmada, hola supersabio, y tomó posesión con risueña desenvoltura de los dos cuartitos.

—Te has buscado la cuevita ideal, flaco —miraba la mesita, el estante de libros, el crudo donde dormía Batuque—. El departamentito clavado para unos bohemios como tú y Ana.

Fueron a almorzar al Restaurant Suizo de la Herradura. Los mozos y el maître conocían al Chispas por su nombre, le hicieron algunas bromas y revoloteaban a su alrededor efusivos y diligentes, y el Chispas te había exigido probar ese cóctel de fresa, la especialidad de la casa flaco, almibarado y explosivo. Se sentaron en una mesa que daba al malecón: veían el mar bravo, el cielo con nubes del invierno, y el Chispas te sugería el chupe a la limeña para comenzar y de segundo el picante de gallina o el arroz con pato.

—El postre lo escojo yo —dijo el Chispas, cuando el mozo se alejaba con el pedido—. Panqueques con manjar blanco. Cae regio después de hablar de negocios.

—¿Vamos a hablar de negocios? —dijo Santiago—. Supongo que no vas a proponerme que trabaje contigo. No me amargues el almuerzo.

—Ya sé que oyes la palabra negocios y te salen ronchas, bohemio —se rió el Chispas—. Pero esta vez no te puedes librar, aunque sea un ratito. Te he traído aquí a ver si con platos picantes y cerveza helada te tragas mejor la píldora.

Se volvió a reír, algo artificialmente ahora, y mientras reía había brotado ese fulgor de incomodidad en sus ojos, Zavalita, esos puntitos brillantes e inquietos: ah flaco bohemio, había dicho dos veces, ah flaco bohemio. Ya no alocado, descastado, acomplejado y comunista, piensa. Piensa: algo más cariñoso, más vago, algo que podía ser todo. Flaco, bohemio, Zavalita.

—Pásame la píldora de una vez, entonces —dijo Santiago—. Antes del chupe.

—A ti te importa todo un pito, bohemio —dijo el Chispas, dejando de reír, conservando un halo de sonrisa en la cara rasurada; pero en el fondo de sus ojos continuaba, aumentaba la desazón y aparecía la alarma, Zavalita—. Tantos meses que murió el viejo y ni se te ha ocurrido preguntar por los negocios que dejó.

—Tengo confianza en ti —dijo Santiago—. Sé que harás quedar bien el nombre comercial de la familia.

—Bueno, vamos a hablar en serio —el Chispas apoyó los codos en la mesa, la quijada en su puño y ahí estaba el brillo azogado, su continuo parpadeo, Zavalita.

—Apúrate —dijo Santiago—. Te advierto que llega el chupe y se terminan los negocios.

—Han quedado muchos asuntos pendientes, como es lógico —dijo el Chispas, bajando un poco la voz. Miró las mesas vacías del contorno, tosió y habló con pausas, eligiendo las palabras con una especie de recelo—. El testamento, por ejemplo. Ha sido muy complicado, hubo que seguir un trámite largo para hacerlo efectivo. Tendrás que ir donde el notario a firmar un montón de papeles. En este país todo son enredos burocráticos, papeleos, ya sabes.

El pobre no sólo estaba confuso, incómodo, piensa, estaba asustado. ¿Había preparado con mucho cuidado esa conversación, adivinado las preguntas que le harías, imaginado lo que le pedirías y exigirías, previsto que lo amenazarías? ¿Tenía un arsenal de respuestas y explicaciones y demostraciones? Piensa: estabas tan avergonzado, Chispas. A ratos se callaba y se ponía a mirar por la ventana. Era noviembre y todavía no habían alzado las carpas ni venían bañistas a la playa; algunos automóviles circulaban por el malecón, y grupos ralos de personas caminaban frente al mar gris verdoso y agitado. Olas altas y ruidosas reventaban a lo lejos y barrían toda la playa y había patillos blancos planeando silenciosamente sobre la espuma.

—Bueno, la cosa es así —dijo el Chispas—. El viejo quería arreglar bien las cosas, tenía miedo que se repitiera el ataque de la vez pasada. Habíamos empezado, cuando murió. Sólo empezado. La idea era evitar los impuestos a la sucesión, los malditos papeleos. Fuimos dando un aspecto legal al asunto, poniendo las firmas a mi nombre, con contratos simulados de traspaso, etcétera. Tú eres lo bastante inteligente para darte cuenta. La idea del viejo no era dejarme a mí todos los negocios ni mucho menos. Sólo evitar las complicaciones. Íbamos a hacer todos los traspasos y al mismo tiempo a dejar bien arreglado lo de tus derechos y los de la Teté. Y los de la mamá, por supuesto.

El Chispas sonrió y Santiago también sonrió. Acababan de traer el chupe, Zavalita, los platos humeaban y el vaho se mezclaba con esa súbita, invisible tirantez, esa atmósfera puntillosa y recargada que se había instalado en la mesa.

—El viejo tuvo una buena idea —dijo Santiago—. Era lo más lógico poner todo a tu nombre para evitar complicaciones.

—Todo no —dijo el Chispas, muy rápido, sonriendo, alzando un poco las manos—. Sólo el laboratorio, la compañía. Sólo los negocios. No la casa ni el departamento de Ancón. Además, comprenderás que el traspaso es más bien una ficción. Que las firmas estén a mi nombre no quiere decir que yo me voy a quedar con todo eso. Ya está arreglado lo de la mamá, lo de la Teté.

—Entonces todo está perfecto —dijo Santiago—. Se acabaron los negocios y ahora empieza el chupe. Mira qué buena cara tiene, Chispas.

Ahí su cara, Zavalita, su pestañeo, su parpadeo, su reticente incredulidad, su incómodo alivio y la viveza de sus manos alcanzándote el pan, la mantequilla, y llenándote el vaso de cerveza.

—Ya sé que te estoy aburriendo con esto —dijo el Chispas—. Pero no se puede dejar que pase más tiempo. También hay que arreglar tu situación.

—Qué pasa con mi situación —dijo Santiago—. Pásame también el ají.

—La casa y el departamento se iban a quedar a nombre de la mamá, como es natural —dijo el Chispas—. Pero ella no quiere saber nada con el departamento, dice que no volverá a poner los pies en Ancón. Le ha dado por ahí. Hemos llegado a un acuerdo con la Teté. Yo le he comprado las acciones que le hubieran correspondido en el laboratorio, en las otras firmas. Es como si hubiera recibido la herencia ¿ves?

—Veo —dijo Santiago—. Pero eso sí que me aburre espantosamente, Chispas.

144

—Sólo faltas tú —se rió el Chispas, sin oírlo, y pestañeó—. También tienes vela en este entierro, aunque te aburra. De eso tenemos que hablar. Yo he pensado que podemos llegar a un acuerdo como el que hicimos con la Teté. Calculamos lo que te corresponde y, ya que detestas los negocios, te compro tu parte.

—Métete al culo mi parte y déjame tomar el chupe —dijo Santiago, riéndose, pero el Chispas te miraba muy serio, Zavalita, y tuviste que ponerte serio también—. Yo le hice saber al viejo que jamás metería la mano en sus negocios, así que olvídate de mi situación y de mi parte. Yo me desheredé solito cuando me mandé mudar, Chispas. Así que ni acciones, ni compra y se acabó el tema para siempre ¿okey?

Ahí su pestañeo feroz, Zavalita, su agresiva, bestial confusión: tenía la cuchara en el aire y un hilillo de caldo rojizo volvía al plato y unas gotas salpicaban el mantel. Te miraba entre asustado y desconsolado, Zavalita.

—Déjate de cojudeces —dijo al fin—. Te fuiste de la casa pero sigues siendo el hijo del viejo ¿no? Voy a creer que estás loco.

—Estoy loco —dijo Santiago—. No me corresponde ninguna parte, y si me corresponde no me da la gana de recibir un centavo del viejo. ¿Okey, Chispas?

—¿No quieres acciones? —dijo el Chispas—. Okey. Hay otra posibilidad. Lo he discutido con la Teté y con la mamá y están de acuerdo. Vamos a poner a tu nombre el departamento de Ancón.

Santiago se echó a reír y dio una palmada en la mesa. Un mozo vino a preguntar qué querían, ah disculpe. El Chispas estaba serio y parecía otra vez dueño de sí mismo, el malestar de sus ojos se había desvanecido y te miraba ahora con afecto y superioridad, Zavalita.

—Puesto que no quieres acciones, es lo más sensato —dijo el Chispas—. Ellas están de acuerdo. La mamá no va a poner los pies ahí, se le ha metido que odia Ancón. La Teté y Popeye se están haciendo una casita en Santa María. A Popeye le van muy bien los negocios ahora con Belaúnde en la presidencia, ya sabes. Yo estoy tan cargado de trabajo que no puedo darme el lujo de veranear. Así que el departamento...

—Regálaselo a los pobres —dijo Santiago—. Punto final, Chispas.

—No necesitas usarlo, si te jode Ancón —dijo el Chispas—. Lo vendes y te compras uno en Lima y así vivirás mejor.

—No quiero vivir mejor —dijo Santiago—. Si no terminas, nos vamos a pelear, Chispas.

—Déjate de actuar como un niño —insistió el Chispas, con sinceridad, piensa—. Ya eres un hombre, estás casado, tienes obligaciones. Deja de ponerte en ese plan tan ridículo.

Ya se sentía tranquilo y seguro, Zavalita, ya había pasado el mal rato, el susto, ya podía aconsejarte y ayudarte y dormir en paz. Santiago le sonrió y le dio una palmadita en el brazo: punto final, Chispas. El maître vino afanoso y desalentado a preguntar qué tenía de malo el chupe: nada, estaba riquísimo, y habían tomado unas cucharadas para convencerlo que era verdad.

—No discutamos más —dijo Santiago—. Nos hemos pasado la vida peleando y ahora nos llevamos bien ¿no es cierto, Chispas? Bueno, sigamos así. Pero no me toques nunca más este tema ¿okey?

Su cara fastidiada, desconcertada, arrepentida, había sonreído lastimosamente, Zavalita, y se había encogido los hombros, hecho una mueca de estupor o conmiseración final y se había quedado un rato callado. Sólo probaron el arroz con pato y el Chispas se olvidó de los panqueques con manjar blanco. Trajeron la cuenta, el Chispas pagó, antes de subir al auto se llenaron los pulmones de aire húmedo y salado cambiando frases banales sobre las olas y unas muchachas que pasaban y un auto de carrera que atravesó la calle roncando. En el camino a Miraflores no cruzaron ni una palabra. Al llegar a la quinta de los duendes, cuando Santiago había sacado ya una pierna del carro, el Chispas lo cogió del brazo:

—Nunca te voy a entender, supersabio —y por primera vez ese día su voz era tan sincera, piensa, tan emocionada—. ¿Qué diablos quieres ser en la vida tú? ¿Por qué haces todo lo posible por fregarte solito?

—Porque soy un masoquista —le sonrió Santiago—. Chau, Chispas, saludos a la vieja y a Cary.

—Allá tú con tus locuras —dijo el Chispas, sonriéndole también—. Sólo quiero que sepas que si alguna vez necesitas...

—Ya sé, ya sé —dijo Santiago—. Ahora mándate mudar de una vez que yo voy a dormir una siesta. Chau, Chispas.

Si no se lo hubieras contado a Ana te habrías ahorrado muchas peleas, piensa. Cien, Zavalita, doscientas. ¿Te había jodido la vanidad?, piensa. Piensa: mira qué orgulloso es tu marido amor, les rechazó todo amor, los mandó al carajo con sus acciones y sus casas amor. ¿Creías que te iba a admirar, Zavalita, querías que...? Te lo iba a sacar en cara, piensa, te lo iba a reprochar cada vez que se acabara el sueldo antes de fin de mes, cada vez que hubiera que fiarse del chino o prestarse plata de la alemana. Pobre Anita, piensa. Piensa: pobre Zavalita.

—Ya se ha hecho tardísimo, niño —insiste una vez más Ambrosio.

(1)

Fue aquí, sin duda, en su primera venida a Jauja, que surgió en la cabeza de Mayta esa idea que le trajo tantos problemas. ¿La compartió con ellos en El Jalapato? ¿Se la expuso en voz baja, cuidando las palabras, para no desconcertarlos con la revelación de las divisiones de esa izquierda que ellos creían homogénea? El Profesor Ubilluz me asegura que no. «Aunque mi cuerpo esté maltratado por los años, mi memoria no lo está.» Mayta jamás le participó su intención de comprometer a otros grupos o partidos. ¿Compartió esa idea, entonces, sólo con Vallejos? En todo caso, es seguro que esa iniciativa ya la había decidido en Jauja, pues Mayta no era un impulsivo. Si, al regresar a Lima, fue a ver a Blacquer y, probablemente, a gente del otro POR, es porque en los días anteriores, en la sierra, le dio muchas vueltas al asunto. Fue en una de esas noches de desvelo con taquicardia, en la pensión de la calle Tarapacá, mientras oía en la tiniebla la respiración tranquila de su amigo y el sobresalto de su propio corazón. ¿No era demasiado importante lo que estaba en juego, para que sólo el pequeño POR(T) se hiciera cargo de la insurrección? Hacía frío y, bajo la frazada, se encogió. Con la mano en el pecho, auscultaba sus latidos. El razonamiento era clarísimo. Las divisiones en la izquierda se debían, en gran medida, a la falta de una acción real, a su quehacer estéril: eso la hacía escindirse y devorarse, más aún que las controversias ideológicas. La lucha guerrillera podía modificar la situación y unir a los genuinos revolucionarios, mostrándoles lo bizantinas que eran sus diferencias. Sí, la acción sería el remedio contra el sectarismo que resultaba de la impotencia política. La acción rompería el círculo vicioso, abriría los ojos de los camaradas adversarios. Había que ser audaz, ponerse a la altura de las circunstancias. «¿Qué importan el "pablismo" y el "antipablismo" cuando está en juego la revolución, camaradas?» Imaginó, en el frío de la noche jaujina, la bóveda tachonada de estrellas y pensó: «Este aire puro te ilumina, Mayta.» Bajó la mano de su pecho hasta su sexo y, pensando en Anatolio, comenzó a acariciárselo.

—¿No les dijo que el plan era demasiado importante para que fuera monopolio de una fracción trotskista? —le insistió—. ¿Que intentaría conseguir la colaboración del otro POR e, incluso, del Partido Comunista?

—Por supuesto que no —responde, en el acto, el Profesor Ubilluz—. No nos dijo nada de eso y trató de ocultarnos que la izquierda estaba dividida y que el POR(T) era insignificante. Nos trampeó con toda deliberación y alevosía. Nos hablaba del Partido. El Partido para aquí y para allá. Yo oía, por supuesto, Partido Comunista, y creía que eso quería decir miles de obreros y estudiantes.

A lo lejos, se oye una salva de tiros. ¿O es un trueno? Vuelve a repetirse, a los pocos segundos, y quedamos mudos, escuchando. Se oye, más a lo lejos, otra salva y el Profesor murmura: «Son tracas de dinamita que los guerrilleros hacen estallar en los cerros. Para romperles los nervios a los soldados del cuartel. Guerra psicológica.» No: eran patos. Una bandada sobrevolaba las matas de cañas, graznando. Habían salido a dar una vuelta y Mayta tenía ya su bolso en la mano. Dentro de una horita tomaría el tren de regreso a Lima.

—Hay sitio para todos, por supuesto —dijo Vallejos—. Cuantos más, mejor. Por supuesto. Habrá armas suficientes para los que quieran dispararlas. Lo único que te pido es que hagas tus gestiones rápido.

Caminaban a orillas de la ciudad y a lo lejos reverberaban unos techos de tejas rojizas. El viento cantaba en los eucaliptos y sauces.

—Tenemos el tiempo que haga falta —dijo Mayta—. No hay razón para precipitar las cosas.

—Sí, la hay —dijo Vallejos, secamente. Se volvió a mirarlo y había en sus ojos una resolución ciega. Mayta pensó: «Hay algo más, voy a saber algo más»—. Los dos principales dirigentes de Uchubamba, los que dirigieron la invasión de la Hacienda Aína, están aquí.

—¿En Jauja? —dijo Mayta—. ¿Y por qué no me los has presentado? Yo hubiera querido hablar con ellos.

—Están en la cárcel y no reciben visitas —sonrió Vallejos—. Presos, sí.

Habían sido traídos por la patrulla de la Guardia Civil que fue a reprimir las invasiones. Pero no era seguro que se quedaran aquí mucho tiempo. En cualquier momento podía venir una orden, transfiriéndolos a Huancayo o a Lima. Y todo el plan dependía, en gran parte, de ellos. Ellos los conducirían de Jauja a Uchubamba de manera rápida y segura y ellos garantizarían la colaboración de los comuneros. ¿Veía por qué había poco tiempo?

—Alejandro Condori y Zenón Gonzales —le digo, adelantándome a los nombres que va a pronunciar. Ubilluz queda con la boca entreabierta. La luz del foco ha decaído tanto que estamos casi a oscuras.

—Sí, así se llamaban —murmura—. Está usted bien enterado.

¿Estoy bien enterado? Creo que he leído todo lo que apareció en los diarios y revistas sobre esta historia y hablado con sinnúmero de participantes y testigos. Pero mientras más averiguo tengo la impresión de saber menos lo que de veras sucedió. Porque, con cada nuevo dato, surgen más contradicciones, conjeturas, misterios, incompatibilidades. ¿Cómo fue que esos dos dirigentes campesinos, de una remota comunidad de la zona selvática de Junín, vinieron a parar a la cárcel de Jauja?

—Una casualidad maravillosa —le explico Vallejos—. Yo no intervine en esto para nada. Ésta era la cárcel que les tocaba, porque aquí debe abrirles instructiva el Juez. Mi hermana diría que Dios nos ayuda ¿ves?

—¿Estaban comprometidos con ustedes antes de caer presos?

—De una manera general —dice Ubilluz—. Hablamos con ellos durante el viaje que hicimos a Uchubamba y nos ayudaron a esconder las armas. Pero sólo se comprometieron del todo aquí, en el mes que estuvieron presos. Se hicieron uña y carne de su carcelero. Es decir, del Alférez. Entiendo que no les comunicó los detalles hasta estallar la cosa.

Esa parte de la historia, la final, lo pone incómodo al Profesor Ubilluz, pese al tiempo transcurrido; de esa parte habla de oídas, en esa parte su papel es controvertido y dudoso. Escuchamos otra salva, a lo lejos. «A lo mejor están fusilando a cómplices de los terroristas», gruñe. Ésta es la hora en que van a sacarlos de sus casas, en un jeep o una tanqueta, y se los llevan a las afueras. Los cadáveres aparecen al día siguiente en los caminos. Y, bruscamente, sin niguna transición, me pregunta: «¿Tiene sentido escribir una novela estando el Perú como está, teniendo todos los peruanos la vida prestada?» ¿Tiene sentido? Le digo que sin duda debe tenerlo, ya que la estoy escribiendo. Hay algo deprimente en el Profesor Ubilluz: todo lo que dice me deja un sabor triste. Es un prejuicio, pero no puedo librarme de la sensación de que está siempre a la defensiva y de que todo lo que me cuenta no tiene otro fin que el de justificarse. ¿Pero, acaso no hacen todos lo mismo? ¿De qué nace mi desconfianza? ¿De que esté vivo? ¿De tantos chismes y murmuraciones que he escuchado contra él? ¿Pero acaso no sé que en el campo de las controversias políticas este país fue un gran basural antes de ser el cementerio que es ahora? ¿No conozco las infinitas vilezas que se pueden atribuir recíprocamente los adversarios sin el menor fundamento? No, no debe ser eso lo que me resulta tan lastimoso en él, sino, sencillamente, su decadencia, su amargura, la cuarentena en la que vive.

—O sea que, resumiendo, la intervención de Mayta en el plan de acción fue nula —le digo.

—Para ser justos, mínima —me corrige, encogiendo los hombros. Bosteza y la cara se le llena de arrugas—. Con él o sin él, hubiera sido igual. Lo admitimos creyéndolo un dirigente político y sindical de cierto peso. Necesitábamos apoyo obrero y revolucionario en el resto del país. Ésa debía ser la función de Mayta. Pero resultó que ni siquiera a su grupito del POR(T) representaba. Políticamente hablando, era un huérfano total.

«Un huérfano total». La expresión me queda retintineando en el oído cuando me despido del Profesor Ubilluz y salgo a las desiertas calles de Jauja, rumbo al Albergue de Paca, bajo un cielo radiante de estrellas. El Profesor me ha dicho que si temo hacer el largo trayecto, puedo dormir en su salita. Pero prefiero irme: tengo urgencia de aire y de soledad. Necesito apaciguar la crepitación de mi cabeza y poner cierta distancia con una persona cuya presencia desalienta mi trabajo. Han cesado las salvas y es como si hubiera toque de queda porque no se ve a nadie en las calles. Camino por el centro de la calzada, pisando fuerte, esforzándome por hacerme visible para que, si aparece alguna patrulla, no crea que trato de ocultarme. Una luminosidad baja del cielo, insólita para alguien que vive en Lima, donde las estrellas no se ven casi nunca o se entrevén apagadas por la neblina. El frío corta los labios. Se me ha quitado el hambre que tenía en la tarde. Un huérfano total. Se volvió eso, militando en sectas cada vez más pequeñas y radicales, en busca de una pureza ideológica que nunca llegó a encontrar, y su orfandad suprema consistió en lanzarse a esta extraordinaria conspiración, para iniciar una guerra en las alturas de Junín, con un Subteniente carcelero de veintidós años y un profesor de colegio nacional, ambos totalmente desconectados de la izquierda peruana. Era fascinante, sí. Me seguía fascinando, un año después de andar haciendo averiguaciones, como me fascinó aquel día que supe en París lo que había ocurrido en Jauja... La rancia luz de los espaciados postes con faroles envuelve en misteriosa penumbra las antiguas fachadas de las casas, algunas con enormes portones y aldabas, rejas de fierro forjado y balcones con celosías, tras las que adivino zaguanes, patios con árboles y enredaderas, y una vida antaño ordenada y monótona y, ahora, sin duda, sobrecogida por el miedo. En esa primera visita a Jauja, sin embargo, el huérfano total debió sentirse exaltado y feliz como no lo había estado nunca. Iba a actuar, la insurrección había tomado forma tangible: caras, lugares, diálogos, hechos concretos. Como si, de pronto, toda su vida de militante, de conspirador, de perseguido y de preso político se encontrara justificada y catapultada a una realidad superior. Además, ello coincidía con la realización de lo que hasta hace una semana le parecía sueño delirante. ¿No había soñado? No, era cierto y concreto como la rebelión inminente: había tenido en sus brazos al muchacho al que deseaba en secreto tantos años. Lo había hecho gozar y había gozado con él, lo había sentido gimiendo bajo sus caricias. Sintió una comezón en los testículos, un anticipo de erección y pensó: «¿Te has vuelto loco? ¿Aquí? ¿En plena estación? ¿Aquí, delante de Vallejitos?» Pensó: «Es la felicidad. Nunca te has sentido así, camarada.» No hay nada abierto y yo recuerdo, de algún viaje anterior, hace años, antes de todo esto, las inmemoriales tiendecitas jaujinas al anochecer, iluminadas con lámparas de kerosene: las sastrerías, las cererías, las peluquerías, las relojerías, las panaderías, las sombrererías. Y, también, que en los balcones se podía ver, a veces, filas de conejos secándose a la intemperie. Vuelve el hambre, de golpe, y la boca se me hace agua. Pienso en Mayta: excitado, feliz, se disponía a regresar a Lima, seguro de que sus camaradas del POR(T) aprobarían el plan de acción sin reparos. Pensó: «Veré a Anatolio, nos pasaremos la noche conversando, le contaré todo, nos reiremos, me ayudará a entusiasmarlos. Y después...» Reina un silencio apacible, azoriniano, alterado a veces por el graznido de un pájaro nocturno, invisible debajo de los aleros de tejas. Ya estoy saliendo del pueblo. Aquí fue, aquí lo hicieron, en estas callecitas tan tranquilas e intemporales entonces, en esa Plaza de hermosas proporciones que hace veinticinco años tenía un sauce llorón y una circunferencia de cipreses. Aquí, en este país donde les hubiera sido difícil imaginar que se podía estar peor, que la hambruna, la matanza y el peligro de desintegración llegarían a los extremos actuales. Aquí, antes de regresar a Lima, cuando se despedían en la estación, enseñó el huérfano total al impulsivo Subteniente [Vallejos] que, para dar mayor ímpetu al inicio de la rebelión, convenía pensar en algunas acciones de propaganda armada.

—¿Y qué es eso? —dijo Vallejos.

El tren estaba en el andén y la gente subía atropellándose. Conversaban cerca de la escalerilla, aprovechando los últimos minutos.

—Traducido al lenguaje católico, predicar con el ejemplo —dijo Mayta—. Acciones que eduquen a las masas, se graben en su imaginación, les den ideas, les muestren su fuerza. Un acto de propaganda armada vale más que cientos de números de *Voz Obrera*.

Hablaban en voz baja, pero no había peligro de que, en el pandemonio del asalto a los vagones, los oyeran.

—¿Y quieres más propaganda armada que ocupar la cárcel de Jauja y apoderarse del armamento? ¿Más que tomar la Comisaría y el Puesto de la Guardia Civil?

—Sí, quiero más que eso —dijo Mayta.

Tomar esos locales era un acto militar, beligerante, se parecía un poco a un cuartelazo desde que lo encabezaba un Alférez. No era suficientemente explícito desde el punto de vista ideológico. Había que aprovechar al máximo esas primeras horas. Diarios y radios informarían incansablemente. Todo lo que hicieran en esas primeras horas repercutiría y quedaría grabado en la memoria del pueblo. Había que aprovecharlas bien, llevar a cabo actos que tuvieran una carga simbólica, cuyo mensaje, revolucionario y clasista, llegara a los militantes, a los estudiantes, a los intelectuales, a los obreros y campesinos.

—¿Sabes una cosa? —dijo Vallejos—. Creo que tienes razón.

—Lo importante es saber con cuánto tiempo contamos.

—Varias horas. Cortados el teléfono y el telégrafo e inutilizada la radio, la única manera es que alguien vaya a Huancayo a dar aviso. Mientras van y vienen y movilizan a la policía, unas cinco horas.

—De sobra, entonces, para algunas acciones didácticas —dijo Mayta—. Que enseñen a las masas que nuestro movimiento es contra el poder burgués, el imperialismo y el capitalismo.

—Estás haciendo un discurso —se rió Vallejos, abrazándolo—. Sube, sube. Y, ahora que vuelvas, no te olvides de la sorpresa que te regalé. Te va a hacer falta.

«El plan era perfecto», ha dicho varias veces, en el curso de nuestra charla, el Profesor Ubilluz. ¿Qué falló, entonces, Profesor? Qué fue cambiado, precipitado, puesto de cabeza. ¿Por quién fue cambiado y precipitado? «No sabría decirlo con precisión. Por Vallejos, naturalmente. Pero, acaso, por influencia del trosco. Me iré a la tumba con esa duda.» Una duda, dice, que le ha comido la vida, que aún se la come, más todavía que esas infames calumnias contra él, más aún que estar en la lista negra de los guerrilleros. He recorrido la mitad del trayecto hacia el Albergue sin encontrar una patrulla, tanqueta, hombre ni animal: sólo graznidos invisibles. Las estrellas y la luna dejan ver la quieta y azulada campiña, las sementeras, eucaliptos y cerros, las pequeñas viviendas a los costados de la ruta, cerradas a piedra y lodo como las de la ciudad. Las aguas de la laguna, en una noche así, deben ser dignas de verse. Cuando llegue al Albergue saldré a verlas. La caminata me ha devuelto el entusiasmo por mi libro. Me asomaré a la terraza y al embarcadero, ninguna bala perdida o deliberada vendrá a interrumpirme. Y pensaré, recordaré y fantasearé hasta que, antes de que empiece el día, acabe de dar forma a este episodio de la historia de Mayta. Sonó un pito y el tren comenzó a moverse.

(2)

No te preocupes —lo tranquilizó Vallejos—. Vamos sobrados. Sigan cantando, eso alegra el viaje.

La camioneta volvió a arrancar y los siete josefinos retomaron sus himnos y chistes. Pero Mayta ya no intervino. Se sentó en el techo de la caseta, y, mientras veía desfilar el paisaje de grandes árboles, oía el rumor de las cascadas y el trino de los jilgueros y sentía el aire puro oxigenándole los pulmones. La altura no lo incomodaba. Arrullado por la alegría de esos adolescentes, empezó a fantasear. ¿Cómo sería el Perú dentro de algunos años? Una laboriosa colmena, cuya atmósfera reflejaría, a escala nacional, la de esta camioneta conmocionada por el idealismo de estos muchachos. Así, igual que ellos, se sentirían los campesinos, dueños ya de sus tierras, y los obreros, dueños ya de sus fábricas, y los funcionarios, conscientes de que ahora servían a toda la comunidad y no al imperialismo ni a millonarios ni a caciques o partidos locales. Abolidas las discriminaciones y la explotación, echadas las bases de la igualdad con la abolición de la herencia, el reemplazo del Ejército clasista por las milicias populares, la nacionalización de los colegios privados y la expropiación de todas las empresas, Bancos, comercios y predios urbanos, millones de peruanos sentirían que, ahora sí, progresaban, y los más pobres primero. Ejercerían los cargos principales los más esforzados, talentosos y revolucionarios y no los más ricos y mejor relacionados, y cada día se cerrarían un poquito más los abismos que habían separado a proletarios y burgueses, a blancos y a indios y a negros y a asiáticos, a costeños y a serranos y a selváticos, a hispanohablantes y a quechuahablantes, y todos, salvo el ínfimo grupito que habría fugado a Estados Unidos o habría muerto defendiendo sus privilegios, participarían en el gran esfuerzo productivo para desarrollar el país y acabar con el analfabetismo y el centralismo asfixiante. Las brumas de la religión se irían disipando con el auge sistemático de la ciencia. Los concejos obreros y campesinos impedirían, a nivel de las fábricas, de las granjas colectivas y de los ministerios, el crecimiento desmesurado y la consiguiente cristalización de una burocracia que congelara la Revolución y empezara a confiscarla en su provecho. ¿Qué haría él en esa nueva sociedad si aún estaba vivo? No aceptaría ningún puesto importante, ni ministerio, ni jefatura militar, ni cargo diplomático. A lo más una responsabilidad política, en la base, tal vez en el campo, una granja colectiva de los Andes o algún proyecto de colonización en la Amazonía. Los prejuicios sociales, morales, sexuales, poco a poco comenzarían a ceder, y a nadie, en ese crisol de trabajo y de fe en el futuro que sería el Perú, le importaría que él viviera con Anatolio —pues se habrían reconciliado— y que fuera más o menos evidente que, a solas, libres de miradas, con la discreción debida, se amaran y gozaran uno del otro. Disimuladamente, se tocó la bragueta con el puño del arma. ¿Hermoso, no, Mayta? Mucho. Pero qué lejos parecía...

(3)

Es una pequeña heladería que existe hace muchos años, en la arbolada calle Bolognesi, que conozco muy bien, pues, de muchacho, vivía por allí una chica lindísima con nombre de jardín: Flora Flores. Estoy seguro que la heladería existía ya en ese tiempo y que alguna vez entramos allí con la bella Flora a tomar un barquillo de lúcuma. Un local pequeñito, un simple garaje o algo así, algo insólito en esa calle donde no hay tiendas sino las típicas casitas miraflorinas de los años cincuenta, de dos pisos, con sus jardines a la entrada y las inevitables matas de geranios, la buganvilia y la ponciana de flores rojas. Un nerviosismo incontrolable me gana cuando, al fin, doblo el Malecón y enfilo por Bolognesi. Sí, está exactamente donde recordaba, a pocos pasos de esa casa gris, con balcones, donde yo veía aparecer la carita dulce y los ojos incandescentes de Flora. Estaciono unos metros antes de la heladería y apenas puedo echar llave al auto por lo torpes que se me han puesto las manos.

No hay nadie en el local, que, en efecto, es pequeño, aunque moderno, con unas mesitas de hule floreado pegadas a la pared. La persona que atiende es Mayta. Está en mangas de camisa, algo más gordo, algo más viejo que en las fotos, pero lo hubiera reconocido al instante entre decenas de personas.

—Alejandro Mayta —le digo, alargándole la mano—. ¿No?

Me escudriña unos segundos y sonríe, abriendo una boca en la que faltan dientes. Pestañea, tratando de reconocerme. Al fin, renuncia.

—Lo siento, pero no caigo —dice—. Dudaba que fuese Santos, pero tú, usted, no es Santos ¿no?

—Lo busco hace tiempo —le digo, acodándome en el mostrador—. Le va a sorprender mucho, le advierto. Ahora mismo vengo de Lurigancho. El que me dijo cómo encontrarlo fue su socio del pabellón cuatro, Arispe.

Lo observo con cuidado, a ver cómo reacciona. No parece sorprenderse ni inquietarse. Me mira con curiosidad, un resto de sonrisa perdida en la cara morena. Viste una camisita de tocuyo y le noto unas manos toscas, de tornero o labrador. Lo que más me llama la atención es su absurdo corte de pelo: lo han tijereteado a la mala, su cabeza es una especie de escobillón, algo risible. Me hace recordar mi primer año de París, de grandes aprietos económicos, en que con un amigo de la Escuela Berlitz, donde enseñábamos español, íbamos a cortarnos el pelo a una academia de peluqueros, cerca de la Bastilla. Los aprendices, unos niños, nos atendían gratis, pero nos dejaban la cabeza como se la han puesto a mi inventado condiscípulo. Me mira achicando los ojos oscuros y cansados —todo el rededor lleno de arrugas— con una naciente desconfianza titilando en las pupilas.

—Me he pasado un año investigando sobre usted, conversando con la gente que lo conoció —le digo—. Fantaseando y hasta soñando con usted. Porque he escrito una novela que, aunque de manera muy remota, tiene que ver con la historia esa de Jauja.

Me mira sin decir nada, ahora sí sorprendido, sin comprender, sin estar seguro de haber oído bien, ahora sí inquieto.

—Pero... —tartamudea—. Por qué se le ocurrió, cómo ha sido eso de...

—No sé por qué ni cómo, pero es lo que he estado haciendo todo este año —le digo, con precipitación, atemorizado de su temor, de que se niegue a seguir esta charla, a tener otra. Le aclaro—: En una novela siempre hay más mentiras que verdades, una novela no es nunca una historia fiel. Esa investigación, esas entrevistas, no eran para contar lo que pasó realmente en Jauja, sino, más bien, para mentir sabiendo sobre qué mentía.

Me doy cuenta de que, en vez de tranquilizarlo, lo confundo y alarmo. Pestañea y se queda con la boca entreabierta, mudo.

—Ah, usted es el escritor —sale del paso—. Sí, ya lo reconocí. Hasta leí una de sus novelas, creo, hace años.

En eso entran tres muchachos sudorosos que vienen de hacer deporte, a juzgar por su indumentaria. Piden gaseosas y helados. Mientras Mayta los atiende, puedo observarlo, moviéndose entre los objetos de la heladería. Abre la nevera, los depósitos, llena los barquillos, destapa las botellas, alcanza los vasos con una desenvoltura y familiaridad que delatan buena práctica. Trato de imaginármelo en el pabellón cuatro de Lurigancho, sirviendo jugos de frutas, paquetes de galletas, tazas de café, vendiendo cigarrillos a los otros reos, cada mañana, cada tarde, a lo largo de diez años. Físicamente, no parece vencido; es un hombre fortachón, que lleva con dignidad sus sesenta y pico de años. Después de cobrar a los tres deportistas, vuelve a mi lado, con una sonrisa forzada.

—Caramba —murmura—. Esto sí que era lo último que se me hubiera ocurrido. ¿Una novela?

Y mueve la incrédula cabeza de derecha a izquierda, de izquierda a derecha.

—Por supuesto que no aparece su nombre verdadero —le aseguro—. Por supuesto que he cambiado fechas, lugares, personajes, que he enredado, añadido y quitado mil cosas. Además, inventé un Perú de apocalipsis, devastado por la guerra, el terrorismo y las intervenciones extranjeras. Por supuesto que nadie reconocerá nada y que todos creerán que es pura fantasía. He inventado también que fuimos compañeros de colegio, de la misma edad y amigos de toda la vida.

—Por supuesto —silabea él, escrutándome con incertidumbre, descifrándome a poquitos.

—Me gustaría conversar con usted —añado—. Hacerle algunas preguntas, aclarar ciertas cosas. Sólo lo que usted quiera y pueda contarme, desde luego. Tengo muchos enigmas dándome vueltas en la cabeza. Además, esta conversación es mi último capítulo. No puede usted negármela, me dejaría la novela coja.

Me río y él también se ríe y oímos a los tres deportistas riéndose. Pero ellos se ríen de algún chiste que acaban de contarse. Y en eso entra una señora a pedir media libra de pistacho y chocolate mitad mitad, para llevar. Cuando termina de atenderla, Mayta vuelve a mi lado.

—Hace dos o tres años, unos muchachos de Vanguardia Revolucionaria fueron a verme a Lurigancho —dice—. Querían saber lo de Jauja, un testimonio escrito. Pero yo me negué.

—No es lo mismo —le digo—. Mi interés no es político, es literario, es decir...

—Sí, ya sé —me interrumpe, alzando una mano—. Bueno, le regalo una noche. No más, porque no tengo mucho tiempo, y, la verdad, no me gusta hablar de esos asuntos. ¿El martes próximo? Es la que me conviene, el miércoles sólo comienzo aquí a las once y puedo acostarme tarde la víspera. Los otros días salgo a las seis de mi casa, pues hasta aquí tengo tres ómnibus.

Quedamos en que vendré a buscarlo a la salida de su trabajo, después de las ocho. Cuando estoy yéndome, me llama:

—Tómese un helado, por cuenta de la casa. Para que vea qué buenos son. A ver si se hace cliente nuestro.

Antes de volver a Barranco, doy una pequeña caminata por el barrio, tratando de poner en orden mi cabeza. Voy a pararme un rato bajo los balcones de la casa donde vivió la bellísima Flora Flores. Tenía una melenita castaña, piernas largas y ojos aguamarina. Cuando llegaba a la pedregosa playa de Miraflores, con su ropa de baño negra y sus zapatillas blancas, la mañana se llenaba de luz, el sol calentaba más, las olas corrían más alegres. Recuerdo que se casó con un aviador y que éste se mató a los pocos meses, en un pico de la Cordillera, entre Lima y Tingo María, y que alguien me contó, años después, que Flora se había vuelto a casar y que vivía en Miami. Subo hasta la avenida Grau. En esta esquina había un barrio de muchachos con los que nosotros —los de Diego Ferré y Colón, en el otro confín de Miraflores— disputábamos intensos partidos de fulbito en el Club Terrazas, y recuerdo con qué ansiedad esperaba yo de niño esos partidos y la terrible frustración cuando me ponían de suplente. Al volver al auto, luego de una media hora, ya estoy algo recuperado del encuentro con Mayta.

El episodio por el que éste volvió a Lurigancho, por el que se ha pasado allá estos últimos diez años, está bien documentado en los diarios y en los archivos judiciales. Ocurrió en Magdalena Vieja, no lejos del Museo Antropológico, al amanecer de un día de enero de 1973. El administrador de la sucursal del Banco de Crédito de Pueblo Libre regaba su jardincito interior —lo hacía todas las mañanas, antes de vestirse— cuando tocaron el timbre. Pensó que el lechero pasaba más temprano que otras veces. En la puerta, cuatro tipos que tenían las caras cubiertas con pasamontañas lo encañonaron con pistolas. Fueron con él al cuarto de su esposa, a la que amarraron en la misma cama. Luego —parecían conocer el lugar— entraron al dormitorio de la única hija, una muchacha de diecinueve años, estudiante de Turismo. Esperaron que la chica se vistiera y advirtieron al señor que, si quería volver a verla, debía llevar cincuenta millones de soles en un maletín al Parque Los Garifos, en las cercanías del Estadio Nacional. Desaparecieron con la muchacha en un taxi que habían robado la víspera.

El señor Fuentes dio parte a la policía y, obedeciendo sus instrucciones, llevó un maletín abultado con papeles al Parque Los Garifos. En los alrededores había investigadores de civil. Nadie se le acercó y el señor Fuentes no recibió ningún aviso por tres días. Cuando él y su esposa estaban ya desesperados hubo una nueva llamada: los secuestradores sabían que había informado a la policía. Le daban una última oportunidad. Debía llevar el dinero a una esquina de la Avenida Aviación. El señor Fuentes explicó que no podía conseguir cincuenta millones, el Banco jamás le facilitaría semejante suma, pero que estaba dispuesto a darles todos sus ahorros, unos cinco millones. Los secuestradores insistieron: cincuenta o la matarían. El señor Fuentes se prestó dinero, firmó letras y llegó a juntar unos nueve millones que esa noche llevó adonde le habían indicado, esta vez sin alertar a la policía. Un auto sobreparó y el que estaba al lado del chófer cogió el maletín, sin decir palabra. La muchacha apareció horas después en casa de sus padres. Había tomado un taxi en la Avenida Colonial, donde la abandonaron sus captores después de tenerla tres días, con los ojos vendados y semianestesiada con cloroformo. Estaba tan perturbada que debieron internarla en el Hospital del Empleado. A los pocos días, se levantó del cuarto que compartía con una operada de apendicitis y, sin decir a ésta palabra, se arrojó al vacío.

El suicidio de la muchacha fue explotado por la prensa y excitó a la opinión pública. Pocos días después la policía anunció que había detenido al cabecilla de la banda —Mayta— y que sus cómplices estaban por caer. Según la policía, Mayta reconoció su culpabilidad y reveló todos los pormenores. Ni los cómplices ni el dinero aparecieron nunca. En el juicio, Mayta negó que hubiera intervenido en el rapto, ni siquiera sabido de él, e insistió en que la falsa confesión le había sido arrancada con torturas. El proceso duró varios meses, al principio entre cierta alharaca de los diarios que pronto decayó. La sentencia fue de quince años de cárcel para Mayta, a quien el tribunal reconoció culpable de secuestro, extorsión criminal y homicidio indirecto, pese a sus protestas de inocencia. Que el día del secuestro estaba en Pacasmayo haciendo averiguaciones sobre un posible trabajo, como repetía, no pudo ser verificado. Fueron muy perjudiciales para él los testimonios de los Fuentes. Ambos aseguraron que su voz y su físico correspondían a uno de los tipos con pasamontañas. El defensor de Mayta, un oscuro picapleitos cuya actuación en todo el proceso fue torpe y desganada, apeló la sentencia. La Corte Suprema la confirmó un par de años después. Que Mayta fuera puesto en libertad al cumplir dos tercios de la pena corrobora, sin duda, lo que me ha dicho el señor Carrillo en Lurigancho: que su conducta durante estos diez años fue ejemplar.

El martes a las ocho de la noche, cuando paso a buscarlo a la heladería, Mayta me está esperando, con un maletín donde debe llevar la ropa que usa para el trabajo. Se acaba de lavar la cara y peinar esos pelos disparatados; unas gotitas de agua le corren por el cuello. Tiene una camisa azul a rayas, una casaca gris a cuadros, desteñida y con remiendos, un pantalón caqui arrugado y unos zapatos espesos, de esos que se usan para largas travesías. ¿Tiene hambre? ¿Vamos a algún restaurante? Me dice que nunca come de noche y que más bien busquemos un sitio tranquilo. Unos minutos después estamos en mi escritorio, frente a frente, tomando unas gaseosas. No ha querido cerveza ni nada alcohólico. Me dice que dejó de fumar y de beber hace años.

El comienzo de la charla es algo melancólico. Le pregunto por el Salesiano. Allí estudió ¿no es cierto? Sí. No ha vuelto a ver a sus compañeros hace siglos y apenas sabe de alguno que otro, profesional, hombre de negocios, político, cuando aparece de pronto en los diarios. Y tampoco de los Padres, aunque, me cuenta, precisamente hace unos días se encontró en la calle con el Padre Luis. El que enseñaba a los párvulos. Viejecito viejecito, casi ciego, encorvado, arrastraba los pies ayudándose con un palo de escoba. Le dijo que salía a darse sus paseítos por la Avenida Brasil y que lo había reconocido, pero, sonríe Mayta, por supuesto que no tenía la menor idea de con quién hablaba. Debía ser centenario, o raspando.

Cuando le muestro los materiales que he reunido sobre él y la aventura de Jauja —recortes de periódicos, fotocopias de expedientes, fotografías, mapas con itinerarios, fichas sobre los protagonistas y testigos, cuadernos de notas y de entrevistas— lo veo husmear, ojear, manosear todo aquello con una expresión de estupor y embarazo. Varias veces se levanta para ir al baño. Tiene un problema en los riñones, me explica, y continuamente siente deseos de orinar, aunque la mayoría de las veces es falsa alarma y sólo orina gotitas.

—En los ómnibus, de mi casa a la heladería, es una vaina. Dos horas de viaje, ya le he dicho. Imposible aguantar, por más que orine antes de subir. A veces no tengo más remedio que mojar el pantalón, como las guaguas.

—¿Fueron muy duros esos años en Lurigancho? —le pregunto, estúpidamente.

Me mira desconcertado. Hay un silencio total allá afuera, en el Malecón de Barranco. No se oye ni la resaca.

—No es una vida de pachá —responde, al cabo de un rato, con una especie de vergüenza—. Cuesta al principio, más que nada. Pero uno se acostumbra a todo ¿no?

Por fin algo que coincide con el Mayta de los testimonios: ese pudor, la reticencia a hablar de sus problemas personales, a revelar su intimidad. A lo que nunca se acostumbró fue a los guardias republicanos, admite de pronto. No había sabido lo que era odiar hasta que descubrió el sentimiento que inspiraban a los presos. Odio mezclado con terror pánico, por supuesto. Porque, cuando cruzan las alambradas para poner fin a una gresca o una huelga, lo hacen siempre disparando y golpeando, caiga quien caiga, justos y pecadores.

—Fue al fin del año pasado ¿no? —le digo—. Cuando hubo esa matanza.

—El 31 de diciembre —asiente—. Entraron un centenar, a hacerse las Navidades. Querían divertirse y, como decían, cobrar el aguinaldo. Estaban muy borrachos.

Fue a eso de las diez de la noche. Vaciaban sus armas desde las puertas y ventanas de los pabellones. Arrebataron a los presos todo el dinero, el licor, la marihuana, la cocaína, que había en el penal y hasta la madrugada estuvieron divirtiéndose, tiroteándolos, rajándolos a culatazos, haciéndolos ranear, pasar callejón oscuro, o rompiéndoles la cabeza y los dientes a patadas.

—La cifra oficial de muertos fue treinta y cinco —dice—. En realidad, mataron el doble o más. Los periódicos dijeron después que habían impedido un intento de fuga.

Hace un gesto de cansancio y su voz se vuelve murmullo. Los reos se echaban unos encima de otros, como en el rugby, formando montañas de cuerpos para protegerse. Pero no es ése su peor recuerdo de la cárcel. Sino, tal vez, los primeros meses, cuando era llevado de Lurigancho al Palacio de Justicia para la instructiva, en esos atestados furgones de paredes metálicas. Los presos tenían que ir en cuclillas y con la cabeza tocando el suelo, pues, al menor intento de levantarla y espiar afuera, eran salvajemente golpeados. Lo mismo al regresar: para subir al furgón, desde la carceleta, había que atravesar a toda carrera una doble valla de republicanos, escogiendo entre cubrirse la cabeza o los testículos, pues en todo el trayecto recibían palazos, puntapiés y escupitajos. Se queda pensativo —acaba de volver del baño— y añade, sin mirarme:

—Cuando leo que matan a uno de ellos, me alegro mucho.

Lo dice con un rencor súbito, profundo, que se evapora un instante después, cuando le pregunto por el otro Mayta, ese flaquito crespo que temblaba tan raro.

—Es un ladronzuelo que anda con la cabeza derretida ya de tanta pasta —dice—. No va a durar mucho.

Su voz y su expresión se dulcifican al hablar del quiosco de alimentos que administró con Arispe en el pabellón cuatro.

—Produjimos una verdadera revolución —me asegura, con orgullo—. Nos ganamos el respeto de todo el mundo. El agua se hervía para los jugos de fruta, para el café, para todo. Cubiertos, vasos y platos se lavaban antes y después de usarse. La higiene, lo primero. Una revolución, sí. Organizamos un sistema de cupones a crédito. Aunque no me lo crea, sólo una vez intentaron robarnos. Recibí un tajo aquí en la pierna, pero no pudieron llevarse nada. Incluso creamos una especie de Banco, porque muchos nos daban a guardar su plata.

Es evidente que, por alguna razón, le incomoda tremendamente hablar de lo que a mí me interesa: los sucesos de Jauja. Cada vez que trato de llevarlo hacia ellos, comienza a evocarlos y, muy pronto, de manera fatídica, desvía la charla hacia temas actuales. Por ejemplo, su familia. Me dice que se casó en el interregno de libertad entre sus dos últimos períodos en Lurigancho, pero que, en verdad, conoció a su mujer actual en la cárcel, la vez anterior. Ella venía a visitar a un hermano preso, quien se la presentó. Se escribieron y cuando él salió libre se casaron. Tienen cuatro hijos, tres hombres y una niña. Para su mujer fue muy duro que a él lo internaran de nuevo. Los primeros años, tuvo que romperse el alma para dar de comer a las criaturas, hasta que él pudo ayudarla gracias a la concesión del quiosco. Esos primeros años su mujer hacía tejidos y los vendía de casa en casa. Él procuraba también vender algo —las chompas tenían cierta demanda— allá en Lurigancho.

Mientras lo oigo, lo observo. Mi primera impresión de un hombre bien conservado, sano y fuerte, era falsa. No debe estar bien de salud. No sólo por ese problema en los riñones que a cada momento lo lleva al baño. Suda mucho y por instantes se congestiona, como si lo acosaran ráfagas de malestar. Se seca la frente con el pañuelo y, a ratos, víctima de un espasmo, se le corta el habla. ¿Se siente mal? ¿Quiere que suspendamos la entrevista? No, está perfectamente, sigamos.

—Me parece que no le gusta tocar el tema de Vallejos y de Jauja —le digo, de sopetón—. ¿Le molesta por el fracaso que significó? ¿Por las consecuencias que tuvo en su vida?

Niega con la cabeza, varias veces.

—Me molesta porque me doy cuenta que usted está mejor informado que yo —sonríe—. Sí, no es broma. Se me han olvidado muchas cosas y otras las tengo confusas. Quisiera echarle una mano y contarle. Pero, el problema es que ya no sé muy bien todo lo que pasó, ni cómo pasó. Hace mucho de todo eso, dése cuenta.

¿Habladuría, pose? No. Sus recuerdos son vacilantes, y, a menudo, errados. Debo rectificarlo a cada paso. Me asombra, porque, todo este año, obsesionado con el tema, suponía ingenuamente que el protagonista también lo estaba y que su memoria seguía escarbando en lo ocurrido en aquellas horas, un cuarto de siglo atrás. ¿Por qué hubiera sido así? Aquello fue para Mayta un episodio en una vida en la que, antes y después, hubo muchos otros, tanto o acaso más graves. Es normal que éstos desplazaran o empobrecieran a aquél.

—Hay un asunto, sobre todo, que me resulta incomprensible —le digo—. ¿Hubo traición? ¿Por qué desaparecieron los que estaban comprometidos? ¿Dio contraorden el Profesor Ubilluz? ¿Por qué lo hizo? ¿Por miedo? ¿Porque desconfiaba del proyecto? ¿O fue Vallejos, como asegura Ubilluz, quien adelantó el día de la insurrección?

Mayta reflexiona unos segundos, en silencio. Se encoge de hombros:

—Nunca estuvo claro y nunca lo estará —murmura—. Ese día, me pareció que era traición. Después, se volvió más enredado. Porque yo no supe de antemano la fecha prevista para el levantamiento. La fijaron sólo Vallejos y Ubilluz, por razones de seguridad. Éste ha dicho siempre que la fecha acordada era cuatro días después y que Vallejos la adelantó porque se enteró de que lo iban a transferir, debido a un incidente que tuvo con los apristas dos días antes.

Lo del incidente es cierto, está documentado en un periodiquito jaujino de la época. Hubo una manifestación aprista en la Plaza de Armas, para recibir a Haya de la Torre, quien pronunció un discurso desde el atrio de la Catedral. Vallejos, vestido de civil, el Chato Ubilluz y un pequeño grupo de amigos se apostaron en una esquina de la Plaza y al entrar el cortejo le lanzaron huevos podridos. Los búfalos apristas los corretearon, y, después de un conato de refriega, Vallejos, Ubilluz y sus amigos se refugiaron en la peluquería de Ezequiel. Esto es lo único probado. La tesis de Ubilluz y de otra gente, en Jauja, es que Vallejos fue reconocido por los apristas y que éstos hicieron una enérgica protesta por la participación del jefe de la cárcel, un oficial en servicio activo, contra un mitin político autorizado. A consecuencia de esto, habrían advertido a Vallejos que lo iban a transferir. Dicen que fue llamado de urgencia por su jefatura inmediata, la de Huancayo. Ello lo habría impulsado a adelantar cuatro días la rebelión, sin advertir a todos los otros comprometidos. Ubilluz asegura que él se enteró del suceso cuando el Alférez estaba ya muerto y los rebeldes detenidos.

—Antes me parecía que no era cierto, que se corrieron —dice Mayta—. Después, ya no supe. Porque en el Sexto, en el Frontón, en Lurigancho, fueron cayendo, meses o años después, algunos de los tipos que estuvieron comprometidos. Los encarcelaban por otros asuntos, sindicales o políticos. Todos juraban que el alzamiento los sorprendió, que Ubilluz los había citado para otro día, que jamás hubo repliegue o volteretazo. Para hablarle francamente, no lo sé. Sólo Vallejos y Ubilluz sabían la fecha acordada. ¿La adelantó? A mí no me lo dijo. Pero, no es imposible. Él era muy impulsivo, muy capaz de hacer una cosa así, aun corriendo el riesgo de quedarse solo. Lo que entonces llamábamos un voluntarista.

¿Está criticando al Alférez? No, es un comentario distanciado, neutral. Me cuenta que, aquella primera noche, cuando vino la familia de Vallejos a llevarse el cadáver, el padre se negó a saludarlo. Entró cuando a él lo interrogaban y Mayta le estiró la mano pero el señor no se la estrechó y más bien lo miró con ira y lágrimas, como responsabilizándolo de todo.

—No sé, pudo haber algo de eso —repite—. O, también, un malentendido. Es decir, que Vallejos estuviera seguro de un apoyo que, en realidad, no le habían prometido. En las reuniones a las que me llevaron, en Ricrán, donde Ubilluz, con los mineros, sí, se habló de la revolución, todos parecían de acuerdo. ¿Pero, ofrecieron realmente coger un fusil y venirse al monte el primer día? Yo no los oí decirlo. Para Vallejos era un sobreentendido, algo fuera de toda duda. A lo mejor sólo recibió vagas promesas, apoyo moral, la intención de ayudar desde lejos, siguiendo cada cual su vida corriente. O, tal vez, se comprometieron y, por miedo o porque el plan no los convenció, se echaron atrás. No puedo decírselo. La verdad, no lo sé.

Tamborilea con los dedos en el brazo del asiento. Sigue un largo silencio.

—¿Lamentó alguna vez haberse metido en esa aventura? —le pregunto—. Supongo que, en la cárcel, habrá pensado mucho, todos estos años, en lo que pasó.

—Arrepentirse es cosa de católicos. Yo dejé de serlo hace muchos años. Los revolucionarios no se arrepienten. Hacen su autocrítica, que es distinto. Yo hice la mía y se acabó. —Parece enojado. Pero, unos segundos después, sonríe—: No sabe usted qué raro me resulta hablar de política, recordar hechos políticos. Es como un fantasma que volviera, desde el fondo del tiempo, a mostrarme a los muertos y a cosas olvidadas.

¿Dejó de interesarse en la política sólo en estos últimos diez años? ¿En su prisión anterior? ¿O cuando estuvo preso por lo de Jauja? Queda en silencio, pensativo, tratando de aclarar sus recuerdos. ¿También se le ha olvidado?

—No me había puesto a pensar en eso hasta ahora —murmura, secándose la frente—. No fue una decisión mía, en realidad. Fue algo que ocurrió, algo que las circunstancias impusieron. Acuérdese que cuando me fui a Jauja, para el levantamiento, había roto con mis camaradas, con mi partido, con mi pasado. Me había quedado solo, políticamente hablando. Y mis nuevos camaradas sólo lo fueron unas horas. Vallejos murió, Condori murió, Zenón Gonzales regresó a su comunidad, los josefinos volvieron al colegio. ¿Se da cuenta? No es que yo dejara la política. Ella me dejó a mí, más bien.

Lo dice de una manera que no le creo: a media voz, con los ojos huidizos, removiéndose en el asiento. Por primera vez en la noche, estoy seguro de que miente. ¿No volvió a ver nunca a sus antiguos amigos del POR(T)?

—Se portaron bien conmigo cuando estuve en la cárcel, después de lo de Jauja —exclama—. Iban a verme, me llevaban cigarrillos, se movieron mucho para que me incluyeran en la amnistía que dio el nuevo gobierno. Pero el POR(T) se deshizo al poco tiempo, por los sucesos de

La Convención, de Hugo Blanco. Cuando salí de la cárcel el POR(T) y el POR a secas ya no existían. Habían surgido otros grupos trotskistas con gente venida de la Argentina. Yo no conocía a nadie y no estaba interesado ya en política.

Con las últimas palabras, se levanta a orinar.

Cuando regresa, veo que también se ha lavado la cara. ¿De veras no quiere que salgamos a comer algo? Me asegura que no, repite que no come nunca de noche. Quedamos un buen rato sumidos en cavilaciones propias, sin hablar. El silencio sigue siendo total esta noche en el Malecón de Barranco; sólo habrá en él silenciosas parejas de enamorados, protegidas por la oscuridad, y no los borrachines y marihuaneros que los viernes y sábados hacen siempre tanto escándalo. Le digo que, en mi novela, el personaje es un revolucionario de catacumbas, que se ha pasado media vida intrigando y peleando con otros grupúsculos tan insignificantes como el suyo, y que se lanza a la aventura de Jauja no tanto porque lo convenzan los planes de Vallejos —tal vez, íntimamente, es escéptico sobre las posibilidades de éxito— sino porque el Alférez le abre las puertas de la acción. La posibilidad de actuar de manera concreta, de producir en la realidad cambios verificables e inmediatos, lo encandila. Conocer a ese joven impulsivo le descubre retroactivamente la inanidad en que ha consistido su quehacer revolucionario. Por eso se embarca en la insurrección, aun intuyendo que es poco menos que un suicidio.

—¿Se reconoce algo en semejante personaje? —le pregunto—. ¿O no tiene nada que ver con usted, con las razones por las que siguió a Vallejos?

Se queda mirándome, pensativo, pestañeando, sin saber qué contestar. Alza el vaso y bebe el resto de la gaseosa. Su vacilación es su respuesta.

—Esas cosas parecen imposibles cuando fracasan —reflexiona—. Si tienen éxito, a todo el mundo le parecen perfectas y bien planeadas. Por ejemplo, la Revolución Cubana. ¿Cuántos desembarcaron con Fidel en el Granma? Un puñadito. Tal vez menos de los que éramos nosotros ese día en Jauja. A ellos les salió y a nosotros no.

Se queda meditando, un momento.

—A mí nunca me pareció una locura, mucho menos un suicidio —afirma—. Estaba bien pensado. Si destruíamos el puente de Molinos y retrasábamos a los policías, hubiéramos cruzado la Cordillera. En la bajada a la selva, ya no nos encontraban. Hubiéramos...

Se le apaga la voz. La falta de convicción con que habla es tan visible que, se habrá dicho, no tiene sentido tratar de hacerme creer algo en lo que él tampoco cree. ¿En qué cree ahora mi supuesto ex condiscípulo? Allá, en el Salesiano, hace medio siglo, creía ardientemente en Dios. Luego, cuando murió Dios en su corazón, creyó con el mismo ardor en la revolución, en Marx, en Lenin, en Trotski. Luego, los sucesos de Jauja, o, acaso, antes, esos largos años de insulsa militancia, debilitaron y mataron también esa fe. ¿Qué otra la reemplazó? Ninguna. Por eso da la impresión de un hombre vacío, sin emociones que respalden lo que dice. Cuando empezó a asaltar Bancos y a secuestrar por un rescate ¿ya no podía creer en nada, salvo en conseguir dinero a como diera lugar? Algo, en mí, se resiste a aceptarlo. Sobre todo ahora, mientras lo observo, vestido con esos zapatones de caminante y esa ropa misérrima; sobre todo ahora que he visto cómo se gana la vida.

—Si usted quiere, no tocamos ese tema —lo alerto—. Pero tengo que decirle algo, Mayta. Me cuesta entender que, al salir de la cárcel, luego de lo de Jauja, se dedicara a asaltar Bancos y a secuestrar gente. ¿Podemos hablar de eso?

—No, de eso no —contesta inmediatamente, con cierta dureza. Pero se contradice, añadiendo—: No tuve nada que ver. Falsificaron pruebas, presentaron testigos falsos, los obligaron a declarar contra mí. Me condenaron porque hacía falta un culpable y yo tenía antecedentes. Mi condena es una mancha para la justicia.

Nuevamente se le corta la voz, como si en ese momento lo ganaran la desmoralización, la fatiga, la certidumbre de que es inútil tratar de disuadirme de algo que, por obra del tiempo, ha adquirido irreversible consistencia. ¿Dice la verdad? ¿Puede ser cierto que no fuera uno de los asaltantes de La Victoria, uno de los secuestradores de Pueblo Libre? Sé muy bien que en las cárceles del país hay gente inocente —acaso tanta como criminales afuera, gozando de consideración— y no es imposible que Mayta, con su prontuario, sirviera de chivo expiatorio a jueces y policías. Pero vislumbro, en el hombre que tengo al frente, tal estado de apatía, de abandono moral, tal vez de cinismo, que tampoco me resulta imposible imaginármelo cómplice de los peores delitos.

—El personaje de mi novela es maricón —le digo, después de un rato.

Levanta la cabeza como picado por una avispa. El disgusto le va torciendo la cara. Está sentado en un sillón bajito, de espaldar ancho, y ahora sí parece tener sesenta o más años. Lo veo estirar las piernas y frotarse las manos, tenso.

—¿Y por qué? —pregunta, al fin.

Me toma de sorpresa: ¿acaso lo sé? Pero improviso una explicación.

—Para acentuar su marginalidad, su condición de hombre lleno de contradicciones. También, para mostrar los prejuicios que existen sobre este asunto entre quienes, supuestamente, quieren liberar a la sociedad de sus taras. Bueno, tampoco sé con exactitud por qué lo es.

Su expresión de desagrado se acentúa. Lo veo alargar la mano, coger el vaso de agua que ha colocado sobre unos libros, manosearlo y, al advertir que está vacío, volverlo a su sitio.

—Nunca tuve prejuicios sobre nada —murmura, luego de un silencio—. Pero, sobre los maricas, creo que tengo. Después de haberlos visto. En el Sexto, en el Frontón. En Lurigancho es todavía peor.

Queda un rato pensativo. La mueca de disgusto se atenúa, sin desaparecer. No hay asomo de compasión en lo que dice:

—Depilándose las cejas, rizándose las pestañas con fósforos quemados, pintándose la boca, poniéndose faldas, inventándose pelucas, haciéndose explotar igualito que las putas por los cafiches. Cómo no tener vómitos. Parece mentira que el ser humano pueda rebajarse así. Mariquitas que le chupan el pájaro a cualquiera por un simple pucho... —Resopla, con la frente nuevamente llena de sudor. Agrega entre dientes—: Dicen que Mao fusiló a todos los que había en China. ¿Será cierto?

Se vuelve a levantar para ir al baño y mientras espero que vuelva, miro por la ventana. En el cielo casi siempre nublado de Lima, esta noche se ven las estrellas, algunas quietas y otras chispeando sobre la mancha negra que es el mar. Se me ocurre que Mayta, allá en Lurigancho, en noches así, debía contemplar hipnotizado las estrellas lucientes, espectáculo limpio, sereno, decente: dramático contraste con la degradación violenta en que vivía.

Cuando regresa, dice que lamenta no haber viajado nunca al extranjero. Era su gran ilusión, cada vez que salía de la cárcel: irse, empezar en otro país, desde cero. Lo intentó por todos los medios, pero resultaba dificilísimo: por falta de dinero, de papeles en regla, o por ambas cosas. Una vez llegó hasta la frontera, en un ómnibus que iba a llevarlo a Venezuela, pero a él lo desembarcaron en la aduana del Ecuador, pues su pasaporte no estaba en regla.

—De todas maneras no pierdo las esperanzas de irme —gruñe—. Con tanta familia es más difícil. Pero es lo que me gustaría. Aquí no hay perspectiva de trabajo, de nada. No hay. Por donde uno mire, simplemente no hay. Así que no he perdido las esperanzas.

Pero sí las has perdido para el Perú, pienso. Total y definitivamente ¿no, Mayta? Tú que tanto creías, que tanto querías creer en un futuro para tu desdichado país. Echaste la esponja ¿no? Piensas, o actúas como si lo pensaras, que esto no cambiará nunca para mejor, sólo para peor. Más hambre, más odio, más opresión, más ignorancia, más brutalidad, más barbarie. También tú, como tantos otros, sólo piensas ahora en escapar antes que nos hundamos del todo.

—A Venezuela, o a México, donde también dicen que hay mucho trabajo, por el petróleo. Y hasta a los Estados Unidos, aunque no hable inglés. Eso es lo que me gustaría.

De nuevo se le va la voz, extenuada por la falta de convicción. A mí también se me va algo en ese instante: el interés por la charla. Sé que no voy a conseguir de mi falso condiscípulo nada más de lo que he conseguido hasta ahora: la deprimente comprobación de que es un hombre destruido por el sufrimiento y el rencor, que ha perdido incluso los recuerdos. Alguien, en suma, esencialmente distinto del Mayta de mi novela, ese optimista pertinaz, ese hombre de fe, que ama la vida a pesar del horror y las miserias que hay en ella. Me siento incómodo, abusando de él, reteniéndolo aquí —es cerca de la medianoche— para una conversación sin consistencia, previsible. Debe ser angustioso para él este escarbar recuerdos, este ir y venir de mi escritorio al baño, una perturbación de su diaria rutina, que imagino monótona, animal.

—Lo estoy haciendo trasnochar demasiado —le digo.

—La verdad es que me acuesto temprano —responde, con alivio, agradeciéndome con una sonrisa que ponga punto final a la charla—. Aunque duermo muy poco, me bastan cuatro o cinco horas. De muchacho, en cambio, era dormilón.

Nos levantamos, salimos, y, en la calle, pregunta por dónde pasan los ómnibus al centro. Cuando le digo que voy a llevarlo, murmura que basta con que lo acerque un poco. En el Rímac puede tomar un micro.

Casi no hay tráfico en la Vía Expresa. Una garúa menudita empaña los cristales del auto. Hasta la Avenida Javier Prado intercambiamos frases inocuas, sobre la sequía del Sur y las inundaciones del Norte, sobre los líos en la frontera. Cuando llegamos al puente, susurra, con visible molestia, que tiene que bajarse un ratito. Freno, se baja y orina al lado del auto, escudándose en la puerta. Al volver, murmura que en las noches, a causa de la humedad, el problema de los riñones se acentúa. ¿Ha ido donde el médico? ¿Sigue algún tratamiento? Está arreglando primero lo de su seguro; ahora que lo tenga irá al Hospital del Empleado a hacerse ver, aunque, parece, se trata de algo crónico, sin cura posible.

Estamos callados hasta la Plaza Grau. Allí, súbitamente —acabo de pasar a un vendedor de emoliente—, como si hablara otra persona, le oigo decir:

—Hubo dos asaltos, cierto. Antes de ese de La Victoria, ese por el que me encerraron. Lo que le dije es verdad: tampoco tuve nada que ver con el secuestro de Pueblo Libre. Ni siquiera estaba en Lima cuando ocurrió, sino en Pacasmayo, en un trapiche.

Se queda callado. No lo apresuro, no le pregunto nada. Voy muy despacio, esperando que se decida a continuar, temiendo que no lo haga. Me ha sorprendido la emoción de su voz, el aliento confidencial. Las calles del centro están oscuras y desiertas. El único ruido es el motor del auto.

—Fue al salir de la cárcel, después de lo de Jauja, después de esos cuatro años adentro —dice, mirando al frente—. ¿Se acuerda de lo que ocurría en el Valle de La Convención, allá en el Cusco? Hugo Blanco había organizado a los campesinos en sindicatos, dirigido varias tomas de tierras. Algo importante, muy diferente de todo lo que venía haciendo la izquierda. Había que apoyar, no permitir que les ocurriera lo que a nosotros en Jauja.

Freno ante un semáforo rojo, en la Avenida Abancay, y él también hace una pausa. Es como si la persona que está a mi lado fuera distinta de la que estuvo hace un rato en mi escritorio y distinta del Mayta de mi historia. Un tercer Mayta, dolido, lacerado, con la memoria intacta.

—Así que tratamos de apoyarlos, con fondos —susurra—. Planeamos dos expropiaciones. En ese momento era la mejor manera de poner el hombro.

No le pregunto con quiénes se puso de acuerdo para asaltar los Bancos; si sus antiguos camaradas del POR(T) o del otro POR, revolucionarios que conoció en la cárcel u otros. En esa época —comienzos de los sesenta— la idea de la acción directa impregnaba el aire y había innumerables jóvenes que, si no actuaban ya de ese modo, por lo menos hablaban día y noche de hacerlo. A Mayta no debió serle difícil conectarse con ellos, ilusionarlos, inducirlos a una acción santificada con el nombre absolutorio de expropiaciones. Lo ocurrido en Jauja debía haberle ganado cierto prestigio ante los grupos radicales. Tampoco le pregunto si él fue el cerebro de aquellos asaltos.

—El plan funcionó en los dos casos como un reloj —agrega—. Ni detenciones ni heridos. Lo hicimos en dos días consecutivos, en sitios distintos de Lima. Expropiamos... —Una breve vacilación, antes de la fórmula evasiva—: ... varios millones.

Queda en silencio otra vez. Noto que está profundamente concentrado, buscando las palabras adecuadas para lo que debe ser lo más difícil de contar. Estamos frente a la Plaza de Acho, mole de sombras difuminadas en la neblina. ¿Por dónde sigo? Sí, lo llevaré hasta su casa. Me señala la dirección de Zárate. Es una amarga paradoja que viva, ahora que está libre, en la zona de Lurigancho. La avenida, aquí, es una sucesión de huecos, charcos y basuras. El auto se estremece y da botes.

—Como estaba requetefichado, se acordó que yo no llevara el dinero al Cusco. Allá debíamos entregarlo a la gente de Hugo Blanco. Por una precaución elemental decidimos que yo fuera después, separado de los otros, por mi cuenta. Los camaradas partieron en dos grupos. Yo mismo los ayudé a partir. Uno en un camión de carga, otro en un auto alquilado.

Vuelve a callar y tose. Luego, con sequedad y un fondo de ironía, añade rápido:

—Y, en eso, me cayó la policía. No por las expropiaciones. Por el asalto de La Victoria. En el que yo no había estado, del que yo no sabía nada. Vaya casualidad, pensé. Vaya coincidencia. Qué bien, pensé. Tiene su lado positivo. Los distrae, los va a enredar. Ya no me vincularían para nada con las expropiaciones. Pero no, no era una coincidencia...

De golpe, ya sé lo que me va a contar, he adivinado con toda precisión adónde culminará su relato.

—No lo entendí completamente hasta años después. Quizá porque no quería entenderlo. —Bosteza, con la cara congestionada, y mastica algo—. Incluso, vi un día en Lurigancho un volante a mimeógrafo, sacado por no sé qué grupo fantasma, atacándome. Me acusaban de ladrón, decían que me había robado no sé cuánto dinero del asalto al Banco de La Victoria. No le di importancia, creí que era una de esas vilezas normales en la vida política. Cuando salí de Lurigancho, absuelto por lo de La Victoria, habían pasado dieciocho meses. Me puse a buscar a los camaradas de las expropiaciones. Por qué, en todo ese tiempo, no me habían hecho llegar un solo mensaje, por qué no habían tomado contacto conmigo. Por fin encontré a uno de ellos. Entonces, hablamos.

Sonríe, entreabriendo la boca de dientes incompletos. Ha cesado la llovizna y en el cono de luz de los faros del auto hay tierra, piedras, desperdicios, perfiles de casas pobres.

—¿Le contó que el dinero no llegó nunca a manos de Hugo Blanco? —le pregunto.

—Me juró que él se había opuesto, que él trató de convencer a los otros que no hicieran una chanchada así —dice Mayta—. Me contó montones de mentiras y echó a los demás la culpa de todo. Él había pedido que me consultaran lo que iban a hacer. Según él, los otros no quisieron. «Mayta es un fanático», dice que le dijeron. «No entendería, es demasiado recto para estas cosas.» Entre las mentiras que me contó, se reconocían algunas verdades.

Suspira y me ruega que pare. Mientras lo veo, al lado de la puerta, desabotonándose y abotonándose la bragueta, me pregunto si el Mayta que me sirvió de modelo podría ser llamado fanático, si el de mi historia lo es. Sí, sin duda, los dos lo son. Aunque, tal vez, no de la misma manera.

—Es verdad, yo no hubiera entendido —dice, suavemente, cuando vuelve a mi lado—. Es verdad. Yo les hubiera dicho: la plata de la revolución quema las manos. ¿No se dan cuenta que si se quedan con ella dejan de ser revolucionarios y se convierten en ladrones?

Vuelve a suspirar, hondo. Voy muy despacio, por una avenida en tinieblas, a cuyas orillas hay a veces familias enteras durmiendo a la intemperie, tapadas con periódicos. Perros escuálidos salen a ladrarnos, los ojos encandilados por los faros.

—Yo no los hubiera dejado, por supuesto —repite—. Por eso me denunciaron, por eso me implicaron en el asalto de La Victoria. Sabían que yo, antes que dejarlos, les hubiera pegado un tiro. Mataron dos pájaros, delatándome. Se libraron de mí y la policía encontró un culpable. Ellos sabían que yo no iba a denunciar a unos camaradas a los que creía arriesgando la vida para llevar a Hugo Blanco el producto de las expropiaciones. Cuando, en los interrogatorios, me di cuenta de qué me acusaban, dije: «Perfecto, no se la huelen.» Y, durante un tiempo, los estuve hueveando. Creía que era una buena coartada.

Se ríe, despacito, con la cara seria. Queda en silencio y se me ocurre que no dirá nada más. No necesito que lo diga, tampoco. Si es cierto, ahora sé qué lo ha destruido, ahora sé por qué es el fantasma que tengo a mi lado. No el fracaso de Jauja, ni todos esos años de cárcel, ni siquiera purgar culpas ajenas. Sino, seguramente, descubrir que las expropiaciones fueron atracos; descubrir que, según su propia filosofía, había actuado «objetivamente» como un delincuente común. ¿O, más bien, haber sido un ingenuo y un tonto ante camaradas que tenían menos años de militancia y menos prisiones que él? ¿Fue eso lo que le desengañó de la revolución, lo que hizo de él este simulacro de sí mismo?

(1)

Noche del 16 al 17 de agosto de 1956

Bajo un sol radiante, la corneta de la diana inaugura la jornada en el cuartel de Chiclayo: agitación rumorosa en las cuadras, alegres relinchos en los corrales, humo algodonoso en las chimeneas de la cocina. Todo ha despertado en pocos segundos y reina por doquier una atmósfera cálida, bienhechora, estimulante, de disposición alerta y plenitud vital. Pero, minucioso, insobornable, puntual, el teniente Pantoja cruza el descampado —vivo aún en el paladar y la lengua el sabor de café con natosa leche de cabra y tostadas con dulce de lúcuma— donde está ensayando la banda para el desfile de Fiestas Patrias. Alrededor marchan, rectilíneas y animosas, las columnas de una compañía. Pero, rígido, el teniente Pantoja observa ahora el reparto del desayuno a los soldados: sus labios van contando sin hacer ruido y, fatídicamente, cuando llega mudo a 120 el cabo del rancho sirve el chorrito final de café y entrega el pedazo de pan número cientoveinte y la naranja cientoveinte. Pero ahora el teniente Pantoja vigila, hecho una estatua, cómo unos soldados descargan del camión los costales de abastecimientos: sus dedos siguen el ritmo de la descarga como un director de orquesta los compases de una sinfonía. Tras él, una voz firme, con un fondo casi perdido de ternura varonil que sólo un oído aguzado como bisturí detectaría, el coronel Montes afirma paternalmente: «¿Mejor comida que la chiclayana? Ni la china ni la francesa, señores: ¿qué podrían enfrentar a las diecisiete variedades del arroz con pato?» Pero ya el teniente Pantoja está probando cuidadosamente y sin que se altere un músculo de su cara las ollas de la cocina. El zambo Chanfaina, sargento-jefe de cocineros, tiene los ojos pendientes del oficial y el sudor de su frente y el temblor de sus labios delatan ansiedad y pánico. Pero ya el teniente Pantoja, de la misma manera meticulosa e inexpresiva, examina las prendas que devuelve la lavandería y que dos números apilan en bolsas de plástico. Pero ya el teniente Pantoja preside, en actitud hierática, la distribución de botines a los reclutas recién levados. Pero ya el teniente Pantoja, con una expresión, ahora sí, animada y casi amorosa clava banderitas en unos gráficos, rectifica las curvas estadísticas de un pizarrón, añade una cifra al organigrama de un panel. La banda del cuartel interpreta con vivacidad una jacarandosa marinera.

Una húmeda nostalgia ha impregnado el aire, nublado el sol, silenciado las cornetas, los platillos y el bombo, una sensación de agua que se escurre entre los dedos, de escupitajo que se traga la arena, de ardientes labios que al posarse en la mejilla se gangrenan, un sentimiento de globo reventado, de película que acaba, una tristeza que de pronto mete gol: he aquí que la corneta (¿de la diana?, ¿del rancho?, ¿del toque de silencio?) raja otra vez el aire tibio (¿de la mañana?, ¿de la tarde?, ¿de la noche?). Pero en la oreja derecha ha surgido ahora un cosquilleo creciente, que rápidamente gana todo el lóbulo y se contagia el cuello, lo abraza y escala la oreja izquierda: ella también se ha puesto, íntimamente, a palpitar —moviendo sus invisibles vellos, abriéndose sedientos sus incontables poros, en busca de, pidiendo que— y a la nostalgia recalcitrante, a la feroz melancolía ha sucedido ahora una secreta fiebre, una difusa aprensión, una desconfianza que toma cuerpo piramidal como un merengue, un corrosivo miedo. Pero el rostro del teniente Pantoja no lo revela: escudriña, uno por uno, a los soldados que se disponen a entrar ordenadamente al almacén de prendas. Pero algo provoca una discreta hilaridad en esos uniformes de parada que observan allá, en lo alto, donde debía encontrarse el techo del almacén y se encuentra en cambio la Tribuna de Fiestas Patrias. ¿Está presente el coronel Montes? Sí. ¿El Tigre Collazos? Sí. ¿El general Victoria? Sí. ¿El coronel López López? Sí. Se han puesto a sonreír sin agresividad, ocultando la boca con los guantes de cuero marrón, volviendo un poco la cabeza al costado ¿secreteándose? Pero el teniente Pantoja sabe de qué, por qué, cómo. No quiere mirar a los soldados que aguardan el silbato para entrar, recoger las prendas nuevas y entregar las viejas, porque sospecha, sabe o adivina que cuando mire, compruebe y positivamente sepa, la señora Leonor lo sabrá y Pochita también lo sabrá. Pero sus ojos cambian súbitamente de parecer y auscultan la formación: jalá qué risa, ay qué vergüenza. Sí, así ha ocurrido. Espesa como sangre fluye la angustia bajo su piel mientras observa, presa de terror frío, esforzándose por disimular sus sentimientos, cómo se han ido, se van redondeando los uniformes de los reclutas en el pecho, en los hombros, en las caderas, en los muslos, cómo de las cristinas empiezan a llover cabellos, cómo se suavizan, endulzan y sonrosan las facciones y cómo las masculinas miradas se tornan acariciadoras, irónicas, pícaras. Al pánico se ha superpuesto una sensación de ridículo sediciosa e hiriente. Toma la brusca decisión de *jugarse el todo por el todo* y, abombando ligeramente el pecho, ordena: «¡Desabrocharse las camisas, so carajos!» Pero ya van pasando bajo sus ojos, sueltos los botones, vacíos los ojales, danzantes las orlas pespuntadas de las camisas, los huidizos pezones erectos de los números, los balanceantes y alabastrinos, los mórbidos y terrosos pechos que se columpian al compás de la marcha. Pero ya el teniente Pantoja encabeza la compañía, la espada en alto, el perfil severo, la frente noble, los ojos limpios, pateando el asfalto con decisión: un-dos, un-dos. Nadie sabe que maldice su suerte. Su dolor es profundo, grande su humillación, infinita su vergüenza porque tras él, marcando el paso sin marcialidad, blandamente, como yeguas en el lodo, van los reclutas recién levados que no han sabido siquiera vendarse los pechos para aplastar las tetas, usar engañadoras camisas, cortarse los cabellos a los cinco centímetros del reglamento y limarse las uñas. Las siente marchar tras él y adivina: no intentan mimar expresiones viriles, exhiben agresivamente su condición mujeril, yerguen el busto, quiebran las cinturas, tiemblan las nalgas y sacuden las largas cabelleras. (Un escalofrío: está a punto de hacerse pipí en el calzoncillo, la señora Leonor al planchar el uniforme lo sabría, Pochita al coser el nuevo galón se reiría.) Pero ahora hay que concentrarse cervalmente en el desfile porque cruzan frente a la Tribuna. El Tigre Collazos se mantiene serio, el general Victoria disimula un bostezo, el coronel López López asiente comprensivo y hasta jovial, y el trago no sería tan amargo si no estuvieran también allí, en un rincón, amonestándolo con tristeza, furia y decepción, los ojos grises del general Scavino.

Ahora ya no le importa tanto: el hormigueo de las orejas ha recrudecido violentamente y él, *dispuesto a jugarse el todo por el todo,* ordena a la compañía «¡Paso ligero! ¡Marchen!» y da el ejemplo. Corre a una cadencia rápida y armoniosa, seguido por las muelles pisadas cálidas e invitadoras, mientras siente ascender por su cuerpo una tibieza semejante al vaho de una olla de arroz con pato que sale del fuego. Pero ahora el teniente Pantoja se ha detenido en seco y tras él la turbadora compañía. Con un leve sonrojo en las mejillas hace un gesto no muy claro, que, sin embargo, todos comprenden. Se ha desatado un mecanismo, la deseada ceremonia ha comenzado. Desfila frente a él la primera sección y es enojoso que el alférez Porfirio Wong lleve tan descachalandrado el uniforme —atina a pensar: «Necesitará reprimenda y aleccionamiento sobre uso de las prendas»—, pero ya han comenzado los números, al pasar frente a él —que se mantiene inmóvil e inexpresivo— a desabotonarse la guerrera con rapidez, a mostrar los fogosos senos, a estirar la mano para pellizcarle con amor el cuello, los lóbulos, la curva superior y, luego, adelantando —una tras otra, otro tras uno— la cabeza (él les facilita la operación inclinándose) a mordisquearle deliciosamente los cantos de las orejas. Una sensación de placer ávido, de satisfacción animal, de alegría exasperada y tentacular, borran el miedo, la nostalgia, el ridículo, mientras los reclutas pellizcan, acarician y mordisquean las orejas del teniente Pantoja. Pero entre los números, algunos rostros familiares hielan por ráfagas la felicidad con una espina de inquietud: desancada y grotesca en su uniforme va Leonor Curinchila, y, enarbolando el estandarte, con brazalete de cabo furriel, viene Chupito, y ahora, cerrando la última sección —angustia que surte como chorro de petróleo y baña el cuerpo y el espíritu del teniente Pantoja— un soldado todavía borroso: pero él sabe —han regresado el miedo irrespirable, el ridículo tormentoso, la embriagadora melancolía— que bajo las insignias, la cristina, los bolsudos pantalones y la esmirriada camisa de dril está sollozando la tristísima Pochita. La corneta desafina groseramente, la señora Leonor le susurra: «Ya está tu arroz con pato, Pantita.»

(2)

Resolución secreta concerniente al FAP Hidro Catalina N. 37
«Requena»

El coronel FAP Andrés Sarmiento Segovia, comandante del Grupo Aéreo N. 42 de la Amazonía,

CONSIDERANDO:

1. Que el capitán EP (Intendencia) Pantaleón Pantoja, con autorización y respaldo de las instancias superiores del Ejército, ha solicitado ayuda del Grupo Aéreo N. 42 para el traslado continuo del personal del Servicio de Visitadoras de reciente creación, desde su centro logístico, a orillas del Itaya, hasta sus centros usuarios, muchos de los cuales se hallan tan aislados, sobre todo en período de lluvias, que el único medio funcional de transporte es el aéreo, y desde dichos puntos hasta el centro logístico;

2. Que la Comandancia de Administración y Culto del Estado Mayor de la Fuerza Aérea Peruana ha consentido en acceder a la solicitud por deferencia hacia el Ejército, pero dejando constancia formal de que tiene reservas ante la índole del Servicio de Visitadoras, pues le parece poco compatible con las tareas naturales y propias de las Fuerzas Armadas y peligroso para su buen nombre y prestigio, siendo ésta una simple conjetura y de ningún modo una tentativa de intromisión en las actividades de la institución hermana,

RESUELVE:

1. Que se destaque al SVGPFA, en calidad de préstamo, para que efectúe los servicios de transporte indicados, al FAP Hidro Catalina N. 37 *Requena,* una vez que la Sección Técnica y Mecánica del Grupo Aéreo N. 42 de la Amazonía lo haya puesto en condiciones de volver a volar;

2. Que, antes de despegar de la Base Aérea de Moronacocha, el FAP Hidro Catalina N. 37 sea debidamente camuflado, de tal manera que no pueda ser reconocido en ningún momento como perteneciente a la Fuerza Aérea Peruana mientras presta servicios al SVGPFA, cambiándosele para ello el color del fuselaje y las alas (de azul a verde con ribetes rojos) y el nombre (de *Requena* a *Dalila,* según deseo del capitán Pantoja);

3. Que se destaque, para pilotear el FAP Hidro Catalina N. 37, al suboficial del Grupo Aéreo N. 42 que haya tenido el mayor número de castigos y amonestaciones en su foja de servicios en lo que va corrido del año;

4. Que en vista del estado de deterioro técnico en que se halla el FAP Hidro Catalina N. 37, debido a sus largos años de servicio, sea semanalmente revisado por un mecánico del Grupo Aéreo N. 42 de la Amazonía, quien para ello se trasladará, discretamente y en ropas civiles, al centro logístico del SVGPFA;

5. Rogar encarecidamente al capitán Pantoja que el Servicio de Visitadoras tenga los mayores cuidados y miramientos con el Hidro Catalina N. 37, por tratarse de una verdadera reliquia histórica de la FAP, pues fue en esta noble máquina que el 3 de marzo de 1929, el teniente Luis Pedraza Romero unió por primera vez en vuelo directo las ciudades de Iquitos y Yurimaguas;

6. Que el combustible así como todos los gastos que exija el mantenimiento y uso del FAP Hidro Catalina N. 37 sean de incumbencia exclusiva del propio SVGPFA;

7. Que esta Resolución sea comunicada únicamente a quienes afecta o menciona, y, por ser de máximo secreto, se castigue con 60 días de rigor a quienquiera divulgue o participe su contenido fuera de las mencionadas excepciones.

Firmado:

coronel FAP ANDRÉS SARMIENTO SEGOVIA

Base Aérea de Moronacocha, 7 de agosto de 1956.

c.c. a la Comandancia de Administración y Culto del Estado Mayor de la Fuerza Aérea Peruana, a la Administración, Intendencia y Servicios Varios del Ejército y a la Comandancia de la V Región (Amazonía).

Disposición interna del Servicio de Sanidad del
Campamento Militar Vargas Guerra

El comandante EP (Sanidad) Roberto Quispe Salas, jefe del Servicio de Sanidad del Campamento Militar Vargas Guerra, vistas las instrucciones confidenciales recibidas de la Comandancia General de la V Región (Amazonía), adopta las directivas siguientes:

1. El mayor EP (Sanidad) Antipa Negrón Azpilcueta seleccionará entre el equipo de enfermeros y prácticos sanitarios de la Sección «Enfermedades infecto-contagiosas» a la persona que considere más capacitada científica y moralmente para cumplir las funciones que las instrucciones de la Comandancia de la V Región (Amazonía) tipifican para el futuro Asistente Sanitario del Servicio de Visitadoras para Guarniciones, Puestos de Frontera y Afines (SVGPFA);

2. El mayor Negrón Azpilcueta impartirá, en el curso de la presente semana, al enfermero o sanitario elegido un entrenamiento teórico-práctico acelerado, en previsión de las tareas que deberá desempeñar en el SVGPFA, las que, en lo esencial, consistirán en detectar el domicilio de liendres, chinches, piojos, ladillas y ácaros en general, enfermedades venéreas y afecciones vulvo-vaginales infecto-contagiosas en las visitadoras integrantes de los convoyes, inmediatamente antes de la partida de éstos hacia los centros usuarios del SVGPFA;

3. El mayor Negrón Azpilcueta suministrará al Asistente Sanitario un botiquín de primeros auxilios, con añadido de sonda, paleta y dedo de látex para exploración vaginal, dos guardapolvos blancos, dos pares de guantes de jebe y un número adecuado de cuadernos, en los que, semanalmente, aquél deberá pasar parte al Servicio de Sanidad del Campamento Militar Vargas Guerra sobre el movimiento cuantitativo y cualitativo del Puesto de Asistencia Sanitaria del SVGPFA;

4. Comunicar esta disposición sólo al interesado y archivarla con la advertencia «Secreta».

Firmado:

comandante EP (Sanidad) ROBERTO QUISPE SALAS

Campamento Militar Vargas Guerra,
1 de septiembre de 1956.

c.c. a la Comandancia General de la V Región (Amazonía) y al capitán EP (Intendencia) Pantaleón Pantoja, jefe del Servicio de Visitadoras para Guarniciones, Puestos de Frontera y Afines (SVGPFA).

Informe del alférez Alberto Santana a la Comandancia General de la
V Región (Amazonía) sobre la operación-piloto efectuada por el
SVGPFA en el Puesto de Horcones a su mando.

Conforme a las instrucciones recibidas, el alférez Alberto Santana
tiene el honor de remitir a la Comandancia General de la V Región
(Amazonía), la siguiente relación de hechos acaecidos en el Puesto a su
mando sobre el río Napo:

Apenas informado por la superioridad de que el Puesto de Horcones
había sido elegido sede de la experiencia inaugural del Servicio de
Visitadoras para Guarniciones, Puestos de Frontera y Afines, se dispuso
a prestar todas las facilidades para el éxito de la operación y preguntó
por radio al capitán Pantaleón Pantoja qué disposiciones debía tomar en
Horcones previas a la experiencia-piloto. A lo cual el capitán Pantoja le
hizo saber que ninguna porque él personalmente se trasladaría al río
Napo para supervigilar los preparativos y el desarrollo de la prueba.

Efectivamente, el día lunes 12 de septiembre, a las 10 y 30 de la
mañana, aproximadamente, acuatizó en el río Napo, frente al Puesto, un
hidroavión de color verde con el nombre *Dalila* pintado en letras rojas
en el fuselaje, piloteado por un individuo al que apodan Loco, y, como
pasajeros, el capitán Pantoja, quien vestía de civil, y una señora llamada
Chuchupe, a quien fue preciso descender cargada por hallarse en estado
de desmayo. La razón de su desvanecimiento fue haber pasado mucho
susto durante el vuelo río Itaya-río Napo, debido a los sacudimientos
impartidos por el viento al avión y a que el piloto, según afirmación de
la susodicha, con intención de aumentar su terror para divertirse, había
efectuado constantes, arriesgadas e inútiles acrobacias, que sus nervios
no pudieron soportar. Una vez que la mencionada señora se hubo
repuesto pretendió, con abuso de palabras y gestos soeces, agredir de
obra al piloto, siendo preciso que el capitán Pantoja interviniera para
poner fin al incidente.

Apaciguados los ánimos, luego de un rápido refrigerio, el capitán
Pantoja y su colaboradora procedieron a dejar todo expedito para la realización de la experiencia, la que debía celebrarse al día siguiente, martes 13 de septiembre. Los preparativos fueron de dos órdenes: de participantes y topográficos. En cuanto a los primeros, el capitán Pantoja,
ayudado del suscrito, estableció una *lista de usuarios,* preguntando para
ello, uno por uno, a los veintidós clases y soldados del Puesto —los
suboficiales fueron excluidos— si deseaban beneficiarse del Servicio de
Visitadoras, para lo cual se les explicó la índole del mismo. La primera
reacción de la tropa fue de incredulidad y desconfianza y todos respon-
dieron negándose a participar en la experiencia, creyendo que se trataba
de una estratagema, como cuando se piden ¡voluntarios para ir a

Iquitos! y a los que dan un paso adelante se los manda a limpiar las letrinas. Fue preciso que la mencionada Chuchupe se hiciera presente y hablara a los hombres en términos maliciosos para que, a las sospechas y dudas, sucediera, primero, una gran hilaridad, y luego una excitación de tal magnitud que fue necesario a los suboficiales y al suscrito actuar con la máxima energía para calmarlos. De los veintidós clases y soldados, veintiuno se inscribieron como candidatos-usuarios, siendo la excepción el soldado raso Segundo Pachas, quien indicó que se exceptuaba porque la operación tendría lugar en día martes 13 y que, siendo él supersticioso, estaba seguro que le traería mala suerte participar en ella. Según indicación del enfermero de Horcones se eliminó igualmente de la lista de candidatos-usuarios al cabo Urondino Chicote, por estar aquejado de una erupción de sarna, susceptible de propagarse, vía la visitadora respectiva, al resto de la unidad. Con lo cual quedó definitivamente establecida una lista de veinte usuarios, quienes, consultados, admitieron que se les descontara por planilla la tarifa fijada por el SVGPFA como retribución por el servicio que se les ofrecería.

En cuanto a los preparativos topográficos consistieron fundamentalmente en acondicionar cuatro emplazamientos destinados a las visitadoras del primer convoy del SVGPFA y se llevaron a cabo bajo la dirección exclusiva de la apodada Chuchupe. Ésta indicó que, como podía darse caso de lluvia, los locales debían estar techados, y, de preferencia, no ser contiguos para evitar interferencias auditivas o emulaciones, lo que por desgracia no se pudo conseguir totalmente. Pasada revista a las instalaciones techadas del Puesto, que, la superioridad lo sabe, son escasas, se eligieron el depósito de víveres, el puesto de radio y la enfermería como las más aparentes. Debido a su amplitud, el depósito de víveres pudo ser dividido en dos compartimentos, utilizando como barrera separatoria las cajas de comestibles. La indicada Chuchupe solicitó luego que en cada emplazamiento se colocara una cama con su respectivo colchón de paja o de jebe, o en su defecto una hamaca, con un hule impermeable destinado a evitar filtraciones y deterioro del material. Se procedió de inmediato a trasladar a dichos emplazamientos cuatro camas (elegidas por sorteo) de la cuadra de la tropa, con sus colchones, pero como no fue posible conseguir los hules demandados, se los reemplazó con las lonas que se utilizan para cubrir la maquinaria y el armamento cuando llueve. Asimismo, una vez forrados los colchones con las lonas, se procedió a instalar mosquiteros para que los insectos, tan abundantes en esta época, no obstaculizaran el acto de la prestación. Habiendo resultado imposible dotar a cada emplazamiento de la bacinica que la señora Chuchupe pedía, por no disponer el Puesto de ni uno solo de dichos artefactos, se les suministró cuatro baldes de pienso. No hubo dificultad en instalar sendos lavadores con sus recipientes de agua respectivos en cada emplazamiento, así como en proveer a cada uno de éstos de una silla, cajón o banco para colocar la ropa, y de dos rollos de papel higiénico, rogando el suscrito a la superioridad se sirva ordenar a Intendencia le reponga cuanto antes estos últimos elementos, por lo justas que son nuestras reservas en dicho artículo, no habiendo en esta zona tan aislada nada con qué sustituirlo, como papel periódico o de envolver y existiendo el antecedente de urticarias y graves irritaciones cutáneas en la tropa por emplear hojas de árboles. Asimismo, la denominada Chuchupe precisó que era indispensable colocar en los emplazamientos cortinas que, sin dejarlos en la total oscuridad, amortiguaran la luz del sol y dieran una cierta penumbra, la que, según su experiencia, es el ambiente más adecuado para la prestación. La imposibilidad de conseguir los visillos floreados que sugería la señora Chuchupe no fue impedimento; el sargento primero Esteban Sandora improvisó ingeniosamente una serie de cortinas con las frazadas y capotes de la tropa que cumplieron bastante bien su cometido, dejando a los emplazamientos en la media luz requerida. Además, por si caía la noche antes de que terminara la operación, la señora Chuchupe hizo que se recubrieran los mecheros de los emplazamientos con trapos de color rojo, porque, aseguró, la atmósfera colorada es la más conveniente para el acto. Finalmente, la denominada señora, insistiendo en que los locales debían tener cierto toque femenino, procedió ella misma a confeccionar unos ramitos con flores, hojas y tallos silvestres, que recogió ayudada por dos números, y que colocó artísticamente en los respaldares de las camas de cada emplazamiento. Con lo cual los preparativos estuvieron ultimados y sólo quedó esperar la llegada del convoy.

Al día siguiente, martes 13 de septiembre, a las 14 horas 15 minutos de la tarde, acoderó en el embarcadero del Puesto de Horcones el primer convoy del SVGPFA. Apenas fue visible el barco-transporte —recién pintado de verde y con su nombre *Eva* inscrito en gruesas letras rojas en la proa—, la tropa hizo un alto en sus tareas cotidianas, prorrumpió en exclamaciones de entusiasmo y arrojó las cristinas al aire en señal de bienvenida. Inmediatamente, siguiendo las instrucciones del capitán Pantoja, se instaló un sistema de guardia para impedir que se aproximara al Puesto algún elemento civil durante la experiencia-piloto, peligro en realidad improbable teniendo en cuenta que la población más cercana a Horcones es una tribu de indios quechuas a dos días de navegación aguas arriba del Napo. Gracias a la decidida colaboración de los números, el desembarco transcurrió con toda normalidad. El barco-transporte *Eva* venía comandado por Carlos Rodríguez Saravia (suboficial de la Marina camuflado de civil) y una dotación de cuatro hombres, quienes, por orden del capitán Pantoja permanecieron a bordo durante toda la estadía de *Eva* en Horcones. Presidían el convoy dos colaboradores civiles del capitán Pantoja: Porfirio Wong y un individuo de sobrenombre Chupito. En cuanto a las cuatro visitadoras, cuya aparición en la escalerilla de desembarco fue saludada con salvas de aplausos por la tropa, respondían a los siguientes apelativos (las cuatro rehusaron dar a conocer sus apellidos): LALITA, IRIS, PECHUGA y SANDRA. Las cuatro fueron inmediatamente concentradas por los llamados Chupito y Chuchupe en el depósito de víveres, para descansar y recibir instrucciones, y quedó vigilando la puerta el denominado Porfirio Wong. Teniendo en cuenta el desasosiego que la presencia de las visitadoras había provocado en los hombres del Puesto, resultó muy oportuno mantenerlas acuarteladas hasta la hora fijada para el comienzo de la operación (las cinco de la tarde), pero ello motivó un leve percance en el seno del SVGPFA. Porque, pasado un tiempo de recuperación de las fatigas del viaje, las nombradas visitadoras pretendieron abandonar el local, alegando que deseaban conocer las inmediaciones y pasear por el Puesto. Al no serles permitido por sus responsables, protestaron ruidosamente con gritos y lisuras y trataron incluso de forzar la salida. Para mantenerlas concentradas fue preciso que ingresara al depósito de víveres el propio capitán Pantoja. Como anécdota, se señala que el soldado raso Segundo Pachas solicitó poco después de la llegada del convoy que se le incluyera entre los usuarios, indicando que estaba dispuesto a desafiar la mala suerte, lo que le fue denegado por estar la lista definitivamente confeccionada.

A las 17 horas menos 5 minutos, el capitán Pantoja ordenó que las visitadoras ocuparan sus respectivos emplazamientos, los mismos que habían sido sorteados así: depósito de víveres, LALITA y PECHUGA; puesto de radio, SANDRA; enfermería, IRIS. Como controladores se situaron el propio capitán Pantoja a la puerta del depósito de víveres, el suscrito ante el puesto de radio y el suboficial Marcos Maravilla Ramos ante la enfermería, cada cual con su respectivo cronómetro. A las 17 horas exactas, es decir apenas terminadas las tareas y servicios de la tropa (con excepción de la guardia), se hizo formar a los veinte usuarios y se les pidió indicar a la visitadora de su elección, produciéndose entonces la primera dificultad seria, debido a que dieciocho de los veinte se pronunciaron resueltamente por la denominada PECHUGA y los dos restantes por IRIS, con lo que las otras dos quedaban sin candidatos-usuarios. Consultado sobre la decisión a tomarse, el capitán Pantoja sugirió y el suscrito puso en práctica la solución siguiente: los cinco hombres de mejor comportamiento en el mes, según foja de servicios, fueron dirigidos hacia el emplazamiento de la solicitada PECHUGA y los cinco de mayor número de castigos y amonestaciones al de la llamada SANDRA, por ser la de físico más perjudicado entre las cuatro visitadoras (abundantes marcas de viruela). Los otros fueron divididos en dos grupos y dirigidos, mediante sorteo, a los emplazamientos respectivos de IRIS y LALITA. Una vez formados los cuatro grupos de cinco hombres, se les explicó brevemente que no podrían excederse de una permanencia máxima de veinte minutos en el emplazamiento, tiempo-tope de

180

una prestación normal según el reglamento del SVGPFA, y se ordenó a quienes esperaban, guardar el mayor silencio y compostura para no perturbar al compañero en acción. La segunda dificultad seria surgió en ese momento, pues todos los hombres pugnaban por ponerse a la cabeza de su grupo respectivo a fin de ser los primeros en obtener la prestación de cada visitadora, llegando a registrarse empujones y altercados verbales. Una vez más hubo que imponer la calma y acudir al sistema del sorteo para disponer el orden de colocación en las filas, todo lo cual significó una demora de unos quince minutos.

A las 17 y 15 se dio la orden de arranque. Conviene adelantar que, en su conjunto, la operación-piloto se llevó a cabo con todo éxito, más o menos dentro de los plazos previstos, y con un mínimo de percances. En cuanto al tiempo de permanencia con la visitadora tolerado a cada usuario, que el capitán Pantoja había temido resultara demasiado corto para una satisfactoria y completa prestación, resultó incluso excesivo. Por ejemplo, éstos son los tiempos empleados por los cinco usuarios del grupo SANDRA que el suscrito cronometró: el primero, 8 minutos; el segundo, 12; el tercero, 16; el cuarto, 10, y el quinto, quien obtuvo el récord, 3 minutos. Tiempos semejantes registraron también los hombres de los demás grupos. De todos modos, el capitán Pantoja hizo notar que estas marcas eran sólo relativamente válidas como síntoma general, ya que, por el aislamiento de Horcones, los usuarios aquí tenían una impaciencia viril acuartelada por plazos tan largos (algunos, seis meses) que tendían a ser anormalmente rápidos en el acto de la prestación. Teniendo en cuenta que entre prestación y prestación había un compás de espera de unos minutos, a fin de que los denominados Chupito y Chuchupe cambiaran el agua de los recipientes de cada emplazamiento, se puede concluir que la operación duró menos de dos horas desde su principio hasta su fin. Ciertos incidentes se suscitaron en el curso de la experiencia-piloto, pero sin revestir gravedad, siendo algunos, incluso, divertidos y útiles para relajar un poco la tensión nerviosa de los hombres que hacían cola. Así, por ejemplo, debido a un descuido del radio-operador del Puesto, que a diario sintoniza Radio Amazonas de Iquitos para escuchar el programa La Voz del Sinchi, que propalamos por el altavoz, al marcar los relojes las 18 horas, la voz de este locutor irrumpió intempestivamente sobre Horcones, pues la emisora estaba en encendido automático, lo que provocó risotadas y amenidad en los hombres, sobre todo cuando vieron asomar en paños menores a la visitadora SANDRA y al sargento primero Esteban Sandora, quienes, por estar efectuando la prestación en el puesto de radio, se alarmaron sobremanera al estallar el ruido. Otro breve incidente se produjo cuando, aprovechándose de que en el depósito de víveres se hallaban operando en compartimentos vecinos PECHUGA y LALITA, el soldado raso Amelio Sifuentes, de la cola de usuarios de esta última, pretendió maliciosamente introducirse en el emplazamiento de la apodada PECHUGA, la misma que, como la superioridad habrá percibido, fue la que conquistó más simpatías entre los hombres de Horcones. El capitán Pantoja sorprendió la mañosa intentona del número Sifuentes y lo reprendió con severidad. En el mismo depósito de víveres se registró igualmente otro percance, que sólo fue descubierto por el suscrito cuando el convoy del SVGPFA había partido. Es así que durante el tiempo dedicado a las prestaciones, o antes, mientras las visitadoras se hallaban concentradas allí, alguien aprovechó la contingencia para abrir una lata de comestibles y sustraer siete conservas de atún, cuatro paquetes de galletas de agua y dos gaseosas, sin que hasta el momento haya sido posible identificar al o a los culpables. En resumen, y con la sola excepción de estos incidentes de orden menor, a las siete de la noche la operación había terminado con todo éxito y reinaba en el Puesto un ambiente de gran satisfacción, paz y alegría entre clases y soldados. El suscrito olvidaba señalar que varios usuarios, al terminar la prestación respectiva, inquirieron si era posible volver a hacer cola (la misma o una distinta) para obtener una segunda prestación, lo que fue denegado por el capitán Pantoja. Éste explicó que se estudiaría la posibilidad de autorizar que se repita la prestación cuando el SVGPFA haya alcanzado su máximo volumen operacional.

Apenas terminada la experiencia-piloto, las cuatro visitadoras y los colaboradores civiles Chupito, Chuchupe y Porfirio Wong embarcaron en *Eva* para regresar al centro logístico del río Itaya, en tanto que el capitán Pantoja partía en *Dalila*. Por más que el piloto dio seguridades a la denominada Chuchupe de que conduciría el aparato debidamente y de que no se repetirían los incidentes del día anterior, ésta se negó a volver en avión. Antes de abandonar Horcones, entre los aplausos y gestos reconocidos de clases y soldados, el capitán Pantoja agradeció al suscrito por las facilidades prestadas y por su contribución al éxito de la operación-piloto del SVGPFA y le indicó que esta experiencia, muy provechosa para él, le permitiría perfeccionar y programar en todo detalle el sistema de trabajo, control y desplazamientos del Servicio de Visitadoras.

Sólo queda por someter a la consideración de la superioridad, junto con este informe que ojalá le sea útil, la solicitud firmada por los cuatro suboficiales del Puesto de Horcones para que en lo venidero se permita también ser usuarios del SVGPFA a los mandos intermedios, lo que tiene recomendación favorable del suscrito, debido al buen efecto psicológico y físico que la experiencia está demostrando haber tenido en clases y soldados.

Dios guarde a Ud.

Firmado:

alférez ALBERTO SANTANA,
jefe del Puesto de Horcones, sobre el río Napo
16 de septiembre de 1956.

182

SVGPFA

Parte número quince

ASUNTO GENERAL: Servicio de Visitadoras para Guarniciones, Puestos de Frontera y Afines.
ASUNTO ESPECÍFICO: Celebración y balance del primer aniversario e Himno de las Visitadoras.
CARACTERÍSTICAS: Secreto.
FECHA Y LUGAR: Iquitos, 16 de agosto de 1957.

El suscrito, capitán EP (Intendencia) Pantaleón Pantoja, jefe del Servicio de Visitadoras para Guarniciones, Puestos de Frontera y Afines, respetuosamente se presenta ante el general Felipe Collazos, jefe de Administración, Intendencia y Servicios Varios del Ejército, lo saluda y dice:

1. Que con motivo de celebrarse el día 4 de este mes el primer aniversario del SVGPFA, el suscrito se permitió ofrecer al personal masculino y femenino de este organismo, un sencillo almuerzo de camaradería, en el local del río Itaya, que, para no gravar demasiado el magro presupuesto del Servicio, fue elaborado por un grupo voluntario de visitadoras bajo la dirección de nuestra jefe de personal, doña Leonor Curinchila (*a*) Chuchupe. Que en el transcurso del ágape no sólo se fraternizó sanamente con alegría y humor, mientras se degustaban las excelencias de la cocina amazónica —el menú constó de la célebre sopa de maní de la región, el Inchic Capi, Juane de arroz con gallina, helados de cocona y, como bebida, cerveza— sino que, asimismo, se aprovechó esta conmemoración para hacer un alto en el camino, pasar revista a lo cosechado por el Servicio en su primer año de vida e intercambiar apreciaciones, sugerencias y críticas positivas, siempre con los ojos de la mente puestos en el mejor cumplimiento de la tarea que el Ejército nos tiene confiada.

2. Que, en resumen, el balance de este primer año del SVGPFA —sintetizado por el suscrito ante sus colaboradores en una breve alocución, a los postres del ágape— contabiliza un total de 62.160 prestaciones ofrecidas por el Servicio a los clases y soldados de nuestras unidades de frontera y a la marinería de las bases navales amazónicas, guarismo que, aunque muy por debajo de la demanda, constituye un modesto éxito para el Servicio: dicha cifra prueba que, en todo momento, el SVGPFA *utilizó su potencia operativa al máximo de su rendimiento* —ambición suprema de toda empresa produc-

tora— como se desprende de la descomposición del total de 62.160 prestaciones en sus sumandos componentes. Que, en efecto, los dos primeros meses, cuando el SVGPFA contaba apenas con cuatro visitadoras, el volumen de prestaciones alcanzó a 4.320, lo que arroja un promedio de 540 prestaciones mensuales por visitadora, es decir veinte diarias, marca que (la superioridad recordará el parte número uno enviado por el suscrito) caracteriza a las visitadoras de máxima eficiencia. Que, en el cuarto y quinto mes, cuando el equipo de visitadoras era de seis miembros, las prestaciones ascendieron a 6.480, lo que da, asimismo, una media de una veintena de prestaciones diarias por unidad de trabajo. Que los meses quinto, sexto y séptimo representan 13.560 prestaciones, o sea siempre un promedio diario de veinte por cada una de las ocho visitadoras que constituían el personal del SVGPFA. Que en el octavo, noveno y décimo mes, el ritmo se mantuvo idéntico —máximo nivel de eficacia— pues las 16.200 prestaciones de ese trimestre tabulan también promedios de veinte para las diez visitadoras del SVGPFA, en tanto que estos dos últimos meses las 21.600 prestaciones realizadas indican una vez más que las veinte visitadoras con que contamos en la actualidad han sabido mantener ese alto promedio sin inflexión alguna. Que el suscrito se permitió concluir su alocución conmemorativa felicitando al personal del SVGPFA por su buen comportamiento y regularidad en el trabajo y exhortándolo a redoblar esfuerzos para alcanzar en el futuro metas más altas de rendimiento tanto cuantitativa como cualitativamente.

3. Que en un gesto simpático, luego del brindis final por el SVGPFA, las visitadoras cantaron ante el suscrito una obrita musical secretamente compuesta por ellas para la ocasión y que propusieron fuera adoptada como Himno de este Servicio. Que el suscrito accedió a dicha voluntad, luego de ser interpretado el Himno varias veces con verdadero entusiasmo por todas las visitadoras, medida que espera sea ratificada por la superioridad, teniendo en cuenta la conveniencia de estimular las iniciativas que, como ésta, denotan interés y cariño del personal por el organismo del que forman parte, fomentan el espíritu fraternal indispensable para la realización de las tareas conjuntas y revelan una alta moral, espíritu joven y aun algo de ingenio y picardía, que, en pequeñas dosis por supuesto, nunca están de más para añadir sal y pimienta a la tarea realizada.

4. Que ésta es la letra de la aludida composición, la misma que debe ser entonada con la música de la universalmente conocida «La Raspa»:

Servir, servir, servir
Al Ejército de la Nación
Servir, servir, servir
Con mucha dedicación

Hacer felices a los soldaditos
—¡Vuela volando, chuchupitas!—
Y a los sargentos y a los cabitos
Es nuestra honrosa obligación

Servir, servir, servir
Al Ejército de la Nación
Servir, servir, servir
Con mucha dedicación

Por eso vamos contentas y alegres
En los convoyes de nuestro Servicio
—sin pelearnos, sin meter vicio—
con Chinito, Chuchupe o Chupón

Servir, servir, servir
Al Ejército de la Nación
Servir, servir, servir
Con mucha dedicación

En la tierra, en la hamaca, en la hierba.
Del cuartel, campamento o solar
Damos besos, abrazos y afines
Cuando lo ordena el superior

Servir, servir, servir
Al Ejército de la Nación
Servir, servir, servir
Con mucha dedicación

Cruzamos selvas, ríos y cochas
Ni al otorongo, ni al puma ni al tigre
Tenemos ningún temor
Porque nos sobra patriotismo
Hacemos riquísimo el amor

Servir, servir, servir
Al Ejército de la Nación
Servir, servir, servir
Con mucha dedicación

Y ahora a callar visitadoras
Hay que partir a trabajar
Dalila nos está esperando
Y *Eva* loquita por zarpar

Adiós, adiós, adiós
Chinito, Chuchupe y Chupón
Adiós, adiós, adiós
Señor Pantaleón

Dios guarde a Ud.

Firmado:

capitán RP (Intendencia) PANTALEÓN PANTOJA

c.c. al general Roger Scavino, Comandante en Jefe de la V Región (Amazonía).

ANOTACIÓN:
Comuníquese al capitán Pantoja que la Administración, Intendencia y Servicios Varios del Ejército, ratifica sólo provisionalmente su decisión de reconocer el Himno de las Visitadoras concebido por el personal femenino del SVGPFA, pues hubiera preferido que dicha letra fuera coreada con música de alguna canción del rico acervo folklórico patrio, en vez de utilizar una melodía foránea como es «La Raspa», sugerencia que deberá ser tomada en cuenta en el porvenir.

Firmado:

general FELIPE COLLAZOS,
Jefe de Administración, Intendencia y Servicios Varios del Ejército.

(4)

Oficio confidencial del contralmirante AP Pedro G. Carrillo, jefe de la Fuerza Fluvial del Amazonas, al general EP Roger Scavino, comandante en jefe de la V Región (Amazonía).

Base de Santa Clotilde, 2 de octubre de 1957.

De mi consideración:

Tengo el honor de hacerle saber que hasta mí han llegado, desde las diferentes bases que la Armada tiene dispersas por la Amazonía, manifestaciones de sorpresa y descontento, tanto de la marinería como de la oficialidad, en relación con el Himno del Servicio de Visitadoras. Los hombres que visten el inmaculado uniforme de la Naval lamentan que el autor de la letra de dicho Himno no haya creído necesario mencionar ni una sola vez a la Armada Peruana y a la marinería, como si esta institución no fuera también auspiciadora de dicho Servicio, al que, ¿es preciso recordarlo?, contribuimos con un barco-transporte y su respectiva tripulación, y con un porcentaje equitativo de los gastos de mantenimiento, habiendo cotizado hasta ahora con puntualidad sin tacha los honorarios que nos han sido fijados por las prestaciones requeridas.

Convencido de que esta omisión es únicamente atribuible a descuido y azar y que no ha habido en ella ánimo alguno de ofender a la Armada ni fomentar un sentimiento de postergación entre la marinería respecto a sus colegas del Ejército, le hago llegar este oficio, junto con mis saludos y la súplica de remediar, si está en sus manos, la deficiencia que le participo, pues, aunque pequeña y banal, podría ser causa de susceptibilidades y resquemores que no deben enturbiar jamás la relación entre instituciones hermanas.

Dios guarde a Ud.

Firmado:

contralmirante AP PEDRO G. CARRILLO,
jefe de la Fuerza Fluvial del Amazonas

ANOTACIÓN:
Entérese del contenido del precedente oficio al capitán Pantoja, repréndasele por la inexcusable falta de tacto de que ha hecho gala el SVGPFA en el asunto en cuestión y ordénesele dar debidas y prontas satisfacciones al contralmirante Pedro G. Carrillo y a los compañeros de la Armada Nacional.

Firmado:

general ROGER SCAVINO,
comandante en jefe de la V Región (Amazonía)

Iquitos, 4 de octubre de 1957.

187

SVGPFA

Parte número veintiséis

ASUNTO GENERAL: Servicio de Visitadoras para Guarniciones, Puestos de Frontera y Afines.
ASUNTO ESPECÍFICO: Explicación de intenciones y trastorno de la letra del Himno de las Visitadoras.
CARACTERÍSTICAS: Secreto.
FECHA Y LUGAR: Iquitos, 16 de octubre de 1957.

El suscrito, capitán EP (Intendencia) Pantaleón Pantoja, jefe del Servicio de Visitadoras para Guarniciones, Puestos de Frontera y Afines, respetuosamente se presenta ante el contralmirante AP Pedro G. Carrillo, jefe de la Fuerza Fluvial del Amazonas, lo saluda y dice:

1. Que deplora profundamente el imperdonable descuido por el cual la letra del Himno de las Visitadoras no hace mención explícita de la gloriosa Armada Nacional y de la esforzada marinería que la integra. Que no como justificación sino como simple cociente informativo quiere hacerle saber que este himno no fue encargado por la jefatura del SVGPFA, sino espontánea creación del personal y que se adoptó de manera impremeditada y algo ligera, sin someterlo a una previa evaluación crítica de forma y contenido. Que en todo caso, si no en la letra, en el espíritu de dicho Himno, al igual que en la mente y en el corazón de quienes laboramos en el SVGPFA, se hallan siempre presentes las bases de la Armada y su marinería, a quienes todos en este Servicio profesamos el mayor cariño y el más alto respeto;

2. Que se ha procedido a solventar las deficiencias del Himno, enriqueciéndolo con las siguientes modificaciones:

a. El coro o estribillo, que se canta cinco veces intercalado a las estrofas, se cantará tres veces (la primera, la tercera y la quinta) en su factura original, es decir:

> Servir, servir, servir
> Al Ejército de la Nación
> Servir, servir, servir
> Con mucha dedicación

La segunda y la cuarta vez, el coro o estribillo se cantará renovado en su segundo verso de esta manera:

Servir, servir, servir
A la Armada de la Nación
Servir, servir, servir
Con mucha decicación

b. La primera estrofa del Himno queda definitivamente modificada, anulándose el tercer verso que decía «*Y a los sargentos y a los cabitos*» y reemplazándolo del siguiente modo:

Hacer felices a los soldaditos
—¡Vuela volando, chuchupitas!—
Y a los valientes marineritos
Es nuestra honrosa obligación

Dios guarde a Ud.

Firmado:

capitán EP (Intendencia) PANTALEÓN PANTOJA

c.c. al general Felipe Collazos, jefe de Administración, Intendencia y Servicios Varios del Ejército y al general Roger Scavino, comandante en jefe de la V Región (Amazonía).

(6)

*Emisión de La Voz del Sinchi del 9 de febrero de 1958
por Radio Amazonas*

Y dando las dieciocho horas exactas en el reloj Movado que orna la pared de nuestros estudios, Radio Amazonas se complace en presentar a sus queridos oyentes el más escuchado programa de su sintonía:
Compases del vals «La Contamanina»; suben, bajan y quedan como fondo sonoro.

¡LA VOZ DEL SINCHI!
Compases del vals «La Contamanina»; suben, bajan y quedan como fondo sonoro.
Media hora de comentarios, críticas, anécdotas, informaciones, siempre al servicio de la verdad y la justicia. La voz que recoge y prodiga por las ondas las palpitaciones populares de la Amazonía Peruana. Un programa vivo y sencillamente humano, escrito y radiado por el conocido periodista Germán Láudano Rosales, el Sinchi.

*Compases del vals «La Contamanina»; suben, bajan y se cortan total-
mente.*

Muy buenas tardes, queridos y distinguidos radioescuchas. Aquí me
tienen una vez más en las ondas de Radio Amazonas, la primera emisora
del Oriente Peruano, para llevar al hombre de la urbe cosmopolita y a la
mujer de la lejana tribu que da sus primeros pasos por las rutas de la civilización, al próspero comerciante y al humilde agricultor de la solitaria
tahuampa, es decir a todos los que luchan y trabajan por el progreso de
nuestra indomable Amazonía, treinta minutos de amistad, de esparci-
miento, de revelaciones confidenciales y alturados debates, reportajes
que causan sensación y noticias que hacen historia, desde Iquitos, faro de
peruanidad engastado en el inmenso verdor de nuestra selva. Pero antes
de continuar, queridos oyentes, algunos consejos comerciales:

Avisos grabados en disco y cinta: 60 segundos.

Y, para comenzar, como todos los días, nuestra sección: UN POCO DE
CULTURA. Nunca nos cansaremos de repetirlo, amables radioescuchas: es
preciso que elevemos nuestro nivel intelectual y espiritual, que ahonde-
mos nuestros conocimientos, sobre todo los que conciernen al medio que
nos rodea, al terruño, a la ciudad que nos cobija. Conozcamos sus secretos, la tradición y las leyendas que engalanan sus calles, las vidas y haza-
ñas de quienes les han prestado su nombre, la historia de las casas que
habitamos, muchas de las cuales han sido cuna de grandes prohombres o
escenario de episodios inmarcesibles que son orgullo de nuestra región.
Conozcamos todo esto porque así, adentrándonos un poco en nuestro
pueblo y nuestra ciudad, amaremos más a nuestra Patria y a nuestros
compatriotas. Hoy vamos a contar la historia de una de las más famosas
mansiones de Iquitos. Me refiero, ya lo han adivinado ustedes, a la cono-
cidísima Casa de Fierro, como se la nombra popularmente, que se yergue,
tan original, tan distinta y airosa, en nuestra Plaza de Armas y donde funciona en la actualidad el señorial y distinguido Club Social Iquitos. El
Sinchi pregunta: ¿cuántos loretanos saben quién construyó esta Casa de
Fierro que sorprende y encanta a los forasteros cuando pisan el suelo ubé-
rrimo de Iquitos? ¿Cuántos sabían que esa hermosa casa de metal fue
diseñada por uno de los más alabados arquitectos y constructores de
Europa y del mundo? ¿Quiénes sabían, antes de esta tarde, que esa casa
había salido del cerebro creador del genial francés que a comienzos de
siglo levantó en la ciudad luz, París, la torre de fama universal que lleva
su nombre? ¡La torre Eiffel! Sí, queridos radioescuchas, como lo han
oído: la Casa de Fierro de la Plaza de Armas es obra del audaz y muy
renombrado inventor francés Eiffel, es decir un monumento histórico de
primera magnitud en nuestro país y en cualquier parte del mundo.
¿Quiere decir esto que el famoso Eiffel estuvo alguna vez en la cálida
Iquitos? No, nunca estuvo aquí. ¿Cómo se explica, entonces, que esa

magna obra suya destelle en nuestra querida ciudad? Eso es lo que el Sinchi les va a revelar esta tarde en la sección UN POCO DE CULTURA de su programa...

Breves arpegios.

Corrían los años de la bonanza del caucho y los grandes pioneros loretanos, los mismos que surcaban del norte al sur y del este al oeste la espesura amazónica en busca del codiciado jebe, competían deportivamente, para beneficio de nuestra ciudad, en ver quién construía su casa con los materiales más artísticos y costosos de la época. Y así vieron la luz esas residencias de mármol, de adoquines y fachadas de azulejos, de labrados balcones que hermosean las calles de Iquitos y nos traen a la memoria los años dorados de la Amazonía y nos demuestran cómo el poeta de la Madre Patria tenía razón cuando dijo «cualquier tiempo pasado fue mejor». Pues bien, uno de estos pioneros, grandes señores del caucho y la aventura, fue el millonario y gran loretano Anselmo del Águila, quien, como muchos de sus iguales, acostumbraba hacer viajes a Europa para satisfacer su espíritu inquieto y su sed de cultura. Y aquí tenemos a nuestro charapa, don Anselmo del Águila, en un crudo invierno europeo —¿cómo temblaría el loretano, no?—, llegando a una ciudad alemana y alojándose en un hotelito que llamó poderosamente su atención y le encantó por su gran confort, por el atrevimiento de sus líneas y su belleza tan original, ya que estaba íntegramente construido de fierro. ¿Qué hizo entonces el charapita Del Águila? Ni corto ni perezoso y con ese fervor por la patria chica que nos singulariza a la gente de esta tierra, se dijo: esta gran obra arquitectónica debería estar en mi ciudad, Iquitos la merece y la necesita para su galanura y prestancia. Y, sin más ni más, el manirroto loretano compró el hotelito alemán construido por el gran Eiffel, pagando por él lo que le pidieron sin regatear un céntimo. Lo hizo desmontar en piezas, lo embarcó y se lo trajo hasta Iquitos con tuercas y tornillos inclusive. La primera casa prefabricada de la historia, queridos oyentes. Aquí, la construcción fue montada de nuevo con todo cuidado, bajo la amorosa dirección del propio Del Águila. Ya saben la razón de la presencia en Iquitos de esta curiosa y sin igual obra artística.

Como anécdota postrera es preciso añadir que, en su gesto simpático y en su noble afán de enriquecer el acervo urbanístico de su tierra, don Anselmo del Águila cometió también una temeridad, al no percatarse que el material de la casa que compraba era muy adecuado para el frío polar de la culta Europa, pero algo muy distinto resultaba el caso de Iquitos, donde una mansión de metal, con las temperaturas que sabemos, podía constituir un serio problema. Es lo que sucedió, fatalmente. La casa más cara de Iquitos se reveló inhabitable porque el sol la convertía en una caldera y no se podían tocar sus paredes sin que a la gente se le ampollaran las manos. Del Águila no tuvo otro remedio que vender la casa a un amigo, el cauchero Ambrosio Morales, quien se creyó capaz de resistir la infernal atmósfera de la Casa de Fierro, pero tampoco lo consiguió. Y así estuvo cambiando de propietario año tras año, hasta que se encontró la solución ideal: convertirla en el Club Social Iquitos, institución que está deshabitada en horas del día, cuando la Casa de Fierro echa llamas, y se realza con la presencia de nuestras damitas más agraciadas y nuestros caballeros más distinguidos en las tardes y noches, horas en que el fresco la hace acogedora y templada. Pero el Sinchi piensa que, teniendo en cuenta su ilustre progenitor, la Casa de Fierro debería ser expropiada por la Municipalidad y convertida en un museo o algo parecido, dedicado a los años áureos de Iquitos, el período del apogeo del caucho, cuando nuestro preciado oro negro convirtió a Loreto en la capital económica del país. Y con esto, amables oyentes, se cierra nuestra primera sección: ¡UN POCO DE CULTURA!

Breves arpegios. Avisos en disco y cinta: 60 segundos. Breves arpegios.

Y ahora nuestro COMENTARIO DEL DÍA. Ante todo, queridos radioescuchas, como el tema que tengo que tocar esta noche (muy a pesar mío y por exigírmelo mi deber de periodista íntegro, de loretano, de católico y de padre de familia) es sumamente grave y puede ofender a vuestros oídos, yo les ruego que aparten de sus receptores a sus hijas e hijos menores, pues, con la franqueza que me caracteriza y que ha hecho de LA VOZ DEL SINCHI la ciudadela de la verdad defendida por todos los puños amazónicos, no tendré más remedio que referirme a hechos crudos y llamar a las cosas por su nombre, como siempre lo he sabido hacer. Y lo haré con la energía y la serenidad de quien sabe que habla con el respaldo de su pueblo y haciéndose eco del silencioso pero recto pensamiento de la mayoría.

Breves arpegios.

En repetidas ocasiones, y con delicadeza, para no ofender a nadie, porque ése no es nuestro deseo, hemos aludido en este programa a un hecho que es motivo de escándalo y de indignación para todas las personas decentes y correctas, que viven y piensan moralmente y que son el mayor número de esta ciudad. Y no habíamos querido atacar directa y frontalmente ese hecho vergonzoso porque confiábamos ingenuamente —lo reconocemos con hidalguía— en que el responsable del escarnio recapacitara, comprendiera de una vez por todas la magnitud del daño moral y material que estaba infligiendo a Iquitos, por su afán de lucro inmoderado, por su espíritu mercantil que no respeta barreras ni se para en miramientos para conseguir sus fines, que son atesorar, llenar las arcas, aunque sea con las armas prohibidas de la concupiscencia y de la corrupción, propias y ajenas. Hace algún tiempo, arrostrando la incomprensión de los simples, exponiendo nuestra integridad física, hicimos una campaña civilizadora por estas mismas ondas, en el sentido de que se pusiera fin en Loreto a la costumbre de azotar a los niños después del Sábado de Gloria para purificarlos. Y creo que hemos contribuido en parte, con nuestro granito de arena, para que esa mala costumbre que hacía llorar tanto a nuestros hijos, y a algunos los volvía psicológicamente incapacitados, vaya siendo erradicada de la Amazonía. En otras ocasiones hemos salido al frente de la sarna supersticiosa que, bajo el disfraz de Hermandad del Arca, infecta a la Amazonía y salpica nuestra selva de inocentes animalitos crucificados por culpa de la estulticia y la ignorancia de un sector de nuestro pueblo, de las que abusan falsos mesías y seudo-jesucristos para llenarse los bolsillos y satisfacer sus enfermizos instintos de popularidad, de domesticación y manejo de muchedumbres y de sadismo anticristiano. Y lo hemos hecho sin arredrarnos ante la amenaza de ser crucificados nosotros mismos en la Plaza de Armas de Iquitos, como nos lo profetizan los cobardes anónimos que recibimos a diario llenos de faltas de ortografía de los valientes que tiran la piedra y esconden la mano y se atreven a insultar pero no dan la cara. Anteayer mismo tropezamos en la puerta de nuestro domicilio, cuando nos disponíamos a abandonar el hogar para dirigirnos a ganar decentemente el pan con el sudor de nuestra frente, un gatito crucificado, como bárbara y sangrienta advertencia. Pero se equivocan esos Herodes de nuestro tiempo si piensan que pueden taparle la boca al Sinchi con el espantajo de la intimidación. Por estas ondas seguiremos combatiendo el fanatismo demente y los crímenes religiosos de esa secta, y haciendo votos para que las autoridades capturen al llamado Hermano Francisco, ese Anticristo de la Amazonía, al que esperamos ver pronto pudriéndose en la cárcel como autor intelectual, consciente y contumaz del infanticidio de Moronacocha, de los varios intentos frustrados de asesinato por la cruz que se han registrado en los últimos meses en distintos villorrios de la selva fanatizados por el Arca, y de la abominable crucifixión ocurrida la semana pasada en el misionero pueblo de Santa María de Nieva del anciano Arévalo Benzas por obra de los criminales «hermanos».

Breves arpegios.

Hoy, con la misma firmeza y a costa de los riesgos que haya que correr, el Sinchi pregunta: ¿hasta cuándo vamos a seguir tolerando en nuestra querida ciudad, distinguidos radioescuchas, el bochornoso espectáculo que es la existencia del mal llamado Servicio de Visitadoras, conocido más plebeyamente con el mote de Pantilandia en irrisorio homenaje a su progenitor? El Sinchi pregunta: ¿hasta cuándo, padres y madres de familia de la civilizada Loreto, vamos a seguir sufriendo angustias para impedir que nuestros hijos corran, inocentes, inexpertos, ignorantes del peligro, a contemplar como si fuera una kermesse o un circo, el tráfico de hetairas, de mujerzuelas desvergonzadas, de PROSTITUTAS para no hablar con eufemismos, que impúdicamente llegan y parten de ese antro erigido en las puertas de nuestra ciudad por ese individuo sin ley y sin principios que responde al nombre y apellido de Pantaleón Pantoja? El Sinchi pregunta: ¿qué poderosos y turbios intereses amparan a este sujeto para que, durante dos largos años, haya podido dirigir en la total impunidad un negocio tan ilícito como próspero, tan denigrante como millonario, en las barbas de toda la ciudadanía sana? No nos atemorizan las amenazas, nadie puede sobornarnos, nada atajará nuestra cruzada por el progreso, la moralidad, la cultura y el patriotismo peruanista de la Amazonía. Ha llegado el momento de enfrentarse al monstruo y, como hizo el Apóstol con el dragón, cortarle la cabeza de un solo tajo. No queremos semejante forúnculo en Iquitos, a todos se nos cae la cara de vergüenza y vivimos en una constante zozobra y pesadilla con la existencia de ese complejo industrial de meretrices que preside, como moderno sultán babilónico, el tristemente célebre señor Pantoja, quien no vacila, por su afán de riqueza y explotación, en ofender y agraviar lo más santo que existe, como son la familia, la religión y los cuarteles de los defensores de nuestra integridad territorial y de la soberanía de la Patria.

Breves arpegios. Avisos comerciales en disco y cinta: 30 segundos. Breves arpegios.

La historia no es de ayer ni de anteayer, dura ya nada menos que año y medio, dieciocho meses, en el curso de los cuales hemos visto, incrédulos y estupefactos, crecer y multiplicarse a la sensual Pantilandia. No hablamos por hablar, hemos investigado, auscultado, verificado todo hasta el cansancio, y ahora el Sinchi está en condiciones de revelar, en primicia exclusiva para vosotros, queridos radioescuchas, la impresionante verdad. Una verdad de las que hacen temblar paredes y producen síncopes. El Sinchi pregunta: ¿cuántas mujeres —si es que se puede otorgar ese digno nombre a quienes comercian indignamente con su cuerpo— creen ustedes que trabajan en la actualidad en el gigantesco harén del señor Pantaleón Pantoja? Cuarenta, cabalitas. Ni una más ni una menos: tenemos hasta sus nombres. Cuarenta meretrices constituyen la población femenina de ese lupanar motorizado, que, poniendo al servicio de los placeres inconfesables las técnicas de la era electrónica, moviliza por la Amazonía su mercadería humana en barcos y en hidroaviones.

Ninguna industria de esta progresista ciudad, que se ha distinguido siempre por el empuje de sus hombres de empresa, cuenta con los medios técnicos de Pantilandia. Y, si no, pruebas al canto, datos irrefutables: ¿es cierto o no es cierto que el mal llamado Servicio de Visitadoras dispone de una línea telefónica propia, de una camioneta pic-up marca Dodge placa número «Loreto 78-256», de un aparato de radio trasmisor/receptor, con antena propia, que haría palidecer de envidia a cualquier radioemisora de Iquitos, de un hidroavión Catalina N. 37, que lleva el nombre, claro está, de una cortesana bíblica, *Dalila,* de un barco de 200 toneladas llamado cínicamente *Eva,* y de las comodidades más exigentes y codiciables en su local del río Itaya como ser, por ejemplo, aire acondicionado, que muy pocas oficinas honorables lo tienen en Iquitos? ¿Quién es este afortunado señor Pantoja, ese Farouk criollo, que en sólo año y medio ha conseguido construir tan formidable imperio? Para nadie es un secreto que los largos tentáculos de esta poderosa organización, cuyo centro de operaciones es Pantilandia, se proyectan en todas las direcciones de nuestra Amazonía, llevando su rebaño prostibulario: ¿ADÓNDE, estimados radioescuchas? ¿ADÓNDE, respetables oyentes? A LOS CUARTELES DE LA PATRIA. Sí, señoras y señores, éste es el pingüe negocio del faraónico señor Pantoja: convertir a las guarniciones y campamentos de la selva, a las bases y puestos fronterizos, en pequeñas sodomas y gomorras, gracias a sus prostíbulos aéreos y fluviales. Así como lo oyen, así como lo estoy diciendo. No hay una sílaba de exageración en mis palabras, y si falseo la verdad, que el señor Pantoja venga aquí a desmentirme. Yo, democráticamente, le cedo todo el tiempo que haga falta, en mi programa de mañana o de pasado o de cuando él quiera, para que contradiga al Sinchi si es que el Sinchi miente. Pero no vendrá, claro que no vendrá, porque él sabe mejor que nadie que estoy diciendo la verdad y nada más que la aplastante verdad.

Pero ustedes no han oído todo, estimables radioescuchas. Todavía hay más cosas y aún más graves, si es que cabe. Este individuo sin frenos y sin escrúpulos, el Emperador del Vicio, no contento con llevar el comercio sexual a los cuarteles de la Patria, a los templos de la peruanidad, ¿en qué clase de artefactos piensan ustedes que moviliza a sus barraganas? ¿Qué clase de hidroavión es ese aparato mal llamado *Dalila,* pintado de verde y rojo, que tantas veces hemos visto, con el corazón henchido de rabia, surcar el cielo diáfano de Iquitos? Yo desafío al señor Pantoja a que venga aquí a decir ante este micrófono que el hidroavión *Dalila* no es el mismo hidro Catalina N. 37 en el que, el 3 de marzo de 1929, día glorioso de la Fuerza Aérea Peruana, el teniente Luis Pedraza Romero, de tan grata recordación en nuestra ciudad, voló por primera vez sin escalas entre Iquitos y Yurimaguas, llenando de felicidad y de entusiasmo progresista a todos los loretanos por la proeza realizada. Sí, señoras y señores, la verdad es amarga pero peor es la mentira. El señor Pantoja pisotea y denigra inicuamente un monumento histórico patrio, sagrado para todos los peruanos, utilizándolo como medio de locomoción de sus equipos viajeros de polillas. El Sinchi pregunta: ¿están al corriente de este sacrilegio nacional las autoridades militares de la Amazonía y del país? ¿Se han percatado de este peruanicidio los respetados jefes de la Fuerza Aérea Peruana, y, principalmente, los altos mandos del Grupo Aéreo N. 42 (Amazonía), quienes están llamados a ser celosos guardianes de la aeronave en que el teniente Pedraza cumplió su memorable hazaña? Nosotros nos negamos a creerlo. Conocemos a nuestros jefes militares y aeronáuticos, sabemos lo dignos que son, las abnegadas tareas que realizan. Creemos y queremos creer que el señor Pantoja ha burlado su vigilante atención, que los ha hecho víctimas de alguna burda maniobra para perpetuar semejante horror, cual es convertir, por arte de magia meretricia, un monumento histórico en una casa de citas transeúnte. Porque si no fuera así y, en vez de haber sido engañadas y sorprendidas por el Gran Macró de la Amazonía, hubiera entre estas autoridades y él alguna clase de contubernio, entonces, queridos radioescuchas, sería para echarse a llorar, sería, amables oyentes, para no creer nunca más en nadie y para no respetar nunca nada más. Pero no debe ni puede ser así. Y ese foco de abyección moral debe cerrar sus puertas y el Califa de Pantilandia debe ser expulsado de Iquitos y de la Amazonía con toda su caravana de odaliscas en subasta, porque aquí, los loretanos, que somos gente sana y sencilla, trabajadora y correcta, no los queremos ni los necesitamos.

(7)

Elegía fúnebre del capitán Pantaleón Pantoja en el entierro de la hermosa Olga Arellano, la visitadora clavada en el Nauta

> *Reproducimos a continuación, por considerarla del interés de nuestros lectores y por su desgarrada sinceridad y asombrosas revelaciones, la perorata fúnebre que pronunció en el sepelio de la victimada Olga Arellano Rosaura, (a) Brasileña, quien fuera su amigo y jefe, el tan mentado don Pantaleón Pantoja, y quien ha resultado desde ayer, ante la sorpresa general, capitán de Intendencia del Ejército Peruano.*

Llorada Olga Arellano Rosaura, recordada y muy querida Brasileña, como te llamábamos cariñosamente todos los que te conocíamos o frecuentábamos en el diario quehacer:

Hemos vestido nuestro glorioso uniforme de oficial del Ejército del Perú, para venir a acompañarte a éste que será tu último domicilio terrestre, porque era nuestra obligación proclamar ante los ojos del mundo, con la frente alta y pleno sentido de nuestra responsabilidad, que habías caído como un valeroso soldado al servicio de tu Patria, nuestro amado Perú. Hemos venido hasta aquí, para mostrar sin vergüenza y con orgullo, que

196

éramos tus amigos y superiores, que nos sentíamos muy honrados de compartir contigo la tarea que el destino nos había deparado, cual era la de servir, de manera nada fácil y más bien erizada de dificultades y sacrificios (como tú, respetada amiga, has experimentado en carne propia), a nuestros compatriotas y a nuestro país. Eres una desdichada mártir del cumplimiento del deber, una víctima de la sociedad y villanía de ciertos hombres. Los cobardes que, aguijoneados por el demonio del alcohol, los bajos instintos de la lascivia o el fanatismo más satánico, se apostaron en la Quebrada del Cacique Cocama, en las afueras de Nauta, para, mediante el rastrero engaño y la vil mentira, abordar piratescamente nuestro transporte fluvial *Eva* y luego aplacar con bestial brutalidad sus inclementes deseos, no sabían que esa belleza tuya, que a ellos los acicateaba delictuosamente, la habías consagrado con exclusividad generosa, a los esforzados soldados del Perú.

Llorada Olga Arellano Rosaura, recordada Brasileña: Estos soldados, *tus* soldados, no te olvidan. Ahora mismo, en los rincones más indómitos de nuestra Amazonía, en las quebradas donde es monarca y señorea el anófeles palúdico, en los claros más apartados del bosque, allí donde el Ejército Peruano se ha hecho presente para manifestar y defender nuestra soberanía, y allí donde tú no vacilabas en llegar, sin importarte los insectos, las enfermedades, la incomodidad, llevando el regalo de tu belleza y de tu alegría franca y contagiosa a los centinelas del Perú, hay hombres que te recuerdan con lágrimas en los ojos, y el pecho henchido de cólera hacia tus sádicos asesinos. Ellos no olvidarán nunca tu simpatía, tu graciosa malicia, y ese modo tan tuyo de compartir con ellos las servidumbres de la vida castrense, que, gracias a ti, se les hacían siempre a nuestros clases y soldados más gratas y llevaderas.

Llorada Olga Arellano Rosaura, recordada Brasileña, como te apodaban, por haber vivido en el país hermano al que te llevaron tus jóvenes inquietudes, aunque —debemos decirlo— no hubiera en ti ni una sola gota de sangre ni un solo cabello que no fueran peruanos:

Debes saber que, junto con los soldados melancólicos, disgregados a lo ancho y a lo largo de la Amazonía, también te lloran y evocan tus compañeras y tus compañeros de trabajo del Servicio de Visitadoras para Guarniciones, Puestos de Frontera y Afines, en cuyo centro logístico del río Itaya fuiste en todo momento una lujosa flor que lo enriquecía y perfumaba, y quienes siempre te admiramos, respetamos y quisimos por tu sentido del deber, tu infatigable buen humor, tu gran espíritu de camaradería y colaboración y tantas otras virtudes que te adornaban. En nombre de todos ellos quiero decirte, refrenando el llanto, que tu sacrificio no habrá sido vano: tu sangre todavía joven, salvajemente derramada, será el vínculo sagrado que nos una desde ahora con más fuerza y el ejemplo que nos guíe y estimule a diario para cumplir nuestro deber con la perfección y el desinterés con que tú lo hacías. Y, finalmente, en nombre propio, déjame darte las gracias más profundas, poniendo el corazón en la mano, por tantas pruebas de afecto y comprensión, por tantas enseñanzas íntimas que nunca olvidaré.

LLORADA Olga Arellano Rosaura, recordada Brasileña:

¡DESCANSA EN PAZ!

III
Contra el olvido

La guerra del fin del mundo

A fines del siglo pasado se produjo en el nordeste de Brasil una violenta insurrección popular de signo religioso y revolucionario que puso en grave peligro la estabilidad del país. La ciudad de Canudos se convirtió en el centro de la insurrección, cuyo líder fue Antonio Vicente Mendes Maciel, Antonio Conselheiro, el Consejero de la novela, un personaje espiritualista y fanático, que predicaba una suerte de comunismo evangélico y recibió ese apelativo por su condición de predicador, de consejero moral. Este discurso arrastró a su causa a una muchedumbre de desvalidos entre el campesinado de la región, los sertaneros, hartos de la secular explotación a que eran sometidos por los terratenientes, todo ello en la estela del hundimiento de la monarquía tradicional y la proclamación de la República. Vargas Llosa recrea libremente la obra de Euclides da Cunha, a cuya memoria se dedica el libro, y novela, pues, la sucesión de enfrentamientos entre los insurrectos y el ejército brasileño, que sólo después de cruentos combates, con miles de bajas en ambos bandos, incluidas en ellas las de algunos destacados oficiales, logró aniquilarlos a aquéllos. La obra muestra además todo el entramado de reacciones que suscitó la rebelión entre la aristocracia feudal de la región, la clase política centralista de Río de Janeiro y la milicia. La energía moral de los campesinos, adoctrinados por las palabras del Consejero, hizo de Canudos una fortaleza que resistió tenazmente el asedio del ejército regular, y sólo su destrucción permitió su conquista.

Textos seleccionados

(1) Retrato de Antonio el Consejero y crónica de su irradiación entre la gente.

(2) Retrato del Beatito, seguidor del Consejero.

(3) Acción del Consejero entre los sertaneros. Su hostilidad contra la República laica y antirreligiosa, encarnación del Anticristo.

(4) Retrato de María Quadrado, mujer piadosa, que se hace seguidora del Consejero.

(5) Primer intento del ejército para acabar con la insurrección y primera victoria de los insurrectos.

(6) Carta a sus compañeros anarquistas de Europa de Galileo Gall, frenólogo escocés fascinado por el ideal libertario subyacente a la insurrección, dirigida, como otras, al semanario *L'Étincelle de la Révolte*.

(7) Ecos en la Prensa y en los medios políticos de Bahía de la rebelión de Canudos.

(8) El barón de Cañabrava, terrateniente de la zona, gravemente afectado en sus intereses materiales (incendio de propiedades) y afectivos (locura de su esposa), recibe a un joven periodista obsesionado por los sucesos de Canudos y dispuesto a contarlos para que no se olviden.

(9) El Consejero agoniza rodeado de sus fieles mientras el ejército ataca Canudos.

El hablador

El narrador, trasunto más o menos exacto del propio Vargas Llosa, rememora en Italia sus relaciones amicales con Saúl Zuratas, un compañero de Facultad, a quien conoció en Lima a mediados de los cincuenta y que años después desapareció sin dejar rastro. Una exposición fotográfica sobre la selva del Oriente peruano, visitada al azar en Florencia, arranca al escritor de su designio de olvidarse «del Perú y de los peruanos» y le obliga a escribir, en el agobiante verano italiano, sobre el velador de un café, la historia de Zuratas, criatura de aspecto poco agraciado, con un gran lunar morado sobre la cara y el pelo rojo —de donde el apodo de Mascarita—, de origen judío, que dejó su brillante futuro universitario y toda relación con su pasado y su cultura para convertirse en indio machiguenga. Y esto lo consiguió dedicándose a cumplir en la tribu el papel de *hablador,* de narrador, un puesto clave en una comunidad dispersa como la de los machiguengas, sin jerarquías políticas ni religiosas: en ella el *hablador* cumplía —y así cumple Mascarita— la función de recordar «a cada miembro de la tribu que los demás vivían, que, a pesar de las grandes distancias que los separaban, formaban una comunidad y compartían una tradición, unas creencias, unos ancestros, unos infortunios y algunas alegrías (...), eran la savia circulante que hacía de los machiguengas una sociedad, un pueblo de seres solidarios y comunicados...».

Textos seleccionados

(1) El narrador se topa en Florencia, en una exposición de fotografías, con imágenes de los machiguengas peruanos y, en especial, la de
un *hablador.*

(2) El *hablador* Mascarita cuenta una historia de amor.

(3) El narrador reconstruye la transformación de Saúl en *hablador.*

(1)

El hombre era alto y tan flaco que parecía siempre de perfil. Su piel era oscura, sus huesos prominentes y sus ojos ardían con fuego perpetuo. Calzaba sandalias de pastor y la túnica morada que le caía sobre el cuerpo recordaba el hábito de esos misioneros que, de cuando en cuando, visitaban los pueblos del sertón bautizando muchedumbres de niños y casando a las parejas amancebadas. Era imposible saber su edad, su procedencia, su historia, pero algo había en su facha tranquila, en sus costumbres frugales, en su imperturbable seriedad que, aun antes de que diera consejos, atraía a las gentes.

Aparecía de improviso, al principio solo, siempre a pie, cubierto por el polvo del camino, cada cierto número de semanas, de meses. Su larga silueta se recortaba en la luz crepuscular o naciente, mientras cruzaba la única calle del poblado, a grandes trancos, con una especie de urgencia. Avanzaba resueltamente entre cabras que campanilleaban, entre perros y niños que le abrían paso y lo miraban con curiosidad, sin responder a los saludos de las mujeres que ya conocían y le hacían venias y se apresuraban a traerle jarras de leche de cabra y platos de farinha y frejol. Pero él no comía ni bebía antes de llegar hasta la iglesia del pueblo y comprobar, una vez más, una y cien veces, que estaba rota, despintada, con sus torres truncas y sus paredes agujereadas y sus suelos levantados y sus altares roídos por los gusanos. Se le entristecía la cara con un dolor de retirante al que la sequía ha matado hijos y animales y privado de bienes y debe abandonar su casa, los huesos de sus muertos, para huir, huir, sin saber adónde. A veces lloraba y en el llanto el fuego negro de sus ojos recrudecía con destellos terribles. Inmediatamente se ponía a rezar. Pero no como rezan los demás hombres o las mujeres: él se tendía de bruces en la tierra o las piedras o las lozas desportilladas, frente a donde estaba o había estado o debería estar el altar, y allí oraba, a veces en silencio, a veces en voz alta, una, dos horas, observado con respeto y admiración por los vecinos. Rezaba el Credo, el Padre Nuestro y los Avemarías consabidos, y también otros rezos que nadie había escuchado antes pero que, a lo largo de los días, de los meses, de los años, las gentes irían memorizando. ¿Dónde está el párroco?, le oían preguntar, ¿por qué no hay aquí un pastor para el rebaño? Pues, que en las aldeas no hubiera un sacerdote, lo apenaba tanto como la ruina de las moradas del Señor.

Sólo después de pedir perdón al Buen Jesús por el estado en que tenían su casa, aceptaba comer y beber algo, apenas una muestra de lo que los vecinos se afanaban en ofrecerle aun en años de escasez. Consentía en dormir bajo techo, en alguna de las viviendas que los serta neros ponían a su disposición, pero rara vez se le vio reposar en la hamaca, el camastro o colchón de quien le ofrecía posada. Se tumbaba en el suelo, sin manta alguna, y, apoyando en su brazo la cabeza de hirvien tes cabellos color azabache, dormía unas horas. Siempre tan pocas que era el último en acostarse y cuando los vaqueros y los pastores más madrugadores salían al campo ya lo veían, trabajando en restañar los muros y los tejados de la iglesia.

Daba sus consejos al atardecer, cuando los hombres habían vuelto del campo y las mujeres habían acabado los quehaceres domésticos y las cria turas estaban ya durmiendo. Los daba en esos descampados desarbolados y pedregosos que hay en todos los pueblos del sertón, en el crucero de sus calles principales y que se hubieran podido llamar plazas si hubieran tenido bancas, glorietas, jardines o conservaran los que alguna vez tuvieron y fue ron destruyendo las sequías, las plagas, la desidia. Los daba a esa hora en que el cielo del Norte del Brasil, antes de oscurecerse y estrellarse, llamea entre coposas nubes blancas, grises o azuladas y hay como un vasto fuego de artificio allá en lo alto, sobre la inmensidad del mundo. Los daba a esa hora en que se prenden las fogatas para espantar a los insectos y preparar la comida, cuando disminuye el vaho sofocante y se levanta una brisa que pone a las gentes de mejor ánimo para soportar la enfermedad, el hambre y los padecimientos de la vida.

Hablaba de cosas sencillas e importantes, sin mirar a nadie en espe cial de la gente que lo rodeaba, o, más bien, mirando con sus ojos incan descentes a través del corro de viejos, mujeres, hombres y niños, algo o alguien que sólo él podía ver. Cosas que se entendían porque eran oscu ramente sabidas desde tiempos inmemoriales y que uno aprendía con la leche que mamaba. Cosas actuales, tangibles, cotidianas, inevitables, como el fin del mundo y el Juicio Final, que podían ocurrir tal vez antes de lo que tardase el poblado en poner derecha la capilla alicaída. ¿Qué ocurriría cuando el Buen Jesús contemplara el desamparo en que habían dejado su casa? ¿Qué diría del proceder de esos pastores que, en vez de ayudar al pobre, le vaciaban los bolsillos cobrándole por los servicios de la religión? ¿Se podían vender las palabras de Dios, no debían darse de gra cia? ¿Qué excusa darían al Padre aquellos padres que, pese al voto de castidad, fornicaban? ¿Podían inventarle mentiras, acaso, a quien leía los pensamientos como lee el rastreador en la tierra el paso del jaguar? Cosas prácticas, cotidianas, familiares, como la muerte, que conduce a la felicidad si se entra en ella con el alma limpia, como a una fiesta. ¿Eran los hombres animales? Si no lo eran, debían cruzar esa puerta engalanados con su mejor traje, en señal de reverencia a Aquel a quien iban a encontrar. Les hablaba del cielo y también del infierno, la morada del Perro, empedrada de brasas y crótalos, y de cómo el Demonio podía manifestarse en innovaciones de semblante inofensivo.

Los vaqueros y los peones del interior lo escuchaban en silencio, intrigados, atemorizados, conmovidos, y así lo escuchaban los esclavos y los libertos de los ingenios del litoral y las mujeres y los padres y los hijos de unos y de otras. Alguna vez alguien —pero rara vez porque su seriedad, su voz cavernosa o su sabiduría los intimidaba— lo interrumpía para despejar una duda. ¿Terminaría el siglo? ¿Llegaría el mundo a 1900? Él contestaba sin mirar, con una seguridad tranquila y, a menudo, con enigmas. En 1900 se apagarían las luces y lloverían estrellas. Pero, antes, ocurrirían hechos extraordinarios. Un silencio seguía a su voz, en el que se oía crepitar las fogatas y el bordoneo de los insectos que las llamas devoraban, mientras los lugareños, conteniendo la respiración, esforzaban de antemano la memoria para recordar el futuro. En 1896 un millar de rebaños correrían de la playa hacia el sertón y el mar se volvería sertón y el sertón mar. En 1897 el desierto se cubriría de pasto, pastores y rebaños se mezclarían y a partir de entonces habría un solo rebaño y un solo pastor. En 1898 aumentarían los sombreros y disminuirían las cabezas y en 1899 los ríos se tornarían rojos y un planeta nuevo cruzaría el espacio.

Había, pues, que prepararse. Había que restaurar la iglesia y el cementerio, la más importante construcción después de la casa del Señor, pues era antesala del cielo o del infierno, y había que destinar el tiempo restante a lo esencial: el alma. ¿Acaso partirían el hombre o la mujer allá con sayas, vestidos, sombreros de fieltro, zapatos de cordón y todos esos lujos de lana y de seda que no vistió nunca el Buen Jesús?

Eran consejos prácticos, sencillos. Cuando el hombre partía, se hablaba de él: que era santo, que había hecho milagros, que había visto la zarza ardiente en el desierto, igual que Moisés, y que una vez le había revelado el nombre impronunciable de Dios. Y se comentaban sus consejos. Así, antes de que terminara el Imperio y después de comenzada la República, los lugareños de Tucano, Soure, Amparo y Pombal, fueron escuchándolos; y, mes a mes, año a año, fueron resucitando de sus ruinas las iglesias de Bom Conselho, de Geremoabo, de Massacará y de Inhambupe; y, según sus enseñanzas, surgieron tapias y hornacinas en los cementerios de Monte Santo, de Entre Ríos, de Abadía y de Barracão, y la muerte fue celebrada con dignos entierros en Itapicurú, Cumbe, Natuba, Mocambo. Mes a mes, año a año, se fueron poblando de consejos las noches de Alagoinhas, Uauá,

Jacobina, Itabaiana, Campos, Itabaianinha, Gerú, Riachão, Lagarto, Simão Dias. A todos parecían buenos consejos y por eso, al principio en uno y luego en otro y al final en todos los pueblos del Norte, al hombre que los daba, aunque su nombre era Antonio Vicente y su apellido Mendes Maciel, comenzaron a llamarlo el Consejero.

(2)

Había nacido en Pombal y era hijo de un zapatero y su querida, una inválida que, pese a serlo, parió a tres varones antes que a él y pariría después a una hembrita que sobrevivió a la sequía. Le pusieron Antonio y, si hubiera habido lógica en el mundo, no hubiera debido vivir, pues cuando todavía gateaba ocurrió la catástrofe que devastó la región, matando cultivos, hombres y animales. Por culpa de la sequía casi todo Pombal emigró hacia la costa, pero Tiburcio da Mota, que en su medio siglo de vida no se había alejado nunca más de una legua de ese poblado en el que no había pies que no hubieran sido calzados por sus manos, hizo saber que no abandonaría su casa. Y cumplió, quedándose en Pombal con un par de docenas de personas apenas, pues hasta la misión de los padres lazaristas se vació.

Cuando, un año más tarde, los retirantes de Pombal comenzaron a volver, animados por las nuevas de que los bajíos se habían anegado otra vez y ya se podía sembrar cereales, Tiburcio da Mota estaba enterrado, como su concubina inválida y los tres hijos mayores. Se habían comido todo lo comestible y cuando esto se acabó, todo lo que fuera verde y, por fin, todo lo que podían triturar los dientes. El vicario Don Casimiro, que los fue enterrando, aseguraba que no habían perecido de hambre sino de estupidez, por comerse los cueros de la zapatería y beberse las aguas de la Laguna del Buey, hervidero de mosquitos y de pestilencia que hasta los chivos evitaban. Don Casimiro recogió a Antonio y a su hermanita, los hizo sobrevivir con dietas de aire y plegarias y, cuando las casas del pueblo se llenaron otra vez de gente, les buscó un hogar.

A la niña se la llevó su madrina, que se fue a trabajar en una hacienda del Barón de Cañabrava. A Antonio, entonces de cinco años, lo adoptó el otro zapatero de Pombal, llamado el Tuerto —había perdido un ojo en una riña—, quien aprendió su oficio en el taller de Tiburcio da Mota y al regresar a Pombal heredó su clientela. Era un hombre hosco, que andaba borracho con frecuencia y solía amanecer tumbado en la calle, hediendo a cachaça. No tenía mujer y hacía trabajar a Antonio como una bestia de carga, barriendo, limpiando, alcanzándole clavos, tijeras, monturas, botas, o yendo a la curtiembre. Lo hacía dormir sobre un pellejo, junto a la mesita donde el Tuerto se pasaba todas las horas en que no estaba bebiendo con sus compadres.

El huérfano era menudo y dócil, puro hueso y unos ojos cohibidos que inspiraban compasión a las mujeres de Pombal, las que, vez que podían, le daban algo de comer o las ropas que ya no se ponían sus hijos. Ellas fueron un día —media docena de hembras que habían conocido a la tullida y comadreado a su vera en incontables bautizos, confirmaciones, velorios, matrimonios— al taller del Tuerto a exigirle que mandara a Antonio al catecismo, a fin de que lo prepararan para la primera comunión. Lo asustaron de tal modo diciéndole que Dios le tomaría cuentas si ese niño moría sin haberla hecho, que el zapatero, a regañadientes, consintió en que asistiera a la doctrina de la misión, todas las tardes, antes de las vísperas.

Algo notable ocurrió entonces en la vida del niño, al que, poco después, a consecuencia de los cambios que operó en él la doctrina de los lazaristas, comenzarían a llamar el Beatito. Salía de las prédicas con la mirada desasida del contorno y como purificado de escorias. El Tuerto contó que muchas veces lo encontraba de noche, arrodillado en la oscuridad, llorando por el sufrimiento de Cristo, tan absorto que sólo lo regresaba al mundo remeciéndolo. Otras noches lo sentía hablar en sueños, agitado, de la traición de Judas, del arrepentimiento de la Magdalena, de la corona de espinas y una noche lo oyó hacer voto de perpetua castidad, como San Francisco de Sales al cumplir los once años.

Antonio había encontrado una ocupación a la que consagrar su vida. Seguía haciendo sumisamente los mandados del Tuerto, pero los hacía entrecerrando los ojos y moviendo los labios de modo que todos comprendían que, aunque barría o corría donde el talabartero o sujetaba la suela que el Tuerto martillaba, estaba en realidad rezando. Al padre adoptivo las actitudes del niño lo turbaban y atemorizaban. En el rincón donde dormía, el Beatito fue construyendo un altar, con estampas que le regalaron en la misión y una cruz de xique-xique que él mismo talló y pintó. Allí prendía una vela para rezar, al levantarse y al acostarse, y allí, de rodillas, con las manos juntas y la expresión contrita, gastaba sus ratos libres en vez de corretear por los potreros, montar a pelo los animales chúcaros, cazar palomas o ir a ver castrar a los toros como los demás chicos de Pombal.

Desde que hizo la primera comunión fue monaguillo de Don Casimiro y cuando éste murió siguió ayudando a decir misa a los lazaristas de la misión, aunque para ello tenía que andar, entre idas y vueltas, una legua diaria. En las procesiones echaba el incienso y ayudaba a decorar las andas y los altares de las esquinas donde la Virgen y el Buen Jesús hacían un alto para descansar. La religiosidad del Beatito era tan grande como su bondad. Espectáculo familiar para los habitantes de Pombal era verlo servir de lazarillo al ciego Adelfo, al que acompañaba a veces a los potreros del coronel Ferreira, donde aquél había trabajado hasta contraer cataratas y de los que vivía melancólico. Lo llevaba del brazo, a campo traviesa, con un palo en la mano para escarbar en la tierra al acecho de las serpientes, escuchándole con paciencia sus historias. Y Antonio recogía también comida y ropa para el leproso Simeón, que vivía como una bestia montuna desde que los vecinos le prohibieron acercarse a Pombal. Una vez por semana, el Beatito le llevaba en un atado los pedazos de pan y de charqui y los cereales que había mendigado para él, y los vecinos lo divisaban, a lo lejos, guiando entre los roquedales de la loma donde estaba su cueva, hacia el pozo de agua, al viejo que andaba descalzo, con los pelos crecidos, cubierto sólo con un pellejo amarillo.

La primera vez que vio al Consejero, el Beatito tenía catorce años y había sufrido, pocas semanas antes, una terrible decepción. El Padre Moraes, de la misión lazarista, le echó un baño de agua helada al decirle que no podía ser sacerdote, pues era hijo natural. Lo consoló, explicándole que igual se podía servir a Dios sin recibir las órdenes, y le prometió hacer gestiones con un convento capuchino, donde tal vez lo recibirían como hermano lego. El Beatito lloró esa noche con sollozos tan sentidos, que el Tuerto, encolerizado, lo molió a golpes por primera vez después de muchos años. Veinte días más tarde, bajo la quemante resolana del mediodía, irrumpió por la calle medianera de Pombal una figurilla alargada, oscura, de cabellos negros y ojos fulminantes, envuelta en una túnica morada, que, seguida de media docena de gentes que parecían pordioseros y sin embargo tenían caras felices, atravesó en tromba el poblado en dirección a la vieja capilla de adobes y tejas que, desde la muerte de Don Casimiro, se hallaba tan arruinada que los pájaros habían hecho nidos entre las imágenes. El Beatito, como muchos vecinos de Pombal, vio orar al peregrino echado en el suelo, igual que sus acompañantes, y esa tarde lo oyó dar consejos para la salvación del alma, criticar a los impíos y pronosticar el porvenir.

Esa noche, el Beatito no durmió en la zapatería sino en la plaza de Pombal, junto a los peregrinos que se habían tendido en la tierra, alrededor del santo. Y la mañana y tarde siguientes, y todos los días que éste permaneció en Pombal, el Beatito trabajó junto con él y los suyos, reponiéndoles tapas y espaldares a los bancos de la capilla, nivelando su suelo y erigiendo una cerca de piedras que diera independencia al cementerio, hasta entonces una lengua de tierra que se entreveraba con el pueblo. Y todas las noches estuvo acuclillado junto a él, absorto, escuchando las verdades que decía su boca.

Pero cuando, la penúltima noche del Consejero en Pombal, Antonio el Beatito le pidió permiso para acompañarlo por el mundo, los ojos —intensos a la vez que helados— del santo, primero, y su boca después, dijeron no. El Beatito lloró amargamente, arrodillado junto al Consejero. Era noche alta, Pombal dormía y también los andrajosos, anudados unos en otros. Las fogatas se habían apagado pero las estrellas refulgían sobre sus cabezas y se oían cantos de chicharras. El Consejero lo dejó llorar, permitió que le besara el ruedo de la túnica y no se inmutó cuando el Beatito le suplicó de nuevo que lo dejara seguirlo, pues su corazón le decía que así serviría mejor al Buen Jesús. El muchacho se abrazó a sus tobillos y estuvo besándole los pies encallecidos. Cuando lo notó exhausto, el Consejero le cogió la cabeza con las dos manos y lo obligó a mirarlo. Acercándole la cara le preguntó, solemne, si amaba tanto a Dios como para sacrificarle el dolor. El Beatito hizo con la cabeza que sí, varias veces. El Consejero se levantó la túnica y el muchacho pudo ver, en la luz incipiente, que se sacaba un alambre que tenía en la cintura lacerándole la carne. «Ahora llévalo, tú», lo oyó decir. Él mismo ayudó al Beatito a abrirse las ropas, a apretar el cilicio contra su cuerpo, a anudarlo.

Cuando, siete meses después, el Consejero y sus seguidores —habían cambiado algunas caras, había aumentado el número, había entre ellos ahora un negro enorme y semidesnudo, pero su pobreza y la felicidad de sus ojos eran los de antes— volvieron a aparecer en Pombal, dentro de un remolino de polvo, el cilicio seguía en la cintura del Beatito, a la que había amoratado y luego abierto estrías y más tarde recubierto de costras parduscas. No se lo había quitado un solo día y cada cierto tiempo volvía a ajustarse el alambre aflojado por el movimiento cotidiano del cuerpo. El Padre Moraes había tratado de disuadirlo de que lo siguiera llevando, explicándole que una cierta dosis de dolor voluntario complacía a Dios, pero que, pasado cierto límite, aquel sacrificio podría volverse un morboso placer alentado por el Diablo y que él estaba en peligro de franquear en cualquier momento el límite.

Pero Antonio no le obedeció. El día del regreso del Consejero y su séquito a Pombal, el Beatito estaba en el almacén del caboclo Umberto Salustiano y su corazón se petrificó en su pecho, así como el aire que entraba a su nariz, cuando lo vio pasar a un metro de él, rodeado de sus apóstoles y de decenas de vecinos y vecinas, y dirigirse, como la vez anterior, derechamente a la capilla. Lo siguió, se sumó al bullicio y a la agitación del pueblo y confundido con la gente oró, a discreta distancia, sintiendo una revolución en su sangre. Y esa noche lo escuchó predicar, a la luz de las llamas, en la plaza atestada, sin atreverse todavía a acercarse. Todo Pombal estaba allí esta vez, oyéndolo.

Casi al amanecer, cuando los vecinos, que habían rezado y cantado y le habían llevado sus hijos enfermos para que pidiera a Dios su curación y que le habían contado sus aflicciones y preguntado por lo que les reservaba el futuro, se hubieron ido, y los discípulos ya se habían echado a dormir, como lo hacían siempre, sirviéndose recíprocamente de almohadas y abrigo, el Beatito, en la actitud de reverencia extrema en la que se acercaba a comulgar, se llegó, vadeando los cuerpos andrajosos, hasta la silueta oscura, morada, que apoyaba la hirsuta cabeza en uno de sus brazos. Las fogatas daban las últimas boqueadas. Los ojos del Consejero se abrieron al verlo venir y el Beatito repetiría siempre a los oyentes de su historia que vio en ellos, al instante, que aquel hombre lo había estado esperando. Sin decir una palabra —no hubiera podido— se abrió la camisa de jerga y le mostró el alambre que le ceñía la cintura.

Después de observarlo unos segundos, sin pestañear, el Consejero asintió y una sonrisa cruzó brevemente su cara que, diría cientos de veces el Beatito en los años venideros, fue su consagración. El Consejero señaló un pequeño espacio de tierra libre, a su lado, que parecía reservado para él entre el amontonamiento de cuerpos. El muchacho se acurrucó allí, entendiendo, sin que hicieran falta las palabras, que el Consejero lo consideraba digno de partir con él por los caminos del mundo, a combatir contra el Demonio. Los perros trasnochadores, los vecinos madrugadores de Pombal oyeron mucho rato todavía el llanto del Beatito sin sospechar que sus sollozos eran de felicidad.

(3)

Cuando la sequía de 1877, en los meses de hambruna y epidemias que mataron a la mitad de hombres y animales de la región, el Consejero ya no peregrinaba solo sino acompañado, o mejor dicho seguido (él parecía apenas darse cuenta de la estela humana que prolongaba sus huellas) por hombres y mujeres que, algunos tocados en el alma por sus consejos, otros por curiosidad o simple inercia, abandonaban lo que tenían para ir tras él. Unos lo escoltaban un trecho de camino, algunos pocos parecían estar a su lado para siempre. Pese a la sequía, él seguía andando, aunque los campos estuvieran ahora sembrados de osamentas de res que picoteaban los buitres y lo recibieran poblados semivacíos.

Que a lo largo de 1877 dejara de llover, se secaran los ríos y aparecieran en las caatingas innumerables caravanas de retirantes que, llevando en carromatos o sobre los hombros las miserables pertenencias, deambulaban en busca de agua y de sustento, no fue tal vez lo más terrible de ese año terrible. Si no, tal vez, los bandoleros y las cobras que erupcionaron los sertones del Norte. Siempre había habido gentes que entraban a las haciendas a robar ganado, se tiroteaban con los capangas de los terratenientes y saqueaban aldeas apartadas y a las que periódicamente venían a perseguir las volantes de la policía. Pero con el hambre las cuadrillas de bandoleros se multiplicaron como los panes y pescados bíblicos. Caían, voraces y homicidas, en los pueblos ya diezmados por la catástrofe para apoderarse de los últimos comestibles, de enseres y vestimentas y reventar a tiros a los moradores que se atrevían a enfrentárseles.

Pero al Consejero nunca lo ofendieron de palabra u obra. Se cruzaban con él, en las veredas del desierto, entre los cactos y las piedras, bajo un

212

cielo de plomo, o en la intrincada caatinga donde se habían marchitado los matorrales y los troncos comenzaban a cuartearse. Los cangaceiros, diez, veinte hombres armados con todos los instrumentos capaces de cortar, punzar, perforar, arrancar, veían al hombre flaco de hábito morado, que paseaba por ellos un segundo, con su acostumbrada indiferencia, sus ojos helados y obsesivos, y proseguía haciendo las cosas que solía hacer: orar, meditar, andar, aconsejar. Los peregrinos palidecían al ver a los hombres del cangaço y se apiñaban alrededor del Consejero como pollos en torno a la gallina. Los bandoleros, comprobando su extrema pobreza, seguían de largo, pero, a veces, se detenían al reconocer al santo cuyas profecías habían llegado a sus oídos. No lo interrumpían si estaba orando; esperaban que se dignara verlos. Él les hablaba al fin, con esa voz cavernosa que sabía encontrar los atajos del corazón. Les decía cosas que podían entender, verdades en las que podían creer. Que esta calamidad era sin duda el primero de los anuncios de la llegada del Anticristo y de los daños que precederían la resurrección de los muertos y el Juicio Final. Que si querían salvar el alma debían prepararse para las contiendas que se librarían cuando los demonios del Anticristo —que sería el Perro mismo venido a la tierra a reclutar prosélitos— invadieran como mancha de fuego los sertones. Igual que los vaqueros, los peones, los libertos y los esclavos, los cangaceiros reflexionaban. Y algunos de ellos —el cortado Pajeú, el enorme Pedrão y hasta el más sanguinario de todos: João Satán— se arrepentían de sus crímenes, se convertían al bien y lo seguían.

Y, como los bandoleros, lo respetaron las serpientes de cascabel que asombrosamente y por millares brotaron en los campos a raíz de la sequía. Largas, resbaladizas, triangulares, contorsionantes, abandonaban sus guaridas y ellas también se retiraban, como los hombres, y en su fuga mataban niños, terneros, cabras y no vacilaban en ingresar a pleno día a los poblados en pos de sustento. Eran tan numerosas que no había acuanes bastantes para acabar con ellas y no fue raro ver, en esa época trastornada, serpientes que se comían a esa ave de rapiña en vez de, como antaño, ver al acuán levantando el vuelo con su presa en el pico. Los sertaneros debieron andar día y noche con palos y machetes y hubo retirantes que llegaron a matar cien crótalos en un solo día. Pero el Consejero no dejó de dormir en el suelo, donde lo sorprendiera la noche. Una tarde, que oyó a sus acompañantes hablando de serpientes, les explicó que no era la primera vez que sucedía. Cuando los hijos de Israel regresaban de Egipto a su país, y se quejaban de las penalidades del desierto, el Padre les envió en castigo una plaga de ofidios. Intercedió Moisés y el Padre le ordenó fabricar una serpiente de bronce a la que bastaba mirar para curarse de la mordedura. ¿Debían hacer ellos lo mismo? No, pues los milagros no se repetían. Pero seguramente el Padre vería con buenos ojos que llevaran, como detente, la cara de Su Hijo. Una mujer de Monte Santo, María Quadrado, cargó desde entonces en una urna un pedazo de tela con la imagen del Buen Jesús pintada por un muchacho de Pombal que por piadoso se había ganado el nombre de Beatito. El gesto debió complacer al Padre pues ninguno de los peregrinos fue mordido.

Y también respetaron al Consejero las epidemias que, a consecuencia de la sequía y el hambre, se encarnizaron en los meses y años siguientes contra los que habían conseguido sobrevivir. Las mujeres abortaban a poco de ser embarazadas, los niños perdían los dientes y el pelo, y los adultos, de pronto, comenzaban a escupir y a defecar sangre, se hinchaban de tumores o llagaban con sarpullidos que los hacían revolcarse contra los cascajos como perros sarnosos. El hombre filiforme seguía peregrinando entre la pestilencia y mortandad, imperturbable, invulnerable, como un bajel de avezado piloto que navega hacia buen puerto sorteando tempestades.

¿A qué puerto se dirigía el Consejero tras ese peregrinar incesante? Nadie se lo preguntaba ni él lo decía ni probablemente lo sabía. Iba ahora rodeado por decenas de seguidores que lo habían abandonado todo para consagrarse al espíritu. Durante los meses de la sequía el Consejero y sus discípulos trabajaron sin tregua dando sepultura a los muertos de inanición, peste o angustia que encontraban a la vera de los caminos, cadáveres corruptos y comidos por las bestias y aun por humanos. Fabricaban cajones y cavaban fosas para esos hermanos y hermanas. Eran una variopinta colectividad donde se mezclaban razas, lugares, oficios. Había entre ellos encuerados que habían vivido arreando el ganado de los coroneles hacendados; caboclos de pieles rojizas cuyos tatarabuelos indios vivían semidesnudos, comiéndose los corazones de sus enemigos; mamelucos que fueron capataces, hojalateros, herreros, zapateros o carpinteros y mulatos y negros cimarrones huidos de los cañaverales del litoral y del potro, los cepos, los vergazos con salmuera y demás castigos inventados en los ingenios para los esclavos. Y había las mujeres, viejas y jóvenes, sanas o tullidas, que eran siempre las primeras en conmoverse cuando el Consejero, durante el alto nocturno, les hablaba del pecado, de las vilezas del Can o de la bondad de la Virgen. Eran ellas las que zurcían el hábito morado convirtiendo en agujas las espinas de los cardos y en hilo las fibras de las palmeras y las que se ingeniaban para hacerle uno nuevo cuando el viejo se desgarraba en los arbustos, y las que le renovaban las sandalias y se disputaban las viejas para conservar, como reliquias, esas prendas que habían tocado su cuerpo. Eran ellas las que, cada tarde, cuando los hombres habían prendido las fogatas, preparaban el angú de harina de arroz o de maíz o de mandioca dulce con agua y las buchadas de zapallo que sustentaban a los peregrinos. Éstos nunca tuvieron que preocuparse por el alimento, pues eran frugales y recibían dádivas por donde pasaban. De los humildes, que corrían a llevarle al Consejero una gallina o una talega de maíz o quesos recién hechos, y también de los propietarios que, cuando la corte harapienta pernoctaba en las alquerías y, por iniciativa propia y sin cobrar un centavo, limpiaba y barría las capillas de las haciendas, les mandaban con sus sirvientes leche fresca, víveres y, a veces, una cabrita o un chivo.

Había dado ya tantas vueltas, andado y desandado tantas veces por los sertones, subido y bajado tantas chapàdas, que todo el mundo lo conocía. También los curas. No había muchos y los que había estaban como perdidos en la inmensidad del sertón y eran, en todo caso, insuficientes para mantener vivas a las abundantes iglesias que eran visitadas por pastores sólo el día del santo del pueblo. Los vicarios de algunos lugares, como Tucano y Cumbe, le permitían hablar a los fieles desde el púlpito y se llevaban bien con él; otros, como los de Entre Ríos e Itapicurú se lo prohibían y lo combatían. En los demás, para retribuirle lo que hacía por las iglesias y los cementerios, o porque su fuerza entre las almas sertaneras era tan grande que no querían indisponerse con sus parroquianos, los vicarios consentían a regañadientes a que, luego de la misa, rezara letanías y predicara en el atrio.

¿Cuándo se enteraron el Consejero y su corte de penitentes que, en 1888, allá lejos, en esas ciudades cuyos nombres incluso les sonaban extranjeros —São Paulo, Río de Janeiro, la propia Salvador, capital del Estado— la monarquía había abolido la esclavitud y que la medida provocaba agitación en los ingenios bahianos que, de pronto, se quedaron sin brazos? Sólo meses después de decretada subió a los sertones la noticia, como subían las noticias a esas extremidades del Imperio —demoradas, deformadas y a veces caducas— y las autoridades la hicieron pregonar en las plazas y clavar en la puerta de los municipios.

Y es probable que, al año siguiente, el Consejero y su estela se enteraran con el mismo retraso que la nación a la que sin saberlo pertenecían había dejado de ser Imperio y era ahora República. Nunca llegaron a saber que este acontecimiento no despertó el menor entusiasmo en las viejas autoridades, ni en los ex propietarios de esclavos (seguían siéndolo de cañaverales y rebaños) ni en los profesionales y funcionarios de Bahía que veían en esta mudanza algo así como el tiro de gracia a la ya extinta hegemonía de la ex capital, centro de la vida política y económica del Brasil por doscientos años y ahora nostálgica pariente pobre, que veía desplazarse hacia el Sur todo lo que antes era suyo —la prosperidad, el poder, el dinero, los brazos, la historia—, y aunque lo hubieran sabido no lo hubieran entendido ni les hubiera importado, pues las preocupaciones del Consejero y los suyos eran otras. Por lo demás ¿qué había cambiado para ellos aparte de algunos nombres? ¿No era este paisaje de tierra reseca y cielo plúmbeo el de siempre? Y a pesar de haber pasado varios años de la sequía ¿no continuaba la región curando sus heridas, llorando a sus muertos, tratando de resucitar los bienes perdidos? ¿Qué había cambiado ahora que había Presidente en vez de Emperador en la atormentada tierra del Norte? ¿No seguía luchando contra la esterilidad del suelo y la avaricia del agua el labrador para hacer brotar el maíz, el frejol, la papa y la mandioca y para mantener vivos a los cerdos, las gallinas y las cabras? ¿No seguían llenas de ociosos las aldeas y no eran todavía peligrosos los caminos por los bandidos? ¿No había por doquier ejércitos de pordioseros como reminiscencia de los estragos de 1877? ¿No eran los mismos los contadores de fábulas? ¿No seguían, pese a los esfuerzos del Consejero, cayéndose a pedazos las casas del Buen Jesús?

Pero sí, algo cambió con la República. Para mal y confusión del mundo: la Iglesia fue separada del Estado, se estableció la libertad de cultos y se secularizaron los cementerios, de los que ya no se ocuparían las parroquias sino los municipios. En tanto que los vicarios, desconcertados, no sabían qué decir ante esas novedades que la jerarquía se resignaba a aceptar, el Consejero sí lo supo, al instante: eran impiedades inadmisibles para el creyente. Y cuando supo que se había entronizado el matrimonio civil —como si un sacramento creado por Dios no fuera bastante— él sí tuvo la entereza de decir en voz alta, a la hora de los consejos, lo que los párrocos murmuraban: que ese escándalo era obra de protestantes y masones. Como, sin duda, esas otras disposiciones extrañas, sospechosas, de las que se iban enterando por los pueblos: el mapa estadístico, el censo, el sistema métrico decimal. A los aturdidos sertaneros que acudían a preguntarle qué significaba todo eso, el Consejero se lo explicaba, despacio: querían saber el color de la gente para restablecer la esclavitud y devolver a los morenos a sus amos, y su religión para identificar a los católicos cuando comenzaran las persecuciones. Sin alzar la voz, los exhortaba a no responder a semejantes cuestionarios ni a aceptar que el metro y el centímetro sustituyeran a la vara y el palmo.

Una mañana de 1893, al entrar a Natuba, el Consejero y los peregrinos oyeron un zumbido de avispas embravecidas que subía al cielo desde la Plaza Matriz, donde los hombres y mujeres se habían congregado para leer o escuchar leer unos edictos recién colados en las tablas. Les iban a cobrar impuestos, la República les quería cobrar impuestos. ¿Y qué eran los impuestos?, preguntaban muchos lugareños. Como los diezmos, les explicaban otros. Igual que, antes, si a un morador le nacían cincuenta gallinas debía dar cinco a la misión y una arroba de cada diez que cosechaba, los edictos establecían que se diera a la República una parte de todo lo que uno heredaba o producía. Los vecinos tenían que declarar en los municipios, ahora autónomos, lo que tenían y lo que ganaban para saber lo que les correspondería pagar. Los perceptores de impuestos incautarían para la República todo lo que hubiera sido ocultado o rebajado de valor.

El instinto animal, el sentido común y siglos de experiencia hicieron comprender a los vecinos que aquello sería tal vez peor que la sequía, que los perceptores de impuestos resultarían más voraces que los buitres y los bandidos. Perplejos, asustados, encolerizados, se codeaban y se comunicaban unos a otros su aprensión y su ira, en voces que, mezcladas, integradas, provocaban esa música beligerante que subía al cielo de Natuba cuando el Consejero y sus desastrados ingresaron al pueblo por la ruta de Cipó. Las gentes rodearon al hombre de morado y le obstruyeron el camino a la Iglesia de Nuestra Señora de la Concepción (recompuesta y pintada por él mismo varias veces en las décadas anteriores) donde se dirigía con sus trancadas de siempre, para contarle las nuevas que él, serio y mirando a través de ellos, apenas pareció escuchar.

Y, sin embargo, instantes después, al tiempo que una suerte de explosión interior ponía sus ojos ígneos, echó a andar, a correr, entre la muchedumbre que se abría a su paso, hacia las tablas con los edictos. Llegó hasta ellas y sin molestarse en leerlas las echó abajo, con la cara descompuesta por una indignación que parecía resumir la de todos. Luego pidió, con voz vibrante, que quemaran esas maldades escritas. Y cuando, ante los ojos sorprendidos de los concejales, el pueblo lo hizo y, además, empezó a celebrar, reventando cohetes como en día de feria, y el fuego disolvió en humo los edictos y el susto que provocaron, el Consejero, antes de ir a rezar a la Iglesia de la Concepción, dio a los seres de ese apartado rincón una grave primicia: el Anticristo estaba en el mundo y se llamaba República.

(4)

Apareció una madrugada sin lluvia, en lo alto de una loma del camino del Quijingue, arrastrando una cruz de madera. Tenía veinte años pero había padecido tanto que parecía viejísima. Era una mujer de cara ancha, pies magullados y cuerpo sin formas, de piel color ratón.

Se llamaba María Quadrado y venía desde Salvador a Monte Santo, andando. Arrastraba ya la cruz tres meses y un día. En el camino de gargantas de piedra y caatingas erizadas de cactos, desiertos donde ululaba el viento en remolinos, caseríos que eran una sola calle lodosa y tres palmeras y pantanos pestilentes donde se sumergían las reses para librarse de los murciélagos, María Quadrado había dormido a la intemperie, salvo las raras veces en que algún tabaréu o pastor que la miraban como santa le ofrecían sus refugios. Se había alimentado de pedazos de rapadura que le daban almas caritativas y de frutos silvestres que arrancaba cuando, de tanto ayunar, le crujía el estómago. Al salir de Bahía, decidida a peregrinar hasta el milagroso Calvario de la Sierra de Piquaraçá, donde dos kilómetros excavados en los flancos de la montaña y rociados de capillas, en recuerdo de las Estaciones del Señor, conducían hacia la Iglesia de la Santa Cruz de Monte Santo, adonde había prometido llegar a pie en expiación de sus pecados, María Quadrado vestía dos polleras y tenía unas trenzas anudadas con una cinta, una blusa azul y zapatos de cordón. Pero en el camino había regalado sus ropas a los mendigos y los zapatos se los robaron en Palmeira dos Indios. De modo que al divisar Monte Santo, esa madrugada, iba descalza y su vestimenta era un costal de esparto con agujeros para los brazos. Su cabeza, de mechones mal tijereteados y cráneo pelado, recordaba las de los locos del hospital de Salvador. Se había rapado ella misma después de ser violada por cuarta vez.

Porque había sido violada cuatro veces desde que comenzó su recorrido: por un alguacil, por un vaquero, por dos cazadores de venados y por un pastor de cabras que la cobijó en su cueva. Las tres primeras veces, mientras la mancillaban, sólo había sentido repugnancia por esas bestias que temblaban encima suyo como atacados del mal de San Vito y había soportado la prueba rogándole a Dios que no la dejaran encinta. Pero la cuarta había sentido un arrebato de piedad por el muchacho encaramado sobre ella, que, después de haberla golpeado para someterla, le balbuceaba palabras tiernas. Para castigarse por esa compasión se había rapado y transformado en algo tan grotesco como los monstruos que exhibía el Circo del Gitano por los pueblos del sertón.

Al llegar a la cuesta desde la que vio, al fin, el premio de tanto esfuerzo —el graderío de piedras grises y blancas de la Vía Sacra, serpeando entre los techos cónicos de las capillas, que remataba allá arriba en el Calvario hacia el que cada Semana Santa confluían muchedumbres desde todos los confines de Bahía y, abajo, al pie de la montaña, las casitas de Monte Santo apiñadas en torno a una plaza con dos coposos tamarindos en la que había sombras que se movían— María Quadrado cayó de bruces al suelo y besó la tierra. Allí estaba, rodeado de una llanura de vegetación incipiente, donde pacían rebaños de cabras, el añorado lugar cuyo nombre le había servido de acicate para emprender la travesía y la había ayudado a soportar la fatiga, el hambre, el frío, el calor y los estupros. Besando los maderos que ella misma había clavado, la mujer agradeció a Dios con confusas palabras haberle permitido cumplir la promesa. Y, echándose una vez más la cruz al hombro, trotó hacia Monte Santo como un animal que olfatea, inminente, la presa o la querencia.

Entró al pueblo a la hora en que la gente despertaba y a su paso, de puerta a puerta, de ventana a ventana, se fue propagando la curiosidad. Caras divertidas y compadecidas se adelantaban a mirarla —sucia, fea, sufrida, cuadrada— y cuando cruzó la rua dos Santos Passos, erigida sobre el barranco donde se quemaban las basuras y donde hozaban los cerdos del lugar, que era el comienzo de la Vía Sacra, la seguía una multitud de procesión. Comenzó a escalar la montaña de rodillas, rodeada de arrieros que habían descuidado las faenas, de remendones y panaderos, de un enjambre de chiquillos y de beatas arrancadas de la novena del amanecer. Los lugareños, que, al comenzar la ascensión, la consideraban un simple bicho raro, la vieron avanzar penosamente y siempre de rodillas, arrastrando la cruz que debía pesar tanto como ella, negándose a que nadie la ayudara, y la vieron detenerse a rezar en cada una de las veinticuatro capillas y besar con ojos llenos de amor los pies de las imágenes de todas las hornacinas del roquerío, y la vieron resistir horas de horas sin probar bocado ni beber una gota, y, al atardecer, ya la respetaban como a una verdadera santa. María Quadrado llegó a la cumbre —un mundo aparte, donde siempre hacía frío y crecían orquídeas entre las piedras azuladas— y aún tuvo fuerzas para agradecer a Dios su ventura antes de desvanecerse.

Muchos vecinos de Monte Santo, cuya hospitalidad proverbial no se había visto mermada por la periódica invasión de peregrinos, ofrecieron posada a María Quadrado. Pero ella se instaló en una gruta, a media Vía Sacra, donde hasta entonces sólo habían dormido pájaros y roedores. Era una oquedad pequeña y de techo tan bajo que ninguna persona podía tenerse en ella de pie, húmeda por las filtraciones que habían cubierto de musgo sus paredes y con un suelo de arenisca que provocaba estornudos. Los vecinos pensaron que ese lugar acabaría en poco tiempo con su moradora. Pero la voluntad que había permitido a María Quadrado andar tres meses arrastrando una cruz le permitió también vivir en ese hueco inhóspito todos los años que estuvo en Monte Santo.

La gruta de María Quadrado se convirtió en lugar de devoción y, junto con el Calvario, en el sitio más visitado por los peregrinos. Ella la fue decorando, a lo largo de meses. Fabricó pinturas con esencia de plantas, polvo de minerales y sangre de cochinilla (que usaban los sastres para teñir la ropa). Sobre un fondo azul que sugería el firmamento pintó los elementos de la Pasión de Cristo: los clavos que trituraron sus palmas y empeines; la cruz que cargó y en la que expiró; la corona de espinas que punzó sus sienes; la túnica del martirio; la lanza del centurión que atravesó su carne; el martillo con el que fue clavado; el látigo que lo azotó; la esponja en que bebió la cicuta; los dados con que jugaron a sus pies los impíos y la bolsa en que Judas recibió las monedas de la traición. Pintó también la estrella que guió hasta Belén a los Reyes Magos y a los pastores y un corazón divino atravesado por una espada. E hizo un altar y una alacena donde los penitentes podían prender velas y colgar exvotos. Ella dormía al pie del altar, sobre un jergón.

Su devoción y su bondad la hicieron muy querida por los lugareños de Monte Santo, que la adoptaron como si hubiera vivido allí toda su vida. Pronto los niños comenzaron a llamarla madrina y los perros a dejarla entrar a las casas y corrales sin ladrarle. Su vida estaba consagrada a Dios y a servir a los demás. Pasaba horas a la cabecera de los enfermos, humedeciéndoles la frente y rezando por ellos. Ayudaba a las comadronas a atender a las parturientas y cuidaba a los hijos de las vecinas que debían ausentarse. Se comedía a los trajines más difíciles, como ayudar a hacer sus necesidades a los viejos que no podían valerse por sí mismos. Las muchachas casaderas le pedían consejo sobre sus pretendientes y éstos le suplicaban que intercediera ante los padres reacios a autorizar el matrimonio. Reconciliaba a las parejas, y las mujeres a quienes el marido quería golpear por ociosas o matar por adúlteras corrían a refugiarse a su gruta, pues sabían que teniéndola como defensora ningún hombre de Monte Santo se atrevería a hacerles daño. Comía de la caridad, tan poco que siempre le sobraba el alimento que dejaban en su gruta los fieles y cada tarde se la veía repartir algo entre los pobres. Regalaba a éstos la ropa que le regalaban y nadie la vio nunca, en tiempo de seca o de temporal, otra cosa encima que el costal agujereado con el que llegó.

Su relación con los misioneros de la Misión de Massacará, que venían a Monte Santo a celebrar oficios en la Iglesia del Sagrado Corazón de Jesús, no era, sin embargo, efusiva. Ellos estaban siempre llamando la atención sobre la religiosidad mal entendida, la que discurría fuera del control de la Iglesia, y recordando las Piedras Encantadas, en la región de las Flores, en Pernambuco, donde el herético João Ferreira y un grupo de prosélitos habían regado dichas piedras con sangre de decenas de personas (entre ellas, la suya) creyendo que de este modo iban a desencantar al Rey Don Sebastián, quien resucitaría a los sacrificados y los conduciría al cielo. A los misioneros de Massacará María Quadrado les parecía un caso al filo de la desviación. Ella, por su parte, aunque se arrodillaba al paso de los misioneros y les besaba la mano y les pedía la bendición, guardaba cierta distancia hacia ellos; nadie la había visto mantener con esos padres de campanudos hábitos, de largas barbas y habla, a menudo, difícil de entender, las relaciones familiares y directas que la unían a los vecinos.

Los misioneros prevenían también, en sus sermones, a los fieles contra los lobos que se metían al corral disfrazados de corderos para comerse al rebaño. Es decir, esos falsos profetas a los que Monte Santo atraía como la miel a las moscas. Aparecían en sus callejuelas vestidos con pieles de cordero como el Bautista o túnicas que imitaban los hábitos, y subían al Calvario y desde allí lanzaban sermones llameantes e incomprensibles. Eran una gran fuente de distracción para el vecindario, ni más ni menos que los contadores de romances o el Gigantón Pedrín, la Mujer Barbuda o el Hombre sin Huesos del Circo del Gitano. Pero María Quadrado ni se acercaba a los racimos que se formaban en torno a los predicadores estrafalarios.

Por eso sorprendió a los vecinos ver a María Quadrado aproximarse al cementerio, que un grupo de voluntarios había comenzado a cercar, animados por las exhortaciones de un moreno de largos cabellos y vestimenta morada, que, llegado al pueblo ese día con un grupo entre los que había un ser medio hombre-medio animal, que galopaba, los había recriminado por no tomarse siquiera el trabajo de levantar un muro alrededor de la tierra donde descansaban sus muertos. ¿No debía la muerte, que permitía al hombre verle la cara a Dios, ser venerada? María Quadrado se llegó silenciosamente hasta las personas que recogían piedras y las apilaban en una línea sinuosa, alrededor de las crucecitas requemadas por el sol, y se puso a ayudar. Trabajó hombro a hombro con ellos hasta la caída del sol. Luego, permaneció en la Plaza Matriz, bajo los tamarindos, en el corro que se formó para escuchar al moreno. Aunque mentaba a Dios y decía que era importante, para salvar el alma, destruir la propia voluntad —veneno que inculcaba a cada quien la ilusión de ser un pequeño dios superior a los dioses que lo rodeaban— y sustituirla por la de la Tercera Persona, la que construía, la que obraba, la Hormiga Diligente, y cosas por el estilo, las decía en un lenguaje claro, del que entendían todas las palabras. Su plática, aunque religiosa y profunda, parecía una de esas amenas charlas de sobremesa que celebraban las familias en la calle, tomando la brisa del anochecer. María Quadrado estuvo escuchando al Consejero, hecha un ovillo, sin preguntarle nada, sin apartar los ojos de él. Cuando ya era tarde y los vecinos que quedaban ofrecieron al forastero techo para descansar, ella también —todos se volvieron a mirarla— le propuso con timidez su gruta. Sin dudar, el hombre flaco la siguió montaña arriba.

El tiempo que el Consejero permaneció en Monte Santo, dando consejos y trabajando —limpió y restauró todas las capillas de la montaña, construyó un doble muro de piedras para la Vía Sacra— durmió en la gruta de María Quadrado. Después se dijo que no durmió, ni ella tampoco, que pasaban las noches hablando de cosas del espíritu al pie del altarcillo multicolor, y se llegó a decir que él dormía en el jergón y que ella velaba su sueño. El hecho es que María Quadrado no se apartó de él un instante, cargando piedras a su lado en el día y escuchándolo con los ojos muy abiertos en las noches. Pese a ello, todo Monte Santo quedó asombrado cuando se supo, esa mañana, que el Consejero se había marchado del pueblo y que María Quadrado se había ido también entre sus seguidores.

(5)

Había predicho tanto el Consejero, en sus sermones, que las fuerzas del Perro vendrían a prenderlo y a pasar a cuchillo a la ciudad, que nadie se sorprendió en Canudos cuando supieron, por peregrinos venidos a caballo de Joazeiro, que una compañía del Noveno Batallón de Infantería de Bahía había desembarcado en aquella localidad, con la misión de capturar al santo.

Las profecías empezaban a ser realidad, las palabras hechos. El anuncio tuvo un efecto efervescente, puso en acción a viejos, jóvenes, hombres, mujeres. Las escopetas y carabinas, los fusiles de chispa que debían ser cebados por el caño fueron inmediatamente empuñados y colocadas todas las balas en las cartucheras, a la vez que en los cinturones aparecían como por ensalmo facas y cuchillos y en las manos hoces, machetes, lanzas, punzones, hondas y ballestas de cacería, palos, piedras.

Esa noche, la del comienzo del fin del mundo, todo Canudos se aglomeró en torno al Templo del Buen Jesús —un esqueleto de dos pisos, con torres que crecían y paredes que se iban rellenando— para escuchar al Consejero. El fervor de los elegidos saturaba el aire. Aquél parecía más retirado en sí mismo que nunca. Luego de que los peregrinos de Joazeiro le comunicaron la noticia, no hizo el menor comentario, y prosiguió vigilando la colocación de las piedras, el apisonamiento del suelo y las mezclas de arena y guijarros para el Templo con absoluta concentración, sin que nadie se atreviera a interrogarlo. Pero todos sentían, mientras se alistaban, que esa silueta ascética los aprobaba. Y todos sabían, mientras aceitaban las ballestas, limpiaban el alma de las espingardas y los trabucos y ponían a secar la pólvora, que esa noche el Padre, por boca del Consejero, los instruiría.

La voz del santo resonó bajo las estrellas, en la atmósfera sin brisa que parecía conservar más tiempo sus palabras, tan serena que disipaba cualquier temor. Antes de la guerra, habló de la paz, de la vida venidera, en la que desaparecerían el pecado y el dolor. Derrotado el Demonio, se establecería el Reino del Espíritu Santo, la última edad del mundo antes del Juicio Final. ¿Sería Canudos la capital de ese Reino? Si lo quería el Buen Jesús. Entonces, se derogarían las leyes impías de la República y los curas volverían, como en los primeros tiempos, a ser pastores abnegados de sus rebaños. Los sertones verdecerían con la lluvia, habría maíz y reses en abundancia, todos comerían y cada familia podría enterrar a sus muertos en cajones acolchados de terciopelo. Pero, antes, había que derrotar al Anticristo. Era preciso fabricar una cruz y una bandera con la imagen del Divino para que el enemigo supiera de qué lado estaba la verdadera religión. E ir a la lucha como habían ido los Cruzados a rescatar Jerusalén: cantando, rezando, vitoreando a la Virgen y a Nuestro Señor. Y como éstos vencieron, también vencerían a la República los cruzados del Buen Jesús.

Nadie durmió esa noche en Canudos. Unos rezando, otros aprestándose, todos permanecieron de pie, mientras manos diligentes clavaban la cruz y cosían la bandera. Estuvieron listas antes del amanecer. La cruz medía tres varas por dos de ancho y la bandera eran cuatro sábanas unidas en las que el Beatito pintó una paloma blanca, con las alas abiertas, y el León de Natuba escribió, con su preciosa caligrafía, una jaculatoria. Salvo un puñado de personas designadas por Antonio Vilanova para permanecer en Canudos, a fin de que no se interrumpiera la construcción del

Templo (se trabajaba día y noche, salvo los domingos), todo el resto de la población partió, con las primeras luces, en dirección a Bendengó y Joazeiro, para probar a los adalides del mal que el bien todavía tenía defensores en la tierra. El Consejero no los vio partir, pues estaba rezando por ellos en la iglesita de San Antonio.

Debieron andar diez leguas para encontrar a los soldados. Las anduvieron cantando, rezando y vitoreando a Dios y al Consejero. Descansaron una sola vez, luego de pasar el monte Cambaio. Los que sentían una urgencia, salían de las torcidas filas a escabullirse detrás de un roquedal y luego alcanzaban a los demás a la carrera. Recorrer ese terreno llano y reseco les tomó un día y una noche sin que nadie pidiera otro alto para descansar. No tenían plan de batalla. Los raros viajeros se asombraban de saber que iban a la guerra. Parecían una multitud festiva; algunos se habían puesto sus trajes de feria. Tenían armas y lanzaban mueras al Diablo y a la República, pero aun en esos momentos el regocijo de sus caras amortiguaba el odio de sus gritos. La cruz y la bandera abrían la marcha, cargada la primera por el ex-bandido Pedrão y la segunda por el ex-esclavo João Grande, y detrás de ellos María Quadrado y Alejandrinha Correa llevaban la urna con la imagen del Buen Jesús pintada en tela por el Beatito, y, atrás, dentro de una polvareda, apelotonados, difusos, venían los elegidos. Muchos acompañaban las letanías soplando los canutos que antaño servían de cachimbas y que los pastores horadaban para silbar a los rebaños.

En el curso de la marcha, imperceptiblemente, obedeciendo a una convocatoria de la sangre, la columna se fue reordenando, se fueron agrupando las viejas pandillas, los habitantes de un mismo caserío, los de un barrio, los miembros de una familia, como si, a medida que se acercaba la hora, cada cual necesitara la presencia contigua de lo conocido y probado en otras horas decisivas. Los que habían matado se fueron adelantando y ahora, mientras se acercaban a ese pueblo llamado Uauá por las luciérnagas que lo alumbran de noche, João Abade, Pajeú, Taramela, José Venancio, los Macambira y otros alzados y prófugos rodeaban la cruz y la bandera, a la cabeza de la procesión o ejército, sabiendo, sin que nadie se los hubiera dicho, que ellos por su veteranía y sus pecados eran los llamados a dar el ejemplo a la hora de la embestida.

Pasada la medianoche, un aparcero les salió al encuentro para advertirles que en Uauá acampaban los ciento cuatro soldados, llegados de Joazeiro la víspera. Un extraño grito de guerra —¡Viva el Consejero!, ¡Viva el Buen Jesús!— conmovió a los elegidos, que, azuzados por el júbilo, apresuraron el paso. Al amanecer avistaban Uauá, puñado de casitas que era el alto obligatorio de los troperos que iban de Monte Santo a Caruça. Empezaron a entonar letanías a San Juan Bautista, patrono del pueblo. La columna se apareció de pronto a los soñolientos soldados que hacían de centinelas a orillas de una laguna, en las afueras. Luego de mirar unos segundos, incrédulos, echaron a correr. Rezando, cantando, soplando los canutos, los elegidos entraron a Uauá, sacando del sueño para arrojar a una realidad de pesadilla al centenar de soldados que habían tardado doce días en llegar hasta allá y no entendían esos rezos que los despertaban. Eran los únicos pobladores de Uauá, todos los vecinos habían huido durante la noche y estaban ahora, entre los cruzados, dando vueltas a los tamarindos de la Plaza, viendo asomar las caras de los soldados en las puertas y ventanas, midiendo su sorpresa, sus dudas entre disparar o correr o volver a sus hamacas y camastros a dormir.

Una voz de mando rugiente, que quebró el cocorocó de un gallo, desató el tiroteo. Los soldados disparaban apoyando los fusiles en los tabiques de los ranchos y comenzaron a caer, bañados en sangre, los elegidos. La columna se fue deshaciendo, grupos intrépidos se abalanzaban, detrás de João Abade, de José Venancio, de Pajeú, a asaltar las viviendas y otros corrían a escudarse en los ángulos muertos o a ovillarse entre los tamarindos mientras los demás seguían desfilando. También los elegidos disparaban. Es decir, los que tenían carabinas y trabucos y los que conseguían cargar de pólvora las espingardas y divisar un blanco en la polvareda. Ni la cruz ni la bandera, en las varias horas de lucha y confusión, dejaron de estar erecta la una y danzante la otra, en medio de una isla de cruzados que, aunque acribillada, subsistió, compacta, fiel, en torno a esos emblemas en los que, más tarde, todos verían el secreto de la victoria. Porque ni Pedrão, ni João Grande, ni la Madre de los Hombres, que llevaba la urna con la cara del Hijo, murieron en la refriega.

La victoria no fue rápida. Hubo muchos mártires en esas horas ruidosas. A las carreras y a los disparos sucedían paréntesis de inmovilidad y silencio que, un momento después, eran de nuevo violentados. Pero antes de media mañana los hombres del Consejero supieron que habían vencido, cuando vieron unas figurillas desaladas, a medio vestir, que, por orden de sus jefes o porque el miedo los había vencido antes que los yagunzos, escapaban a campo traviesa, abandonando armas, guerreras, polainas, botines, morrales. Les dispararon, sabiendo que no los alcanzarían, pero a nadie se le ocurrió perseguirlos. Poco después huían los otros soldados y, al escapar, algunos caían en los nidos de yagunzos que se habían formado en las esquinas, donde eran ultimados a palazos y cuchilladas en un santiamén. Morían oyéndose llamar canes, diablos, y pronosticar que sus almas se condenarían al mismo tiempo que sus cuerpos se pudrían.

Permanecieron algunas horas en Uauá, luego de la victoria. La mayoría, adormecidos, apoyados unos en otros, reponiéndose de la fatiga de la marcha y de la tensión de la pelea. Algunos, por iniciativa de João Abade, registraban las casas en busca de los fusiles, municiones, bayonetas y cartucheras abandonados por los soldados. María Quadrado, Alejandrinha

224

Correa y Gertrudis, una vendedora de Terehinha que había recibido una bala en el brazo y seguía igual de activa, iban envolviendo en hamacas los cadáveres de los yagunzos para llevárselos a enterrar a Canudos. Las curanderas, los yerbateros, las comadronas, los hueseros, los espíritus serviciales rodeaban a los heridos, limpiándoles la sangre, vendándolos o, simplemente, ofreciéndoles oraciones y conjuros contra el dolor.

Cargando sus muertos y heridos y siguiendo el cauce del Vassa Barris, esta vez menos deprisa, los elegidos desanduvieron las diez leguas. Ingresaron día y medio después en Canudos, dando vivas al Consejero, aplaudidos, abrazados y sonreídos por los que se quedaron trabajando en el Templo. El Consejero, que había permanecido sin comer ni beber desde su partida, dio los consejos esa tarde desde un andamio de las torres del Templo. Rezó por los muertos, agradeció al Buen Jesús y al Bautista la victoria, y habló de cómo el mal echó raíces en la tierra. Antes del tiempo, todo lo ocupaba Dios y el espacio no existía. Para crear el mundo, el Padre había debido retirarse en sí mismo a fin de hacer un vacío y la ausencia de Dios causó el espacio donde surgieron, en siete días, los astros, la luz, las aguas, las plantas, los animales y el hombre. Pero al crearse la tierra mediante la privación de la divina sustancia se habían creado, también, las condiciones propicias para que lo más opuesto al Padre, es decir el pecado, tuviera una patria. Así, el mundo nació maldito, como tierra del Diablo. Pero el Padre se apiadó de los hombres y envió a su Hijo a reconquistar para Dios ese espacio terrenal donde estaba entronizado el Demonio.

El Consejero dijo que una de las calles de Canudos se llamaría San Juan Bautista, como el patrono de Uauá.

(6)

En mi carta anterior os hablé, compañeros, de una rebelión popular en el interior del Brasil, de la que tuve noticia a través de un testigo prejuiciado (un capuchino). Hoy puedo comunicaros un testimonio mejor sobre Canudos, el de un hombre venido de la revuelta, que recorre las regiones sin duda con la misión de reclutar prosélitos. Puedo, también, deciros algo emulsionante: hubo un choque armado y los yagunzos derrotaron a cien soldados que pretendían llegar a Canudos. ¿No se confirman los indicios revolucionarios? En cierto modo sí, pero de manera relativa, a juzgar por este hombre, que da una impresión contradictoria de estos hermanos: intuiciones certeras y acciones correctas se mezclan en ellos con supersticiones inverosímiles.

Escribo desde un pueblo cuyo nombre no debéis saber, una tierra donde las servidumbres morales y físicas de las mujeres son extremas, pues las oprimen el patrón, el padre, los hermanos y el marido. Aquí, el

225

terrateniente escoge las esposas de sus allegados y las mujeres son golpeadas en plena calle por padres irascibles o maridos borrachos, ante la indiferencia general. Un motivo de reflexión, compañeros: asegurarse que la revolución no sólo suprima la explotación del hombre por el hombre, sino, también, la de la mujer por el hombre y establezca, a la vez que la igualdad de clases, la de sexos.

Supe que el emisario de Canudos había llegado a este lugar por un guía que es también tigrero, o cazador de suçuaranas (bellos oficios: explorar el mundo y acabar con los predadores del rebaño), gracias al cual conseguí, también, verlo. La entrevista tuvo lugar en una curtiembre, entre cueros que se secaban al sol y unos niños que jugaban con lagartijas. Mi corazón latió con fuerza al ver al hombre: bajo y macizo, con esa palidez entre amarilla y gris que viene a los mestizos de sus ancestros indios, y una cicatriz en la cara que me reveló, a simple vista, su pasado de capanga, de bandido o de criminal (en todo caso, de víctima, pues, como explicó Bakunin, la sociedad prepara los crímenes y los criminales son sólo los instrumentos para ejecutarlos). Vestía de cuero —así lo hacen los vaqueros para cabalgar por la espinosa campiña—, llevaba el sombrero puesto y una escopeta. Sus ojos eran hundidos y cazurros y sus maneras oblicuas, evasivas, lo que es aquí frecuente. No quiso que habláramos a solas. Tuvimos que hacerlo delante del dueño de la curtiembre y de su familia, que comían en el suelo, sin mirarnos. Le dije que era un revolucionario, que en el mundo había muchos compañeros que aplaudían lo que ellos habían hecho en Canudos, es decir tomar las tierras de un feudal, establecer el amor libre y derrotar a una tropa. No sé si me entendió. La gente del interior no es como la de Bahía, a la que la influencia africana ha dado locuacidad y exuberancia. Aquí las caras son inexpresivas, máscaras cuya función parece ser la de ocultar los sentimientos y los pensamientos.

Le pregunté si estaban preparados para nuevos ataques, pues la burguesía reacciona como fiera cuando se atenta contra la sacrosanta propiedad privada. Me dejó de una pieza murmurando que el dueño de todas las tierras es el Buen Jesús y que, en Canudos, el Consejero está erigiendo la Iglesia más grande del mundo. Traté de explicarle que no era porque construían iglesias que el poder había enviado soldados contra ellos, pero me dijo que sí, que era precisamente por eso, pues la República quiere exterminar la religión. Extraña diatriba la que oí entonces, compañeros, contra la República, proferida con tranquila seguridad, sin asomo de pasión. La República se propone oprimir a la Iglesia y a los fieles, acabar con todas las órdenes religiosas como lo ha hecho ya con la Compañía de Jesús y la prueba más flagrante de su designio es haber instituido el matrimonio civil, escandalosa impiedad cuando existe el sacramento del matrimonio creado por Dios.

Me imagino la decepción de muchos lectores y sus sospechas, al leer lo anterior, de que Canudos, como la Vendée cuando la Revolución, es un movimiento retrógrado, inspirado por los curas. No es tan simple, compañeros. Ya sabéis, por mi carta anterior, que la Iglesia condena al Consejero y a Canudos y que los yagunzos le han arrebatado las tierras a un Barón. Pregunté al de la cicatriz si los pobres del Brasil estaban mejor cuando la monarquía. Me repuso en el acto que sí, pues era la monarquía la que había abolido la esclavitud. Y me explicó que el diablo, a través de los masones y los protestantes, derrocó al Emperador Pedro II para restaurarla. Como lo oís: el Consejero ha inculcado a sus hombres que los republicanos son esclavistas. (Una manera sutil de enseñar la verdad, ¿no es cierto?, pues la explotación del hombre por los dueños del dinero, base del sistema republicano, no es menos esclavitud que la feudal.) El emisario fue categórico: «Los pobres han sufrido mucho pero se acabó: no contestaremos las preguntas del censo porque lo que ellas pretenden es reconocer a los libertos para ponerles otra vez cadenas y devolverlos a sus amos.» «En Canudos nadie paga los tributos de la República porque no la reconocemos ni admitimos que se atribuya funciones que corresponden a Dios.» ¿Qué funciones, por ejemplo? «Casar a las parejas o cobrar el diezmo.» Pregunté qué ocurría con el dinero en Canudos y me confirmó que sólo aceptaban el que lleva la cara de la Princesa Isabel, es decir el del Imperio, pero, como éste ya casi no existe, en realidad el dinero está desapareciendo. «No se necesita, porque en Canudos los que tienen dan a los que no tienen y los que pueden trabajar trabajan por los que no pueden.»

Le dije que abolir la propiedad y el dinero y establecer una comunidad de bienes, se haga en nombre de lo que sea, aun en el de abstracciones gaseosas, es algo atrevido y valioso para los desheredados del mundo, un comienzo de redención para todos. Y que esas medidas desencadenarán contra ellos, tarde o temprano, una dura represión, pues la clase dominante jamás permitirá que cunda semejante ejemplo: en este país hay pobres de sobra para tomar todas las haciendas. ¿Son conscientes el Consejero y los suyos de las fuerzas que están solivantando? Mirándome a los ojos, sin pestañear, el hombre me recitó frases absurdas, de las que os doy una muestra: los soldados no son la fuerza sino la flaqueza del gobierno, cuando haga falta las aguas del río Vassa Barris se volverán leche y sus barrancas cuzcuz de maíz, y los yagunzos muertos resucitarán para estar vivos cuando aparezca el Ejército del Rey Don Sebastián (un rey portugués que murió en África, en el siglo XVI).

¿Son estos diablos, emperadores y fetiches religiosos las piezas de una estrategia de que se vale el Consejero para lanzar a los humildes por la senda de una rebelión que, en los hechos —a diferencia de las palabras— es acertada, pues los ha impulsado a insurgir contra la base económica, social y militar de la sociedad clasista? ¿Son los símbolos religiosos, míticos, dinásticos, los únicos capaces de sacudir la inercia de masas sometidas hace siglos a la tiranía supersticiosa de la Iglesia y por eso los utiliza el Consejero?

¿O es todo esto obra del azar? Nosotros sabemos, compañeros, que no existe el azar en la historia, que, por arbitraria que parezca, hay siempre una racionalidad encubierta detrás de la más confusa apariencia. ¿Imagina el Consejero el transtorno histórico que está provocando? ¿Se trata de un intuitivo o de un astuto? Ninguna hipótesis es descartable, y, menos que otras, la de un movimiento popular espontáneo, impremeditado. La racionalidad está grabada en la cabeza de todo hombre, aun la del más inculto, y, dadas ciertas circunstancias, puede guiarlo, por entre las nubes dogmáticas que velen sus ojos o los prejuicios que empañen su vocabulario, a actuar en la dirección de la historia. Alguien que no era de los nuestros, Montesquieu, escribió que la dicha o la desdicha consisten en una cierta disposición de nuestros órganos. También la acción revolucionaria puede nacer de ese mandato de los órganos que nos gobiernan, aun antes de que la ciencia eduque la mente de los pobres. ¿Es lo que ocurre en el sertón bahiano? Esto sólo se puede verificar en la propia Canudos. Hasta la próxima o hasta siempre.

(7)

Un Brasil Unido, Una Nación Fuerte

JORNAL DE NOTÍCIAS
(Propietario: Epaminondas Gonçalves)

Bahía, 3 de Enero de 1897

La Derrota de la Expedición del Mayor Febronio de Brito
en el Sertón de Canudos

Nuevos Desarrollos

EL PARTIDO REPUBLICANO PROGRESISTA ACUSA AL GOBERNADOR Y AL PARTIDO AUTONOMISTA DE BAHÍA DE CONSPIRAR CONTRA LA REPÚBLICA PARA RESTAURAR EL ORDEN IMPERIAL OBSOLETO

El cadáver del «agente inglés»
Comisión de Republicanos viaja a Río para pedir intervención del Ejército Federal contra fanáticos subversivos

TELEGRAMA DE PATRIOTRAS BAHIANOS AL CORONEL MOREIRA CÉSAR:
«¡SALVE A LA REPÚBLICA!»

La derrota de la Expedición militar comandada por el Mayor Febronio de Brito y compuesta por efectivos de los Batallones de Infantería 9, 26 y 33 y los indicios crecientes de complicidad de la corona inglesa y de terratenientes bahianos de conocida afiliación autonomista y nostalgias monárquicas con los fanáticos de Canudos, provocaron en la noche del lunes una nueva tormenta en la Asamblea Legislativa del Estado de Bahía.

El Partido Republicano Progresista, a través de su Presidente, el Excmo. Sr. Diputado Don Epaminondas Gonçalves acusó formalmente al Gobernador del Estado de Bahía, Excmo. Sr. Don Luis Viana, y a los grupos tradicionalmente vinculados al Barón de Cañabrava —Ex-Ministro del Imperio y Ex-Embajador del Emperador Pedro II ante la corona británica— de haber atizado y armado la rebelión de Canudos, con ayuda de Inglaterra a fin de producir la caída de la República y la restauración de la monarquía.

Los Diputados del Partido Republicano Progresista exigieron la intervención inmediata del Gobierno Federal en el Estado de Bahía para sofocar lo que el Excmo. Sr. Diputado Don Epaminondas Gonçalves llamó «conjura sediciosa de la sangre azul nativa y la codicia albiónica contra la soberanía del Brasil». De otra parte, se anunció que una Comisión constituida por figuras prominentes de Bahía ha partido a Río de Janeiro a transmitir al Presidente Prudente de Morais el clamor bahiano de que envíe fuerzas del Ejército Federal a aniquilar el movimiento subversivo de Antonio Consejero.

Los Republicanos Progresistas recordaron que han pasado ya dos semanas desde la derrota de la Expedición Brito, por rebeldes muy superiores en número y en armas, y a pesar de ello, y del descubrimiento de un cargamento de fusiles ingleses destinados a Canudos y del cadáver del agente inglés Galileo Gall en la localidad de Ipupiará, las autoridades del Estado, empezando por el Excmo. Sr. Gobernador Don Luis Viana, han mostrado una pasividad y abulia sospechosas, al no haber solicitado en el acto, como lo reclaman los patriotas de Bahía, la intervención del Ejército Federal para aplastar esta conjura que amenaza la esencia misma de la nacionalidad brasileña.

El Vice-Presidente del Partido Republicano Progresista, Excmo. Sr. Diputado Don Elisio de Roque leyó un telegrama enviado al héroe del Ejército brasileño, aniquilador de la sublevación monárquica de Santa Catalina y colaborador eximio del Mariscal Floriano Peixoto, Coronel Moreira César, con este lacónico texto: «Venga y salve a la República». Pese a las protestas de los Diputados de la mayoría, el Excmo. Sr. Diputado leyó los nombres de los 325 cabezas de familia y votantes de Salvador que firman el telegrama.

Por su parte, los Excmos. Sres. Diputados del Partido Autonomista Bahiano negaron enérgicamente las acusaciones y trataron de minimizarlas con variados pretextos. La vehemencia de las réplicas y cambios de palabras, ironías, sarcasmos, amenazas de duelo, crearon a lo largo de la sesión, que duró más de cinco horas, momentos de suma tirantez en las que, varias veces, los Excmos. Sres. Diputados estuvieron a punto de pasar a las vías de hecho.

El Vice-Presidente del Partido Autonomista y Presidente de la Asamblea Legislativa, Excmo. Caballero Don Adalberto de Gumucio, dijo que era una infamia sugerir siquiera que alguien como el Barón de Cañabrava, prohombre bahiano gracias a quien este Estado tenía carreteras, ferrocarriles, puentes, hospitales de Beneficencia, escuelas y multitud de obras públicas, pudiera ser acusado, y para colmo *in absentia,* de conspirar contra la soberanía brasileña.

El Excmo. Sr. Diputado Don Floriano Mártir dijo que el Presidente de la Asamblea prefería bañar en incienso a su pariente y jefe de Partido, Barón de Cañabrava, en lugar de hablar de la sangre de los soldados derramada en Uauá y en el Cambaio por Sebastianistas degenerados, o de las armas inglesas incautadas en los sertones o del agente inglés Gall, cuyo cadáver encontró la Guardia Rural en Ipupiará. Y se preguntó: «¿Se debe este escamoteo, tal vez, a que dichos temas hacen sentir incómodo al Excmo. Sr. Presidente de la Asamblea?» El Diputado del Partido Autonomista, Excmo. Sr. Don Eduardo Glicério, dijo que los Republicanos, en sus ansias de poder inventan guiñolescas conspiraciones de espías carbonizados y de cabelleras albinas que son el hazmerreír de la gente sensata de Bahía. Y preguntó: «¿Acaso el Barón de Cañabrava no es el primer perjudicado con la rebelión de los fanáticos desalmados? ¿Acaso no ocupan éstos ilegalmente tierras de su propiedad?» A lo cual el Excmo. Sr. Diputado Don Dantas Horcadas lo interrumpió para decir: «¿Y si esas tierras no fueran usurpadas sino prestadas?» El Excmo. Sr. Diputado Don Eduardo Glicério replicó preguntando al Excmo. Sr. Diputado Don Dantas Horcadas si en el Colegio Salesiano no le habían enseñado que no se interrumpe a un caballero mientras habla. El Excmo. Sr. Diputado Don Dantas Horcadas repuso que él no sabía que estuviera hablando ningún caballero. El Excmo. Sr. Diputado Don Eduardo Glicério exclamó que ese insulto tendría su respuesta en el campo del honor, a menos que se le presentaran excusas *ipso facto.* El Presidente de la Asamblea, Excmo. Caballero Adalberto de Gumucio exhortó al Excmo. Sr. Diputado Don Dantas Horcadas a presentar excusas a su colega, en aras de la armonía y majestad de la institución. El Excmo. Sr. Diputado Don Dantas Horcadas dijo que él se había limitado a decir que no estaba informado de que, en un sentido estricto, hubiera todavía en el Brasil caballeros, ni barones, ni vizcondes, porque, desde el glorioso gobierno republicano del Mariscal Floriano Peixoto, benemérito de la Patria, cuyo recuerdo vivirá siempre en el corazón de los brasileños, todos los títulos nobiliarios habían pasado a ser papeles inservibles. Pero que no estaba en su ánimo ofender a nadie, y menos al Excmo. Sr. Diputado Don Eduardo Glicério. Con lo cual éste se dio por satisfecho.

El Excmo. Sr. Diputado Don Rocha Seabrá dijo que no podía permitir que un hombre que es honra y prez del Estado, como el Barón de Cañabrava, fuera enlodado por resentidos cuyo historial no luce ni la centésima parte de bienes dispensados a Bahía por el fundador del Partido Autonomista. Y que no podía entender que se enviaran telegramas llamando a Bahía a un jacobino como el Coronel Moreira César, cuyo sueño, a juzgar por la crueldad con que reprimió el levantamiento de Santa Catalina, era colocar guillotinas en las plazas del Brasil y ser el Robespierre nacional. Lo que motivó una airada protesta de los Excmos. Sres. Diputados del Partido Republicano Progresista, quienes, puestos de pie, vitorearon al Ejército, al Mariscal Floriano Peixoto, al Coronel Moreira César y exigieron satisfacciones por el insulto inferido a un héroe de la República. Retomando la palabra el Excmo. Sr. Diputado Don Rocha Seabrá dijo que no había sido su intención injuriar al Coronel Moreira César, cuyas virtudes castrenses admiraba, ni ofender la memoria del extinto Mariscal Floriano Peixoto, cuyos servicios a la República reconocía, sino dejar en claro que era opuesto a la intervención de los militares en la política, pues no quería que el Brasil corriera la suerte de esos países sudamericanos cuya historia es una mera sucesión de pronunciamientos de cuartel. El Excmo. Sr. Diputado Don Eliseo de Roque lo interrumpió para recordarle que había sido el Ejército del Brasil quien había puesto fin a la añosa monarquía e instalado la República y, nuevamente de pie, los Excmos. Sres. Diputados de la oposición rindieron homenaje al Ejército y al Mariscal Floriano Peixoto y al Coronel Moreira César. Reanudando su interrumpida intervención, el Excmo. Sr. Diputado Don Rocha Seabrá dijo que era absurdo que se pidiera una intervención federal cuando su Excelencia el Gobernador Don Luis Viana había afirmado repetidamente que el Estado de Bahía estaba en condiciones de sofocar el caso de bandidismo y locura Sebastianista que representaba Canudos. El Excmo. Sr. Diputado Don Epaminondas Gonçalves recordó que los rebeldes habían diezmado ya dos expediciones militares en los sertones y preguntó al Excmo. Sr. Diputado Don Rocha Seabrá cuántas fuerzas expedicionarias más debían ser masacradas, a su juicio, para que se justificara una intervención federal. El Excmo. Sr. Diputado Don Dantas Horcadas dijo que el patriotismo lo autorizaba a él y a cualquiera a arrastrar por el lodo a quienquiera se dedicara a fabricar lodo, es decir a atizar rebeliones restauradoras contra la República y en complicidad con la Pérfida Albión. El Excmo. Sr. Diputado Don Lelis Piedades dijo que la prueba más rotunda de que el Barón de Cañabrava no tenía la más mínima intervención en los sucesos provocados por los desalmados de Canudos era el hallarse ya varios meses alejado del Brasil. El Excmo. Sr.

Diputado Floriano Mártir dijo que la ausencia, en vez de exculparlo, podía delatarlo, y que a nadie engañaba semejante coartada pues todo Bahía era consciente de que en el Estado no se movía un dedo sin autorización u orden expresa del Barón de Cañabrava. El Excmo. Sr. Diputado Don Dantas Horcadas dijo que era sospechoso e ilustrativo que los Excmos. Sres. Diputados de la mayoría se negaran empecinadamente a debatir sobre el cargamento de armas inglesas y sobre el agente inglés Gall enviado por la corona británica para asesorar a los rebeldes en sus protervos internos. El Excmo. Sr. Presidente de la Asamblea, Caballero Adalberto de Gumucio, dijo que las especulaciones y fantasías dictadas por el odio y la ignorancia se desbarataban con la simple mención de la verdad. Y anunció que el Barón de Cañabrava desembarcaría en tierra bahiana dentro de pocos días, donde no sólo los Autonomistas sino todo el pueblo le daría el recibimiento triunfal que merecía y que sería el mejor desagravio contra los infundios de quienes pretendían asociar su nombre y el de su Partido y el de las autoridades de Bahía con los lamentables sucesos de bandidismo y degeneración moral de Canudos. A lo cual, puestos de pie, los Excmos. Sres. Diputados de la mayoría corearon y aplaudieron el nombre de su Presidente, Barón de Cañabrava, en tanto que los Excmos. Sres. Diputados del Partido Republicano Progresista permanecían sentados y removían sus asientos en señal de reprobación.

La sesión fue interrumpida unos minutos para que los Excmos. Sres. Diputados tomaran un refrigerio y se atemperaran los ánimos. Pero, durante el intervalo, se escucharon en los pasillos de la Asamblea vivas discusiones y cambios de palabras y los Excmos. Sres. Diputados Don Floriano Mártir y Don Rocha Seabrá debieron ser separados por sus respectivos amigos pues estuvieron a punto de liarse a trompadas.

Al reanudarse la sesión, el Excmo. Sr. Presidente de la Asamblea, Caballero Adalberto de Gumucio, propuso que, en vista de lo recargado del Orden del Día, se procediera a discutir la nueva partida presupuestal solicitada por la Gobernación para el tendido de nuevas vías del ferrocarril de penetración al interior del Estado. Esta propuesta motivó la enojada reacción de los Excmos. Sres. Diputados del Partido Republicano Progresista, quienes, de pie, a los gritos de «¡Traición!» «¡Maniobra indigna!», exigieron que se reanudara el debate sobre el más candente de los problemas de Bahía y ahora del país entero. El Excmo. Sr. Diputado Don Epaminondas Gonçalves advirtió que si la mayoría pretendía escamotear el debate sobre la rebelión restauradora de Canudos y la intervención de la corona británica en los asuntos brasileños, él y sus compañeros abandonarían la Asamblea, pues no toleraban que se engañara al pueblo con farsas. El Excmo. Sr. Diputado Don Eliseo de Roque dijo que los esfuerzos del Excmo. Sr. Presidente de la Asamblea para impedir el debate eran una demostración palpable del embarazo que pro-

ducía al Partido Autonomista que se tocara el tema del agente inglés Gall
y de las armas inglesas, lo que no era extraño, pues de todos eran cono-
cidas las nostalgias monárquicas y anglófilas del Barón de Cañabrava.

El Excmo. Sr. Presidente de la Asamblea, Caballero Adalberto de
Gumucio, dijo que los Excmos. Sres. Diputados de la oposición no conseguirían su propósito de amedrentar a nadie con chantajes y que el
Partido Autonomista Bahiano era el primer interesado, por patriotismo,
en aplastar a los Sebastianistas fanáticos de Canudos y en restaurar la paz
y el orden en los sertones. Y que, en vez de rehuir ninguna discusión,
antes bien la deseaban.

El Excmo. Sr. Diputado Don João Seixas de Pondé dijo que sólo quienes carecían de sentido de ridículo podían seguir hablando del supuesto
agente inglés Galileo Gall, cuyo cadáver carbonizado decía haber encontrado en Ipupiará la Guardia Rural Bahiana, milicia que por lo demás,
según *vox populi,* era reclutada, financiada y controlada por el Partido de
la oposición, expresiones que motivaron airadas protestas de los Excmos.
Sres. Diputados del Partido Republicano Progresista. Añadió el Excmo.
Sr. Diputado Don João Seixas de Pondé que el Consulado británico en
Bahía había dado fe de que, teniendo conocimiento de que el sujeto ape-
llidado Gall era de malos antecedentes, lo había hecho saber a las autoridades del Estado para que procedieran en consecuencia, hacía de esto dos
meses, y que el Comisionado de Policía de Bahía lo había confirmado,
así como dado a luz pública la orden de expulsión del país que fue comunicada a dicho sujeto para que partiera en el barco francés «La
Marseillaise». Que el hecho de que el tal Galileo Gall hubiera desobede-
cido la orden de expulsión y apareciera un mes már tarde, muerto, junto
a unos fusiles, en el interior del Estado no probaba ninguna conspiración
política ni intervención de potencia extranjera alguna, sino, a lo más, que
el susodicho truhán pretendía contrabandear armas con esos seguros
compradores, llenos de dinero por sus múltiples latrocinios, que eran los
fanáticos Sebastianistas de Antonio Consejero. Como la intervención del
Excmo. Sr. Diputado Don João Seixas de Pondé provocó la hilaridad de
los Excmos. Sres. Diputados de la oposición, quienes le hicieron gestos
de tener alas angelicales y aureola de santidad, el Excmo. Sr. Presidente
de la Asamblea, Caballero Adalberto de Gumucio, llamó a la sala al
orden. El Excmo. Sr. Diputado Don João Seixas de Pondé dijo que era
una hipocresía armar semejante alboroto por el hallazgo de unos fusiles
en el sertón, cuando todo el mundo sabía que el tráfico y contrabando de
armas era desgraciadamente algo generalizado en el interior y, si no, que
dijeran los Excmos. Sres. Diputados de la oposición de dónde había
armado el Partido Republicano Progresista a los capangas y cangaceiros
con los que había formado ese Ejército privado que era la llamada
Guardia Rural Bahiana, que pretendía funcionar al margen de las institu-

ciones oficiales del Estado. Abucheado con indignación el Excmo. Sr. Diputado Don João Seixas de Pondé por los Excmos. Sres. Diputados del Partido Republicano Progresista, por sus agraviantes palabras, el Excmo. Sr. Presidente de la Asamblea debió imponer una vez más el orden.

El Excmo. Sr. Diputado Epaminondas Gonçalves dijo que los Excmos. Sres. Diputados de la mayoría se hundían cada vez más en sus contradicciones y embustes como ocurre fatalmente a quien camina sobre arenas movedizas. Y agradeció al cielo que hubiera sido la Guardia Rural la que capturó los fusiles ingleses y al agente inglés Gall, pues era un cuerpo independiente, sano y patriótico, genuinamente republicano, que alertó a las autoridades del Gobierno Federal sobre la gravedad de los sucesos e hizo lo necesario para impedir que fueran ocultadas las pruebas de la colaboración de los monárquicos nativos con la corona británica en la conjura contra la soberanía brasileña de la que Canudos era punta de lanza. Porque si no hubiera sido por la Guardia Rural, dijo, la República no se hubiera enterado jamás de la presencia de agentes ingleses acarreando cargamentos de fusiles para los restauradores de Canudos por el sertón. El Excmo. Sr. Diputado Don Eduardo Glicério lo interrumpió para decirle que del famoso agente inglés lo único que se conocía era un puñado de pelos que podían pertenecer a una señora rubia o ser las crines de un caballo, salida que motivó risas tanto en los escaños de la mayoría como en los de la oposición. Retomando la palabra el Excmo. Sr. Diputado Don Epaminondas Gonçalves dijo que celebraba el buen humor del Excmo. Sr. Diputado que lo había interrumpido, pero que cuando los altos intereses de la Patria se hallaban amenazados, y estaba aún tibia la sangre de los patriotas caídos en defensa de la República en Uauá y en el Cambaio, el momento era quizás inapropiado para bromas, lo que arrancó una cerrada ovación de los Excmos. Sres. Diputados opositores.

El Excmo. Sr. Diputado Don Elisio de Roque recordó que había pruebas incontrovertibles de la identidad del cadáver encontrado en Ipupiará, junto con los fusiles ingleses, y dijo que negarlas era negar la luz del sol. Recordó que dos personas que habían conocido y tratado al espía inglés Galileo Gall mientras vivía en Bahía, el ciudadano Jan van Rijsted y el distinguido facultativo Dr. José Bautista de Sá Oliveira, habían reconocido como suyas las ropas del agente inglés, su levita, la correa de su pantalón, sus botas y sobre todo la llamativa cabellera rojiza que los hombres de la Guardia Rural que encontraron el cadáver habían tenido el buen tino de cortar. Recordó que ambos ciudadanos habían testimoniado igualmente sobre las ideas disolventes del inglés y sus claros propósitos conspiratorios en relación con Canudos y que a ninguno de los dos les había sorprendido que hubiera sido encontrado su cadáver en aquella región. Y, finalmente, recordó que muchos ciudadanos de los pueblos del interior habían testimoniado a la Guardia Rural que habían visto al extranjero de cabellera colorada y portugués raro tratando de conseguir guías para que lo llevaran a Canudos. El Excmo. Sr. Diputado Don João Seixas de Pondé dijo que nadie negaba que el sujeto llamado Galileo Gall hubiera sido encontrado muerto, y con fusiles, en Ipupiará, sino que fuera un espía inglés, pues su condición de extranjero no indicaba absolutamente nada por sí misma. ¿Por qué no podía ser un espía danés, sueco, francés, alemán o de la Cochinchina?

El Excmo. Sr. Diputado Don Epaminondas Gonçalves dijo que, al escuchar las palabras de los Excmos. Sres. Diputados de la mayoría, quienes, en vez de vibrar de cólera cuando se tenía la evidencia de que una potencia extranjera quería inmiscuirse en los asuntos internos del Brasil, para socavar la República y restaurar el viejo orden aristocrático y feudal, intentaban desviar la atención pública hacia cuestiones subalternas y buscar excusas y atenuantes para los culpables, se tenía la prueba más rotunda de que el Gobierno del Estado de Bahía no levantaría un dedo para poner fin a la rebelión de Canudos, pues, por el contrario, se sentía íntimamente complacido con ella. Pero que las maquiavélicas maquinaciones del Barón de Cañabrava y de los Autonomistas no prosperarían porque para eso estaba el Ejército del Brasil, que, así como había aplastado hasta ahora todas las insurrecciones monárquicas contra la República en el Sur del país, aplastaría también la de Canudos. Dijo que cuando la soberanía de la Patria estaba en juego sobraban las palabras y que el Partido Republicano Progresista abriría mañana mismo una colecta para comprar armas que serían entregadas al Ejército Federal. Y propuso a los Excmos. Sres. Diputados del Partido Republicano Progresista abandonar el local de la Asamblea a los nostálgicos del viejo orden, y dirigirse en romería a Campo Grande, a reavivar el juramento de republicanismo ante la placa de mármol que rememora al Mariscal Floriano Peixoto. Lo cual procedieron a hacer de inmediato, ante el desconcierto de los Excmos. Sres. Diputados de la mayoría.

Minutos después, el Excmo. Sr. Presidente de la Asamblea, Caballero Adalberto de Gumucio, clausuró la sesión.

Mañana daremos cuenta de la ceremonia patriótica llevada a cabo, en Campo Grande, ante la placa de mármol del Mariscal de Hierro, por los Excmos. Sres. Diputados del Partido Republicano Progresista, en horas de la madrugada.

(8)

Cuando un sirviente le informó quién lo buscaba, el Barón de Cañabrava, en vez de mandarle decir, como a todos los que se acercaban al solar, que él no hacía ni aceptaba visitas, se echó escaleras abajo, cruzó las amplias estancias que el sol de la mañana iluminaba y fue hasta la puerta de calle a ver si no había oído mal: era el mismísimo él. Le dio la mano, sin decir palabra, y lo hizo entrar. La memoria le devolvió, a quemarropa, aquello que hacía meses trataba de olvidar: el incendio de Calumbí, Canudos, la crisis de Estela, su retiro de la vida pública.

Callado, sobreponiéndose a la sorpresa de la visita y a la resurrección de ese pasado, guió al recién venido hasta el cuarto en el que celebraba todas las entrevistas importantes: el escritorio. Pese a ser temprano, hacía calor. A lo lejos, por sobre los crotos y el ramaje de los mangos, los ficus, las guayabas y las pitangas de la huerta, el sol blanqueaba el mar como una lámina de acero. El Barón corrió la cortina y la habitación quedó en sombra.

—Sabía que lo sorprendería mi visita —dijo el visitante y el Barón reconoció la vocecita de cómico que habla en falsete—. Me enteré que había vuelto usted de Europa y tuve... este impulso. Se lo digo sin rodeos. He venido a pedirle trabajo.

—Tome asiento —dijo el Barón.

Lo había oído como en sueños, sin prestar atención a sus palabras, ocupado en examinar su físico y en confrontarlo con el de la última vez, el espantapájaros que aquella mañana vio partir de Calumbí junto con el Coronel Moreira César y su pequeña escolta. «Es y no es él», pensó. Porque el periodista que había trabajado para el *Diário de Bahia* y luego para el *Jornal de Notícias* era un mozo y este hombre de gruesos anteojos, que al sentarse parecía dividirse en cuatro o seis partes, era un viejo. Su cara hervía de estrías, mechones grises salpicaban sus cabellos, su cuerpo daba una impresión quebradiza. Vestía una camisa desabotonada, un chaleco sin mangas, con lamparones de vejez o de grasa, un pantalón deshilachado en la bata y zapatones de vaquero.

—Ahora recuerdo —dijo el Barón—. Alguien me escribió que estaba usted vivo. Lo supe en Europa. «Apareció un fantasma». Me escribieron eso. Pese a ello, lo seguía creyendo desaparecido, muerto.

—No morí ni desaparecí —dijo, sin rastro de humor, la vocecita nasal—. Luego de oír diez veces en el día lo que usted ha dicho, me di cuenta que la gente estaba defraudada de que siguiera en este mundo.

—Si quiere que le sea franco, me importa un bledo que esté vivo o muerto —se oyó decir, sorprendiéndose de su crudeza—. Tal vez preferiría que esté muerto. Odio todo lo que me recuerda a Canudos.

—Supe lo de su esposa —dijo el periodista miope y el Barón adivinó la impertinencia inevitable—. Que perdió la razón, que es una gran desgracia en su vida.

Lo miró de tal manera que lo hizo callar, asustarse. Carraspeó, parpadeó y se sacó los anteojos para desempañarlos con el filo de su camisa. El Barón se alegró de haber reprimido el impulso de echarlo.

—Ahora vuelve todo —dijo, con amabilidad—. Fue una carta de Epaminondas Gonçalves, hará un par de meses. Por él me enteré que había vuelto a Salvador.

—¿Se cartea con ese miserable? —vibró la vocecita nasal—. Es cierto, ahora son aliados.

—¿Habla así del Gobernador de Bahía? —sonrió el Barón—. ¿No quiso reponerlo en el *Jornal de Notícias?*

—Me ofreció aumentarme el sueldo, más bien —replicó el periodista miope—. Pero a condición de que me olvidara de la historia de Canudos.

Se rió, con una risa de pájaro exótico, y el Barón vio que su risa se transformaba en una racha de estornudos que lo hacían rebotar en el asiento.

—O sea que Canudos hizo de usted un periodista íntegro —dijo, burlándose—. O sea que cambió. Porque mi aliado Epaminondas es como fue siempre, él no ha cambiado un ápice.

Esperó que el periodista se sonara la nariz con un trapo azul que sacó a jalones del bolsillo.

—En esa carta, Epaminondas decía que apareció usted junto con un personaje extraño. ¿Un enano o algo así?

—Es mi amigo —asintió el periodista miope—. Tengo una deuda con él. Me salvó la vida. ¿Quiere saber cómo? Hablando de Carlomagno, de los Doce Pares de Francia, de la Reina Magalona. Cantando la Terrible y Ejemplar Historia de Roberto el Diablo.

Hablaba con premura, frotándose las manos, torciéndose en el asiento. El Barón recordó al Profesor Thales de Azevedo, un académico amigo que lo visitó en Calumbí, años atrás: se quedaba horas fascinado oyendo a los troveros de las ferias, se hacía dictar las letras que oía cantar y contar y aseguraba que eran romances medievales, traídos por los primeros portugueses y conservados por la tradición sertanera. Advirtió la expresión de angustia de su visitante.

—Todavía se puede salvar —lo oyó decir, implorar con sus ojos ambiguos—. Está tuberculoso, pero la operación es posible. El doctor Magalhães, el del Hospital Portugués, ha salvado a muchos. Quiero hacer eso por él. También para eso necesito trabajo. Pero, sobre todo... para comer.

El Barón vio que se avergonzaba, como si hubiera confesado algo ignominioso.

—No sé por qué tendría que ayudar yo a ese enano —murmuró—. Ni a usted.

—No hay ninguna razón, por supuesto —repuso al instante el miope, estirándose los dedos—. Simplemente, decidí jugarlo a la suerte. Pensé que podría conmoverlo. Usted tenía fama de generoso, antes.

—Una táctica banal de político —dijo el Barón—. Ya no la necesito, ya me retiré de la política.

Y en eso vio, por la ventana de la huerta, al camaleón. Rara vez lo veía, o, mejor dicho, lo reconocía, pues siempre se identificaba de tal modo con las piedras, la yerba o los arbustos y ramajes del jardín, que alguna vez había estado a punto de pisarlo. La víspera, en la tarde, había sacado a Estela con Sebastiana a tomar el fresco, bajo los mangos y ficus de la huerta, y el camaleón fue un entretenimiento maravilloso para la Baronesa, que, desde la mecedora de paja, se dedicó a señalar al animal, al que reconocía con la misma facilidad que antaño, entre los yerbajos y cortezas. El Barón y Sebastiana la vieron sonreír, al ver que el camaleón corría cuando ellos se acercaban a comprobar si era él. Ahora estaba ahí, al pie de uno de los mangos, entre verdoso y marrón, tornasolado, apenas distinguible de la yerba, con su papada palpitante. Mentalmente, le habló: «Camaleón querido, animalito escurridizo, buen amigo. Te agradezco con toda el alma que hicieras reír a mi mujer.»

—Sólo tengo lo que llevo puesto —dijo el periodista miope—. Al volver de Canudos encontré que la dueña de la casa había rematado todas mis cosas para pagarse los alquileres. El *Jornal de Notícias* no quiso asumir los gastos. —Hizo una pausa y añadió: —Vendió también mis libros. A veces reconozco alguno, en el Mercado de Santa Bárbara.

El Barón pensó que la pérdida de sus libros debía haber herido mucho a ese hombre que hacía diez o doce años le había dicho que algún día sería el Oscar Wilde del Brasil.

—Está bien —dijo—. Puede volver al *Diário de Bahia*. Después de todo, usted no era un mal redactor.

El periodista miope se sacó los anteojos y movió varias veces la cabeza, muy pálido, incapaz de agradecer de otro modo. «Qué importa, pensó el Barón. ¿Acaso lo hago por él o por ese enano? Lo hago por el camaleón.» Miró por la ventana, buscándolo, y se sintió defraudado: ya no estaba allí o, intuyendo que lo espiaban, se había disfrazado perfectamente con los colores del contorno.

—Es un hombre que tiene un gran terror a la muerte —murmuró el periodista miope, calzándose de nuevo los lentes—. No es amor a la vida, entiéndame. Su vida ha sido siempre abyecta. Fue vendido de niño a un gitano para que fuera curiosidad de circo, monstruo público. Pero su miedo a la muerte es tan grande, tan fabuloso, que lo ha hecho sobrevivir. Y a mí, de paso.

El Barón se arrepintió de pronto de haberle dado trabajo, porque esto establecía de algún modo un vínculo entre él y ese sujeto. Y no quería tener vínculos con alguien que se asociara tanto al recuerdo de Canudos. Pero en vez de hacer saber al visitante que la entrevista había terminado, dijo, sin pensarlo:

—Debe haber visto usted cosas terribles. —Carraspeó, incómodo de haber cedido a esa curiosidad y, sin embargo, añadió: —Allá, mientras estuvo en Canudos.

—En realidad, no vi nada —contestó en el acto el esquelético personaje, doblándose y enderezándose—. Se me rompieron los anteojos el día que deshicieron al Séptimo Regimiento. Estuve allí cuatro meses viendo sombras, bultos, fantasmas.

Su voz era tan irónica que el Barón se preguntó si decía eso para irritarlo, o porque era su manera cruda, antipática, de hacerle saber que no quería hablar.

—No sé por qué no se ha reído —lo oyó decir, aguzando el tonito provocador—. Todos se ríen cuando les digo que no vi lo que pasó en Canudos porque se me rompieron los anteojos. No hay duda que es cómico.

—Sí, lo es —dijo el Barón, poniéndose de pie—. Pero el tema no me interesa. Así que...

—Pero aunque no las vi, sentí, oí, palpé, olí las cosas que pasaron —dijo el periodista, siguiéndolo desde detrás de sus gafas—. Y, el resto, lo adiviné.

El Barón lo vio reírse de nuevo, ahora con una especie de picardía, mirándolo impávidamente a los ojos. Se sentó de nuevo.

—¿De veras ha venido a pedirme trabajo y a hablarme de ese enano? —dijo—. ¿Existe ese enano tuberculoso?

—Está escupiendo sangre y yo quiero ayudarlo —dijo el visitante—. Pero he venido también por otra cosa.

Bajó la cabeza y el Barón, mientras miraba la mata de pelos alborotados y entrecanos, espolvoreados de caspa, imaginó los ojos acuosos clavados en el suelo. Tuvo la fantástica sospecha que el visitante le traía un recado de Galileo Gall.

—Se están olvidando de Canudos —dijo el periodista miope, con voz que parecía eco—. Los últimos recuerdos de lo sucedido se evaporarán con el éter y la música de los próximos Carnavales, en el Teatro Politeama.

—¿Canudos? —murmuró el Barón—. Epaminondas hace bien en querer que no se hable de esa historia. Olvidémosla, es lo mejor. Es un episodio desgraciado, turbio, confuso. No sirve. La historia debe ser instructiva, ejemplar. En esa guerra nadie se cubrió de gloria. Y nadie entiende lo que pasó. Las gentes han decidido bajar una cortina. Es sabio, es saludable.

—No permitiré que se olviden —dijo el periodista, mirándolo con la dudosa fijeza de su mirada—. Es una promesa que me he hecho.

El Barón sonrió. No por la súbita solemnidad del visitante, sino porque el camaleón acababa de materializarse, detrás del escritorio y las cortinas, en el verde brillante de las yerbas del jardín, bajo las nudosas ramas de la pitanga. Largo, inmóvil, verdoso, con su orografía de cumbres puntiagudas, casi transparente, relucía como una piedra preciosa. «Bienvenido, amigo», pensó.

—¿Cómo? —dijo, porque sí, para llenar el vacío.

—De la única manera que se conservan las cosas —oyó gruñir al visitante—. Escribiéndolas.

—También me acuerdo de eso —asintió el Barón—. Usted quería ser poeta, dramaturgo. ¿Va a escribir esa historia de Canudos que no vio?

«¿Qué culpa tiene el pobre diablo de que Estela no sea ya ese ser lúcido, la clara inteligencia que era?», pensó.

—Desde que pude sacarme de encima a los impertinentes y a los curiosos, he estado yendo al Gabinete de Lectura de la Academia Histórica —dijo el miope—. A revisar los periódicos, todas las noticias de Canudos. El *Jornal de Notícias,* el *Diário de Bahia,* el *Republicano.* He leído todo lo que se escribió, lo que escribí. Es algo... difícil de expresar. Demasiado irreal, ¿ve usted? Parece una conspiración de la que todo el mundo participara, un malentendido generalizado, total.

—No entiendo. —El Barón había olvidado al camaleón e incluso a Estela y observaba intrigado al personaje que, encogido, parecía pujar: su mentón rozaba su rodilla.

—Hordas de fanáticos, sanguinarios abyectos, caníbales del sertón, degenerados de la raza, monstruos despreciables, escoria humana, infames lunáticos, filicidas, tarados del alma —recitó el visitante, deteniéndose en cada sílaba—. Algunos de esos adjetivos eran míos. No sólo los escribí. Los creía, también.

—¿Va a hacer una apología de Canudos? —preguntó el Barón—. Siempre me pareció un poco chiflado. Pero me cuesta creer que lo sea tanto como para pedirme que lo ayude en eso. ¿Sabe lo que me costó Canudos, no es cierto? ¿Que perdí la mitad de mis bienes? Que por Canudos me ocurrió la peor desgracia, pues, Estela...

Sintió que su voz vacilaba y calló. Miró a la ventana, pidiendo ayuda. Y la encontró: seguía allí, quieto, hermoso, prehistórico, eterno, a medio camino entre los reinos animal y vegetal, sereno en la resplandeciente mañana.

—Pero esos adjetivos eran preferibles, al menos la gente pensaba en eso —dijo el periodista, como si no lo hubiera oído—. Ahora, ni una palabra. ¿Se habla de Canudos en los cafés de la rua de Chile, en los mercados, en las tabernas? Se habla de las huérfanas desvirginadas por el Director del Hospicio Santa Rita de Cassia, más bien. O de la píldora antisifilítica del Dr. Silva Lima o de la última remesa de jabones rusos y calzados ingleses que han recibido los Almacenes Clarks. —Miró al Barón a los ojos y éste vio que en las bolas miopes había furia y pánico—. La última noticia sobre Canudos apareció en los diarios hace doce días. ¿Sabe cuál era?

—Desde que dejé la política no leo periódicos —dijo el Barón—. Ni siquiera el mío.

—El retorno a Río de Janeiro de la Comisión que mandó el Centro Espiritista de la capital a fin de que, valiéndose de sus poderes meddiúmnicos, ayudaran a las fuerzas del orden a acabar con los yagunzos. Pues bien, ya volvieron a Río, en el barco «Rio Vermelho», con sus mesas de tres patas y sus bolas de vidrio y lo que sea. Desde entonces, ni una línea. Y no han pasado ni tres meses.

—No quiero seguir oyéndolo —dijo el Barón—. Ya le he dicho que Canudos es un tema doloroso para mí.

(9)

Antonio Vilanova», susurra el Consejero y hay como una descarga eléctrica en el Santuario. «Ha hablado, ha hablado», piensa el Beatito, todos los poros de su piel erizados por la impresión. «Alabado sea el Padre, alabado sea el Buen Jesús.» Avanza hacia el camastro de varas al mismo tiempo que María Quadrado, el León de Natuba, el Padre Joaquim y las beatas del Coro Sagrado; en la luz taciturna del atardecer, todos los ojos se clavan en la cara oscura, alargada, inmóvil, que sigue con los párpados sellados. No es una alucinación: ha hablado.

El Beatito ve que esa boca amada, a la que la flacura ha dejado sin labios, se abre para repetir: «Antonio Vilanova.» Reaccionan, dicen «sí, sí, padre», se atropellan hasta la puerta del Santuario a pedir a la Guardia Católica que llamen a Antonio Vilanova. Varios hombres echan a correr entre los sacos y piedras del parapeto. En este instante, no hay tiros. El Beatito regresa a la cabecera del Consejero: está otra vez callado, quieto, boca arriba, los ojos cerrados, las manos y los pies al aire, sus huesos sobresaliendo de la túnica morada cuyos pliegues denuncian aquí y allá su pavorosa delgadez. «Es espíritu más que carne ya», piensa el Beatito. La Superiora del Coro Sagrado, alentada al oírlo, le acerca un tazón con un poco de leche. La oye murmurar, llena de recogimiento y esperanza: «¿Quieres tomar algo, padre?» Le ha oído la misma pregunta muchas veces en estos días. Pero esta vez, a diferencia de las otras, en que el Consejero permanecía sin responder, la esquelética cabeza sobre la que caen, revueltos, largos cabellos grises, se mueve diciendo que no. Un vaho de felicidad asciende por el Beatito. Está vivo, va a vivir. Porque en estos días, aunque el Padre Joaquim, cada cierto tiempo, se acercaba a tomarle el pulso y a oírle el corazón y les decía que respiraba, y aunque había esa aguadija constante que fluía de él, el Beatito no podía evitar, ante su inmovilidad y su silencio, pensar que el alma del Consejero había subido al cielo.

Una mano lo tironea desde el suelo. Encuentra los ojos grandes, ansiosos, luminosos, del León de Natuba, mirándolo por entre una selva de greñas. «¿Va a vivir, Beatito?» Hay tanta angustia en el escriba de Belo Monte que el Beatito tiene ganas de llorar.

—Sí, sí, León, va a vivir para nosotros, va a vivir todavía mucho tiempo.

Pero sabe que no es así; algo, en sus entrañas, le dice que éstos son los últimos días, acaso horas, del hombre que cambió su vida y la de todos los que están en el Santuario, de todos los que allá afuera mueren, agonizan y pelean en las cuevas y trincheras en que ha quedado convertido Belo Monte. Sabe que es el final. Lo ha sabido desde que supo, simultáneamente, la caída de la Fazenda Velha y el desmayo en el Santuario. El Beatito sabe descifrar los símbolos, interpretar el mensaje secreto de esas coincidencias, accidentes, aparentes casualidades que pasan inadvertidas para los demás; tiene una intuición que le permite reconocer de inmediato, bajo lo inocente y lo trivial, la presencia profunda del más allá. Estaba ese día en la Iglesia de San Antonio, haciendo rezar el rosario a los heridos, enfermos, parturientas y huérfanos de ese lugar convertido en Casa de Salud desde el comienzo de la guerra, elevando la voz para que la doliente humanidad sangrante, purulenta y a medio morir oyera sus avemarías y padrenuestros entre el estrépito de la fusilería y los cañonazos. Y en eso vio entrar, a la vez, a la carrera, saltando sobre los cuerpos hacinados, a un «párvulo» y a Alejandrinha Correa. El niño habló primero:

—Los perros han entrado a la Fazenda Velha, Beatito. Dice João Abade que hay que parar un muro en la esquina de los Mártires, porque los ateos tienen ahora paso libre por ahí.

Y apenas había dado media vuelta el «párvulo» cuando la antigua hacedora de lluvia, en voz más descompuesta que su cara, le susurró al oído otra noticia que él presentía muchísimo más grave: «El Consejero se ha enfermado.»

Le tiemblan las piernas, se le seca la boca y se le oprime el pecho, como esa mañana, hace ya ¿seis, siete, diez días? Tuvo que hacer un gran esfuerzo para que los pies le obedecieran y correr tras Alejandrinha Correa. Cuando llegó al Santuario, el Consejero había sido alzado al camastro y había reabierto los ojos y tranquilizado con la mirada a las aterradas beatas y al León de Natuba. Había ocurrido al incorporarse, después de rezar varias horas, como siempre lo hacía, tumbado con los brazos en cruz. Las beatas, el León de Natuba, la Madre María Quadrado notaron la dificultad con que ponía una rodilla en tierra, ayudándose con una mano, luego la otra, y que palidecía por el esfuerzo o el dolor al tenerse de pie. Repentinamente volvió al suelo como un costal de huesos. En ese momento —¿hace seis, siete, diez días?— el Beatito tuvo la revelación: ha llegado la hora nona.

¿Por qué era tan egoísta? ¿Cómo podía no alegrarse de que el Consejero descansara, subiera a recibir la recompensa por lo hecho en esta tierra? ¿No tendría, más bien, que cantar hosannas? Tendría. Pero no puede, su alma está traspasada. «Quedaremos huérfanos», piensa una vez más. En eso, lo distrae el ruidito que surte del camastro, que escapa de debajo del Consejero. Es un ruidito que no agita el cuerpo del santo, pero ya la Madre

María Quadrado y las beatas corren a rodearlo, levantarle el hábito, limpiarlo, recoger humildemente eso que —piensa el Beatito— no es excremento, porque el excremento es sucio e impuro y nada que provenga de él puede serlo. ¿Cómo sería sucia, impura, esa aguadija que mana sin tregua desde hace ¿seis, siete, diez días? de ese cuerpo lacerado? ¿Acaso ha comido algo el Consejero en estos días para que su organismo tenga impurezas que evacuar? «Es su esencia lo que corre por ahí, es parte de su alma, algo que está dejándonos.» Lo intuyó en el acto, desde el primer momento. Había algo misterioso y sagrado en esos cuescos súbitos, tamizados, prolongados, en esas acometidas que parecían no terminar nunca, acompañadas siempre de la emisión de esa aguadija. Lo adivinó: «Son óbolos, no excremento.» Entendió clarísimo que el Padre, o el Divino Espíritu Santo, o el Buen Jesús, o la Señora, o el propio Consejero querían someterlos a una prueba. Con dichosa inspiración se adelantó, estiró la mano entre las beatas, mojó sus dedos en la aguadija y se los llevó a la boca, salmodiando: «¿Es así como quieres que comulgue tu siervo, Padre? ¿No es esto para mí rocío?» Todas las beatas del Coro Sagrado comulgaron también, como él.

¿Por qué lo sometía el Padre a una agonía así? ¿Por qué quería que pasara sus últimos momentos defecando, defecando, aunque fuera maná lo que escurría su cuerpo? El León de Natuba, la Madre María Quadrado y las beatas no lo entienden. El Beatito ha tratado de explicárselo y de prepararlos: «El Padre no quiere que caiga en manos de los perros. Si se lo lleva, es para que no sea humillado. Pero no quiere tampoco que creamos que lo libra de dolor, de penitencia. Por eso lo hace sufrir, antes del premio.» El Padre Joaquim le ha dicho que hizo bien en prepararlos; él también teme que la muerte del Consejero los trastorne, les arranque protestas impías, reacciones dañinas para su alma. El Perro acecha y no perdería una oportunidad para hacerse de esas presas.

Se da cuenta que se ha reanudado el tiroteo —fuerte, nutrido, circular— cuando abren el Santuario. Ahí está Antonio Vilanova. Con él vienen João Abade, Pajeú, João Grande, extenuados, sudorosos, olientes a pólvora, pero con caras radiantes: saben que ha hablado, que está vivo.

—Aquí está Antonio Vilanova, Padre —dice el León de Natuba, empinándose en las patas traseras hasta el Consejero.

El Beatito deja de respirar. Los hombres y mujeres que repletan el aposento —están tan apretados que ninguno podía alzar los brazos sin golpear al vecino— escrutan suspensos la boca sin labios y sin dientes, la faz que parece máscara mortuoria. ¿Va a hablar, va a hablar? Pese al tiroteo ruidoso, tartamudo, de afuera, el Beatito escucha otra vez el ruidito inconfundible. Ni María Quadrado ni las beatas van a asearlo. Todos siguen inmóviles, inclinados sobre el camastro, esperando. La Superiora del Coro Sagrado acerca su boca a la oreja cubierta por hebras grisáceas y repite:

—Aquí está Antonio Vilanova, padre.

Hay un leve parpadeo en sus ojos y la boca del Consejero se entreabre. Comprende que está haciendo esfuerzos por hablar, que la debilidad y el sufrimiento no le permiten emitir sonido alguno y suplica al Padre que le conceda esa gracia ofreciéndose, a cambio, a recibir cualquier tormento, cuando oye la voz amada, tan débil que todas las cabezas se adelantan para escuchar:

—¿Estás ahí, Antonio? ¿Me oyes?

El antiguo comerciante cae de rodillas, coge una de las manos del Consejero y la besa con unción: «Sí, padre, sí, padre.» Transpira, abotagado, sofocado, trémulo. Siente envidia de su amigo. ¿Por qué ha sido el llamado? ¿Por qué él y no el Beatito? Se recrimina por ese pensamiento y teme que el Consejero los haga salir para hablarle a solas.

—Anda al mundo a dar testimonio, Antonio, y no vuelvas a cruzar el círculo. Aquí me quedo yo con el rebaño. Allá irás tú. Eres hombre del mundo, anda, enseña a sumar a los que olvidaron la enseñanza. Que el Divino te guíe y el Padre te bendiga.

El ex comerciante se pone a sollozar, con pucheros que se vuelven morisquetas. «Es su testamento», piensa el Beatito. Tiene perfecta conciencia de la solemnidad y trascendencia de este instante. Lo que está viendo y oyendo se recordará por los años y los siglos, entre miles y millones de hombres de todas las lenguas, razas, geografías; se recordará por una inmensa humanidad aún no nacida. La voz destrozada de Vilanova ruega al Consejero que no lo mande partir, mientras besa con desesperación la huesuda mano morena de largas uñas. Debe intervenir, recordarle que en este momento no puede discutir un deseo del Consejero. Se acerca, pone una mano en el hombro de su amigo y la presión afectuosa basta para calmarlo. Vilanova lo mira con los ojos arrasados por el llanto, suplicándole ayuda, aclaración. El Consejero permanece silencioso. ¿Todavía va a oír su voz? Oye, por dos veces consecutivas, el ruidito. Muchas veces se ha preguntado si, cada vez que se produce, el Consejero tiene retortijones, punzadas, estirones, calambres, si el Can le muerde el vientre. Ahora sabe que es así. Le basta advertir esa mínima mueca en la cara macilenta, que acompaña a los cuescos, para saber que éstos vienen con llamas y cuchillos martirizantes.

—Lleva contigo a tu familia, para que no estés solo —susurra el Consejero—. Y llévate a los forasteros amigos del Padre Joaquim. Que cada cual gane la salvación con su esfuerzo. Así como tú, hijo.

Pese a la atención hipnótica con que sigue las palabras del Consejero, el Beatito capta la mueca que contrae la cara de Pajeú: la cicatriz parece hincharse, rajarse, y su boca se abre para preguntar o, acaso, protestar. Es la idea de que se marche de Belo Monte esa mujer con la que quiere casarse. Maravillado, el Beatito entiende por qué el Consejero, en ese instante supremo, se ha acordado de los forasteros que protege el Padre Joaquim. ¡Para salvar a un apóstol! ¡Para salvar el alma de Pajeú de la caída que podría significarle tal vez esa mujer! ¿O, simplemente, quiere poner a prueba al caboclo? ¿O hacerle ganar indulgencias con el sufrimiento? Pajeú está otra vez inexpresivo, verde oscuro, sereno, quieto, respetuoso, con el sombrero de cuero en la mano, mirando el camastro.

Ahora el Beatito tiene la seguridad de que esa boca no se abrirá más. «Sólo su otra boca habla», piensa. ¿Cuál es el mensaje de ese estómago que se desagua y se desvienta desde hace seis, siete, diez días? Lo angustia pensar que en esos cuescos y en esa aguadija hay un mensaje dirigido a él, que pudiera malinterpretar, no oír. Él sabe que nada es accidental, que la casualidad no existe, que todo tiene un sentido profundo, una raíz cuyas ramificaciones conducen siempre al Padre y que si uno es lo bastante santo puede vislumbrar ese orden milagroso y secreto que Dios ha instaurado en el mundo.

El Consejero está otra vez mudo, como si nunca hubiera hablado. El Padre Joaquim, en una esquina de la cabecera, mueve los labios, rezando en silencio. Los ojos de todos brillan. Nadie se ha movido, pese a que todos intuyen que el santo ha dicho lo que tenía que decir. La hora nona. El Beatito sospechó que se avecinaba desde la muerte del carnerito blanco por una bala perdida, cuando, tenido por Alejandrinha Correa, acompañaba al Consejero de vuelta al Santuario, después de los consejos. Ésa fue una de las últimas veces que el Consejero salió del Santuario. «Ya no se le oía la voz, ya estaba en el huerto de los olivos.» Haciendo un esfuerzo sobrehumano, todavía abandonaba el Santuario cada tarde para trepar los andamios, rezar y dar consejos. Pero su voz era un susurro apenas comprensible para los que estaban a su lado. El propio Beatito, que permanecía dentro de la pared viva de la Guardia Católica, sólo escuchaba palabras sueltas. Cuando la Madre María Quadrado le preguntó si quería que enterraran en el Santuario a ese animalito santificado por sus caricias, el Consejero dijo que no y dispuso que sirviera de alimento a la Guardia Católica.

En ese momento la mano derecha del Consejero se mueve, buscando algo; sus dedos nudosos suben, caen sobre el colchón de paja, se encogen y estiran. ¿Qué busca, qué quiere? El Beatito ve en los ojos de María Quadrado, de João Grande, de Pajeú, de las beatas, su misma ansiedad.

—León, ¿estás ahí?

Siente una puñalada en el pecho. Hubiera dado cualquier cosa porque el Consejero pronunciara su nombre, porque su mano lo buscara a él. El León de Natuba se empina y avanza la gran cabeza greñuda hacia esa mano, para besarla. Pero la mano no le da tiempo, pues apenas siente la proximidad de esa cara, trepa por ella con rapidez y hunde los dedos en las greñas tupidas. Al Beatito las lágrimas le nublan lo que ocurre. Pero no necesita verlo, sabe que el Consejero está rascando, espulgando, acariciando con sus últimas fuerzas, como lo ha visto hacerlo a lo largo de los años, la cabeza del León de Natuba.

La furia del estruendo que remece el Santuario, lo obliga a cerrar los ojos, a encogerse, a alzar las manos ante lo que parece una avalancha de piedras. Ciego, oye el ruido, los gritos, las carreras, se pregunta si ha muerto y si es su alma la que tiembla. Por fin, oye a João Abade: «Cayó el campanario de San Antonio.» Abre los ojos. El Santuario se ha llenado de polvo y todos han cambiado de lugar. Se abre camino hacia el camastro, sabiendo lo que le espera. Divisa entre la polvareda la mano quieta sobre la cabeza del León de Natuba, arrodillado en la misma postura. Y ve al Padre Joaquim, con la oreja pegada al pecho flaco. Luego de un momento, el párroco se incorpora, desencajado:

—Ha rendido su alma a Dios —balbucea y la frase es para los presentes más estruendosa que el estrépito de afuera.

Nadie llora a gritos, nadie cae de rodillas. Quedan convertidos en piedras. Evitan mirarse unos a otros, como si, al encontrarse, sus ojos fueran a revelar suciedades recíprocas, a rebalsar por ellos, en ese momento supremo, vergüenzas íntimas. Llueve polvo del techo, de las paredes, y los oídos del Beatito, como los de otra persona, siguen oyendo, afuera, cerca y lejísimos, alaridos, llantos, carreras, chirridos, desprendimientos, y los rugidos con que los soldados de las trincheras de las que eran las calles de San Pedro y San Cipriano y el viejo cementerio, celebran la caída de la torrecilla de la Iglesia a la que tanto han cañoneado. Y la mente del Beatito, como si fuera de otro, imagina a las decenas de hombres de la Guardia Católica que han caído con el campanario, y las decenas de heridos, enfermos, inválidos, parturientas, recién nacidos y viejos centenarios que estarán en estos momentos apachurrados, quebrados, triturados, bajo los adobes, las piedras y las vigas, muertos, ya salvados, ya cuerpos gloriosos subiendo la dorada escalera de los mártires hacia el trono del Padre, o, acaso, aún agonizando en medio de espantosos dolores entre escombros humeantes. Pero, en realidad, el Beatito no oye ni ve ni piensa: el mundo se ha vaciado, él ha quedado sin carne, sin huesos, es una pluma flotando desamparada en los remolinos de un precipicio. Ve, como si fueran los ojos de otro los que vieran, que el Padre Joaquim coge la mano del Consejero de las crenchas del León de Natuba y la deposita junto a la otra, sobre el cuerpo. Entonces, el Beatito se pone a hablar, con la entonación grave, honda, con que salmodia en la Iglesia y en las procesiones:

—Lo llevaremos al Templo que mandó construir y lo velaremos tres días y tres noches, para que todos los hombres y mujeres puedan adorarlo. Y lo llevaremos en procesión por todas las casas y calles de Belo Monte para que por última vez su cuerpo purifique a la ciudad de la ignominia del Can. Y lo enterraremos bajo el Altar Mayor del Templo del Buen Jesús y plantaremos sobre su sepultura la cruz de madera que él hizo con sus manos en el desierto.

Se persigna devotamente y todos se persignan, sin apartar la vista del camastro. Los primeros sollozos que el Beatito oye son los del León de Natuba; su cuerpecillo jiboso y asimétrico se contorsiona todo con el llanto. El Beatito se pone de rodillas y todos lo imitan; ahora puede oír otros sollozos. Pero es la voz del Padre Joaquim, rezando en latín, la que toma posesión del Santuario, y durante un buen rato borra los ruidos de afuera. Mientras reza, con las manos juntas, volviendo lentamente en sí, recuperando sus oídos, sus ojos, su cuerpo, esa vida terrenal que parecía haber perdido, el Beatito siente aquella infinita desesperación que no había sentido desde que, niño, oyó decir al Padre Moraes que no podía ser sacerdote porque era hijo espúreo. «¿Por qué nos abandonas en estos momentos, padre?» «¿Qué vamos a hacer sin ti, padre?» Recuerda el alambre que el Consejero puso en su cintura, en Pombal, y que él todavía lleva allí, herrumbroso y torcido, ya carne de su carne, y se dice que ahora ésa es reliquia preciosa, como todo lo que el santo tocó, visitó o dijo a su paso por la tierra.

—No se puede, Beatito —afirma João Abade.

El Comandante de la Calle está arrodillado a su lado y tiene los ojos inyectados y la voz alterada. Pero hay una seguridad rotunda en lo que dice:

—No podemos llevarlo al Templo del Buen Jesús ni enterrarlo como quieres. ¡No podemos hacer eso a la gente, Beatito! ¿Quieres clavarles una faca en la espalda? ¿Les vas a decir que se ha muerto por el que están peleando, a pesar de que ya no hay balas ni comida? ¿Vas a hacer una crueldad así? ¿No sería peor que las maldades de los masones?

—Tiene razón, Beatito —dice Pajeú—. No podemos decirles que se ha muerto. No ahora, no en estos momentos. Todo se vendría abajo, sería la estampida, la locura de la gente. Hay que ocultarlo, si queremos que sigan peleando.

—No sólo por eso —dice João Grande y ésta es la voz que más lo asombra, pues ¿desde cuándo abre la boca para opinar ese gigantón tímido al que siempre ha habido que sacarle las palabras a la fuerza?—. ¿Acaso no buscarán los perros sus restos con todo el odio del mundo para deshonrarlos? Nadie debe saber dónde está enterrado. ¿Quieres que los herejes encuentren su cuerpo, Beatito?

El Beatito siente sus dientes chocando, como si tuviera las fiebres. Cierto, cierto, en su afán de rendir homenaje al amado maestro, de darle un velatorio y un entierro a la altura de su majestad, ha olvidado que los perros están apenas a unos pasos y que, en efecto, se encarnizarían como lobos rapaces contra sus despojos. Ya está, ahora comprende —es como si el techo se abriera y una luz cegadora, con el Divino en el centro, lo iluminara— por qué el Padre se lo ha llevado precisamene ahora y cuál es la obligación de los apóstoles: preservar sus restos, impedir que el demonio los mancille.

—Cierto, cierto —exclama, vehemente, compungido—. Perdónenme, el dolor me ha turbado, tal vez el Maligno. Ahora entiendo, ahora sé. No diremos que ha muerto. Lo velaremos aquí, lo enterraremos aquí. Cavaremos su tumba y nadie, salvo nosotros, sabrá dónde. Ésa es la voluntad del Padre.

Hace un instante estaba resentido con João Abade, Pajeú y João Grande por oponerse a la ceremonia fúnebre y ahora, en cambio, se siente agradecido a ellos por haberle ayudado a descifrar el mensaje. Menudo, frágil, precario, lleno de energía, impaciente, se mueve entre las beatas y los apóstoles, empujándolos, urgiéndolos a dejar de llorar, a romper esa parálisis que es trampa del Demonio, implorándoles que se levanten, se muevan, traigan picos, azadas, para cavar. «No hay tiempo, no hay tiempo», los asusta.

Y así consigue contagiarlos: se levantan, se secan los ojos, se animan, se miran, asienten, se codean. Es João Abade, con el sentido práctico que nunca lo abandona, quien urde la piadosa mentira para los hombres de los parapetos que protegen el Santuario: van a abrir, como se ha hecho en tantas viviendas de Belo Monte, uno de esos túneles que comunican entre sí a las trincheras y las casas, por si los perros bloquean el Santuario. João Grande sale y vuelve con unas palas. De inmediato comienzan a excavar, junto al camastro. Así lo siguen haciendo, de cuatro en cuatro, turnándose una y otra vez, y volviendo, cuando dejan las palas, a arrodillarse y a rezar. Así lo seguirán haciendo varias horas, sin darse cuenta que afuera ha oscurecido, que la Madre de los Hombres prende una lamparilla de aceite, y que, afuera, el tiroteo, los gritos de odio o de victoria, se han reanudado, interrumpido y vuelto a reanudar. Cada vez que alguien, junto a la pirámide de tierra que se ha ido levantando a la vez que el pozo se hundía, pregunta, el Beatito dice: «Más hondo, más hondo.»

Cuando la inspiración le dice que ya basta, todos, empezando por él, están rendidos, los pelos y las pieles embarrados de tierra. El Beatito tiene la sensación de vivir un sueño los momentos que siguen, cuando, cogiendo él la cabeza, la Madre María Quadrado una de las piernas, Pajeú la otra, João Grande uno de los brazos, el Padre Joaquim el otro, alzan el cuerpo del Consejero para que las beatas puedan colocar bajo él la esterilla de paja que será su sudario. Cuando ya está allí el cuerpo, María Quadrado le pone sobre el pecho el crucifijo de metal que era el único objeto que decoraba las paredes del Santuario y el rosario de cuentas oscuras que lo acompaña desde que todos ellos recuerdan. Vuelven a cargar los restos, envueltos por la esterilla, y João Abade y Pajeú los reciben en el fondo del foso. Mientras el Padre Joaquim ora en latín, otra vez trabajan por turnos, acompañando las paladas de tierra con los rezos. En esa extraña sensación de sueño a la que contribuye la rancia luz, el Beatito ve que hasta el León de Natuba, brincando entre las piernas de los demás, ayuda a rellenar la sepultura. Mientras trabaja, controla su tristeza. Se dice que este velatorio humilde y esta tumba pobre sobre la que no se pondrá inscripción ni cruz es algo que el hombre pobre y humilde que fue en vida el Consejero seguramente hubiera pedido para él. Pero cuando todo termina y el Santuario queda como antes —con el camastro vacío— el Beatito se echa a llorar. En medio de su llanto, siente que los otros lloran. Luego de un rato, se sobrepone. A media voz les pide jurar, por la salud de sus almas, que nunca revelarán, sea cual sea la tortura, el lugar donde reposa el Consejero. Les toma el juramento, uno por uno.

(1)

Vine a Firenze para olvidarme por un tiempo del Perú y de los peruanos y he aquí que el malhadado país me salió al encuentro esta mañana de la manera más inesperada. Había visitado la reconstruida casa de Dante, la iglesita de San Martino del Vescovo y la callejuela donde la leyenda dice que aquél vio por primera vez a Beatrice, cuando, en el pasaje de Santa Margherita, una vitrina me paró en seco: arcos, flechas, un remo labrado, un cántaro con dibujos geométricos y un maniquí embutido en una cushma de algodón silvestre. Pero fueron tres o cuatro fotografías las que me devolvieron, de golpe, el sabor de la selva peruana. Los anchos ríos, los corpulentos árboles, las frágiles canoas, las endebles cabañas sobre pilotes y los almácigos de hombres y mujeres, semidesnudos y pintarrajeados, contemplándome fijamente desde sus cartulinas brillantes.

Naturalmente, entré. Con un extraño cosquilleo y el presentimiento de estar haciendo una estupidez, arriesgándome por una curiosidad trivial a frustrar de algún modo el proyecto tan bien planeado y ejecutado hasta ahora —leer a Dante y Machiavelli y ver pintura renacentista durante un par de meses, en irreductible soledad—, a provocar una de esas discretas hecatombes que, de tanto en tanto, ponen mi vida de cabeza. Pero, naturalmente, entré.

La galería era minúscula. Un solo cuarto de techo bajo en el que, para poder exhibir todas las fotografías, habían añadido dos paneles, atiborrados también de imágenes por ambos lados. Una muchacha flaca, de anteojos, sentada detrás de una mesita, me miró. ¿Se podía visitar la exposición «I nativi della foresta amazonica»?

—Certo. Avanti, avanti.

No había objetos en el interior de la galería, sólo fotos, lo menos una cincuentena, la mayoría bastante grandes. Carecían de leyendas, pero alguien, acaso el mismo Gabriele Malfatti, había escrito un par de cuartillas indicando que las fotografías fueron tomadas en el curso de un viaje de dos semanas por la región amazónica de los departamentos del Cusco y de Madre de Dios, en el Oriente peruano. El artista se había propuesto describir, «sin demagogia ni esteticismo», la existencia cotidiana de una

251

tribu que, hasta hacía pocos años, vivía casi sin contacto con la civilización, diseminada en unidades de una o dos familias. Sólo en nuestros días comenzaba a agruparse en esos lugares documentados por la muestra, pero muchos permanecían aún en los bosques. El nombre de la tribu estaba castellanizado sin errores: los machiguengas.

Las fotos materializaban bastante bien el propósito de Malfatti. Allí estaban los machiguengas lanzando el arpón desde la orilla del río, o, semiocultos en la maleza, preparando el arco en pos del ronsoco o la huangana; allí estaban, recolectando yucas en los diminutos sembríos desparramados en torno a sus flamantes aldeas —acaso las primeras de su larga historia—, rozando el monte a machetazos y entreverando las hojas de las palmeras para techar sus viviendas. Una ronda de mujeres tejía esteras y canastas: otra preparaba coronas, engarzando vistosas plumas de loros y guacamayos en aros de madera. Allí estaban, decorando minuciosamente sus caras y sus cuerpos con tintura de achiote, haciendo fogatas, secando unos cueros, fermentando la yuca para el masato en recipientes en forma de canoa. Las fotos mostraban con elocuencia cuán pocos eran en esa inmensidad de cielo, agua y vegetación que los rodeaba, su vida frágil y frugal, su aislamiento, su arcaísmo, su indefensión. Era verdad: sin demagogia ni esteticismo.

Esto que voy a decir no es una invención a posteriori ni un falso recuerdo. Estoy seguro de que pasaba de una foto a la siguiente con una emoción que, en un momento dado, se volvió angustia. ¿Qué te pasa? ¿Qué podrías encontrar en estas imágenes que justifique semejante ansiedad?

Desde las primeras fotos había reconocido los claros donde se alzan Nueva Luz y Nuevo Mundo —no hacía tres años que había estado en ellos— e, incluso, al ver una panorámica del último de estos lugares, la memoria me resucitó en el acto la sensación de catástrofe con que viví el aterrizaje acrobático que hicimos allí, aquella mañana, en el Cessna del Instituto Lingüístico, esquivando niños machiguengas. También me había parecido reconocer algunas caras de los hombres y mujeres con quienes, ayudado por Mr. Schneil, conversé. Y esto fue una certidumbre cuando, en otra de las fotografías, vi, con la misma barriguita hinchada y los mismos ojos vivos que conservaba en mi recuerdo, al niño de boca y nariz comidas por la uta. Mostraba a la cámara, con la misma inocencia y naturalidad con que nos lo había mostrado a nosotros, ese hueco con colmillos, paladar y amígdalas que le daba un aire de fiera misteriosa.

La fotografía que esperaba desde que entré a la galería, apareció entre las últimas. Al primer golpe de vista se advertía que aquella comunidad de hombres y mujeres sentados en círculo, a la manera amazónica —parecida a la oriental: las piernas en cruz, flexionadas horizontalmente, el tronco muy erguido—, y bañados por una luz que comenzaba a ceder, de crepúsculo tornándose noche, estaba hipnóticamente concentrada. Su inmovilidad era absoluta. Todas las caras se orientaban, como los radios de una circunferencia, hacia el punto central, una silueta masculina que, de pie en el corazón de la ronda de machiguengas imantados por ella, hablaba, moviendo los brazos. Sentí frío en la espalda. Pensé: «¿Cómo consiguió este Malfatti que le permitieran, cómo hizo para...?» Bajé, acerqué mucho la cara a la fotografía. Estuve viéndola, oliéndola, perforándola con los ojos y la imaginación hasta que noté que la muchacha de la galería se levantaba de su mesita y venía hacia mí, inquieta.

Haciendo un esfuerzo por serenarme le pregunté si las fotografías se vendían. No, creía que no. Eran de la Editorial Rizzoli. Iba a publicar un libro con ellas, parecía. Le pedí que me pusiera en contacto con el fotógrafo. No iba a ser posible, desgraciadamente:

—Il signore Gabriele Malfatti è morto.

¿Muerto? Sí. De unas fiebres. Un virus contraído en aquellas selvas, forse. ¡El pobre! Era un fotógrafo de modas, había trabajado para *Vogue,* para *Uomo,* revistas así, fotografiando modelos, muebles, joyas, vestidos. Se había pasado la vida soñando con hacer algo distinto, más personal, como este viaje a la Amazonía. Y cuando al fin pudo hacerlo y le iban a publicar un libro con su trabajo ¡se moría! Y, ahora, le dispiaceva, pero era la hora del pranzo y tenía que cerrar.

Le agradecí. Antes de salir a enfrentarme una vez más con las maravillas y las hordas de turistas de Firenze, todavía alcancé a echar una última ojeada a la fotografía. Sí. Sin la menor duda. Un hablador.

(2)

A Tasurinchi, un kamagarini travieso, disfrazado de avispa, le picó la punta del pene mientras orinaba. Él está andando. ¿Cómo? No lo sé. Pero anda, yo lo vi. No lo han matado. Pudo perder los ojos y la cabeza, pudo salírsele el alma por lo que hizo, allá, entre los yaminahuas. Nada le pasó, parece. Está bien, andando, contento. Sin rabia y riéndose, tal vez. «No hay razón para tanto alboroto», diciendo. Mientras iba rumbo al río Mishahua a visitarlo, yo pensaba: «No lo encontraré. Si es cierto que hizo eso, se habrá escapado lejos, donde los yaminahuas no lo hallen. O ya lo habrán matado, quizás, a él y también a sus parientes.» Pero ahí estaba y lo mismo su familia y la mujer que se robó. «¿Estás ahí, Tasurinchi?» «Ehé, ehé, estoy aquí.»

Ella está aprendiendo a hablar. «Hazlo, que el hablador vea que tú también hablas», le ordenó. Apenas se comprendía lo que la yaminahua decía, y las otras mujeres, burlándose, «¿qué son esos ruidos que estamos oyendo?», haciéndose las que buscaban, «¿qué animal se habrá metido a la casa?», levantando las esteras. La hacen trabajar y la tratan mal. «Cuando abre sus piernas a ella también le saldrán pescados, como a Pareni», diciendo. Y cosas peores todavía. Pero, es cierto, está aprendiendo a hablar. Algunas cosas que decía, entendí. «El hombre anda», le entendí.

«Entonces, es verdad, te robaste a una yaminahua», le comenté a Tasurinchi. Dice que no se la robó. La cambió por una sachavaca, un saco de maíz y otro de yuca, más bien. «Los yaminahuas deberían alegrarse, eso que les di vale más que ella», me aseguró. Le preguntó a la yaminahua en mi delante: «¿No es así?» Y ella asintió: «Sí, lo es», diciendo. También eso le entendí.

Desde que el kamagarini travieso le picó en el pene, Tasurinchi tiene que hacer cosas que bruscamente se le antojan, sin saber cómo ni por qué. «Es una orden que oigo y la tengo que obedecer», dice. «Vendrá de un diosecillo o de un diablillo, de algo que se me metió por el pene bien adentro, cómo será.» El robarse a esa mujer fue una de esas órdenes, parece.

El pene lo tiene ahora igual que antes. Pero se le ha quedado, en el alma, un espíritu que le manda ser distinto y hacer cosas que no comprenden los demás. Me mostró dónde estaba orinando cuando el kamagarini le picó. ¡Ay!, ¡ay!, le hizo chillar, lo hizo saltar, y ya no pudo seguir orinando. Espantó a la avispa de un manotón y la oyó reírse, quizás. Un rato después, su pene comenzó a crecer. Cada noche se hinchaba más, cada mañana más. Todos se reían de él. Avergonzado, se hizo tejer una cushma más grande. Lo escondía en su bolsón. Pero el pene seguía creciendo, creciendo, y ya no lo pudo ocultar. Le molestaba al moverse, lo arrastraba como su cola el animal. A veces la gente se lo pisaba sólo para oírlo chillar: ¡Ay! ¡Atatau! Tuvo que enrollarlo y ponérselo en el hombro, como yo a mi lorito. Iban así en los viajes, cabeza con cabeza, acompañándose. Tasurinchi le hablaba, para distraerse. El otro lo oía, callado, atento, como ustedes me oyen a mí, mirándolo con su gran ojazo. ¡Tuerto! ¡Tuertito! Fijo lo miraba, pues. Había crecido muchísimo. Creyéndolo árbol, los pájaros se posaban en él para cantar. Cuando Tasurinchi orinaba, salía de su bocaza una cascada de agua caliente, espumosa como las cataratas del Gran Pongo. Tasurinchi podía bañarse y su familia, tal vez. Le servía de asiento cuando se detenía a descansar. En las noches, de camastro. Y si iba de caza, de honda y de lanza. Podía dispararlo hasta la cresta del árbol para derribar a los shimbillos y, usándolo como pedrón, matar con él al puma.

Para purificarlo, el seripigari le envolvió el pene en hojas de helechos calentados a las brasas. El jugo del cocimiento se lo hizo tomar a sorbitos, cantando, toda una noche, mientras él bebía tabaco y ayahuasca, bailaba, desaparecía por el techo y volvía, transformado en saankarite. Entonces, le pudo chupar el daño y escupirlo. Era amarillo, espeso y olía a vómito de borrachera. De amanecida, el pene comenzó a enflaquecer y unas lunas después era el enanito de antes. Pero desde entonces Tasurinchi oye esas órdenes. «En algunas de mis almas, hay una madre caprichosa», dice. «Por eso me traje a la yaminahua, pues.»

Parece que ella se ha acostumbrado a su nuevo marido. Ahí está, en el Mishahua, tranquila, como si hubiera sido siempre mujer de Tasurinchi. Las otras, en cambio, andan rabiando, insultándola, y con cualquier pretexto le pegan. Yo las vi y las oí. «Ésta no es como nosotras», diciendo, «no es gente, quién será pues. Tal vez una mona, tal vez el pescado que se le atoró a Kashiri en la garganta». Ella seguía masticando la yuca como si no las oyera.

Otra vez, estaba trayendo un cántaro con agua y, sin darse cuenta, dio un encontrón a un niño, derribándolo. Entonces, todas se le echaron encima: «Lo hiciste adrede, quisiste matarlo», diciendo. No era verdad pero así le decían. Ella cogió un palo y se les enfrentó, sin rabiar. «Un día la matarán», le dije a Tasurinchi. «Sabe defenderse», me respondió. «Caza animales, algo que nunca supe hicieran las mujeres. Y es la que aguanta más carga en la espalda, cuando traemos las yucas de la chacra. Mi temor es que ella, más bien, mate a las otras. Los yaminahuas son gente de pelea, igual que los mashcos. Sus mujeres también, quizás.»

Les dije que, por eso mismo, debería estar inquieto. Y mudarse a otro lugar cuanto antes. Los yaminahuas estarían rabiando por lo que les hizo. ¿Y si venían a vengarse? Tasurinchi se echó a reír. Todo estaba arreglado, parece. El marido de la yaminahua vino a verlo, con dos más. Conversaron, bebiendo masato. Se entendían, pues. No querían a la mujer sino una escopeta, además de la sachavaca, el maíz y la yuca que les dio. Los Padres Blancos les habían dicho que tenía una escopeta. «Busquen», les ofreció. «Si la encuentran, llévensela.» Al final, se fueron. Contentos, parece. Tasurinchi no va a devolver a la yaminahua a sus parientes. Porque ella ya está aprendiendo a hablar. «Las otras se acostumbrarán a ella cuando tenga un hijo», dice Tasurinchi. Porque los niños ya se han acostumbrado. La tratan como si fuera gente, mujer que anda, «Madre», diciéndole.

Eso es, al menos, lo que yo he sabido.

(3)

Desde aquel primer viaje que hizo a Quillabamba, donde el chacarero pariente de su madre, Mascarita entró en contacto con un mundo que lo intrigó y lo sedujo. Lo que debió ser, al principio, un movimiento de curiosidad intelectual y de simpatía por los hábitos de vida y la condición machiguenga, fue, con el tiempo, a medida que los conocía mejor, aprendía su idioma, estudiaba su historia y empezaba a compartir su existencia por períodos más y más largos, tornándose una conversión, en el sentido cultural y también religioso del término, una identificación con sus costumbres y tradiciones en las que —por razones que puedo intuir pero no entender del todo— Saúl encontró un sustento espiritual, un estímulo, una justificación de vida, un compromiso, que no encontraba en las otras tribus de peruanos —judíos, cristianos, marxistas, etc.— entre las que había vivido.

La transformación debió de ser muy lenta, algo que fue operándose de manera inconsciente, en esos años dedicados a estudiar Etnología en San Marcos. Que se desencantara de los estudios, que viera en la actitud científica del etnólogo una amenaza para aquella cultura primitiva y arcaica (él, entonces, ya no hubiera aceptado estos calificativos), una intromisión en ella de la destructora modernidad, una forma de adulteración, es algo que puedo comprender. La idea del equilibrio entre el hombre y la tierra, la conciencia del estupro del medio ambiente por la cultura industrial y la tecnología moderna, la revaluación de la sabiduría del primitivo, obligado a respetar su hábitat so pena de extinción, es algo que en aquellos años, si todavía no era una moda intelectual, ya comenzaba a echar raíces por todas partes incluido el Perú. Mascarita debió vivir todo esto con una intensidad particular, al ver con sus propios ojos las grandes devastaciones que los civilizados perpetraban en la selva y la manera como, en cambio, los machiguengas convivían armoniosamente con el mundo natural.

El hecho decisivo para el gran paso fue, sin duda, la muerte de Don Salomón, la única persona a la que Saúl estaba atado y a la que sentía obligación de dar cuenta de su vida. Es probable, por la manera como cambió su conducta en el segundo o tercer año de Universidad, que hubiera decidido desde antes que, una vez muerto su padre, lo abandonaría todo para irse al Alto Urubamba. Hasta allí todavía no hay nada de extraordinario en su historia. En los años sesenta y setenta —años de la rebelión estudiantil contra la moral del consumo— muchos jóvenes de clase media abandonaron Lima, espoleados por una mezcla de deseo de aventura y disgusto de la vida capitalina, y se fueron a la sierra o a la selva, a vivir en condiciones a veces muy precarias. Uno de los programas de La Torre de Babel —por desgracia estropeado en gran parte por las crónicas anomalías de la cámara de Alejandro Pérez— estuvo dedicado precisamente a un grupo de muchachos limeños que emigraron al Cusco donde sobrevivían realizando pintorescos oficios. Que, como ellos, Mascarita decidiera renunciar a un porvenir burgués e irse a la Amazonía, a la aventura —el regreso a lo elemental, a las fuentes—, no tiene por qué llamar demasiado la atención.

Pero Saúl no se fue como ellos. Se fue borrando las huellas de su partida y de sus intenciones, haciendo creer a quienes lo conocían que se iba a Israel. ¿Qué otra cosa podía querer decir toda esa coartada del judío que hace *la aliá* sino que, al dejar Lima, Saúl Zuratas había decidido ya, irreversiblemente, cambiar de piel, de nombre, de costumbres, de tradición, de dios, de todo lo que había sido hasta entonces? Es evidente que se fue de Lima con la intención de no volver y de ser otro para siempre jamás.

Aunque con cierto esfuerzo, hasta aquí todavía consigo acompañarlo. Creo que su identificación con la pequeña comunidad errante y marginal de la Amazonía tuvo algo que ver —mucho que ver—, como conjeturaba su padre, con el hecho de que fuera judío, miembro de otra comunidad también errante y marginal a lo largo de su historia, una paria entre las sociedades del mundo en las que, como los machiguengas en el Perú, vivió insertada pero no mezclada ni nunca aceptada del todo. Y seguramente también en aquella solidaridad influyó, como solía bromearle yo, ese enorme lunar que hacía de él un marginal entre los marginales, un hombre cuyo destino estaría, siempre, acosado por un estigma de fealdad. Puedo llegar a aceptar que entre los adoradores del espíritu del árbol y del trueno, los ritualistas del tabaco y el conocimiento de ayahuasca, Mascarita se sintiera más aceptado —disuelto en un ser colectivo— que entre los judíos o los cristianos de su país. De una manera muy personal y sutil, yéndose al Alto Urubamba a nacer de nuevo, Saúl hizo su *aliá*.

Donde encuentro una dificultad insalvable para seguirlo —una dificultad que me apena y me frustra— es en el estadio siguiente: la transformación del converso en hablador. Es, por supuesto, el hecho que me conmueve más en toda la historia de Saúl, lo que hace que piense en ella continuamente, la anude y desanude mil veces, y lo que ha motivado que, a ver si así me libro de su acoso, la escriba.

Porque convertirse en un hablador era añadir lo imposible a lo que era sólo inverosímil. Retroceder en el tiempo, del pantalón y la corbata hasta el taparrabos y el tatuaje, del castellano a la crepitación aglutinante del machiguenga, de la razón a la magia y de la religión monoteísta o el agnosticismo occidental al animismo pagano, es difícil de tragar pero aún posible, con cierto esfuerzo de imaginación. Lo otro, sin embargo, me opone una tiniebla que mientras más trato de perforar más se adensa.

Porque hablar como habla un hablador es haber llegado a sentir y vivir lo más íntimo de esa cultura, haber calado en sus entresijos, llegado al tuétano de su historia y su mitología, somatizado sus tabúes, reflejos, apetitos y terrores ancestrales. Es ser, de la manera más esencial que cabe, un machiguenga raigal, uno más de la antiquísima estirpe que, ya en aquella época en que esta Firenze en la que escribo producía su efervescencia cegadora de ideas, imágenes, edificios, crímenes e intrigas, recorría los bosques de mi país llevando y trayendo las anécdotas, las mentiras, las fabulaciones, las chismografías y los chistes que hacen de ese pueblo de seres dispersos una comunidad y mantiene vivo entre ellos el sentimiento de estar juntos, de constituir algo fraterno y compacto. Que mi amigo Saúl Zuratas renunciara a ser todo lo que era y hubiera podido llegar a ser, para, desde hace más de veinte años, trajinar por las selvas de la Amazonía, prolongando, contra viento y marea —y, sobre todo, contra las nociones mismas de modernidad y progreso— la tradición de ese invisible linaje de contadores ambulantes de historias, es algo que, de tiempo en tiempo, me vuelve a la memoria y, como aquel día en que lo supe, en la oscuridad con estrellas del poblado de Nueva Luz, desboca mi corazón con más fuerza que lo hayan hecho nunca el miedo o el amor.

IV
¿Qué pasó en la Casa Verde?

La casa verde

En tres espacios al menos se localiza la acción de la novela: en Piura, ciudad al norte del Perú, en el mundo de las factorías caucheras del Amazonas peruano, y en la misión católica de Santa María de Nieva. El tiempo novelesco fluctúa entre los años veinte y los años sesenta. Son cinco como mínimo las historias o grandes líneas argumentales que la recorren: la historia del músico Anselmo, marido de Antonia y fundador de la Casa Verde, un burdel que será incendiado como consecuencia de la campaña emprendida por el padre García y que restaurará su hija, La Chunga; la historia del grupo de amigos «Los inconquistables», todos ellos clientes asiduos del prostíbulo: José, el Mono, Josefino y Lituma; la historia de Bonifacia, pupila de las monjas de Santa María, esposa de Lituma y luego prostituta en el burdel con el apodo de *La Selvática;* la historia del cacique aguaruna Jum, que quiere crear una cooperativa cauchera y se encuentra con la oposición del gobernador y de los industriales, y por último, la historia que de su vida cuenta Fushía, contrabandista de origen japonés, a Aquilino cuando viaja en unión de éste por el río en dirección a la leprosería de San Pablo.

Textos seleccionados

(1) Fushía habla de su origen.
(2) Lituma, José, Josefino y el Mono se reencuentran y se dirigen a La Casa Verde.
(3) Fushía rememora algunos episodios de su vida.
(4) Llegada a Piura de Anselmo.
(5) Lituma, José, Josefino, el Mono.
(6) Nacimiento de la Casa Verde.
(7) Lituma y sus amigos hablan de La Selvática. Borrachera de Lituma. Van a la Casa Verde, con la Chunga.
(8) Primeras relaciones entre Jum y los militares.

(9) Lituma y sus amigos. En casa de la Chunga.

(10) Fushía, Lalita.

(11) Los soldados, Santa María de Nieva, los aguarunas, Jum.

(12) «Los inconquistables» en la Casa Verde.

(13) Anselmo y su hija, convertidos en puros habitantes de la Mangachería. «Los inconquistables», la Casa Verde.

(14) El amor de Anselmo por Toñita.

(15) El gobernador se reúne con la superiora de la misión de Santa María de Nieva. El proyecto de Jum es derrotado.

(1)

Ya te estás poniendo triste otra vez, Fushía —dijo Aquilino—. No seas así, hombre. Anda, conversa un poco para que se te pase la tristeza. Cuéntame de una vez cómo fue que te escapaste.

—¿Dónde estamos, viejo? —dijo Fushía—. ¿Falta mucho para entrar al Marañón?

—Hace rato que entramos —dijo Aquilino—. Ni cuenta te diste, roncabas como un bendito.

—¿Entraste de noche? —dijo Fushía—. ¿Cómo no he sentido los rápidos, Aquilino?

—Estaba tan claro que parecía madrugada, Fushía —dijo Aquilino—: el cielo purita estrella y el tiempo era el mejor del mundo, no se movía ni una mosca. De día hay pescadores, a veces una lancha de la Guarnición, de noche es más seguro. Y cómo ibas a sentir los rápidos si me los conozco de memoria. Pero no pongas esa cara, Fushía. Puedes levantarte si quieres, debes estar acalorado ahí debajo de las mantas. No hay nadie, somos los dueños del río.

—Me quedo aquí no más —dijo Fushía—. Estoy sintiendo frío y me tiembla todo el cuerpo.

—Sí, hombre, como te sientas mejor —dijo Aquilino—. Anda, cuéntame de una vez cómo fue que te escapaste. ¿Por qué te habían metido adentro? ¿Qué edad tenías?

Él había estado en la escuela y por eso el turco le dio un trabajito en su almacén. Le llevaba las cuentas, Aquilino, en unos librotes que se llaman el Debe y el Haber. Y aunque era honrado entonces, ya soñaba con hacerse rico. Cómo ahorraba, viejo, sólo comía una vez al día, nada de cigarrillos, nada de trago. Quería un capitalito para hacer negocios. Y así son las cosas, al turco se le metió en la cabeza que él le robaba, pura mentira, y lo hizo llevar preso. Nadie quiso creerle que era honrado y lo metieron a un calabozo con dos bandidos. ¿No era la cosa más injusta, viejo?

—Pero eso ya me lo contaste al salir de la isla, Fushía —dijo Aquilino—. Yo quiero que me digas cómo fue que te escapaste.

—Con esta ganzúa —dijo Chango—. La hizo Iricuo con el alambre del catre. La probamos y abre la puerta sin hacer ruido. ¿Quieres ver, japonesito?

Chango era el más viejo, estaba allí por cosas de drogas, y trataba a Fushía con cariño. Iricuo, en cambio, siempre se burlaba de él. Un bicho que había estafado a mucha gente con el cuento de la herencia, viejo. Él fue el que hizo el plan.

—¿Y resultó tal cual, Fushía? —dijo Aquilino.

—Tal cual —dijo Iricuo—. ¿No ven que en Año Nuevo todos se mandan mudar? Sólo ha quedado uno en el pabellón, hay que quitarle las llaves antes que las tire al otro lado de la reja. Depende de eso, muchachos.

—Abre de una vez, Chango —dijo Fushía—. Ya no aguanto, Chango, ábrela.

—Tú deberías quedarte, japonesito —dijo Chango—. Un año se pasa rápido. Nosotros no perdemos nada, pero si falla tú te arruinas, te darán un par de años más.

Pero él se empeñó y salieron y el pabellón estaba vacío. Encontraron al guardián durmiendo junto a la reja, con una botella en la mano.

—Le di con la pata del catre y se vino al suelo —dijo Fushía—. Creo que lo maté, Chango.

—Vuela idiota, ya tengo las llaves —dijo Iricuo—. Hay que cruzar el patio corriendo. ¿Le sacaste la pistola?

—Déjame pasar primero —dijo Chango—. Los de la principal también andarán borrachos como éste.

—Pero estaban despiertos, viejo —dijo Fushía—. Eran dos y jugaban a los dados. Qué ojazos pusieron cuando entramos.

Iricuo los apuntó con la pistola: abrían el portón o empezaba la lluvia de balas, putos. Y al primer grito que dieran empezaba, y se apuraban o empezaba, putos, la lluvia de balas.

—Amárralos, japonesito —dijo Chango—. Con sus cinturones. Y mételes sus corbatas a la boca. Rápido, japonesito, rápido.

—No le hacen, Chango —dijo Iricuo—. Ninguna es la del portón. Nos quemamos en la puerta del horno, muchachos.

—Una de ésas tiene que ser, sigue probando —dijo Chango—. Qué haces, muchacho, por qué los pateas.

—¿Y por qué los pateabas, Fushía? —dijo Aquilino—. No entiendo, en ese momento uno piensa en escapar y en nada más.

—Les tenía rabia a todos esos perros —dijo Fushía—. Cómo nos trataban, viejo. ¿Sabes que los mandé al hospital? En los periódicos decían crueldad de japonés, Aquilino, venganzas de oriental. Me daba risa, yo no había salido nunca de Campo Grande y era más brasileño que cualquiera.

—Ahora eres un peruano, Fushía —dijo Aquilino—. Cuando te conocí en Moyobamba, todavía podías ser brasileño, hablabas un poco raro. Pero ahora hablas como los cristianos de acá.

—Ni brasileño ni peruano —dijo Fushía—. Una pobre mierda, viejo, una basura, eso es lo que soy ahora.

—¿Por qué eres tan bruto? —dijo Iricuo—. ¿Por qué les pegaste? Si nos agarran nos matan a palos.

—Todo está saliendo, no hay tiempo de discutir —dijo Chango—. Nosotros a escondernos, Iricuo, y tú apúrate, japonesito, sacas el carro y vienes volando.

—¿En el cementerio? —dijo Aquilino—. Eso no es cosa de cristianos.

—No eran cristianos sino bandidos —dijo Fushía—. En los periódicos decían se metieron al cementerio para abrir las tumbas. Así es la gente, viejo.

—¿Y te robaste el carro del turco? —dijo Aquilino—. ¿Cómo fue que a ellos los agarraron y a ti no?

—Se quedaron toda la noche en el cementerio, esperándome —dijo Fushía—. La policía les cayó al amanecer. Yo ya estaba lejos de Campo Grande.

—Quiere decir que los traicionaste, Fushía —dijo Aquilino.

—¿Acaso no he traicionado a todo el mundo? —dijo Fushía—. ¿Qué es lo que he hecho con el Pantacha y los huambisas? ¿Qué es lo que he hecho con Jum, viejo?

—Pero entonces no eras malo —dijo Aquilino—. Tú mismo me dijiste que eras honrado.

—Antes de entrar a la cárcel —dijo Fushía—. Ahí dejé de serlo.

—¿Y cómo te viniste al Perú? —dijo Aquilino—. Campo Grande debe estar lejísimos.

—En el Matto Grosso, viejo —dijo Fushía—. Los periódicos decían el japonés se está yendo a Bolivia. Pero yo no era tan tonto, estuve por todas partes, un montón de tiempo escapando, Aquilino. Y al fin llegué a Manaos. De ahí era fácil pasar a Iquitos.

—¿Y ahí fue donde conociste al señor Julio Reátegui, Fushía? —dijo Aquilino.

—Esa vez no lo conocí en persona —dijo Fushía—. Pero oí hablar de él.

—Qué vida has tenido, Fushía —dijo Aquilino—. Cuánto has visto, cuánto has viajado. Me gusta oírte, no sabes qué entretenido es. ¿A ti no te da gusto contarme todo eso? ¿No sientes que así el viaje se pasa más rápido?

—No, viejo —dijo Fushía—. No siento nada más que frío.

Tocaron la puerta, Josefino Rojas salió a abrir y no encontró a nadie en la calle. Ya oscurecía, aún no habían encendido los faroles del jirón Tacna, una brisa circulaba tibiamente por la ciudad. Josefino dio unos pasos hacia la avenida Sánchez Cerro y vio a los León, en un banco de la Plazuela, junto a la estatua del pintor Merino. José tenía un cigarrillo entre los labios, el Mono se limpiaba las uñas con un palito de fósforos.

—Quién se murió —dijo Josefino—. Por qué esas caras de entierro.

—Agárrate bien que te vas a caer de espaldas, inconquistable —dijo el Mono—. Llegó Lituma.

Josefino abrió la boca pero no habló; estuvo pestañando unos segundos, con una sonrisa perpleja y apática que fruncía todo su rostro. Comenzó a frotarse las manos, suavemente.

—Hace un par de horas, en el ómnibus de la Roggero —dijo José.

Las ventanas del Colegio San Miguel estaban iluminadas y, desde el portón, un inspector apuraba a los alumnos de la nocturna dando palmadas. Muchachos en uniforme venían conversando bajo los susurrantes algarrobos de la calle Libertad. Josefino se había metido las manos en los bolsillos.

—Sería bueno que vinieras —dijo el Mono—. Nos está esperando.

Josefino volvió a atravesar la Avenida, cerró la puerta de su casa, regresó a la Plazuela y los tres echaron a andar, en silencio. Unos metros después del jirón Arequipa, se cruzaron con el Padre García que, envuelto en su bufanda gris, avanzaba doblado en dos, arrastrando los pies y jadeando. Les mostró el puño y gritó «¡impíos!». «¡Quemador!», repuso el Mono, y José «¡quemador!, ¡quemador!». Iban por la calzada de la derecha, Josefino al centro.

—Pero si los de la Roggero llegan de mañanita o de noche, nunca a estas horas —dijo Josefino.

—Se quedaron plantados en la Cuesta de Olmos —dijo el Mono—. Se les reventó una llanta. La cambiaron y después se les reventaron otras dos. Vaya suertudos.

—Nos quedamos helados cuando lo vimos —dijo José.

—Quería salir a festejar ahí mismo —dijo el Mono—. Lo dejamos alistándose mientras veníamos a buscarte.

—Me ha tomado desprevenido, maldita sea —dijo Josefino.

—¿Qué vamos a hacer ahora? —dijo José.

—Lo que tú mandes, primo —dijo el Mono.

—Tráiganse al coleguita, entonces —dijo Lituma—. Nos tomaremos unas copitas con él. Vayan a buscarlo, díganle que volvió el inconquistable número cuatro. A ver qué cara pone.

—¿Estás hablando en serio, primo? —dijo José.

—Muy en serio —dijo Lituma—. Ahí traje unas botellas de *Sol de Ica*, nos vaciaremos una con él. Tengo unas ganas de verlo, palabra. Vayan, mientras me cambio de ropa.

—Vez que habla de ti dice el coleguita, el inconquistable —dijo el Mono—. Te estima tanto como a nosotros.

—Me imagino que se los comió a preguntas —dijo Josefino—. ¿Qué le inventaron?

—Te equivocas, no hablamos de eso para nada —dijo el Mono—. Ni siquiera la nombró. A lo mejor se ha olvidado de ella.

—Ahora que lleguemos nos soltará una andanada de preguntas —dijo Josefino—. Hay que arreglar esto hoy mismo, antes que le vayan con el cuento.

—Te encargarás tú —dijo el Mono—. Yo no me atrevo. ¿Qué le vas a decir?

—No sé —dijo Josefino—; depende cómo se presenten las cosas. Si por lo menos hubiera avisado que venía. Pero caernos así, de sopetón. Maldita sea, no me lo esperaba.

—Ya deja de frotarte tanto las manos —dijo José—. Me estás contagiando tus nervios, Josefino.

—Ha cambiado mucho —dijo el Mono—. Se le notan un poco los años, Josefino. Y ya no está tan gordo como antes.

Los faroles de la avenida Sánchez Cerro acababan de encenderse y las casas eran todavía amplias, suntuosas, de paredes claras, balcones de madera labrada y aldabas de bronce, pero al fondo, en los estertores azules del crepúsculo, aparecía ya el perfil contrahecho y borroso de la Mangachería. Una caravana de camiones desfilaba por la pista, en dirección al Puente Nuevo y, en las aceras, había parejas acurrucadas contra los portones, pandillas de muchachos, lentos ancianos con bastones.

—Los blancos se han vuelto valientes —dijo Lituma—. Ahora se pasean por la Mangachería como por su casa.

—La culpa es de la Avenida —dijo el Mono—. Ha sido un verdadero fusilico contra los mangaches. Cuando la estaban construyendo, el arpista decía nos fregaron, se acabó la independencia, todo el mundo vendrá a meter la nariz en el barrio. Dicho y hecho, primo.

—No hay blanco que no remate ahora sus fiestas en las chicherías —dijo José—. ¿Ya has visto cómo ha crecido Piura, primo? Hay edificios nuevos por todas partes. Aunque eso no te llamará la atención viniendo de Lima.

—Les voy a decir una cosa —dijo Lituma—. Se acabaron los viajes para mí. Todo este tiempo he estado pensando y me he dado cuenta que la mala me vino por no haberme quedado en mi tierra, como ustedes. Al menos eso he aprendido, que quiero morirme aquí.

—Puede ser que cambie de idea cuando sepa lo que pasa —dijo Josefino—. Le dará vergüenza que la gente lo señale con el dedo en la calle. Y entonces se irá.

Josefino se detuvo y sacó un cigarrillo. Los León hicieron una pantalla con sus manos para que la brisa no apagara el fósforo. Siguieron andando, despacio.

—¿Y si no se va? —dijo el Mono—. Piura les va a quedar chica a los dos, Josefino.

—Está difícil que Lituma se vaya, porque ha vuelto piurano hasta el tuétano —dijo José—. No es como cuando regresó de la montaña, que todo lo de aquí le apestaba. En Lima se le despertó el amor por la tierra.

—Nada de chifas —dijo Lituma—. Quiero platos piuranos. Un buen seco de chabelo, un piqueo, y clarito a mares.

—Vamos donde Angélica Mercedes entonces, primo —dijo el Mono—. Sigue siendo la reina de las cocineras. ¿No te has olvidado de ella, no?

—Mejor a Catacaos, primo —dijo José—. Al *Carro Hundido,* ahí el clarito es el mejor que conozco.

—Qué contentos se han puesto con la venida de Lituma —dijo Josefino—. Parecen de fiesta, los dos.

—Después de todo, es nuestro primo, inconquistable —dijo el Mono—. Siempre da gusto ver de nuevo a alguien de la familia.

—Tenemos que llevarlo a alguna parte —dijo Josefino—. Entonarlo un poco, antes de hablarle.

—Pero espérate, Josefino —dijo el Mono—, no te acabamos de contar.

—Mañana iremos donde doña Angélica —dijo Lituma—. O a Catacaos, si prefieren. Pero hoy ya sé dónde festejar mi regreso, tienen que darme gusto.

—¿Dónde mierda quiere ir? —dijo Josefino—. ¿Al *Reina,* al *Tres Estrellas?*

—Donde la Chunga chunguita —dijo Lituma.

—Qué cosas —dijo el Mono—. A la Casa Verde, nada menos. Date cuenta, inconquistable.

(3)

No me gusta sentirme inútil, Aquilino —dijo Fushía—. Quisiera que fuera como antes. Nos turnaríamos, ¿te acuerdas?

—Me acuerdo, hombre —dijo Aquilino—. Si fue por ti que me volví lo que soy.

—De veras, todavía seguirías vendiendo agua de casa en casa si yo no hubiera llegado a Moyobamba —dijo Fushía—. Qué miedo le tenías al río, viejo.

—Sólo al Mayo porque casi me ahogué ahí, de muchacho —dijo Aquilino—. Pero en el Rumiyacu me bañaba siempre.

—¿El Rumiyacu? —dijo Fushía—. ¿Pasa por Moyobamba?

—Ese río mansito, Fushía —dijo Aquilino—, el que cruza las ruinas, cerca de donde viven los lamistas. Hay muchas huertas con naranjas. ¿Tampoco te acuerdas de las naranjas más dulces del mundo?

—Me da vergüenza verte todo el día sudando y yo aquí, como un muerto —dijo Fushía.

—Si no hay que remar ni nada, hombre —dijo Aquilino—, sólo llevar el rumbo. Ahora que pasamos los pongos el Marañón hace el trabajo solito. Lo que no me gusta es que estés callado, y que te pongas a mirar el cielo como si vieras el chulla-chaqui.

—Nunca lo he visto —dijo Fushía—. Aquí en la selva todos lo vieron alguna vez, menos yo. Mala suerte también en eso.

—Más bien di buena suerte —dijo Aquilino—. ¿Sabías que una vez se le apareció al señor Julio Reátegui? En una quebrada del Nieva, dicen. Pero él vio que cojeaba mucho, y en una de ésas le descubrió la pata chiquita y lo corrió a balazos. A propósito, Fushía, ¿por qué te peleaste con el señor Reátegui? Le harías una de ésas, seguro.

Él le había hecho muchas y la primera antes de conocerlo, recién llegadito a Iquitos, viejo. Mucho después se lo contó y Reátegui se reía, ¿así que tú eras el que ensartó al pobre don Fabio?, y Aquilino ¿al señor don Fabio, al Gobernador de Santa María de Nieva?

—Para servirlo, señor —dijo don Fabio—. Qué se le ofrece. ¿Se quedará mucho'en Iquitos?

Se quedaría un buen tiempo, tal vez definitivamente. Un negocio de madera, ¿sabía?, iba a instalar un aserradero cerca de Nauta y esperaba a unos ingenieros. Tenía trabajo atrasado y le pagaría más, pero quería un cuarto grande, cómodo, y don Fabio no faltaba más, señor, estaba ahí para servir a los clientes, viejo: se la tragó entera.

—Me dio el mejor del hotel —dijo Fushía—. Con ventanas sobre un jardín donde había bombonajes. Me invitaba a almorzar con él y me hablaba hasta por los codos de su patrón. Yo le entendía apenas, mi español era muy malo en ese tiempo.

—¿No estaba en Iquitos el señor Reátegui? —dijo Aquilino—. ¿Ya entonces era rico?

—No, se hizo rico de veras después, con el contrabando —dijo Fushía—. Pero ya tenía ese hotelito y comenzaba a comerciar con las tribus, por eso se fue a meter a Santa María de Nieva. Compraba caucho, pieles y las vendía en Iquitos. Ahí fue donde se me ocurrió la idea,

Aquilino. Pero siempre lo mismo, se necesitaba un capitalito y yo no tenía un centavo.

—¿Y te llevaste mucha plata, Fushía? —dijo Aquilino.

—Cinco mil soles, don Julio —dijo don Fabio—. Y mi pasaporte y unos cubiertos de plata. Estoy amargado, señor Reátegui, ya sé lo mal que pensará usted de mí. Pero yo le repondré todo, le juro, con el sudor de mi frente, don Julio, hasta el último centavo.

—¿Nunca has tenido remordimientos, Fushía? —dijo Aquilino—. Hace un montón de años que estoy por hacerte esta pregunta.

—¿Por robarle al perro de Reátegui? —dijo Fushía—. Ése es rico porque robó más que yo, viejo. Pero él comenzó con algo, yo no tenía nada. Ésa fue mi mala suerte siempre, tener que partir de cero.

—¿Y para qué le sirve la cabeza entonces? —dijo Julio Reátegui—. Cómo no se le ocurrió siquiera pedirle sus papeles, don Fabio.

Pero él se los había pedido y su pasaporte parecía nuevecito, ¿cómo podía saber que era falso, don Julio? Y, además, llegó tan bien vestido y hablando de una manera que convencía. Él, incluso, se decía ahora que vuelva el señor Reátegui de Santa María de Nieva se lo presentaré y juntos harán grandes negocios. Incauto que uno era, don Julio.

—¿Y qué llevabas entonces en esa maleta, Fushía? —dijo Aquilino.

—Mapas de la Amazonía, señor Reátegui —dijo don Fabio—. Enormes, como los que hay en el cuartel. Los clavó en su cuarto y decía es para saber por dónde sacaremos la madera. Había hecho rayas y anotaciones en brasileño, vea qué raro.

—No tiene nada de raro, don Fabio —dijo Fushía—. Además de la madera, también me interesa el comercio. Y a veces es útil tener contactos con los indígenas. Por eso marqué las tribus.

—Hasta las del Marañón y las de Ucayali, don Julio —dijo don Fabio—, y yo pensaba qué hombre de empresa, hará una buena pareja con el señor Reátegui.

—¿Te acuerdas cómo quemamos tus mapas? —dijo Aquilino—. Pura basura, los que hacen mapas no saben que la Amazonía es como mujer caliente, no se está quieta. Aquí todo se mueve, los ríos, los animales, los árboles. Vaya tierra loca la que nos ha tocado, Fushía.

—Él también conoce la selva a fondo —dijo don Fabio—. Cuando venga del Alto Marañón se lo presentaré y se harán buenos amigos, señor.

—Aquí en Iquitos todos me hablan maravillas de él —dijo Fushía—. Tengo muchas ganas de conocerlo. ¿No sabe cuándo viene de Santa María de Nieva?

—Tiene sus negocios por allá y además la Gobernación le quita tiempo, pero siempre se da sus escapaditas —dijo don Fabio—. Una voluntad de hierro, señor. La heredó del padre, otro gran hombre. Fue de los grandes del caucho, en la época próspera de Iquitos. Cuando el derrumbe se pegó un tiro. Perdieron hasta la camisa. Pero don Julio se levantó, solito. Una voluntad de hierro, le digo.

—Una vez en Santa María le dieron un almuerzo y le oí decir un discurso —dijo Aquilino—. Habló de su padre con mucho orgullo, Fushía.

—El padre era uno de sus temas —dijo Fushía—. A mí también me lo citaba para todo cuando trabajamos juntos. Ah, ese perro de Reátegui, suertudo de mierda. Siempre le tuve una envidia, viejo.

—Tan blanquito, tan cariñoso —dijo don Fabio—. Y pensar que le hacía gracias, le lamía los pies, él entraba al hotel y el Jesucristo paraba la colita, contentísimo. Qué hombre maldito, don Julio.

—En Campo Grande, pateando a los guardias y en Iquitos matando a un gato —dijo Aquilino—. Vaya despedidas las tuyas, Fushía.

—La verdad, don Fabio, eso no me parece tan grave —dijo Julio Reátegui—. Lo que siento es que se cargara mi plata.

Pero a él le dolía mucho, don Julio, ahorcado del mosquitero con una sábana, y entrar al cuarto y de repente verlo, bailando en el aire, tieso, con sus ojitos saltados. La maldad por la maldad era cosa que no comprendía, señor Reátegui.

—El hombre hace lo que puede para vivir y yo comprendo tus robos —dijo Aquilino—. Pero para qué hacerle eso al gato, ¿era cosa de la cólera, por lo que no tenías ese capitalito para comenzar?

—También eso —dijo Fushía—. Y además el animal apestaba y se orinó en mi cama un montón de veces.

Y también cosa de asiáticos, don Julio, tenían unas costumbres más canallas, nadie podía saber y él había averiguado y por ejemplo los chinos de Iquitos criaban gatos en jaulas, los engordaban con leche y después los metían a la olla y se los comían, señor Reátegui. Pero él quería hablar ahora de las compras, don Fabio, para eso había venido de Santa María de Nieva, que olvidaran las cosas tristes, ¿había comprado?

—Todo lo que usted encargó, don Julio —dijo don Fabio—, los espejitos, los cuchillos, las telas, la mostacilla, y con buenos descuentos. ¿Cuándo regresa usted al Alto Marañón?

—No podía meterme al monte solo a hacer comercio, necesitaba un socio —dijo Fushía—. Y tenía que buscarlo lejos de Iquitos, después de ese lío.

—Por eso te viniste hasta Moyobamba —dijo Aquilino—. Y te hiciste mi amigo para que te acompañara a las tribus. Así que comenzaste imitándolo a Reátegui antes de haberlo visto siquiera, antes de ser su empleado. Cómo hablabas de la plata, Fushía, vente conmigo Aquilino, en un año te haces rico, me volvías loco con ese cantito.

—Y ya ves, todo por gusto —dijo Fushía—. Me he sacrificado más que cualquiera, nadie ha arriesgado tanto como yo, viejo. ¿Es justo que acabe así, Aquilino?

—Son cosas de Dios, Fushía —dijo Aquilino—. A nosotros no nos toca juzgar eso.

(4)

Una calurosa madrugada de diciembre arribó a Piura un hombre. En una mula que se arrastraba penosamente, surgió de improviso entre las dunas del Sur: una silueta con sombrero de alas anchas, envuelta en un poncho ligero. A través de la rojiza luz del alba, cuando las lenguas del sol comienzan a reptar por el desierto, el forastero descubriría alborozado la aparición de los primeros matorrales de cactus, los algarrobos calcinados, las viviendas blancas de Castilla que se apiñan y multiplican a medida que se acercan al río. Por la densa atmósfera avanzó hacia la ciudad, que divisaba ya, a la otra orilla, reverberando como un espejo. Cruzó la única calle de Castilla, desierta todavía y, al llegar al Viejo Puente, desmontó. Estuvo unos segundos contemplando las construcciones de la otra ribera, las calles empedradas, las casas con balcones, el aire cuajado de granitos de arena que descendían suavemente, la maciza torre de la Catedral con su redonda campana color hollín y, hacia el Norte, las manchas verdosas de las chacras que siguen el curso del río en dirección a Catacaos. Tomó las riendas de la mula, cruzó el Viejo Puente y, golpeándose a ratos las piernas con el fuete, recorrió el jirón principal de la ciudad, aquel que va, derecho y elegante, desde el río hasta la Plaza de Armas. Allí se detuvo, ató el animal a un tamarindo, se sentó en la tierra, bajó las alas de su sombrero para defenderse de la arena que acribillaba sus ojos sin piedad. Debía haber realizado un largo viaje: sus movimientos eran lentos, fatigados. Cuando, acabada la lluvia de arena, los primeros vecinos asomaron a la Plaza enteramente iluminada por el sol, el extraño dormía. A su lado yacía la mula, el hocico cubierto de baba verdosa, los ojos en blanco. Nadie se atrevía a despertarlo. La noticia se propagó por el contorno, pronto la Plaza de Armas estuvo llena de curiosos que, dándose codazos, murmuraban acerca del forastero, se empujaban para llegar junto a él. Algunos se subieron a la glorieta, otros lo observaban encaramados en las palmeras. Era un joven atlético, de hombros cuadrados, una barbita crespa bañaba su rostro y la camisa sin botones dejaba ver un pecho lleno de músculos y vello. Dormía con la boca abierta, roncando suavemente; entre sus labios resecos asomaban sus dientes como los de un mastín: amarillos, grandes, carniceros. Su pantalón, sus botas, el descolorido poncho estaban en jirones, muy sucios, y lo mismo su sombrero. No iba armado.

Al despertar, se incorporó de un salto, en actitud defensiva: bajo los párpados hinchados, sus ojos escrutaban llenos de zozobra la multitud de rostros. De todos lados brotaron sonrisas, manos espontáneas, un anciano se abrió camino hasta él a empellones y le alcanzó una calabaza de agua fresca. Entonces, el desconocido sonrió. Bebió despacio, paladeando el agua con codicia, los ojos aliviados. Había un murmullo creciente, todos pugnaban por conversar con el recién llegado, lo interrogaban sobre su viaje, lo compadecían por la muerte de la mula. Él reía ahora a sus anchas, estrechaba muchas manos. Luego, de un tirón arrebató las alforjas de la montura del animal y preguntó por un hotel. Rodeado de vecinos solícitos, cruzó la Plaza de Armas y entró a *La Estrella del Norte:* estaba lleno. Los vecinos lo tranquilizaron, muchas voces le ofrecieron hospitalidad. Se alojó en casa de Melchor Espinoza, un viejo que vivía solo, en el Malecón, cerca del Viejo Puente. Tenía una pequeña chacra lejana, a orillas del Chira, a la que iba dos veces al mes. Aquel año, Melchor Espinoza obtuvo un récord: hospedó a cinco forasteros. Por lo común, éstos permanecían en Piura el tiempo indispensable para comprar una cosecha de algodón, vender unas reses, colocar unos productos; es decir, unos días, unas semanas cuando más.

El extraño, en cambio, se quedó. Los vecinos averiguaron pocas cosas sobre él, casi todas negativas: no era tratante de ganado, ni recaudador de impuestos, ni agente viajero. Se llamaba Anselmo y decía ser peruano, pero nadie logró reconocer la procedencia de su acento: no tenía el habla dubitativa y afeminada de los limeños, ni la cantante entonación de un chiclayano; no pronunciaba las palabras con la viciosa perfección de la gente de Trujillo, ni debía ser serrano, pues no chasqueaba la lengua en las erres y las eses. Su dejo era distinto, muy musical y un poco lánguido, insólitos los giros y modismos que empleaba y, cuando discutía, la violencia de su voz hacía pensar en un capitán de montoneras. Las alforjas que constituían todo su equipaje debían estar llenas de dinero: ¿cómo había atravesado el arenal sin ser asaltado por los bandoleros? Los vecinos no consiguieron saber de dónde venía, ni por qué había elegido Piura como destino.

Al día siguiente de llegar, apareció en la Plaza de Armas, afeitado, y la juventud de su rostro sorprendió a todo el mundo. En el almacén del español Eusebio Romero compró un pantalón nuevo y botas; pagó al contado. Dos días más tarde, encargó a Saturnina, la célebre tejedora de Catacaos, un sombrero de paja blanca, de esos que pueden guardarse en el bolsillo y luego no tienen ni una arruga. Todas las mañanas, Anselmo salía a la Plaza de Armas e, instalado en la terraza de *La Estrella del Norte,* convidaba a los transeúntes a beber. Así se hizo de amigos. Era conversador y bromista y conquistó a los vecinos celebrando los encantos de la ciudad: la simpatía de las gentes, la belleza de las mujeres, sus espléndidos crepúsculos. Pronto aprendió las fórmulas del lenguaje local y su tonada caliente, perezosa: a las pocas semanas decía «Guá» para mostrar asombro, llamaba «churres» a los niños, «piajenos» a los burros, formaba superlativos de superlativos, sabía distinguir el clarito de la chicha espesa y las variedades de picantes, conocía de memoria los nombres de las personas y de las calles, y bailaba el tondero como los mangaches.

Su curiosidad no tenía límites. Mostraba un interés devorador por las costumbres y los usos de la ciudad, se informaba con lujo de detalles sobre vidas y muertes. Quería saberlo todo: quiénes eran los más ricos, y por qué, y desde cuándo; si el Prefecto, el Alcalde y el Obispo eran íntegros y queridos y cuáles eran las diversiones de la gente, qué adulterios, qué escándalos conmovían a las beatas y a los curas, cómo cumplían los vecinos con la religión y la moral, qué formas adoptaba el amor en la ciudad.

Iba todos los domingos al Coliseo y se exaltaba en los combates de gallos como un viejo aficionado, en las noches era el último en abandonar la cantina de *La Estrella del Norte,* jugaba a las cartas con elegancia, apostando fuerte, y sabía ganar y perder sin inmutarse. Así conquistó la amistad de comerciantes y hacendados y se hizo popular. Los principales lo invitaron a una cacería en Chulucanas y él deslumbró a todos con su puntería. Al cruzarlo en la calle, los campesinos lo llamaban familiarmente por su nombre y él les daba palmadas rudas y cordiales. Las gentes apreciaban su espíritu jovial, la desenvoltura de sus maneras, su largueza. Pero todos vivían intrigados por el origen de su dinero y por su pasado. Empezaron a circular pequeños mitos sobre él: cuando llegaban a sus oídos, Anselmo los celebraba a carcajadas, no los desmentía ni los confirmaba. A veces recorría con amigos las chicherías mangaches y terminaba siempre en casa de Angélica Mercedes, porque allí había un arpa y él era un arpista consumado, inimitable. Mientras los otros zapateaban y brindaban, él hora tras hora, en un rincón, acariciaba las hebras blancas que le obedecían dócilmente y, a su mando, podían susurrar, reír, sollozar.

Los vecinos deploraban solamente que Anselmo fuera grosero y mirase a las mujeres con atrevimiento cuando estaba borracho. A las sirvientas descalzas que atravesaban la Plaza de Armas en dirección al Mercado, a las vendedoras que con cántaros o fuentes de barro en la cabeza iban y venían ofreciendo jugos de lúcuma y de mango y quesillos frescos de la sierra, a las señoras con guantes, velos y rosarios que desfilaban hacia la Iglesia, a todas les hacía propuestas a voz en cuello y les improvisaba rimas subidas de color. *Cuidado, Anselmo,* le decían sus amigos, *los piuranos son celosos. Un marido ofendido, un padre sin humor lo retará a duelo el día menos pensado, más respeto con las mujeres.* Pero Anselmo respondía con una carcajada, levantaba su copa y brindaba por Piura.

El primer mes de su estancia en la ciudad, nada ocurrió.

Pónganse contentos, ya estamos en la Mangachería —dijo José.

—La arena raspa, me hace cosquillas. Voy a quitarme los zapatos —dijo el Mono.

Con la avenida Sánchez Cerro terminaban el asfalto, las fachadas blancas, los sólidos portones y la luz eléctrica, y comenzaban los muros de carrizo, los techos de paja, latas o cartones, el polvo, las moscas, los meandros. En las ventanitas cuadradas y sin cortinas de las chozas, resplandecían las velas de sebo y los candiles mangaches, familias enteras tomaban el fresco de la noche en media calle. A cada momento, los León alzaban la mano para saludar a las amistades.

—¿Por qué están tan orgullosos? ¿De qué la alaban tanto? —dijo Josefino—. Huele mal y las gentes viven como animales. Por lo menos quince en cada casucha.

—Veinte, contando los perros y la foto de Sánchez Cerro —dijo el Mono—. Ésa es otra cosa buena de la Mangachería, no hay diferencias. Hombres, perros, cabras, todos iguales, todos mangaches.

—Y estamos orgullosos porque aquí nacimos —dijo José—. La alabamos porque es nuestra tierra. En el fondo, te mueres de envidia, Josefino.

—Todo Piura está muerta a estas horas —dijo el Mono—. Y aquí, ¿no oyes?, la vida está comenzando.

—Aquí todos somos amigos o parientes, y valemos por lo que valemos —dijo José—. En Piura sólo te consideran por lo que tienes, y si no eres blanco eres adulón de blancos.

—Me cago en la Mangachería —dijo Josefino—. Cuando la desaparezcan como a la Gallinacera, me voy a emborrachar de gusto.

—Estás con los muñecos encima y no sabes con quién desfogarte —dijo el Mono—. Pero si quieres rajar de la Mangachería, mejor habla bajito, o los mangaches te van a sacar el alma.

—Parecemos churres —dijo Josefino—. Como si éste fuera momento para discusiones.

—Amistémonos, cantemos el himno —dijo José.

La gente sentada en la arena estaba silenciosa, y todo el ruido —cantos, brindis, música de guitarras, palmas— salía de las chicherías, cabañas más grandes que las otras, mejor iluminadas, y con banderitas rojas o blancas flameando sobre la fachada, en lo alto de una caña. La atmósfera hervía de olores tibios y contrarios y, a medida que las calles se iban borrando, surgían perros, gallinas, chanchos que sombría, gruñonamente se revolcaban en la tierra, cabras de ojos enormes sujetas a una estaca, y era más espesa y sonora la fauna aérea suspendida sobre sus cabezas. Los inconquistables avanzaban sin prisa por los tortuosos senderos de la jungla mangache, esquivando a los viejos que habían sacado sus esteras al aire libre, contorneando las chozas intempestivas que brotaban en medio del camino como cetáceos del mar. El cielo ardía de estrellas, algunas grandes y de luz soberbia, otras como llamitas de fósforos.

—Ya salieron las marimachas —dijo el Mono; señalaba tres puntos altísimos, chispeantes, paralelos—. Y qué guiños hacen. Domitila Yara decía cuando las marimachas se ven tan claritas, se les puede pedir gracias. Aprovecha, Josefino.

—¡Domitila Yara! —dijo José—. Pobre vieja. A mí me daba un poco de miedo, pero desde que se murió la recuerdo con cariño. Si nos habrá perdonado el lío de su velorio.

Josefino iba callado, las manos en los bolsillos, el mentón hundido en el pecho. Los León murmuraban todo el tiempo, a coro, «buenas noches, don», «buenas, doña», y desde el suelo voces invisibles y soñolientas les devolvían el saludo y los llamaban por sus nombres. Se detuvieron ante una choza y el Mono empujó la puerta: Lituma estaba de espaldas, vestido con un traje color lúcuma, el saco se le abultaba en las caderas, y tenía los cabellos húmedos y brillantes. Sobre su cabeza bailoteaba un recorte de diario, colgado de un alfiler.

—Aquí está el inconquistable número tres, primo —dijo el Mono.

Lituma giró como un trompo, cruzó la habitación risueño y rápido, los brazos abiertos, y Josefino le salió al encuentro. Se estrecharon con fuerza, y estuvieron un buen rato dándose palmadas, cuánto tiempo hermano, cuánto tiempo Lituma, y qué gusto tenerte aquí de nuevo, restregándose como dos sabuesos.

—Vaya telada la que tiene encima, primo —dijo el Mono.

Lituma retrocedió para que los inconquistables contemplaran a sus anchas su atavío flamante y multicolor: camisa blanca de cuello duro, corbata rosada con motas grises, medias verdes y zapatos en punta, lustrados como espejos.

—¿Les gusta? Lo estoy estrenando en homenaje a mi tierra. Me lo compré hace tres días, en Lima. Y también la corbata y los zapatos.

—Estás hecho un príncipe —dijo José—. Buenmosisísimo, primo.

—La telada, la telada no más —dijo Lituma, pellizcando las solapas de su saco—. La percha comienza a apolillarse. Pero todavía puedo hacer alguna conquista. Ahora que estoy solterito, me toca mi turno.

—Casi no te reconocí —lo interrumpió Josefino—. Tanto tiempo que no te veía de civil, colega.

—Di más bien tanto tiempo que no me veías —dijo Lituma y su rostro se agravó, sonrió de nuevo.

—También nosotros nos habíamos olvidado cómo eras de civil, primo —dijo José.

—Así estás mejor que disfrazado de cachaco —dijo el Mono—. Ahora vuelves a ser un inconquistable de veras.

—Qué esperamos —dijo José—. Cantemos el himno.

—Ustedes son mis hermanos —se rió Lituma—. ¿Quién les enseñó a tirarse al río desde el Viejo Puente?

—Y también a chupar y a irnos de putas —dijo José—. Tú nos corrompiste, primo.

Lituma tenía abrazados a los León, los sacudía afectuosamente. Josefino se frotaba las manos y, aunque su boca sonreía, en sus ojos inmóviles brillaba algo furtivo y alarmado, y la postura de su cuerpo, los hombros echados atrás, el pecho salido, las piernas ligeramente plegadas, era a la vez forzada, inquieta y vigilante.

—Tenemos que probar ese *Sol de Ica* —dijo el Mono—. Usted lo prometió y lo prometido es deuda.

Se sentaron en dos esteras, bajo una lámpara de keroseno colgada del techo que, al mecerse, rescataba de las paredes de adobe sumidas en la penumbra, fugaces rajaduras, inscripciones, y una hornacina ruinosa en la que, a los pies de una Virgen de yeso con el Niño en brazos, había un candelero vacío. José encendió la vela de la hornacina y, a su luz, el recorte de periódico mostró la silueta amarillenta de un general, una espada, muchas condecoraciones. Lituma había acercado una maleta a las esteras. La abrió, sacó una botella, la descorchó con los dientes, y el Mono lo ayudó a llenar cuatro copitas hasta el tope.

—Me parece mentira estar de nuevo con ustedes, Josefino —dijo Lituma—. Los extrañé mucho, a los tres. Y también a mi tierra. Por el gusto de estar juntos de nuevo.

Chocaron las copas y bebieron al mismo tiempo, hasta vaciarlas.

—¡Rajas, puro fuego! —bramó el Mono, los ojos llenos de lágrimas—. ¿Estás seguro que no es alcohol de cuarenta, primo?

—Pero si está suavecito —dijo Lituma—. El pisco es para limeños, mujeres y churres, no es como el cañazo. ¿Ya te olvidaste cuando tomábamos cañazo como si fuera refresco?

—El Mono siempre fue flojo para el trago —dijo Josefino—. Dos copas y ya está volteado.

—Me emborracharé rápido, pero tengo más resistencia que cualquiera —dijo el Mono—. Puedo seguir así un montón de días.

—Siempre caías el primero, hermano —dijo José—. ¿Te acuerdas, Lituma, cómo lo arrastrábamos al río y lo resucitábamos a zambullidas?

—Y a veces a cachetada limpia —dijo el Mono—. Por eso debo ser lampiño, de tanto sopapo que me dieron para quitarme las trancas.

—Voy a hacer un brindis —dijo Lituma.

—Antes déjame llenar las copas, primo.

El Mono cogió la botella de pisco, comenzó a servir y el rostro de Lituma se fue entristeciendo, dos arrugas sesgaron finamente sus ojillos, su mirada pareció irse.

—A ver ese brindis, inconquistable —dijo Josefino.

—Por Bonifacia —dijo Lituma. Y alzó la copa, despacio.

(6)

Fue así como nació la Casa Verde. Su edificación demoró muchas semanas; los tablones, las vigas y los adobes debían ser arrastrados desde el otro límite de la ciudad y las mulas alquiladas por don Anselmo avanzaban lastimosamente por el arenal. El trabajo se iniciaba en las mañanas, al cesar la lluvia seca, y terminaba al arreciar el viento. En la tarde, en la noche, el desierto englutía los cimientos y enterraba las paredes, las iguanas roían las maderas, los gallinazos armaban sus nidos en la incipiente construcción y, cada mañana, había que rehacer lo empezado, corregir los planos, reponer los materiales, en un combate sordo que fue subyugando a la ciudad. *¿En qué momento se dará por vencido el forastero?*, se preguntaban los vecinos. Pero transcurrían los días y, sin dejarse abatir por los percances ni contagiar por el pesimismo de conocidos y de amigos, don Anselmo seguía desplegando una asombrosa actividad. Dirigía los trabajos semidesnudo, la maleza de vellos de su pecho húmeda de sudor, la boca llena de euforia. Distribuía cañazo y chicha a los peones y él mismo acarreaba adobes, clavaba vigas, iba y venía por la ciudad azuzando a las mulas. Y un día los piuranos admitieron que don Anselmo vencería, al divisar al otro lado del río, frente a la ciudad, como un emisario de ella en el umbral del desierto, un sólido, invicto esqueleto de madera. A partir de entonces, el trabajo fue rápido. Las gentes de Castilla y de las rancherías del Camal venían todas las mañanas a presenciar las labores, daban consejos y, a veces, espontáneamente, echaban una mano a los peones. Don Anselmo ofrecía de beber a todo el mundo. Los últimos días, una atmósfera de feria popular reinaba en torno a la obra: chicheras, fruteras, vendedoras de quesos, dulces y refrescos acudían a ofrecer su mercancía a trabajadores y curiosos. Los hacendados hacían un alto al pasar por allí y, desde sus cabalgaduras, dirigían a don Anselmo palabras de estímulo. Un día, Chápiro Seminario, el poderoso agricultor, regaló un buey y una docena de cántaros de chicha. Los peones prepararon una pachamanca.

Cuando la casa estuvo edificada, don Anselmo dispuso que fuera íntegramente pintada de verde. Hasta los niños reían a carcajadas al ver cómo esos muros se cubrían de una piel esmeralda donde se estrellaba el sol y retrocedían reflejos escamosos. Viejos y jóvenes, ricos y pobres,

278

hombres y mujeres bromeaban alegremente por el capricho de don Anselmo de pintarrajear su vivienda de tal manera. La bautizaron de inmediato: *la Casa Verde*. Pero no sólo los divertía el color, también su extravagante anatomía. Constaba de dos plantas, pero la inferior apenas merecía ese nombre: un espacio salón cortado por cuatro vigas, también verdes, que sostenían el techo; un patio descubierto, tapizado de piedrecillas pulidas por el río y un muro circular, alto como un hombre. La segunda planta comprendía seis cuartos minúsculos, alineados ante un corredor con balaustrada de madera que sobrevolaba el salón del primer piso. Además de la entrada principal, la Casa Verde tenía dos puertas traseras, una caballeriza y una gran despensa.

En el almacén del español Eusebio Romero, don Anselmo compró esteras, lámparas de aceite, cortinas de colores llamativos, muchas sillas. Y una mañana, dos carpinteros de la Gallinacera anunciaron: *Don Anselmo nos encargó un escritorio, un mostrador igualito al de* La Estrella del Norte *y ¡media docena de camas!* Entonces, don Eusebio Romero confesó: *Y a mí seis lavadores, seis espejos, seis bacinicas.* Una especie de efervescencia ganó todos los barrios, una rumorosa y agitada curiosidad.

Brotaron las sospechas. De casa en casa, de salón en salón cuchicheaban las beatas, las señoras miraban a sus maridos con desconfianza, los vecinos cambiaban sonrisas maliciosas y, un domingo, en la misa de doce, el Padre García afirmó desde el púlpito: *Se prepara una agresión contra la moral en esta ciudad.* Los piuranos asaltaban a don Anselmo en la calle, le exigían hablar. Pero era inútil: *Es un secreto,* les decía, regocijado como un colegial; *un poco de paciencia, ya sabrán.* Indiferente al revuelo de los barrios, seguía viniendo en las mañanas a *La Estrella del Norte,* y bebía, bromeaba y distribuía brindis y piropos a las mujeres que cruzaban la Plaza. En las tardes se encerraba en la Casa Verde, adonde se había trasladado después de regalar a don Melchor Espinoza un cajón de botellas de pisco y una montura de cuero repujado.

Poco después, don Anselmo partió. En un caballo negro, que acababa de comprar, abandonó la ciudad como había llegado, una mañana al alba, sin que nadie lo viera, con rumbo desconocido.

Se ha hablado tanto en Piura sobre la primitiva Casa Verde, esa vivienda matriz, que ya nadie sabe con exactitud cómo era realmente, ni los auténticos pormenores de su historia. Los supervivientes de la época, muy pocos, se embrollan y contradicen, han acabado por confudir lo que vieron y oyeron con sus propios embustes. Y los intérpretes están ya tan decrépitos, y es tan obstinado su mutismo, que de nada serviría interrogarlos. En todo caso, la originaria Casa Verde ya no existe. Hasta hace algunos años, en el paraje donde fue levantada —la extensión de desierto limitado por Castilla y Catacaos— se encontraban pedazos de madera y objetos domésticos carbonizados, pero el desierto, y la carretera que construyeron, y las chacras que surgieron por el contorno, acabaron por borrar todos esos restos y ahora no hay piurano capaz de precisar en qué sector del arenal amarillento se irguió, con sus luces, su música, sus risas, y ese resplandor diurno de sus paredes que, a la distancia y en las noches, la convertía en un cuadrado, fosforescente reptil. En las historias mangaches se dice que existió en las proximidades de la otra orilla del Viejo Puente, que era muy grande, la mayor de las construcciones de entonces, y que había tantas lámparas de colores suspendidas en sus ventanas, que su luz hería la vista, teñía la arena del rededor y hasta alumbraba el puente. Pero su virtud principal era la música que, puntualmente, rompía en su interior al comenzar la tarde, duraba toda la noche y se oía hasta en la misma catedral. Don Anselmo, dicen, recorría incansable las chicherías de los barrios, y aun las de pueblos vecinos, en busca de artistas, y de todas partes traía guitarristas, tocadores de cajón, rascadores de quijada, flautistas, maestros del bombo y la corneta. Pero nunca arpistas, pues él tocaba ese instrumento y su arpa presidía, inconfundible, la música de la Casa Verde.

—*Era como si el aire se hubiera envenenado* —decían las viejas del Malecón—. *La música entraba por todas partes, aunque cerráramos puertas y ventanas, y la oíamos mientras comíamos, mientras rezábamos y mientras dormíamos.*

—*Y había que ver las caras de los hombres al oírla* —decían las beatas ahogadas en velos—. *Y había que ver cómo los arrancaba del hogar, y los sacaba a la calle y los empujaba hacia el Viejo Puente.*

—*Y de nada servía rezar* —decían las madres, las esposas, las novias—, *de nada nuestros llantos, nuestras súplicas, ni los sermones de los Padres, ni las novenas, ni siquiera los trisagios.*

—*Tenemos el infierno a las puertas* —tronaba el Padre García—, *cualquiera lo vería, pero ustedes están ciegos. Piura es Sodoma y es Gomorra.*

—*Quizá sea verdad que la Casa Verde trajo la mala suerte* —decían los viejos, relamiéndose—. *Pero cómo se disfrutaba en la maldita.*

A las pocas semanas de regresar a Piura don Anselmo con la caravana de habitantes, la Casa Verde había impuesto su dominio. Al principio, sus visitantes salían de la ciudad a ocultas; esperaban la oscuridad, discretamente cruzaban el Viejo Puente y se sumergían en el arenal. Luego las incursiones aumentaron y a los jóvenes, cada vez más imprudentes, ya no les importó ser reconocidos por las señoras apostadas tras las celosías del Malecón. En ranchos y salones, en las haciendas, no se hablaba de otra cosa. Los púlpitos multiplicaban advertencias y exhortos, el Padre García estigmatizaba la licencia con citas bíblicas. Un Comité de Obras Pías y Buenas Costumbres fue creado y las damas que lo componían visitaron al Prefecto y al Alcalde. Las autoridades asentían, cabizbajas: cierto, ellas tenían razón, la Casa Verde era una afrenta a Piura, pero ¿qué hacer? Las leyes dictadas en esa podrida capital que es Lima amparaban a don Anselmo, la existencia de la Casa Verde no contradecía la Constitución ni era penada por el Código. Las damas quitaron el saludo a las autoridades, les cerraron sus salones. Entretanto, los adolescentes, los hombres y hasta los pacíficos ancianos se precipitaban en bandadas hacia el bullicioso y luciente edificio.

Cayeron los piuranos más sobrios, los más trabajadores y rectos. En la ciudad, antes tan silenciosa, se instalaron como pesadillas el ruido, el movimiento nocturnos. Al alba, cuando el arpa y las guitarras de la Casa Verde callaban, un ritmo indisciplinado y múltiple se elevaba al cielo desde la ciudad: los que regresaban, solos o en grupos, recorrían las calles riendo a carcajadas y cantando. Los hombres lucían el desvelo en los rostros averiados por la mordedura de la arena y en *La Estrella del Norte* referían estrambóticas anécdotas que corrían de boca en boca y repetían los menores.

—*Ya ven, ya ven* —decía, trémulo, el Padre García—, *sólo falta que llueva fuego sobre Piura, todos los males del mundo nos están cayendo encima.*

Porque es cierto que todo esto coincidió con desgracias. El primer año, el río Piura creció y siguió creciendo, despedazó las defensas de las chacras, muchos sembríos del valle se inundaron, algunas bestias perecieron ahogadas y la humedad tiñó anchos sectores del desierto de Sechura: los hombres maldecían, los niños hacían castillos con la arena contaminada. El segundo año, como en represalia contra las injurias que le lanzaron los dueños de tierras anegadas, el río no entró. El cauce del Piura se cubrió de hierbas y abrojos que murieron poco después de nacer y quedó sólo una larga hendidura llagada: los cañaverales se secaron, el algodón brotó prematuramente. Al tercer año, las plagas diezmaron las cosechas.

—*Éstos son los desastres del pecado* —rugía el Padre García—. *Todavía hay tiempo, el enemigo está en sus venas, mátenlo con oraciones.*

Los brujos de los ranchos rociaban los sembríos con sangre de cabritos tiernos, se revolcaban sobre los surcos, proferían conjuros para atraer el agua y ahuyentar los insectos.

—*Dios mío, Dios mío* —se lamentaba el Padre García—. *Hay hambre y hay miseria y en vez de escarmentar, pecan y pecan.*

Porque ni la inundación, ni la sequía, ni las plagas detuvieron la gloria creciente de la Casa Verde.

El aspecto de la ciudad cambió. Esas tranquilas calles provincianas se poblaron de forasteros que, los fines de semana, viajaban a Piura desde

Sullana, Paita, Huancabamba y aun Tumbes y Chiclayo, seducidos por la leyenda de la Casa Verde que se había propagado a través del desierto. Pasaban la noche en ella y cuando venían a la ciudad se mostraban soeces y descomedidos, paseaban su borrachera por las calles como una proeza. Los vecinos los odiaban y a veces surgían riñas, no de noche y en el escenario de los desafíos, la pampita que está bajo el Puente, sino a plena luz y en la Plaza de Armas, en la Avenida Grau y en cualquier parte. Estallaron peleas colectivas. Las calles se volvieron peligrosas.

Cuando, pese a la prohibición de las autoridades, alguna de las habitantas se aventuraba por la ciudad, las señoras arrastraban a sus hijas al interior del hogar y corrían las cortinas. El Padre García salía al encuentro de la intrusa, desencajado; los vecinos debían sujetarlo para impedir una agresión.

El primer año, el local albergó a cuatro habitantas solamente, pero el año siguiente, cuando aquéllas partieron, don Anselmo viajó y regresó con ocho y dicen que en su apogeo la Casa Verde llegó a tener veinte habitantas. Llegaban directamente a la construcción de las afueras. Desde el Viejo Puente se las veía llegar, se oían sus chillidos y desplantes. Sus indumentarias de colores, sus pañuelos y afeites centelleaban como crustáceos en el árido paisaje.

Don Anselmo, en cambio, sí frecuentaba la ciudad. Recorría las calles en su caballo negro, al que había enseñado coqueterías: sacudir alegremente el rabo cuando pasaba una mujer, doblar una pata en señal de saludo, ejecutar pasos de danza al oír música. Don Anselmo había engordado, se vestía con exceso chillón: sombrero de paja blanda, bufanda de seda, camisas de hilo, correa con incrustaciones, pantalones ajustados, botas de tacón alto y espuelas. Sus manos hervían de sortijas. A veces se detenía a beber unos tragos en *La Estrella del Norte* y muchos principales no vacilaban en sentarse a su mesa, charlar con él y acompañarlo luego hasta las afueras.

La prosperidad de don Anselmo se tradujo en ampliaciones laterales y verticales de la Casa Verde. Ésta, como un organismo vivo, fue creciendo, madurando. La primera innovación fue un cerco de piedra. Coronado de cardos, cascotes, púas y espinas para desanimar a los ladrones, envolvía la planta baja y la ocultaba. El espacio encerrado entre el cerco y la casa fue primero un patiecillo pedregoso, luego un nivelado zaguán con macetas de cactus, después un salón circular con suelo y techo de esteras y, por fin, la madera reemplazó la paja, el salón fue empedrado y el techo se cubrió de tejas. Sobre la segunda planta, surgió otra, pequeña y cilíndrica como un torreón de vigía. Cada piedra añadida, cada teja o madera era automáticamente pintada de verde. El color elegido por don Anselmo acabó por imprimir al paisaje una nota refrescante, vegetal, casi líquida. Desde lejos, los viajeros avistaban la construcción de muros verdes, diluidos a medias en la viva luz amarilla de la arena, y tenían la sensación de acercarse a un oasis de palmeras y cocoteros hospitalarios, de aguas cristalinas, y era como si esa lejana presencia prometiera toda clase de recompensas para el cuerpo fatigado, alicientes sin fin para el ánimo deprimido por el bochorno del desierto.

Don Anselmo, dicen, habitaba el último piso, esa angosta cúspide, y nadie, ni sus mejores clientes —Chápiro Seminario, el Prefecto, don Eusebio Romero, el doctor Pedro Zevallos—, tenían acceso a ese lugar. Desde allí, sin duda, observaría don Anselmo el desfile de los visitantes por el arenal, vería sus siluetas desdibujadas por los torbellinos de arena, esas hambrientas bestias que merodean alrededor de la ciudad desde que cae el sol.

Además de las habitantas, la Casa Verde hospedó en su buena época a Angélica Mercedes, joven mangache que había heredado de su madre la sabiduría, el arte de los picantes. Con ella iba don Anselmo al Mercado, a los almacenes, a encargar víveres y bebidas: comerciantes y placeras se doblaban a su paso como cañas al viento. Los cabritos, cuyes, chanchos y corderos que Angélica Mercedes guisaba con misteriosas yerbas y especies llegaron a ser uno de los incentivos de la Casa Verde y había viejos que juraban: *Sólo vamos allá por saborear esa comida fina.*

Los contornos de la Casa Verde estaban siempre animados por multitud de vagos, mendigos, vendedores de baratijas y fruteras que asediaban a los clientes que llegaban y salían. Los niños de la ciudad escapaban de sus casas en la noche y, disimulados tras los matorrales, espiaban a los visitantes y escuchaban la música, las carcajadas. Algunos, arañándose manos y piernas, escalaban el muro y ojeaban codiciosamente el interior. Un día (que era fiesta de guardar), el Padre García se plantó en el arenal, a pocos metros de la Casa Verde y, uno por uno, acometía a los visitantes y los exhortaba a retornar a la ciudad y arrepentirse. Pero ellos inventaban excusas: una cita de negocios, una pena que hay que ahogar porque si no envenena el alma, una apuesta que compromete el honor. Algunos se burlaban e invitaban al Padre García a acompañarlos y hubo quien se ofendió y sacó pistola.

Nuevos mitos surgieron en Piura sobre don Anselmo. Para algunos, hacía viajes secretos a Lima, donde guardaba el dinero acumulado y adquiría propiedades. Para otros, era el simple escaparate de una empresa que contaba entre sus miembros al Prefecto, el Alcalde y hacendados. En la fantasía popular, el pasado de don Anselmo se enriquecía, a diario se añadían a su vida hechos sublimes o sangrientos. Viejos mangaches aseguraban identificar en él a un adolescente que años atrás perpetró atracos en el barrio y otros afirmaban: *Es un presidiario desertor, un antiguo montonero, un político en desgracia.* Sólo el Padre García se atrevía a decir: *Su cuerpo huele a azufre.*

7

—¿Qué pasa, colega? —dijo Josefino—. No te muñequees.

—Me voy donde la Chunga —rugió Lituma—. ¿Vienen conmigo? ¿No? Tampoco me hacen falta, me voy solo.

Pero los León lo sujetaron de los brazos y Lituma permaneció en su sitio, congestionado, sudoroso, sus ojillos revoloteando angustiosamente por el aposento.

—Para qué, hermano —dijo Josefino—. Si aquí estamos bien. Cálmate.

—Sólo para oír al arpista de dedos de plata —gimió Lituma—. Sólo para eso, inconquistables. Nos tomamos un trago y volvemos, les juro.

—Siempre fuiste tan hombre, colega. No flaquees, ahora.

—Soy más hombre que cualquiera —balbuceó Lituma—. Pero tengo un corazón así de grande.

—Trata de llorar —dijo el Mono, tiernamente—. Eso desahoga, primo, no tengas vergüenza.

Lituma se había puesto a mirar al vacío y su terno color lúcuma estaba lleno de lamparones de tierra y de saliva. Quedaron callados un buen rato, bebiendo cada uno por su cuenta, sin brindar, y hasta ellos llegaban ecos de tonderos y de valses, y la atmósfera se había impregnado de olor a chicha y a fritura. El balanceo de la lámpara agrandaba y disminuía a un ritmo preciso las cuatro siluetas proyectadas sobre las esteras, y la vela de la hornacina, ya minúscula, exhalaba un humillo rizado y oscuro que envolvía a la Virgen de yeso como una larga cabellera. Lituma se puso de pie con gran esfuerzo, se sacudió la ropa, paseó unos ojos extraviados por el contorno y, de improviso, se llevó un dedo a la boca. Estuvo hurgándose la garganta bajo la atenta mirada de los otros, que lo vieron palidecer, y por fin vomitó, ruidosamente, con arcadas que estremecían todo su cuerpo. Luego volvió a sentarse, se limpió la cara con el pañuelo y, exhausto, ojeroso, encendió un cigarrillo con manos temblonas.

—Ya estoy mejor, colega. Sigue contando, no más.

—Sabemos muy poco, Lituma. Es decir, de cómo pasó la cosa. Cuando te metieron adentro nos mandamos mudar. Habíamos sido testigos y podían enredarnos, tú sabes que los Seminario son gente rica, con tantas influencias. Yo me fui a Sullana y tus primos a Chulucanas. Cuando regresamos, ella había dejado la casita de Castilla y nadie sabía dónde paraba.

—Así que se quedó solita la pobre —murmuró Lituma—. Sin un cobre y todavía encinta.

—Por eso no te preocupes, hermano —dijo Josefino—. No dio a luz. Al poco tiempo supimos que andaba por las chicherías, y una noche la encontramos en el *Río Bar* con un tipo, y ya no estaba encinta.

—¿Y ella qué hizo cuando los vio?

—Nada, colega. Nos saludó lo más fresca. Y después nos topábamos con ella por aquí y por allá, y siempre estaba acompañada. Hasta que un día la vimos en la Casa Verde.

Lituma se pasó el pañuelo por la cara, chupó el cigarrillo con fuerza y arrojó una gran bocanada de humo espeso.

—¿Por qué no me escribieron? —Su voz era cada vez más ronca.

—Ya tenías bastante, encerrado lejos de tu casa. ¿Para qué íbamos a amargarte más la vida, colega? No se dan esas noticias a uno que anda fregado.

—Basta, primo, parece que te gustara sufrir —dijo José—. Cambien de tema.

De los labios de Lituma corría hasta su cuello un hilo de saliva brillante. Su cabeza se movía, lenta, pesada, mecánica, siguiendo la exacta oscilación de las sombras en las esteras. Josefino llenó las copas. Continuaron bebiendo, sin hablar, hasta que la vela de la hornacina se apagó:

—Ya hace dos horas que estamos aquí —dijo José, señalando el candelero—. Es lo que dura la mecha.

—Estoy contento de que hayas vuelto, primo —dijo el Mono—. No pongas esa cara. Ríete, todos los mangaches van a estar felices de verte. Ríete, primito.

Se dejó ir contra Lituma, lo estrechó y estuvo mirándolo con sus ojos grandes, vivos y ardientes, hasta que Lituma le dio una palmadita en la cabeza y sonrió.

—Así me gusta, primo —dijo José—. Viva la Mangachería, cantemos el himno.

Y súbitamente los tres comenzaron a hablar, eran tres churres y saltaban los muros de adobe de la Escuela Fiscal para bañarse en el río o, montados en un burro ajeno, recorrían arenosos senderos, entre chacras y algodonales, en dirección a las huacas de Narihualá, y ahí estaba el estruendo de los carnavales, los cascarones y los globos llovían sobre enfurecidos transeúntes y ellos empapaban también a los cachacos que no se atrevían a ir a sacarlos de sus escondites en las azoteas y en los árboles, y ahora, en las mañanas calientes, disputaban fogosos partidos de fútbol con una pelota de trapo en la cancha infinitamente grande del desierto. Josefino los escuchaba mudo, los ojos llenos de envidia, los mangaches recriminaban a Lituma, ¿de veras que te enrolaste en la Guardia Civil?, so renegado, so amarillo, y los León y Lituma reían. Abrieron otra botella. Siempre callado, Josefino hacía argollas con el humo, José silbaba, el Mono retenía el pisco en la boca, simulaba masticarlo, hacía gárgaras, morisquetas, no siento náuseas ni fuego, sólo ese calorcito que no se confunde.

—Tranquilo, inconquistable —dijo Josefino—. Dónde vas, agárrenlo.

Los León lo alcanzaron en el umbral, José lo tenía de los hombros y el Mono le abrazaba la cintura, lo sacudía con furia, pero su voz era atolondrada y llorosa:

—Para qué, primo. No vayas, tu corazón va a sangrar. Hazme caso, Lituma, primito.

Lituma acarició con torpeza el rostro del Mono, revolvió sus cabellos crespos, lo apartó sin brusquedad y salió, tambaleándose. Ellos lo siguieron. Afuera, a las orillas de sus casas de caña brava, los mangaches dormían bajo las estrellas, formaban silenciosos racimos humanos en la arena. El bullicio de las chicherías había crecido, el Mono repetía las tonadas entre dientes y, cuando escuchaba un arpa, abría los brazos: ¡pero como don Anselmo no hay! Él y Lituma iban adelante, tomados del brazo, zigzagueantes, a veces en la oscuridad se elevaba una protesta, «¡cuidado, no pisen!», y ellos, a coro, «perdoncito, don», «mil perdones, doña».

—Esa historia que le contaste parecía una película —dijo José.

—Pero se la creyó —dijo Josefino—. No se me ocurrió otra. Y ustedes no me ayudaron, ni siquiera abrieron la boca.

—Lástima que no estemos en Paita, primo —dijo el Mono—. Me metería al agua con ropa y todo. Qué rico sería.

—En Yacila hay olas, es mar de veras —dijo Lituma—. El de Paita es un laguito, el Marañón es más bravo que ese mar. El domingo iremos a Yacila, primo.

—Metámoslo donde Felipe —dijo Josefino—. Yo tengo plata. No podemos dejar que vaya, José.

La Avenida Sánchez Cerro estaba desierta, en la sombrilla de luz aceitosa de cada farol zumbaban los insectos. El Mono se había sentado en el suelo para anudarse los zapatos. Josefino se acercó a Lituma:

—Mira, colega, está abierto donde Felipe. Cuántos recuerdos en esa cantina. Ven, déjame invitarte un trago.

Lituma se zafó de los brazos de Josefino, habló sin mirarlo:

—Después, hermano, a la vuelta. Ahora, a la Casa Verde. Cuántos recuerdos allá también, más que en ninguna otra parte. ¿No es cierto, inconquistables?

Más tarde, al pasar frente al *Tres Estrellas,* Josefino hizo una nueva tentativa. Se precipitó hacia la puerta luminosa del bar, gritando:

—¡Al fin un sitio donde ahogar la sed! Vengan, colegas, yo pago.

Pero Lituma siguió caminando, inconmovible.

—Qué hacemos, José.

—Qué vamos a hacer, hermano. Ir donde la Chunga chunguita.

8

Ya los habían visto, mi capitán, el cabo Roberto Delgado señala lo alto del barranco, ya se habían ido a avisar: las lanchas encallan una tras otra, los once hombres saltan a tierra, dos soldados amarran las embarcaciones a unos pedruscos, Julio Reátegui bebe un trago de su cantimplora, el capitán Artemio Quiroga se quita la camisa, el sudor empapa sus hombros, su espalda, y la exprime, don Julio, este maldito calor les iba a asar los sesos. Enjambres de mosquitos asedian al grupo y en lo alto se oyen ladridos: ahí venían, mi capitán, que mirara arriba. Todos alzan la vista: nubes de polvo y muchas cabezas han aparecido en la cima del barranco. Algunas siluetas de torsos pálidos se deslizan ya por la arenosa pendiente y, entre las piernas de los urakusas, brincan perros ruidosos, los colmillos al aire. Julio Reátegui se vuelve hacia los soldados, a ver, que les hicieran adiós y usted, cabo, agache la cabeza, póngase detrás, que no lo reconocieran y el cabo Roberto Delgado sí señor Gobernador, ya lo había visto, ahí estaba Jum, mi capitán. Los once hombres agitan las manos y algunos sonríen. En el declive hay cada vez más urakusas; descienden casi en cuclillas, gesticulando, chillando, las mujeres son las más bulliciosas y el capitán ¿les salían al encuentro, don Julio?, porque él no se fiaba nada. No, nada de eso, capitán, ¿no veía lo contentos que bajaban? Julio Reátegui los conocía, lo importante era ganarles la moral, que lo dejaran, cabo, ¿cuál era Jum? El de adelante, señor, el que tenía la mano alzada y Julio Reátegui atención: iban a correr como chivatos, capitán, que no se les escaparan todos, y sobre todo mucho ojo con Jum. Amontonados al filo del barranco, en un angosto terraplén, semidesnudos, tan excitados como los perros que saltan, menean los rabos y ladran, los urakusas miran a los expedicionarios, los señalan, cuchichean. Mezclado a los olores del río, la tierra y los árboles, hay ahora un olor a carne humana, a pieles tatuadas con achiote. Los urakusas se golpean los brazos, los pechos, rítmicamente y, de pronto, un hombre cruza la polvorienta barrera, ése era mi capitán, ése, y avanza macizo y enérgico hacia la ribera. Los demás lo siguen y Julio Reátegui que era el Gobernador de Santa María de Nieva, intérprete, que venía a hablar con él. Un soldado se adelanta, gruñe y acciona con desenvoltura, los urakusas se detienen. El hombre macizo asiente, describe con la mano un trazo lento, circular, indicando a los expedicionarios que se aproximen, éstos lo hacen y Julio Reátegui: ¿Jum de Urakusa? El hombre macizo abre los brazos, ¡Jum!, toma aire: ¡piruanos! El capitán y los soldados se miran, Julio Reátegui asiente, da otro paso hacia Jum, ambos quedan a un metro de distancia. Sin prisa, sus ojos tranquilamente posados en el urakusa, Julio Reátegui libera la linterna que cuelga de su cinturón, la sujeta con todo el puño, la eleva despacio, Jum extiende la mano para recibirla, Reátegui golpea:

gritos, carreras, polvo que lo cubre todo, la estentórea voz del capitán. Entre los aullidos y los nubarrones, cuerpos verdes y ocres circulan, caen, se levantan y como un pájaro plateado, la linterna golpea una vez, dos, tres. Luego el aire despeja la playa, desvanece la humareda, se lleva los gritos. Los soldados están desplegados en círculo, sus fusiles apuntan a un ciempiés de urakusas adheridos, aferrados, trenzados unos a otros. Una chiquilla solloza abrazada a las piernas de Jum y éste se tapa la cara, por entre sus dedos sus ojos espían a los soldados, a Reátegui, al capitán, y la herida de su frente ha comenzado a sangrar. El capitán Quiroga hace danzar su revólver en un dedo, Gobernador, ¿había oído lo que les gritó? ¿Piruanos querría decir peruanos, no? Y Julio Reátegui se imaginaba dónde oyó esa palabreja este sujeto, capitán: lo mejor sería empujarlos arriba, en el pueblo estarían mejor que aquí, y el capitán sí, habría menos zancudos: ya oyó, intérprete, ordéneles, hágalos subir. El soldado gruñe y acciona, el círculo se abre, el ciempiés comienza a andar, pesado y compacto, nuevamente se levantan nubecillas de polvo. El cabo Roberto Delgado se echa a reír: ya lo había reconocido, mi capitán, estaba que se lo quería comer con los ojos. Y el capitán también a Jum, cabo, qué espera para subir. El cabo empuja a Jum y éste avanza muy tieso, las manos siempre en la cara. La chiquilla sigue prendida a sus piernas, estorba sus movimientos y el cabo la coge de los cabellos, zafa, trata de separarla, suéltate, del cacique y ella resiste, araña, chilla como un frailecillo, mierda, el cabo le pega con la mano abierta y Julio Reátegui qué pasa, carajo: ¿cómo trataba así a una niña, carajo?, ¿con qué derecho, carajo? El cabo la suelta, señor, no quería pegarle, sólo hacerla que soltara a Jum, que no se molestara, señor, y además ella lo había arañado.

(9)

Ya se oye el arpa —dijo Lituma—. ¿O estoy soñando, inconquistables?

—Todos la oímos, primo —dijo José—. O todos estamos soñando.

El Mono escuchaba, la cara ladeada, los ojos enormes y admirados:

—¡Es un artista! ¿Quién dice que no es el más grande?

—Lástima, no más, que esté tan viejo —dijo José—. Sus ojos ya no le sirven, primo. Nunca anda solo, el Joven y el Bolas tienen que llevarlo del brazo.

La casa de la Chunga está detrás del Estadio, poco antes del descampado que separa a la ciudad del Cuartel Grau, no lejos del matorral de los fusilicos. Allí, en ese paraje de yerba calcinada y tierra blanda, bajo las ramas nudosas de los algarrobos, en los amaneceres y crepúsculos se apostan los soldados ebrios. A las lavanderas que vuelven del río, a las criadas del barrio de Buenos Aires que van al Mercado las atrapan entre varios, las tumban sobre la arena, les echan las faldas por la cara, les abren las piernas, uno tras otro se las tiran y huyen. Los piuranos llaman atropellada a la víctima, y a la operación fusilico, y al vástago resultante lo llaman hijo de atropellada, fusiliquito, siete leches.

—Maldita la hora en que me fui a la montaña —dijo Lituma—. Si me hubiera quedado aquí, me habría casado con la Lira y sería hombre feliz.

—No tan feliz, primo —dijo José—. Si vieras lo que parece ahora la Lira.

—Una vaca lechera —dijo el Mono—. Una panza que parece un bombo.

—Y paridora como una coneja —dijo José—. Ya tiene como diez churres.

—La una puta, la otra una vaca lechera —dijo Lituma—. Qué buen ojo con las mujeres, inconquistable.

—Colega, me has prometido y estás faltando a tu palabra —dijo Josefino—. Lo pasado, pisado. Si no, no te acompañamos donde la Chunga. ¿Vas a estar tranquilito, no es cierto?

—Como operado, palabra —dijo Lituma—. Ahora estoy bromeando, no más.

—¿No ves que a la menor locura te friegas, hermano? —dijo Josefino—. Ya tienes antecedentes, Lituma. Te encerrarían de nuevo, y quién sabe por cuánto tiempo esta vez.

—Cómo te preocupas por mí, Josefino —dijo Lituma.

Entre el Estadio y el descampado, a medio kilómetro de la carretera que sale de Piura y se bifurca luego en dos rectas superficies oscuras que cruzan el desierto, una hacia Paita, la otra hacia Sullana, hay una aglomeración de chozas de adobe, latas y cartones, un suburbio que no tiene ni los años ni la extensión de la Mangachería, más pobre que ésta, más endeble, y es allí donde se yergue, singular y céntrica como una catedral, la casa de la Chunga, llamada también la Casa Verde. Alta, sólida, sus muros de ladrillo y su techo de calamina se divisan desde el Estadio. Los sábados en la noche, durante los combates de box, los espectadores alcanzan a oír los platillos de Bolas, el arpa de don Anselmo, la guitarra del Joven Alejandro.

—Te juro que la oía, Mono —dijo Lituma—. Clarito, era de partir el alma. Como la oigo ahora, Mono.

—Qué mala vida te darían, primito —dijo el Mono.

—No hablo de Lima, sino de Santa María de Nieva —dijo Lituma—. Noches como la muerte, Mono, cuando estaba de guardia. Nadie con quien hablar. Los muchachos estaban roncando, y de repente ya no oía a los sapos ni a los grillos, sino el arpa. En Lima, no la oí nunca.

La noche estaba fresca y clara, en la arena se dibujaban de trecho en trecho los perfiles retorcidos de los algarrobos. Avanzaban en una misma línea, Josefino frotándose las manos, los León silbando y Lituma, que iba cabizbajo, las manos en los bolsillos, a ratos elevaba el rostro y escrutaba el cielo con una especie de furor.

—Una carrera, como cuando éramos churres —dijo el Mono—. Una, dos, tres.

Salió disparado, su pequeña figura simiesca desapareció en las sombras. José franqueaba invisibles obstáculos, emprendía una carrera, iba y volvía, encaraba a Lituma y a Josefino:

—El cañazo es noble y el pisco traidor —rugía—. ¿Y a qué hora cantamos el himno?

Cerca ya de la barriada, encontraron al Mono, tendido de espaldas, resollando como un buey. Lo ayudaron a levantarse.

—El corazón se me sale, miéchica, parece mentira.

—Los años no pasan en balde, primo —dijo Lituma.

—Pero que viva la Mangachería —dijo José.

La casa de la Chunga es cúbica y tiene dos puertas. La principal da al cuadrado, amplio salón de baile cuyos muros están acribillados de nombres propios y de emblemas: corazones, flechas, bustos, sexos femeninos como medialunas, pingas que los atraviesan. También fotos de artistas, boxeadores y modelos, un almanaque, una imagen panorámica de la ciudad. La otra, puertecilla baja y angosta, da al Bar, separado de la pista de baile por un mostrador de tablones, tras el cual se hallan la Chunga, una mecedora de paja y una mesa cubierta de botellas, vasos y tinajas. Y frente al Bar, en un rincón, están los músicos. Don Anselmo, instalado sobre un banquillo, utiliza la pared como espaldar y sostiene el arpa entre las piernas. Lleva anteojos, los cabellos barren su frente, entre los botones de su camisa, en su cuello y en sus orejas asoman mechones grises. El que toca la guitarra y tiene la voz tan entonada es el huraño, el lacónico, el Joven Alejandro que, además de intérprete, es compositor. El que ocupa la silla de fibra y manipula un tambor y unos platillos, el menos artista, el más musculoso de los tres, es Bolas, el ex camionero.

—No me abracen así, no tengan miedo —dijo Lituma—. No estoy haciendo nada, ¿no ven? Sólo buscándola. Qué hay de malo en que quiera mirarla. Suéltenme.

—Ya se iría, primito —dijo el Mono—. Qué te importa. Piensa en otra cosa. Vamos a divertirnos, a festejar tu regreso.

—No estoy haciendo nada —repitió Lituma—. Sólo acordándome. ¿Por qué me abrazan así, inconquistables?

Estaban en el umbral de la pista de baile, bajo la espesa luz que derramaban tres lamparillas envueltas en celofán azul, verde y violeta, frente a una apretada masa de parejas. Grupos borrosos atestaban los rincones y de ellos venían voces, carcajadas, choques de vasos. Un humo inmóvil, transparente, flotaba entre el techo y las cabezas de los bailarines, y olía a cerveza, humores y tabaco negro. Lituma se balanceaba en el sitio, Josefino lo tenía siempre del brazo pero los León lo habían soltado.

—¿Cuál fue la mesa, Josefino? ¿Aquélla?

—Esa misma, hermano. Pero ya pasó, ahora comienzas otra vida, olvídate.

—Anda saluda al arpista, primo —dijo el Mono—. Y al Joven y a Bolas que siempre te recuerdan con cariño.

—Pero no la veo —dijo Lituma—. Por qué se me esconde, si no voy a hacerle nada. Sólo mirarla.

—Yo me encargo, Lituma —dijo Josefino—. Palabra que te la traigo. Pero tienes de cumplir; lo pasado, pisado. Anda a saludar al viejo. Yo voy a buscarla.

La orquesta había dejado de tocar, las parejas de la pista eran ahora una compacta masa, inmóvil y siseante. Alguien discutía a gritos junto al Bar. Lituma avanzó hacia los músicos, tropezando, don Anselmo del alma, con los brazos abiertos, viejo, arpista, escoltado por los León, ¿ya no se acuerda de mí?

—Si no te ve, primo —dijo José—. Dile quién eres. Adivine, don Anselmo.

—¿Qué cosa? —la Chunga se paró de un salto y la mecedora siguió moviéndose—. ¿El Sargento? ¿Tú lo has traído?

—No hubo forma, Chunga —dijo Josefino—. Llegó hoy día y se puso terco, no pudimos atajarlo. Pero ya sabe y le importa un carajo.

Lituma estaba en los brazos de don Anselmo, el Joven y Bolas le daban palmadas en la espalda, los tres hablaban a la vez y se los oía desde el Bar, excitados, sorprendidos, conmovidos. El Mono se había sentado ante los platillos, los hacía tintinear y José examinaba el arpa.

—O llamo a la policía —dijo la Chunga—. Sácalo ya mismo.

—Está borrachísimo, Chunga, apenas puede caminar, ¿no lo estás viendo? —dijo Josefino—. Nosotros lo cuidamos. No habrá ningún lío, palabra.

—Ustedes son mi mala suerte —dijo la Chunga—. Tú sobre todo, Josefino. Pero no se va a repetir lo de la vez pasada, te juro que llamo a la policía.

—Ningún lío, Chunguita —dijo Josefino—. Palabra. ¿La Selvática está arriba?

—Dónde va a estar —dijo la Chunga—. Pero si hay lío, puta de tu madre, te juro.

10

—Yo creí que él era como tú —dijo Fushía—. Y ya ves, viejo, qué equivocación tan terrible.

—A mí también me engañó un poco —dijo Aquilino—. No lo creía capaz de eso a Adrián Nieves. Parecía tan despreocupado de todo. ¿Nadie se dio cuenta cómo empezó la cosa?

—Nadie —dijo Fushía—; ni Pantacha, ni Jum; ni los huambisas. Maldita la hora en que nacieron esos perros, viejo.

—Ya está el odio otra vez en tu boca, Fushía —dijo Aquilino.

Y entonces Nieves la vio, arrinconada entre la jarra de greda y el tabique: grande, felpuda, negrísima. Se incorporó muy despacio de la barbacoa, su mano buscó ropas, unas zapatillas de jebe, una cuerda, porongos, una cesta de chambira, nada que sirviera. Ella seguía en el rincón, agazapada, sin duda lo espiaba por debajo de sus patas finas y retintas, reflejadas como una enredadera en la rojiza comba de la jarra. Dio un paso, descolgó el machete y ella no había huido, seguía al acecho, seguramente registraba cada movimiento suyo con sus ojillos perversos, su panza colorada estaría latiendo. De puntillas avanzó hacia el rincón, ella se replegó con súbita angustia, él golpeó y hubo un crujido de hojarasca. Luego, el petate tenía una raja y manchitas negras, rojas; las patas estaban intactas, su vello era negro, largo, sedoso. Nieves colgó el machete y, en vez de volver a la barbacoa, permaneció junto a la ventana, fumando. Recibía en la cara el aliento y los rumores de la selva, con la brasa del cigarrillo trataba de quemar las alas de los murciélagos que rondaban por la tela metálica.

—¿Nunca se quedaron solos en la isla? —dijo Aquilino.

—Una vez, porque el perro ése se enfermó —dijo Fushía—. Pero al principio todavía. En ese tiempo no pudo comenzar la historia, no se hubieran atrevido, me tenían miedo.

—¿Hay algo que asuste más que el infierno? —dijo Aquilino—. Y, sin embargo, la gente hace maldades. El miedo no frena a la gente en todas las cosas, Fushía.

—Al infierno nadie lo ha visto —dijo Fushía—. Y ésos me veían a mí todo el tiempo.

—Más que sea, cuando un cristiano y una cristiana se tienen ganas no hay quien los pare —dijo Aquilino—. El cuerpo les quema, como si tuvieran llamas adentro. ¿Acaso no te ha pasado?

—Ninguna mujer me hizo sentir eso —dijo Fushía—. Pero ahora sí, viejo, ahora sí. Como si tuviera carbones bajo la piel, viejo.

Hacia la derecha, entre los árboles, Nieves divisaba fogatas, instantáneos perfiles de huambisas; a la izquierda, en cambio, donde había armado su cabaña Jum, todo era oscuridad. En lo alto, contra un cielo añil, se mecían los penachos de las lupunas y la luna blanqueaba la trocha que, después de bajar una pendiente de arbustos y de helechos, contorneaba la pileta de las charapas y seguía hasta la playita; la cocha debía estar azul, quieta y desierta. ¿Habrían seguido bajando las aguas de la pileta? ¿Estarían ya en seco las estacas, la red? Pronto aparecerían las charapas varadas en la arena, los rugosos pescuezos estirándose hacia el cielo, los ojos llenos de asfixia y de legañas, y habría que hacer saltar sus conchas con el filo del machete, cortar la carne blanca en cuarteles y salarlos antes que los corrompieran el sol, la humedad. Nieves tiró el cigarrillo e iba a soplar el mechero cuando tocaron el tabique. Levantó la tranca de la puerta y entró Lalita, envuelta en una itípak huambisa, sus cabellos hasta la cintura, descalza.

—Si tuviera que escoger a uno de los dos para vengarme, sería ella, Aquilino —dijo Fushía—, la perra ésa. Porque ella comenzó, seguro, cuando me vio enfermo.

—La tratabas mal, le pegabas, y además las mujeres tienen su orgullo, Fushía —dijo Aquilino—. ¿Qué cristiana hubiera aguantado? En cada viaje te traías una mujer y se la metías por las narices.

—¿Crees que tenía cólera de las chunchas? —dijo Fushía—. Qué tontería, viejo. La perra ésa estaba caliente porque yo ya no le podía.

—Mejor no hables de eso, hombre —dijo Aquilino—. Ya sé que te pone triste.

—Pero si empezó con eso, con no poderle a la Lalita —dijo Fushía—. Pero acaso no ves qué desgracia, Aquilino, qué cosa terrible.

—¿No lo desperté, diga? —dijo Lalita, con voz soñolienta.

—No, no me despertó —dijo Nieves—. Buenas noches. Mande, no más.

Trancó la puerta, se acomodó el pantalón y cruzó los brazos sobre el torso desnudo pero al instante los descruzó y siguió de pie, indeciso. Por fin señaló la jarra de greda: se había metido una de las peludas y acababa de matarla. Sólo hacía una semana que había rellenado los agujeros, Lalita se sentó en la barbacoa, pero cada día abrían otros, las peludas.

—Es que tienen hambre —dijo Lalita—, así es en esta época. Una vez desperté y no podía mover la pierna, le digo. Tenía una manchita y después se hinchó. Los huambisas me ponían la pierna sobre un brasero para que sudara. Me ha quedado la marca.

Sus manos bajaron hasta el ruedo de la itípak, la alzaron, aparecieron sus muslos, lisos, color mate, firmes, y una cicatriz como un pequeño gusano:

—¿De qué se asusta? —dijo Lalita—. ¿Por qué se voltea, diga?

—No me asusto —dijo Nieves—. Sólo que está desnuda y yo soy hombre.

Lalita se rió y soltó la itípak; su pie derecho jugaba con un porongo, distraídamente lo acariciaba con el empeine, los deditos, el talón.

—Perra, puta, peores cosas si quieres —dijo Aquilino—. Pero yo le tengo cariño a la Lalita y no me importa. Es como mi hija.

—Una que hace eso porque ve morirse a su hombre es peor que perra, peor que puta —dijo Fushía—. No existe palabra para lo que es.

—¿Morirse? En San Pablo la mayoría se mueren de viejos y no de enfermos, Fushía —dijo Aquilino.

—No lo dices para consolarme, sino porque te arde que insulte a ésa —dijo Fushía.

—Se lo dijo en mi delante —susurró Nieves—. Otra vez sin nada bajo la itípak y te hago comer por las taranganas, ¿ya no se acuerda?

—Otras veces dice te regalo a los huambisas, te saco los ojos —dijo Lalita—. Al Pantacha todo el tiempo te mato, la estás espiando. Cuando amenaza no hace nada, la furia se le va con las palabras. ¿A usted le da pena cuando me pega, diga?

—Y también cólera —Nieves manoteó torpemente la tranca de la puerta—: Sobre todo cuando la insulta.

A solas era todavía peor, aj, se te caen los dientes, aj, tienes toda la cara picada, aj, tu cuerpo ya no es el de antes, aj, se te chorrea, pronto vas a estar como las viejas huambisas, aj, y todo lo que se le ocurría, ¿le daba pena?, y Nieves cállese.

—Pero creía en ti y eso que te conocía —dijo Aquilino—. Yo llegaba a la isla y la Lalita pronto me sacará de aquí, si este año hay mucho jebe nos iremos al Ecuador y nos casaremos. Sea buenito, don Aquilino, venda la mercadería a buen precio. Pobre Lalita.

—No se largó antes porque esperaba que me hiciera rico —dijo Fushía—. Qué bruta, viejo. No me casé con ella cuando era durita y sin granos, y creía que iba a casarme con ella cuando ya no calentaba a nadie.

—A Adrián Nieves lo calentó —dijo Aquilino—. Si no, no se la hubiera llevado.

—¿Y a ellas también se las va a llevar al Ecuador el patrón? —dijo Nieves—. ¿También se va a casar con ellas?

—Su mujer soy yo sola —dijo Lalita—. Las otras son sirvientas.

—Diga lo que diga, yo sé que eso le duele —dijo Nieves—. No tendría alma si no le doliera que le meta otras mujeres a su casa.

—No las mete a mi casa —dijo Lalita—. Duermen en el corral con los animales.

—Pero se las tira en su delante —dijo Nieves—. No se haga la que no me entiende.

Se volvió a mirarla y Lalita se había aproximado al canto de la barbacoa, tenía las rodillas juntas, los ojos bajos y Nieves no quería ofender, tartamudeó y miró de nuevo por la ventana, le había dado cólera cuando dijo que se iba a ir con el patrón al Ecuador, el cielo color añil, las fogatas, los cocuyos chispeantes entre los helechos: le pedía perdón, él no quería ofender, y Lalita levantó los ojos:

—¿Acaso no te las da a ti y al Pantacha cuando no le gustan? —dijo—. Tú haces lo mismo que él.

—Yo estoy solo —balbuceó Nieves—. Un cristiano necesita estar con mujeres, por qué me compara con el Pantacha, además me gusta que me hable de tú.

—Sólo al principio, aprovechándose de mis viajes —dijo Fushía—. Las rasguñaba, a una de las achuales la dejó sangrando. Pero después se acostumbró y eran como sus amigas. Les enseñaba cristiano, se entretenía con ellas. No es como tú crees, viejo.

—Y todavía te quejas —dijo Aquilino—. Todos los cristianos sueñan con eso que tú has tenido. ¿A cuántos conoces que cambiaran así de mujer, Fushía?

—Pero eran chunchas —dijo Fushía—, chunchas, Aquilino, aguarunas, achuales, shapras, pura basura, hombre.

—Y además son como animalitos —dijo Lalita—, se encariñan conmigo. Más bien me dan pena del miedo que les tienen a los huambisas. Si tú fueras el patrón, serías como él, hasta me insultarías.

—¿Acaso me conoce para que me juzgue? —dijo Nieves—. Yo no le haría eso a mi compañera. Menos si fuera usted.

—Aquí el cuerpo se les afloja rápido —dijo Fushía—. ¿Es mi culpa acaso si la Lalita envejeció? Y además hubiera sido tonto desperdiciar la ocasión.

—Por eso te las robabas tan chicas —dijo Aquilino—. Para que fueran duritas ¿no?

—No sólo por eso —dijo Fushía—; a mí me gustan las doncellitas como a cualquier hombre. Sólo que esos perros de los paganos no las dejan crecer sanas, a las más criaturas ya las han roto, la shapra fue la única sanita que encontré.

—Lo único que me duele es acordarme de cómo era yo, en Iquito —dijo Lalita—. Los dientes blancos, igualitos, y ni una mancha siquiera en la cara.

—Le gusta inventarse cosas para sufrir —dijo Nieves—. ¿Por qué no deja el patrón que los huambisas se acerquen a este lado? Porque a todos se les van los ojos cuando usted pasa.

—También al Pantacha y a ti —dijo Lalita—. Pero no porque sea bonita, sino porque soy la única cristiana.

—Yo siempre he sido educado con usted —dijo Nieves—. ¿Por qué me iguala con el Pantacha?

—Tú eres mejor que el Pantacha —dijo Lalita—. Por eso he venido a visitarte. ¿Ya no tienes fiebre?

—¿No te acuerdas que no bajé al embarcadero a recibirte? —dijo Fushía—. ¿Qué tú viniste y me encontraste en la cabaña del jebe? Fue esa vez, viejo.

—Sí me acuerdo —dijo Aquilino—. Parecías durmiendo despierto. Creí que el Pantacha te había dado cocimiento.

—¿Y no te acuerdas que me emborraché con el anisado que trajiste? —dijo Fushía.

—También me acuerdo —dijo Aquilino—. Querías quemar las cabañas de los huambisas. Parecías diablo, tuvimos que amarrarte.

—Es que traté como diez días y no le podía a esa perra —dijo Fushía—, ni a la Lalita ni a las chunchas, viejo, de volverse loco, viejo. Me ponía a llorar solo, viejo, quería matarme, cualquier cosa, diez días seguidos y no les podía, Aquilino.

—No llores, Fushía —dijo Aquilino—. ¿Por qué no me contaste lo que te pasaba? Tal vez te hubieras curado, entonces. Hubiéramos ido a Bagua, el médico te habría puesto inyecciones.

—Y las piernas se me dormían, viejo —dijo Fushía—, les pegaba y nada, les prendía fósforos y como muertas, viejo.

—Ya no te amargues con esas cosas tristes —dijo Aquilino—. Fíjate, acércate al borde, mira cuántos pececitos voladores, ésos que tienen electricidad. Fíjate cómo nos siguen, qué bonitas se ven las chispitas en el aire y debajo del agua.

—Y después ronchas, viejo —dijo Fushía—, y ya no podía quitarme la ropa delante de la perra ésa. Tener que disimular todo el día, toda la noche, y no tener a quien contárselo, Aquilino, chuparme esa desgracia yo solito.

Y en eso rascaron el tabique y Lalita se puso de pie. Fue hasta la ventana y, la cara pegada a la tela metálica, comenzó a gruñir. Afuera alguien gruñía también, suavemente.

—El Aquilino está enfermito —dijo Lalita—, vomita todo lo que come el pobre. Voy a verlo. Si mañana no ha vuelto todavía, vendré a hacerte la comida.

—Ojalá que no hayan vuelto —dijo Nieves—. No necesito que me cocine, me basta con que venga a verme.

—Si yo te digo tú, puedes decirme tú —dijo Lalita—. Al menos cuando no haya nadie.

—Los podría coger a montones si tuviera una red, Fushía —dijo Aquilino—. ¿Quieres que te ayude a levantarte para que los veas?

—Y después los pies —dijo Fushía—. Caminar cojeando, viejo, y en eso a pelarme como las serpientes, pero a ellas les sale otra piel y a mí no, viejo, yo purita llaga, Aquilino, no es justo, no es justo.

—Ya sé que no es justo —dijo Aquilino—. Pero ven, hombre, mira qué lindos los pececitos eléctricos.

11

El Teniente deja de hacer adiós cuando la embarcación es sólo una lucecita blanca sobre el río. Los guardias se echan las maletas al hombro, suben el embarcadero, en la Plaza de Santa María de Nieva se detienen y el Sargento señala las colinas: entre las dunas boscosas reverberan unos muros blancos, unas calaminas, ésa era la Misión, mi Teniente, la cuestecilla pedregosa estaba vacía, a eso le decían la Residencia, ahí vivían las monjitas, mi Teniente, y a la izquierda la capilla. Siluetas indígenas circulan por el pueblo, los techos de las cabañas son de fibras y parecen capuchones. Unas mujeres de cuerpos fangosos y ojos indolentes muelen algo al pie de dos troncos pelados. Siguen avanzando y el oficial se vuelve hacia el Sargento: casi no había podido hablar con el Teniente Cipriano, ¿por qué no se quedó siquiera hasta ponerlo al corriente? Pero es que si no aprovechaba la lancha hubiera tenido que esperar un mes, mi Teniente, y estaba loco por irse, el Teniente Cipriano. Que no se preocupara, el Sargento lo pondría al tanto en un dos por tres y el Rubio deposita en el suelo un maletín y muestra la cabaña: ahí la tenía, mi Teniente, la Comisaría más pobre del Perú, y el Pesado esa del frente sería su casa, mi Teniente, y el Chiquito más tarde le conseguirían un par de sirvientas aguarunas, y el Oscuro las sirvientas era lo único que andaba botado en este pueblo perdido. Al pasar, el Teniente toca el escudo que cuelga de una viga y brota un sonido metálico. La escalerilla de la cabaña no tiene baranda, las tablas del suelo y del tabique son bastas, desiguales, y en la primera habitación hay sillas de paja, un escritorio, un banderín descolorido: una puerta está abierta al fondo: cuatro hamacas, unos fusiles, una hornilla, un basurero, vaya miseria. ¿Se tomaría una cervecita el Teniente? Estarían frías, las habían metido en un balde de agua desde la mañana. El oficial asiente y el Chiquito y el Oscuro salen de la cabaña —¿se llamaba Fabio Cuesta el Gobernador?; sí, un viejito simpático, pero que fuera a saludarlo más tarde, mi Teniente, a estas horas dormía la siesta— y vuelven con vasos y botellas. Beben, el Sargento brinda por el Teniente, los guardias preguntan por Lima, el oficial quiere saber cómo es la gente en Santa María de Nieva, quién es quién, ¿buenas personas las monjitas de la Misión?, y si los chunchos dan dolores de cabeza. Bueno, seguirían conversando a la noche, el Teniente quería descansar un rato. Ellos le habían encargado a Paredes una comidita especial, mi Teniente, para festejar su llegada y el Rubio era el dueño de la cantina, mi Teniente, donde él comían todos, y el Oscuro también carpintero y el Pesado para colmo medio brujo, ya se lo presentarían, buena gente ese Paredes. Los guardias llevan las maletas a la cabaña del frente, el oficial los sigue bostezando, entra y se tumba en el camastro que ocupa el centro de la habitación. Con voz soñolienta despide al Sargento. Sin levantarse, se saca el quepí, los zapatos. Huele a polvo y a tabaco negro. No hay muchos muebles: una cómoda, dos banquitos, una mesa, un mechero que pende del techo. Las ventanas tienen rejillas metálicas: las mujeres siguen moliendo en la Plaza. El Teniente se pone de pie, la otra habitación está vacía y tiene una pequeña puerta. La abre: la tierra está dos metros más abajo, oculta por yerbales y a unos pasos de la cabaña ya hay bosque cerrado. Se desabotona el pantalón, orina y cuando regresa al primer cuarto, el Sargento está allí de nuevo: otra vez ese fregado, mi Teniente, un aguaruna que se llama Jum. Y el intérprete: diablo diciendo, aguaruna, soldado mintiendo, y silabariolima y limagobierno. Señor. Arévalo Benzas mira hacia arriba protegiéndose los ojos con las manos, no era ningún cojudo, don Julio, el pagano quería hacerles creer que estaba loco, pero Julio Reátegui niega con la cabeza: no era eso, Arévalo, todo el tiempo repetía la misma cantaleta y él se la sabía ya de memoria. Algo se le había metido en la cabeza con eso de los silabarios, pero quién diablos le entendía. El sol rojizo y ardiente abraza Santa María de Nieva y los soldados, indígenas y patrones aglomerados alrededor de las capironas pestañean, sudan y murmuran. Manuel Águila se hace aire con un abanico de paja: ¿estaba muy cansado, don Julio? ¿Les habían dado mucho trabajo en Urakusa? Un poco, ya les contaría con calma, ahora Reátegui tenía que subir a la Misión un momento, ya volvía, y ellos asienten: lo esperarían en la Gobernación, el capitán Quiroga y Escabino ya estaban allá. Y el intérprete: yendo y viniendo, práctico escapando, urakusapatria, carajo, banderagobierno. Manuel Águila utiliza el abanico como un escudo contra el sol, pero aun así lagrimea: que no se cansara, era por gusto, el que las hacía las pagaba, intérprete, traduciéndole eso. El Teniente se abotona el pantalón calmadamente, y el Sargento pasea por la habitación, las manos en los bolsillos: qué iba a ser la primera vez que venía, mi Teniente. Un montón de veces ya, hasta que una vez el Teniente Cipriano se calentó, le pegó un susto y así el pagano dejó de venir. Pero qué sabido, seguro supo que el Teniente Cipriano se iba de Santa María de Nieva, y vino corriendo a ver si con el nuevo Teniente le ligaba. El oficial termina de anudarse los zapatos, se pone de pie. ¿Al menos era tratable? El Sargento hace un gesto vago: no se ponía maldito, pero, eso sí, la terquedad andante, una mula, nadie le sacaba lo que tenía en la tutuma. ¿Cuándo había sido ese lío? Cuando era Gobernador el señor Julio Reátegui, antes de que hubiera una Comisaría en Nieva, y el Teniente cierra la puerta de la cabaña con furia, era el colmo, ni dos horas que había llegado y ya tenía trabajo, el chuncho podía haberse aguantado hasta mañana ¿no? Y el intérprete: ¡caboelgado diablo! ¡Diablo capitanartemio! Mi cabo. Pero el cabo Roberto Delgado no se enoja, se ríe igual que los soldados y algunos indígenas también ríen: que se las siguiera dando de maldito no más, insultándolos a él y al capitán, que siguiera, ya vería quién reía el último. Y el intérprete: hambreando, mi cabo, mareado, carajo, barriga bailando, mi cabo, sed diciendo, ¿le daban agua? No, primero se la chupaba al cabo y alza la voz: si alguien le alcanzaba agua o comida se las entendía con él, que les tradujera eso a todos los paganos de Santa María de Nieva, porque podían hacerse los tontos y los risueños, pero en el fondo estarían rabiando. Y el intérprete: la putesumadre, mi cabo, escabinodiablo, insultando. Ahora los soldados sólo sonríen, miran al cabo a hurtadillas y él muy bien, que le mentara la madre otra vez, que ya vería cuando lo bajaran. Un hombre flaco y bronceado les sale al encuentro, se quita el sombrero de paja y el Sargento hace las presentaciones: Adrián Nieves, mi Teniente. Sabía aguaruna y a veces les servía de intérprete, era el mejor práctico de la región y desde hacía dos meses trabajaba para la Comisaría. El Teniente y Nieves se dan la mano y el Oscuro, el Chiquito, el Pesado y el Rubio se apartan del escritorio, ahí estaba, mi Teniente, ése era el pagano —así les decían acá a los chunchos— y el oficial sonríe: él creía que éstos se dejaban crecer la peluca hasta los pies, no se esperaba ver a un calvito. Una menuda pelusa cubre la cabeza de Jum y una cicatriz recta y rosácea secciona su frente minúscula. Es de mediana estatura, grueso, viste una itípak raída que cae desde su cintura hasta sus rodillas. En su pecho lampiño, un triángulo morado ensarta tres discos simétricos, tres rayas paralelas cruzan sus pómulos. También tiene tatuajes a ambos lados de la boca: dos aspas negras, pequeñitas. Su expresión es tranquila pero en sus ojos amarillos hay vibraciones indóciles, medio fanáticas. Desde esa vez que lo pelaron, se seguía pelando solito, mi Teniente, y era rarísimo porque nada les dolía más a éstos que les tocaran la peluca. El práctico Nieves se lo podía explicar, mi Teniente: era una cosa de orgullo, justamente de eso habían estado hablando mientras esperaban que viniera. Y el Sargento a ver si con don Adrián se entendían mejor con el pagano, porque la vez pasada hizo de intérprete el brujo Paredes y nadie comprendía nada, y el Pesado es que el cantinero se hacía el que sabía aguaruna, no era cierto, lo chapurreaba apenitas. Nieves y Jum rugen y accionan, Teniente, que no podía regresar a Urakusa hasta que le devolvieran todo lo que le quitaron, pero le venían ganas de volver y por eso se cortaba la peluca, para no poder volver ni queriendo, y el Rubio ¿no era una cosa de loco? Sí, y ahora que explicara de una vez qué quería que le devolvieran. El práctico Nieves se acerca al aguaruna, le gruñe señalando al oficial, gesticula y Jum, que escucha inmóvil, de pronto asiente y escupe: ¡alto ahí!, esto no era un chiquero, que no escupiera. Adrián Nieves se vuelve a colocar el sombrero, era para que el Teniente viera que decía la verdad, y el Sargento una costumbre de los chunchos, el que no escupía al hablar mentía y el oficial no faltaba más, iba a bañarlos en saliva entonces. Que le creían, Nieves, que no escupiera. Jum cruza los brazos y los aros de su pecho se deforman, el triángulo se arruga. Comienza a hablar reciamente, casi sin pausas, y sigue escupiendo a su alrededor. No aparta los ojos del Teniente que taconea y observa disgustado la trayectoria de cada gargajo. Jum agita las manos, su voz es muy enérgica. Y el intérprete: robando carajo, urakusajebe, muchacha soldado miriátegui, mi cabo. ¡Cabeza caliente! Para protegerse los ojos del sol el cabo Roberto Delgado se ha sacado la cristina y la sostiene estirada junto a su frente: que siguiera haciéndose el disforzado no más, que chillara, que se estaba hinchando de risa. Y que le preguntara dónde aprendió tantas lisuras. Y el intérprete: contratoescontrato, listo, patrón Escabino, entiende, listo, bajando, mi cabo. Los soldados están desnudándose y algunos corren ya hacia el río, pero el cabo Delgado sigue al pie de las capironas: ¿bajando? Ni de a vainas, ahí se quedaba y que agradeciera que el capitán Artemio Quiroga era buena gente, que si por él fuera se iba a acordar toda su vida. ¿Por qué no le mentaba la madre de nuevo, a ver? Que se atreviera, que se hiciera el macho delante de sus paisanos que lo estaban mirando y el intérprete: bueno, la putesumadre. Mi cabo. Que otra vez, que se la mentara de nuevo, que para eso se había quedado el cabo aquí y el Teniente cruza las piernas y echa la cabeza atrás: historia absurda, sin pies ni cabeza, ¿de qué silabarios hablaba este bendito? Unos libros con figuras, mi Teniente, para enseñar el patriotismo a los salvajes; en la Gobernación quedaban algunos todavía, muy apolillados, se los podía enseñar don Fabio. El Teniente mira indeciso a los guardias y, mientras tanto, el aguaruna y Adrián Nieves siguen gruñéndose a media voz. El oficial se dirige al Sargento, ¿era cierto lo de la muchacha? y Jum ¡muchacha!, violentísimo, ¡carajo!, y el Pesado chist, que estaba hablando el Teniente, y el Sargento pst, quién sabía, aquí se robaban muchachas todos los días, podía ser cierto, ¿no decían que esos bandidos del Santiago se habían hecho su harén? Pero el pagano lo mezclaba todo, y uno no sabía qué tenían que ver los silabarios con el jebe que reclamaba y con lo de esa muchacha, mi compadre tenía un enredo de los mil diablos en la tutuma. Y el Chiquito si habían sido los soldados ellos no tenían nada que ver, ¿por qué no iba a quejarse a la Guarnición de Borja?, rugen y accionan y el práctico Nieves: ya había ido dos veces y nadie le había hecho caso, Teniente. Y el Rubio, había que ser rencoroso para seguir con ese asunto después de tanto tiempo, mi Teniente, ya podía haberse olvidado. Rugen y accionan y Nieves: que en su pueblo le echan la culpa y no quería regresar a Urakusa sin el jebe, los cueros, los silabarios y la muchacha, para que vieran que Jum tenía razón. Jum habla de nuevo, despacio ahora, sin alzar las manos. Las dos aspas minúsculas se mueven con sus labios, como dos hélices que no pueden arrancar del todo comienzan a girar y retroceden y otra vez y retroceden. ¿De qué hablaba ahora, don Adrián? y el práctico: se estaba acordando, y además insultando a esos que lo colgaron y el Teniente deja de taconear: ¿lo habían colgado? El Chiquito señala vagamente la Plaza de Santa María de Nieva: de esas capironas, mi Teniente. Paredes se lo podía contar, él estaba, parecía un paiche dice, así colgaban a los paiches para que se secaran. Jum lanza un chorro de gruñidos, esta vez no escupe pero hace ademanes frenéticos: porque les decía las verdades lo colgaron de las capironas, Teniente, y el Sargento dale que dale con la misma historia, y el oficial ¿las verdades? y el intérprete: ¡piruanos! ¡piruanos, carajo! Mi cabo. Pero el cabo Delgado ya sabía, no necesitaba que le tradujeran eso, no hablaría pagano pero sí tenía oídos, ¿lo creía un pobre cojudo? Ah, Señor, el Teniente golpea el escritorio, ah, qué vaina, no acabarían nunca a este paso, ¿piruanos quería decir peruanos, no? ¿ésas eran las verdades? Y el intérprete: pior que sangrando, pior que muriendo, mi cabo. Y boninopérez y teofilocañas, no entiende. Mi cabo. Pero el cabo Delgado sí entendía: así se llamaban esos subversivos. Que era por gusto que los llamara que estaban muy lejos, y que si vinieran también a ellos los colgaban. El Oscuro está sentado en una orilla del escritorio, los otros guardias siguen de pie, mi Teniente, había sido un escarmiento, decían. Y que todos los patrones y los soldados estaban furiosos, que querían cargárselos pero que los atajó el Gobernador de entonces, el señor Julio Reátegui. ¿Y quiénes eran esos tipos? ¿No habían vuelto por aquí? Unos agitadores, parecía, que se hicieron pasar por maestros, mi Teniente, y en Urakusa les habían hecho caso, los paganos se pusieron bravos y estafaron al patrón que les compraba el jebe, y el Pesado un tal Escabino, y Jum ¡Escabino! ruge ¡carajo! y el oficial chitón, Nieves, que lo callara. ¿Dónde estaba ese sujeto? ¿Se podía hablar con él? Bastante difícil, mi Teniente, Escabino ya se había muerto, pero don Fabio lo conoció y lo mejor es que hablara con él: le contaría los detalles y además el Gobernador era amigo de don Julio Reátegui. ¿Tampoco Nieves estaba aquí cuando esos incidentes? Tampoco, Teniente, él sólo llevaba un par de meses en Santa María de Nieva, vivía lejos antes, por el Ucayali y el Oscuro: no sólo estafaron a su patrón, había también el asunto del cabo ese de Borja, se juntaron las dos cosas. Y el intérprete: ¡caboelgado diablo! ¡carajo! El cabo Delgado suelta todos los dedos de sus manos y los muestra: diez mentadas de madre, las tenía contaditas. Que podía seguir dándose gusto si quería, aquí se quedaba él para que siguiera mentándosela. Sí, un cabo que iba a Bagua con licencia, y con él iban un práctico y un sirviente y en Urakusa los aguarunas los asaltaron, apalearon al cabo y al sirviente, el práctico desapareció y unos decían que lo mataron y otros que desertó, mi Teniente, aprovechando la ocasión. Y por eso se había organizado una expedición, soldados de Borja y el Gobernador de aquí, y por eso se lo habían traído a éste y lo habían escarmentado en las capironas. ¿No había sido así, más o menos, don Adrián? El práctico asiente, Sargento, era lo que había oído, pero como él no estaba acá quién sabía. Ajá, ajá, el Teniente mira a Jum y Jum mira a Nieves, entonces no era tan santito como parecía. El práctico gruñe y el urakusa replica, áspero y gesticulante, escupiendo y pataleando: lo que él contaba era muy distinto, Teniente, y el Teniente lógico ¿cuál era la versión de mi compadre? Que el cabo se estaba robando cosas y que lo obligaron a devolverlas, el práctico se escapó nadando y que el patrón era tramposo con el jebe y que por eso no habían querido venderle. Pero el Teniente no parece escuchar y sus ojos examinan al aguaruna de pies a cabeza, con curiosidad y cierto asombro: ¿cuánto tiempo lo habían tenido colgado, Sargento? Un día lo tuvieron, y después le habían dado unos azotes, decía el brujo Paredes, y el Oscuro ese mismo cabo de Borja se los había dado, y el Rubio en venganza de los que le darían a él los paganos de Urakusa, mi Teniente. Jum da un paso, se coloca ante el oficial, escupe. La expresión de su rostro es casi risueña ahora y sus ojos amarillos revolotean maliciosamente, una mueca juguetona rasga sus labios. Se toca la cicatriz de la frente y lento, ceremonioso como un ilusionista, gira sobre los talones, exhibe su espalda: desde los hombros bajan hasta su cintura unos surcos pintados de achiote, rectilíneos, paralelos y brillantes. Ésa era otra de sus locuras, mi Teniente, siempre que venía se pintarrajeaba así, y el Chiquito cosa de él, porque los aguarunas no acostumbran pintarse la espalda y el Rubio los boras sí, mi Teniente, la espalda, la barriga, los pies, el poto, todito el cuerpo se pintaban y el práctico Nieves para no olvidarse de los azotes que le dieron, ésa era la explicación que daba, y Arévalo Benzas se seca los ojos: se le habían asado los sesos ahí arriba, ¿qué gritaba? Piruanos, Arévalo, Julio Reátegui está apoyado de espaldas en la capirona, todo el viaje se las había pasado gritando piruanos. Y el cabo Roberto Delgado asiente, señor, no paraba de insultar a todo el mundo, al capitán, al Gobernador, a él mismo, no se le bajaban los humos por nada. Julio Reátegui lanza una mirada rápida hacia arriba, ya se le bajarían, y cuando inclina la cabeza tiene los ojos mojados, un poco de paciencia, cabo, qué sol había, lo cegaba a uno. Y el intérprete: su pelo diciendo, silabario, muchacha. Señor. Cojudeando dice y Manuel Águila: parecía borracho, así deliraban cuando estaban masateados, pero mejor iban de una vez que los estaban esperando, ¿quería que él lo acompañara donde las madres? No, a las madres no les tocaba meterse, mi Teniente, ¿no veía que eran extranjeras? Pero el brujo Paredes decía que la Madre Angélica —la más viejita de la Misión, mi Teniente, ahora que se había muerto la Madre Asunción— había venido de noche a la Plaza a pedir que lo bajaran, y que incluso se peleó con los soldados. Se compadecería la viejita, era la más renegona de todas, pura arruga ya y el Oscuro: por último le quemaron las axilas con huevos calientes, el cabo ese, lo harían saltar hasta el cielo y Jum ¡carajo! ¡piruanos! El Teniente taconea de nuevo, no era la manera, caramba, y con los nudillos golpea el escritorio, se habían cometido excesos, sólo que qué iban a hacer ellos ahora, todo eso ya había pasado. ¿Qué decía ahora? Que le devolvieran no más eso que le quitaron, Teniente, y que se iría a Urakusa, y el Sargento ¿no le había dicho que era terco? Ese jebe ya sería suela de zapatos, y las pieles ya serían carteras, maletas, y quién sabe dónde andaba la muchacha: se lo habían explicado cien veces, mi Teniente. El oficial reflexiona, el mentón sobre el puño: siempre podía dirigirse a Lima, reclamar al Ministerio, a lo mejor la Dirección de Asuntos Indígenas lo indemnizaba, a ver, que Nieves le sugiriera eso. Se gruñen y, de pronto, Jum asiente muchas veces, ¡limagobierno!, los guardias sonríen, sólo el práctico y el Teniente permanecen serios: ¡silabariolima! El Sargento descruza los brazos: ¿no veía que era un salvaje, mi Teniente? Cómo le iban a meter en la cabeza semejantes cosas, qué querría decir para él Lima, o Ministerio, y sin embargo Adrián Nieves y Jum se gruñen con vivacidad, cambian escupitajos y ademanes, el aguaruna calla a ratos y cierra los ojos, como meditando, luego cautelosamente pronuncia unas frases, señalando al oficial: ¿que lo acompañara? Hombre, vaya si le gustaría darse un paseíto a Lima, que no era posible y ahora Jum señala al Sargento. No, no, ni el Teniente, ni el Sargento, ni los guardias, Nieves, no podían hacer nada, que buscara al Reátegui ese, volviera a Borja o lo que fuera, la Comisaría no iba a estar desenterrando a los muertos ¿no?, resolviendo los líos de antaño ¿no? Él se moría de cansancio, no había dormido, Sargento, que acabaran de una vez. Además, si los que lo habían fajado eran soldados de la Guarnición, y autoridades de aquí, ¿quién le iba a dar la razón? Adrián Nieves interroga con los ojos al Sargento, ¿qué le decía, por fin?, y al Teniente: ¿todo eso? El oficial bosteza, entreabre perezosamente una boca desalentada y el Sargento se inclina hacia él: lo mejor decirle que bueno, mi Teniente. Le iban a devolver el jebe, las pieles, los silabarios, la muchacha, todo lo que quisiera y el Pesado qué le pasaba, mi Sargento, quién le iba a devolver si Escabino ya era difunto, y el Chiquito ¿no sería de sus sueldos, no? y el Sargento para más seguridad le darían un papelito firmado. Ya lo habían hecho alguna vez con el Teniente Cipriano, mi Teniente, daba resultados. Le pondrían una estampilla de a medio en el papel y, listo: ahora anda a buscar con eso al señor Reátegui y al Escabinodiablo para que te devuelvan todo. Y el Oscuro ¿una cojudeada en regla, mi Sargento? Pero al Teniente no lo convencían esas cosas, él no podía firmar ningún papel sobre este asunto tan viejo, y además, pero el Sargento papel periódico no más, una firmita de a mentiras y así se iría tranquilo. Éstos eran tercos pero creían lo que se les decía, se pasaría meses y años buscando al Escabino y al señor Reátegui. Bueno, y que ahora le dieran algo de comer y se fuera sin que nadie más le pusiera un dedo encima, capitán, por favor que se lo repitiera él mismo. Y el capitán con mucho gusto, don Julio, llama al cabo: ¿entendido? Se había acabado el escarmiento, ni un dedo encima, y Julio Reátegui: lo importante era que volviera a Urakusa. Nunca más pegando a soldados, nunca engañando patrón, que si los ura- kusas se portan bien los cristianos se portan bien, que si los urakusas se portan mal los cristianos mal: que le tradujera eso y el Sargento lanza una carcajada que alegra todo su rostro redondo: ¿qué le había dicho, mi Teniente? Sí, se habían librado de él, pero al oficial no le gustaba, no es- taba acostumbrado a estos procedimientos y el Pesado la montaña no era Lima, mi Teniente, aquí había que lidiar con chunchos. El Teniente se pone de pie, Sargento, la cabeza le daba vueltas con este lío, que no lo despertaran aunque se cayera el mundo. ¿No quería otra cervecita antes de irse a dormir?, no, ¿que le llevaran una tinaja con agua?, más tarde. El Teniente hace un saludo con la mano a los guardias y sale. La Plaza de Santa María de Nieva está llena de indígenas, las mujeres que muelen sentadas en el suelo forman una gran ronda, algunas llevan criaturas prendidas a las mamas. El Teniente se para en medio de la trocha y, ata- jando el sol con la mano, contempla un momento las capironas: robustas, altas, masculinas. Un perro flaco pasa junto a él y el oficial lo sigue con la vista y entonces ve al práctico Adrián Nieves. Viene hacia él y le mues- tra en su mano los pedacitos blanquinegros de papel periódico, Teniente: no era tan cojudo como se creía el Sargento, había hecho trizas el papel y lo había tirado en la Plaza, él acababa de encontrarlo.

(12)

Los inconquistables entraron como siempre: abriendo la puerta de un pa- tadón y cantando el himno: eran los inconquistables, no sabían trabajar, sólo chupar, sólo timbear, eran los inconquistables y ahora iban a culear.

—Sólo te puedo contar lo que se oyó esa noche, muchacha —dijo el arpista—; te habrás dado cuenta que casi no veo. Eso me libró de la policía, a mí me dejaron tranquilo.

—Ya está caliente la leche —dijo la Chunga, desde el mostrador—. Ayúdame, Selvática.

La Selvática se levantó de la mesa de los músicos, fue hacia el Bar y ella y la Chunga trajeron una jarra de leche, pan, café en polvo y azúcar. Las luces del salón estaban encendidas aún, pero el día entraba ya por las ventanas, caliente, claro.

—La muchacha no sabe cómo fue, Chunga —dijo el arpista, bebien- do su leche a sorbitos—. Josefino no le contó.

—Le pregunto y cambia de conversación —dijo la Selvática—. Por qué te interesa tanto, dice, no sigas que me da celos.

—Además de sinvergüenza, hipócrita y cínico —dijo la Chunga.

—Sólo había dos clientes cuando entraron —dijo el Bolas—. En la mesa esa. Uno de ellos era Seminario.

Los León y Josefino se habían instalado en el Bar y gritaban y brincaban, muy disforzados: te queremos Chunga chunguita, eres nuestra reina, nuestra mamita, Chunga chunguita.

—Déjense de cojudeces y consuman, o se mandan mudar —dijo la Chunga. Se volvió a la orquesta—: ¿Por qué no tocan?

—No podíamos —dijo el Bolas—. Los inconquistables hacían una bulla salvaje. Se los notaba contentísimos.

—Es que esa noche estaban forrados de billetes —dijo la Chunga.

—Mira, mira —el Mono le mostraba un abanico de libras y se chupaba los labios—. ¿Cuánto calculas?

—Qué angurrienta eres, Chunga, qué ojos has puesto —dijo Josefino.

—Seguro que es robado —repuso la Chunga—. ¿Qué les sirvo?

—Estarían tomados —dijo la Selvática—. Siempre les da por hacer chistes y cantar.

Atraídas por el ruido, tres habitantas aparecieron en la escalera: Sandra, Rita, Maribel. Pero al ver a los inconquistables parecieron defraudadas, abandonaron sus gestos orondos y se oyó la gigantesca carcajada de la Sandra, eran ellos, qué ensarte, pero el Mono les abrió los brazos, que vinieran, que pidieran cualquier cosa, y les mostró los billetes.

—También sírveles algo a los músicos, Chunga —dijo Josefino.

—Muchachos amables —sonrió el arpista—. Siempre andan convidándonos. Yo conocí al padre de Josefino, muchacha. Era lanchero y cruzaba las reses que venían de Catacaos. Carlos Rojas, tipo muy simpático.

La Selvática llenó de nuevo la taza del arpista y le echó azúcar. Los inconquistables se sentaron en una mesa con la Sandra, la Rita y la Maribel y recordaban una partida de póquer que acababan de disputar en el *Reina*. El joven Alejandro bebía su café con aire lánguido: eran los inconquistables, no sabían trabajar, sólo chupar, sólo timbear, eran los inconquistables y ahora iban a culear.

—Les ganamos limpiamente, Sandra, te juro. Nos ayudaba la suerte.

—Escalera real tres veces seguidas, ¿alguien ha visto cosa igual?

—Les enseñaban la letra a las muchachas —dijo el arpista, con voz risueña y benévola—. Y después se vinieron donde nosotros, para que les tocáramos su himno. Por mí lo haría, pero pídanle permiso primero a la Chunga.

—Y tú nos hiciste señas que sí, Chunga —dijo el Bolas.

—Estaban consumiendo como nunca —explicó la Chunga a la Selvática—. Por qué no les iba a dar gusto.

—Así comienzan a veces las desgracias —dijo el Joven, con un gesto melancólico—. Por una canción.

—Canten, para pescar la música —dijo el arpista—. A ver, Joven, Bolas, abran bien las orejas.

Mientras los inconquistables coreaban el himno, la Chunga se balanceaba en su mecedora como una apacible ama de casa, y los músicos seguían el compás con el pie y repetían la letra entre dientes. Después, todos cantaron a voz en cuello, con acompañamiento de guitarra, arpa y platillos.

—Se acabó —dijo Seminario—. Basta de cantitos y de groserías.

—Hasta entonces no había hecho caso de la bulla y estuvo muy pacífico, conversando con su amigo —dijo el Bolas.

—Yo lo vi pararse —dijo el Joven—. Como una furia, creí que se nos echaba encima.

—No tenía voz de borracho —dijo el arpista—. Le hicimos caso, nos callamos, pero él no se calmaba. ¿Desde qué hora estaba aquí, Chunga?

—Desde temprano. Se vino de frente de su hacienda, con botas, pantalón de montar y pistola.

—Un toro de hombre ese Seminario —dijo el Joven—. Y una mirada maligna. Más fuerte eres, más malo eres.

—Gracias, hermano —dijo el Bolas.

—Tú eres la excepción, Bolas —dijo el Joven—. Cuerpo de boxeador y almita de oveja, como dice el maestro.

—No se ponga así, señor Seminario —dijo el Mono—. Sólo cantábamos nuestro himno. Permítanos invitarle una cerveza.

—Pero él estaba de malas —dijo el Bolas—. Se había picado por algo y buscaba pelea.

—¿Así que ustedes son los gallitos que arman líos por calles y plazas? —dijo Seminario—. ¿A que no se meten conmigo?

Rita, Sandra y Maribel se alejaban de puntillas hacia el Bar y el Joven y el Bolas escudaban con sus cuerpos al arpista que, sentado en su banquito, la expresión tranquila, se había puesto a ajustar las clavijas del arpa. Y Seminario seguía, él también era un pendejo, contoneándose, y sabía divertirse, golpeándose el pecho, pero trabajaba, se rompía los lomos en su tierra, no le gustaban los vagabundos, corpulento y locuaz bajo la bombilla violeta, los muertos de hambre, esos que se dan de locos.

—Somos jóvenes, señor. No estamos haciendo nada malo.

—Ya sabemos que usted es muy fuerte, pero no es una razón para insultarnos.

—¿De veras que una vez levantó en peso a un catacaos y lo tiró a un techo? ¿De veras, señor Seminario?

—¿Se le rebajaban tanto? —dijo la Selvática—. No me lo creía de ellos.

—Qué miedo me tienen —reía Seminario, aplacado—. Cómo me soban.

—A la hora de la hora, los hombres siempre se despintan —dijo la Chunga.

—No todos, Chunga —protestó el Bolas—. Si se metía conmigo, yo le respondía.

—Estaba armado y los inconquistables tenían razón de asustarse —sentenció el Joven, suavemente—: El miedo es como el amor, Chunga, cosa humana.

—Te crees un sabio —dijo la Chunga—. Pero a mí me resbalan tus filosofías, por si no lo sabes.

—Lástima que los muchachos no se fueran en ese momento —dijo el arpista.

Seminario había vuelto a su mesa, y también los inconquistables, sin rastros de la alegría de un momento atrás: que se emborrachara y vería, pero no, andaba con pistola, mejor aguantarse las ganas para otro día, ¿y por qué no quemarle la camioneta?, estaba ahí afuerita, junto al Club Grau.

—Más bien salgamos y lo dejamos encerrado aquí y metemos fuego a la Casa Verde —dijo Josefino—. Un par de latas de kerosene y un fosforito bastarían. Como hizo el Padre García.

—Ardería como paja seca —dijo José—. También la barriada y hasta el Estadio.

—Mejor quememos todo Piura —dijo el Mono—. Una fogata grandisísísima, que se vea desde Chiclayo. Todo el arenal se pondría retinto.

—Y caerían cenizas hasta en Lima —dijo José—. Pero, eso sí, habría que salvar la Mangachería.

—Claro, no faltaba más —dijo el Mono—. Buscaríamos la forma.

—Yo tenía unos cinco años cuando el incendio —dijo Josefino—. ¿Ustedes se acuerdan de algo?

—No del comienzo —dijo el Mono—. Fuimos al día siguiente, con unos churres del barrio, pero nos corrieron los cachacos. Parece que los que llegaron primero se robaron muchas cosas.

—Me acuerdo sólo del olor a quemado —dijo Josefino—. Y que se veía humo, y que muchos algarrobos se habían vuelto carbones.

—Vamos a decirle al viejo que nos cuente —dijo el Mono—. Le invitaremos unas cervezas.

—¿Acaso no era de mentiras? —dijo la Selvática—. ¿O estaban hablando de otro incendio?

—Cosas de los piuranos, muchacha —dijo el arpista—. Nunca les creas cuando te hablen de eso. Puros inventos.

—¿No está cansado, maestro? —dijo el Joven—. Van a ser las siete, podríamos irnos.

—Todavía no tengo sueño —dijo don Anselmo—. Que haga su digestión el desayuno.

Acodados en el mostrador, los inconquistables trataban de convencer a la Chunga: que lo dejara un ratito, qué le costaba, para conversar un poco, que la Chunga chunguita no fuera malita.

—Todos lo quieren mucho a usted, don Anselmo —dijo la Selvática—. Yo también, me hace acordar de un viejecito de mi tierra que se llamaba Aquilino.

—Tan generosos, tan simpáticos —dijo el arpista—. Me llevaron a su mesa y me ofrecieron una cervecita.

Estaba transpirando. Josefino le puso un vaso en la mano, él se lo tomó de una vuelta y quedó boqueando. Luego, con su pañuelo de colores, se limpió la frente, las tupidas cejas blancas y se sonó.

—Un favor de amigos, viejo —dijo el Mono—. Cuéntenos lo del incendio.

La mano del arpista buscó el vaso y, en vez del suyo, atrapó el del Mono; lo vació de un trago. De qué hablaban, cuál incendio, y volvió a sonarse.

—Yo estaba churre y vi las llamas desde el Malecón. Y a la gente corriendo con crudos y baldes de agua —dijo Josefino—. ¿Por qué no nos cuenta, arpista? Qué le hace, después de tanto tiempo.

—No hubo ningún incendio, ninguna Casa Verde —afirmaba el arpista—. Invenciones de la gente, muchachos.

—¿Por qué se hace la burla de nosotros? —dijo el Mono—. Anímese, arpista, cuéntenos siquiera un poquito.

Don Anselmo se llevó dos dedos a la boca y simuló fumar. El Joven le alcanzó un cigarrillo y el Bolas se lo encendió. La Chunga había apagado las luces del salón y el sol entraba en el local a chorros, por las ventanas y las rendijas. Había llagas amarillas en las paredes y en el suelo, la calamina del techo reverberaba. Los inconquistables insistían, ¿cierto que se chamuscaron unas habitantas?, ¿de veras fueron las gallinazas las que la incendiaron?, ¿él estaba adentro?, ¿lo hizo el Padre García por pura maldad o por cosas de la religión?, ¿cierto que doña Angélica salvó a la Chunguita de morir quemada?

—Pura fábula —aseguraba el arpista—, tonterías de la gente para hacer rabiar al Padre García. Deberían dejarlo en paz, al pobre viejo. Y ahora tengo que trabajar, muchachos, con permiso.

Se levantó y a pasitos cortos, las manos adelante, regresó al rincón de la orquesta.

—¿Ven? Se hace el cojudo, como siempre —dijo Josefino—. Yo sabía que era por gusto.

—A esa edad se les ablanda el cerebro —dijo el Mono—, a lo mejor se ha olvidado de todo. Habría que preguntarle al Padre García. Pero quién se atreve.

Y en eso se abrió la puerta y entró la ronda.

—Esos conchudos —murmuró la Chunga—. Venían a gorrearme trago.

—La ronda, es decir Lituma y dos cachacos más, Selvática —dijo el Bolas—. Caían por acá todas las noches.

(13)

Y así terminó de mangache don Anselmo. Pero no de la noche a la mañana, como un hombre que elige un lugar, hace su casa y se instala; fue lento, imperceptible. Al principio aparecía por las chicherías, el arpa bajo el brazo, y los músicos (casi todos habían tocado para él alguna vez) lo aceptaban como acompañante. A la gente le gustaba oírlo, lo aplaudían. Y las chicheras, que le tenían estimación, le ofrecían comida y bebida y, cuando estaba borracho, una estera, una manta y un rincón para dormir. Nunca se lo veía por Castilla, ni cruzaba el Viejo Puente, como decidido a vivir lejos de los recuerdos y del arenal. Ni siquiera frecuentaba los barrios próximos al río, la Gallinacera, el Camal, sólo la Mangachería: entre su pasado y él se interponía la ciudad. Y los mangaches lo adoptaron, a él, y a la hermética Chunga que, encogida en una esquina, el mentón en las rodillas, miraba hurañamente el vacío mientras don Anselmo tocaba o dormía. Los mangaches hablaban de don Anselmo, pero a él le decían arpista, viejo. Porque desde el incendio había envejecido: sus hombros se desmoronaron, se hundió su pecho, brotaron grietas en su piel, se hinchó su vientre, sus piernas se curvaron y se volvió sucio, descuidado. Todavía arrastraba las botas de sus buenas épocas, polvorientas, muy gastadas, su pantalón iba en hilachas, la camisa no conservaba ni un botón, tenía el sombrero agujereado y las uñas largas, negras, los ojos llenos de estrías y de legañas. Su voz se enronqueció, sus maneras se ablandaron. En un comienzo, algunos principales lo contrataban para tocar en sus cumpleaños, bautizos y matrimonios; con el dinero que ganó así, convenció a Patrocinio Naya que los alojara en su casa y les diera de comer una vez al día a él y a la Chunga, que ya comenzaba a hablar. Pero andaba siempre tan desastrado y tan bebido que los blancos dejaron de llamarlo y entonces se ganó la vida de cualquier manera, ayudando en una mudanza, cargando bultos o limpiando puertas. Se presentaba en las chicherías al oscurecer, de improviso, arrastrando a la Chunga con una mano, en la otra el arpa. Era un personaje popular en la Mangachería, amigo de todos y de ninguno, un solitario que se quitaba el sombrero para saludar a medio mundo, pero apenas cambiaba palabras con la gente, y su arpa, su hija y el alcohol parecían ocupar su vida. De sus antiguas costumbres, sólo el odio a los gallinazos perduró: veía uno y buscaba piedras y lo bombardeaba e insultaba. Bebía mucho, pero era un borracho discreto, nunca pen-

309

denciero, nada bullicioso. Se lo reconocía ebrio por su andar, no zigzagueante ni torpe, sino ceremonioso: las piernas abiertas, los brazos tiesos, el rostro grave, los ojos fijos en el horizonte.

Su sistema de vida era sencillo. Al mediodía abandonaba la choza de Patrocinio Naya y, a veces llevando a la Chunga de la mano, a veces solo, se lanzaba a la calle con una especie de urgencia. Recorría el dédalo mangache a paso vivo, iba y venía por los tortuosos, oblicuos senderos, y así subía hasta la frontera sur, el arenal que se prolonga hacia Sullana, o bajaba hasta los umbrales de la ciudad, esa hilera de algarrobos con una acequia que discurre al pie. Iba, regresaba, volvía, con breves escalas en las chicherías. Sin el menor embarazo entraba y, quieto, mudo, serio, esperaba que alguien le invitara un clarito, una copa de pisco: agradecía con la cabeza y luego salía y proseguía su marcha o paseo o penitencia, siempre al mismo ritmo febril hasta que los mangaches lo veían detenerse en cualquier parte, dejarse caer a la sombra de un alero, acomodarse en la arena, taparse la cara con el sombrero, y permanecer así horas, impávido ante las gallinas y las cabras que olisqueaban su cuerpo, lo rozaban con sus plumas y barbas, lo cagaban. No tenía reparo en detener a los transeúntes para pedirles un cigarrillo, y cuando se lo negaban, no se enfurecía: continuaba su camino, altivo, solemne. En la noche, regresaba donde Patrocinio Naya en busca del arpa, y volvía a las chicherías, pero esta vez a tocar. Demoraba horas afinando las cuerdas, repasándolas con delicadeza y, cuando estaba muy ebrio, las manos no le obedecían y el arpa desentonaba, se ponía murmurador, los ojos se le entristecían.

Iba a veces al cementerio y allí se le vio rabioso por última vez, un dos de noviembre, cuando los municipales lo atajaron en la puerta. Los insultó, forcejeó con ellos, les lanzó piedras y por fin unos vecinos convencieron a los guardianes que lo dejaran entrar. Y fue en el cementerio, otro dos de noviembre, donde Juana Baura vio a la Chunga, que estaría por cumplir seis años, sucia, en harapos, correteando entre tumbas. La llamó, le hizo cariños. Desde entonces, la lavandera venía de cuando en cuando a la Mangachería, arreando el piajeno cargado de ropa, y preguntaba por el arpista y por la Chunga. A ella le traía comida, un vestido, zapatos, a él cigarrillos y unas monedas que el viejo corría a gastar en la chichería más cercana. Y un día dejó de verse a la Chunga en las callejuelas mangaches y Patrocinio Naya contó que Juana Baura se la había llevado, para siempre, a la Gallinacera. El arpista seguía su vida, sus caminatas. Estaba más viejo cada día, más mugriento y rotoso, pero todos se habían habituado a verlo, nadie volvía el rostro cuando los cruzaba, calmo y rígido, o cuando tenían que desviarse para no pisar su cuerpo tumbado en la arena, bajo el sol.

Sólo años después comenzó a aventurarse el arpista fuera de los límites de la Mangachería. Las calles de la ciudad crecían, se transformaban, se endurecían con adoquines y veredas altas, se engalanaban con casas flamantes y se volvían ruidosas, los chiquillos correteaban tras los automóviles. Había bares, hoteles y rostros forasteros, una nueva carretera a Chiclayo y un ferrocarril de rieles lustrosos unía Piura y Paita pasando por Sullana. Todo cambiaba, también los piuranos. Ya no se los veía por las calles con botas y pantalones de montar, sino con ternos y hasta corbatas y las mujeres, que habían renunciado a las faldas oscuras hasta los tobillos, se vestían de colores claros, ya no iban escoltadas de criadas y ocultas en velos y mantones, sino solas, el rostro al aire, los cabellos sueltos. Cada vez había más calles, casas más altas, la ciudad se dilataba y retrocedía el desierto. La Gallinacera desapareció y en su lugar surgió un barrio de principales. Las chozas apiñadas detrás del Camal ardieron una madrugada; llegaron municipales, policías, el Alcalde y el Prefecto al frente, y con camiones y palos sacaron a todo el mundo y al día siguiente comenzaron a trazar calles rectas, manzanas, a construir casas de dos pisos y al poco tiempo nadie hubiera imaginado que en ese aseado rincón residencial habitado por blancos habían vivido peones. También Castilla creció, se convirtió en una pequeña ciudad. Pavimentaron las calles, llegó el cine, se abrieron colegios, avenidas y los viejos se sentían transportados a otro mundo, protestaban incomodidades, indecencias, atropellos.

Un día, el arpa bajo el brazo, el viejo avanzó por esa ciudad renovada, llegó a la Plaza de Armas, se instaló bajo un tamarindo, comenzó a tocar. Volvió la tarde siguiente, y muchas otras, sobre todo los jueves y los sábados, días de retreta. Los piuranos acudían por decenas a la Plaza de Armas a escuchar a la banda del Cuartel Grau y él se adelantaba, ofrecía su propia retreta una hora antes, pasaba el sombrero y apenas reunía unos soles volvía a la Mangachería. Ésta no había cambiado, tampoco los mangaches. Allí seguían las chozas de barro y caña brava, las velas de sebo, las cabras y, a pesar del progreso, ninguna patrulla de la Guardia Civil se aventuraba de noche por sus calles ásperas. Y, sin duda, el arpista se sentía mangache de corazón, porque el dinero que ganaba dando conciertos en la Plaza de Armas venía siempre a gastárselo en el barrio. En las noches seguía tocando donde la Tula, la Gertrudis o donde Angélica Mercedes, su ex cocinera, que ahora tenía chichería propia. Nadie podía ya concebir la Mangachería sin él, ningún mangache imaginar que a la mañana siguiente no lo vería rondando hieráticamente por las callejuelas, apedreando gallinazos, saliendo de las chozas con bandera roja, durmiendo al sol, que no escucharía su arpa, a lo lejos, en la oscuridad. Hasta en su manera de hablar, las pocas veces que hablaba, cualquier piurano reconocía en él a un mangache.

—Los inconquistables lo llamaron a su mesa —dijo la Chunga—. Pero el Sargento se hacía el que no los veía.

—Tan educado siempre —dijo el arpista—. Vino a saludarme y a abrazarme.

—Con sus bromas, estos fregados van a hacer que mis subordinados me pierdan el respeto, viejo —dijo Lituma.

Los dos guardias se habían quedado en el Bar, mientras el Sargento conversaba con don Anselmo; la Chunga les sirvió cerveza y los León y Josefino dale que dale.

—Mejor no sigan que la Selvática se está poniendo triste —dijo el Joven—. Además es tarde, maestro.

—No te pongas triste, muchacha —la mano de don Anselmo revoloteó sobre la mesa, derribó una taza, palmeó el hombro de la Selvática—. La vida es así y no es culpa de nadie.

Esos traidores se uniformaban y ya no se sentían mangaches, ni saludaban, ni querían mirar.

—Los guardias no sabían que era por el Sargento —dijo la Chunga—. Tomaban su cerveza de lo más tranquilos, conversando conmigo. Pero él sí sabía, los fusilaba con los ojos, y con la mano esperen, cállense.

—¿Quién invitó a esos uniformados? —dijo Seminario—. A ver, ya se están despidiendo. Chunga, hazme el favor de botarlos.

—Es el señor Seminario, el hacendado —dijo la Chunga—. No le hagan caso.

—Ya lo reconocí —dijo el Sargento—. No lo miren, muchachos, estará borracho.

—Ahora se mete con los cachacos —dijo el Mono—. Se las trae el puta.

—Nuestro primo podría responderle, que le sirva para algo el uniforme —dijo José.

El joven Alejandro tomó un traguito de café.

—Llegaba aquí tranquilo, pero a las dos copas se enfurecía. Debía tener alguna pena terrible en el corazón, y la desfogaba así, con lisuras y trompadas.

—No se ponga así, señor —dijo el Sargento—. Estamos haciendo nuestro trabajo, para eso nos pagan.

—Ya vigilaron bastante, ya vieron que todo está pacífico —dijo Seminario—. Ahora váyanse y dejen a la gente decente disfrutar en paz.

—No se moleste por nosotros —dijo el Sargento—. Siga disfrutando no más, señor.

El rostro de la Selvática estaba cada vez más afligido y, en su mesa, Seminario se retorcía de cólera, también el cachaco lo sobaba, ya no había machos en Piura, qué le habían hecho a esta tierra, maldita sea, no era justo. Y entonces se le acercaron la Hortensia y la Amapola y con zalamerías y bromas lo calmaron un poco.

—La Hortensia, la Amapola —dijo don Anselmo—. Qué nombres les pones, Chunguita.

—¿Y ellos qué hacían? —dijo la Selvática—. Les daría furia eso que dijo de Piura.

—Echaban bilis por los ojos —dijo el Bolas—. Pero qué iban a hacer, se morían de miedo.

Ellos no lo creían a Lituma tan rosquete, estaba armado y debió emparársele, el Seminario se pasaba de vivo, no hay que buscarle tres pies al gato sabiendo que tiene cuatro, y la Rita más despacio que ahorita los iba a oír, y la Maribel va a haber lío, y la Sandra con sus carcajadas. Y, al poco rato, la ronda se fue, el Sargento acompañó hasta la puerta a los dos guardias y regresó solo. Fue a sentarse a la mesa de los inconquistables.

—Mejor se hubiera ido también —dijo el Bolas—. El pobre.

—¿Por qué pobre? —protestó la Selvática, con vehemencia—. Es un hombre, no necesita que lo compadezcan.

—Pero tú dices siempre pobrecito, Selvática —dijo el Bolas.

—Yo soy su mujer —explicó la Selvática y el Joven esbozó una vaga sonrisa.

Lituma los sermoneaba, ¿por qué le hacían burlas delante de su gente? y ellos tienen dos caras, te haces el serio en su delante y después los despides para gozar a tu gusto. De uniforme les daba pena, era otra persona, y a él ellos le daban más pena y al ratito se amistaron y cantaron: eran los inconquistables, no sabían trabajar, sólo chupar, sólo timbear, eran los inconquistables y ahora iban a culear.

—Hacerse un himno para ellos solos —dijo el arpista—. Ah, esos mangaches, son únicos.

—Pero tú ya no eres, primo —dijo el Mono—. Te dejaste conquistar.

—No sé cómo no se te ha caído la cara, primo —dijo José—. Nunca se vio un mangache de cachaco.

—Se estarían contando sus chistes o sus borracheras —dijo la Chunga—. De qué querías que hablaran si no.

—Diez años, coleguita —suspiró Lituma—. Terrible cómo se pasa la vida.

—Salud, por la vida que se pasa —propuso José, el vaso en alto.

Los mangaches son un poco filósofos cuando están tomados. Se han contagiado del Joven —dijo el arpista—. Estarían hablando de la muerte.

—Diez años, parece mentira —dijo el Mono—. ¿Te acuerdas del velorio de Domitila Yara, primo?

—Al día siguiente de llegar de la selva me encontré con el Padre García y no me contestó el saludo —dijo Lituma—. No nos ha perdonado.

—Nada de filósofo, maestro —dijo el Joven, ruborizándose—. Sólo un modesto artista.

—Más bien, recordarían cosas —dijo la Selvática—. Siempre que se juntaban, se ponían a contar lo que hacían de churres.

—Ya estás hablando a lo piurano, Selvática —dijo la Chunga.

—¿Nunca te has arrepentido, primo? —dijo José.

—Cachaco o cualquier cosa, qué más da —se encogió de hombros Lituma—. De inconquistable mucha jarana y mucha timba, pero también mucha hambre, colegas. Ahora, al menos, como bien, mañana y tarde. Ya es algo.

—Si fuera posible, me tomaría otro poquito de leche —dijo el arpista.

La Selvática se levantó, don Anselmo: ella se lo preparaba.

—Lo único que te envidio es que has corrido mucho, Lituma —dijo Josefino—. Nosotros nos moriremos sin salir de Piura.

—Habla por ti solo —dijo el Mono—. A mí no me entierran sin conocer Lima.

—Buena muchacha —dijo Anselmo—. Siempre se anda comidiendo a todo. Qué servicial, qué simpática. ¿Es bonita?

—No mucho, muy retaca —dijo el Bolas—. Y cuando está con tacos, da risa cómo camina.

—Pero tiene lindos ojos —afirmó el Joven—. Verdes, grandazos, misteriosos. Le gustarían, maestro.

—¿Verdes? —dijo el arpista—. Seguro que me gustarían.

—Quién hubiera creído que ibas a terminar casado y de cachaco —dijo Josefino—. Y prontito de padre de familia, Lituma.

—¿De veras que en la selva andan botadas las mujeres? —dijo el Mono—. ¿Son tan sensuales como dicen?

—Mucho más de lo que dicen —afirmó Lituma—. Hay que andarse defendiendo. Te descuidas y te exprimen, no sé cómo no salí de ahí con los pulmones puro agujero.

—Entonces uno se comerá a las que le da la gana —dijo José.

—Sobre todo si es costeño —dijo Lituma—. Los criollos las vuelven locas.

—Será buena gente, pero hay que ver qué sentimientos —dijo el Bolas—. Putea para el amigo del marido, y el pobre Lituma en la cárcel.

—No hay que juzgar tan rápido, Bolas —dijo el Joven, apenado—. Habría que averiguar qué fue lo que pasó. Nunca es fácil saber lo que hay detrás de las cosas. No tires nunca la primera piedra, hermano.

—Y después dice que no es filósofo —dijo el arpista—. Escúchalo, Chunguita.

—¿En Santa María de Nieva había muchas hembras, primo? —insistía el Mono.

—Se podía cambiar a diario —dijo Lituma—. Muchas, y calientes como las que más. De todo y al por mayor, blancas, morenitas, bastaba estirar la mano.

—Y si eran tan buenamozas, ¿por qué te casaste con ésa? —rió Josefino—. Porque, no me digas, Lituma, es puro ojos, lo demás no vale nada.

—Pegó un puñetazo en la mesa que se oyó en la catedral —dijo el Bolas—. Se pelearon de algo, parecía que Josefino y Lituma se iban a mechar.

—Son chispitas, fosforitos, se encienden y se apagan, nunca les dura la cólera —dijo el arpista—. Todos los piuranos tienen buen corazón.

—¿Ya no sabes aguantar las bromas? —decía el Mono—. Cómo has cambiado, primo.

—Si es mi hermana, Lituma —exclamaba Josefino—. ¿Crees que lo decía de veras? Siéntate, colega, brinda conmigo.

—Lo que pasa es que la quiero —dijo Lituma—. No es pecado.

—Bien hecho que la quieras —dijo el Mono—. Baja más cerveza, Chunga.

—La pobre no se acostumbra, anda asustada entre tanta gente —decía Lituma—. Esto es muy distinto de su tierra, tienen que comprenderla.

—Claro que la comprendemos —dijo el Mono—. A ver, un brindis por nuestra prima.

—Es buenisisísima, cómo nos atiende, qué comilonas nos prepara —dijo José—. Si los tres la queremos mucho, primo.

—¿Estás bien así, don Anselmo? —dijo la Selvática—. ¿No quedó muy caliente?

—Muy bien, muy rica —dijo el arpista, paladeando—. ¿De veras tienes los ojos verdes, muchacha?

Seminario había girado hacia ellos con silla y todo, qué era esa bulla, ¿ya no se podía conversar tranquilo?, y el Sargento, con todo respeto, que se estaba propasando, nadie se metía con él, que no se metiera con ellos, señor. Seminario levantó la voz, quiénes eran para responderle, y claro que se metía con ellos, con los cuatro y también con la puta que los había parido, ¿lo oyeron?

—¿Les mentó la madre? —dijo la Selvática, pestañeando.

—Varias veces en la noche, ésa fue la primera —dijo el Bolas—. Esos ricos porque tienen tierras creen que pueden mentarle la madre a cualquiera.

La Hortensia y la Amapola salieron volando y, desde el mostrador, Sandra, Rita y Maribel alargaban las cabezas. El Sargento tenía la voz rajada de la cólera, la familia no tenía nada que ver con esto, señor.

—Si no te gustó, ven y conversamos, cholito —dijo Seminario.

—Pero Lituma no fue —dijo la Chunga—. Lo contuvimos con la Sandra.

—¿Por qué mentar a la madre cuando el pleito es entre hombres? —dijo el Joven—. La madre es lo más santo que hay.

Y la Hortensia y la Amapola habían vuelto a la mesa de Seminario.

—Ya no los oí reír ni volvieron a cantar su himno —dijo el arpista—. Se quedaron desmoralizados con esa mentada de madre, los muchachos.

—Se consolaron tomando —dijo la Chunga—. No cabían más botellas en su mesa.

—Por eso yo creo que las penas que uno lleva adentro lo explican todo —dijo el Joven—. Por eso terminan unos de borrachos, otros de curas, otros de asesinos.

—Voy a mojarme la cabeza —dijo Lituma—. Este tipo me amargó la noche.

—Tuvo razón de enojarse, Josefino —dijo el Mono—. A nadie le gustaría que le dijeran tu mujer es fea.

—Me carga con tantas ínfulas —dijo Josefino—. Me he comido cien hembras, conozco medio Perú, me he dado la gran vida. Se pasa el día sacándonos pica con sus viajes.

—En el fondo le tienes tanta cólera porque su mujer no te hace caso —dijo José.

—Si supiera que la persigues, te mata —dijo el Mono—. Está enamorado de su hembra como un becerro.

—Es su culpa —dijo Josefino—. ¿Por qué presume tanto? En la cama es puro fuego, se mueve así, asá. Que se friegue, quiero ver si son ciertas esas maravillas.

—¿Apostamos un par de libras que no te liga, hermano? —dijo el Mono.

—Ya veremos —dijo Josefino—. La primera vez quiso cachetearme, la segunda sólo me insultó y la tercera ni siquiera se hizo la resentida y hasta pude manosearla un poco. Ya está aflojando, yo conozco a mi gente.

—Si cae, ya sabes —dijo José—. Donde pasa un inconquistable, pasan los tres, Josefino.

—No sé por qué le tengo tantas ganas —dijo Josefino—. La verdad es que no vale nada.

—Porque es de afuera —dijo el Mono—. A uno siempre le gusta descubrir qué secretos, qué costumbres se traen de sus tierras.

—Parece un animalito —dijo José—. No entiende nada, se pasa la vida preguntando por qué esto, por qué lo otro. Yo no me hubiera atrevido a probar primero. ¿Y si le contaba a Lituma, Josefino?

—Es de las asustadizas —dijo Josefino—. La calé ahí mismo. No tiene personalidad, se moriría de vergüenza antes que contarle. Lástima no más que la preñara. Ahora hay que esperar que dé a luz para hacerle el trabajito.

—Después se pusieron a bailar de lo más bien —dijo la Chunga—. Parecía que se había pasado todo.

—Las desgracias caen de repente, cuando uno menos se las espera —dijo el Joven.

—¿Con quién bailaba él? —dijo la Selvática.

—Con la Sandra —la Chunga la observaba con sus ojos apagados y hablaba despacio—: muy pegaditos. Y se besaban. ¿Tienes celos?

—Era una pregunta, no más —dijo la Selvática—. Yo no soy celosa.

Y Seminario, de repente, sólido, que se fueran, destemplado, o los sacaba a patada limpia, rugiente, a los cuatro juntos.

(14)

Las cosas son como son, la realidad y los deseos se confunden y si no por qué hubiera venido esa mañana. ¿Reconocía tu voz, tu olor? Háblale y mira cómo en su rostro se levanta algo risueño y ansioso, retén su mano unos segundos y descubre bajo su piel ese discreto temor, la delicada alarma de su sangre, mira cómo se fruncen sus labios, cómo se agitan sus párpados. ¿Quería saber? Por qué aprietas así mi brazo, por qué juegas con mis pelos, por qué tu mano en mi cintura y, cuando hablas, tu cara tan cerca de la mía. Explícale: para que no me confundas con los demás, porque quiero que me reconozcas, Toñita, y ese vientecito y esos ruidos de mi boca son las cosas que te estoy diciendo. Pero sé prudente, alerta, cuidado con la gente y ahora, no hay nadie, coge su mano, suéltala de una vez, tú te has asustado Toñita, ¿por qué te has quedado temblando?, pídele que te perdone. Y ahí, de nuevo, el sol que dora sus pestañas y ella, seguramente pensando, dudando, imaginando, tú no es nada malo Toñita, no me tengas miedo, y ella oscuramente esforzándose, inventando, por qué, cómo, y ahí los otros, Jacinto limpia las mesas, Cháiro habla del algodón, de los gallos y de las cholas que tumba, unas mujeres ofrecen natillas y ella afanosa, angustiosamente escarbando en las tinieblas mudas, por qué, cómo. Tú soy loco, es imposible, la hago sufrir, ten vergüenza, salta al caballo, otra vez el arenal, el salón, la torre. Cierra las cortinas, que suba la Mariposa, que se desnude sin abrir la boca, ven, no te muevas, eres una niña, bésala, la quieres, sus manos son flores, ella qué cosas lindas, patrón, ¿de veras que le gusto tanto? Que se vista, que vuelva al salón, por qué hablaste, Mariposa, ella usted anda enamorado y quiere que yo la reemplace, tú anda vete, ninguna habitanta volverá a la torre. Y de nuevo la soledad, el arpa, el cañazo, emborráchate, tiéndete en la cama y hurga tú también, cava en la oscuridad, ¿tiene derecho a que la quieran?, ¿tengo derecho a quererla?, ¿me importaría si fuera pecado? La noche es lenta, desvelada, hueca sin su presencia que mata las dudas. Abajo ríen, brindan y bromean, entre guitarras bulliciosas se insinúa el delgado silbo de una flauta, se enardecen, bailan. Fue pecado, Anselmo, vas a morir, arrepiéntete, tú no fue, Padre, no me arrepiento de nada salvo de que ella muriera. Y él fue a la mala, por la fuerza, tú no fue a la mala, nos entendíamos sin que me viera, nos queríamos sin que me hablara, las cosas eran lo que eran. Dios es grande, Toñita, ¿no es cierto que me reconoces? Haz la prueba, aprieta su mano, cuenta hasta seis, ¿ella aprieta?, hasta diez, ¿ves que no suelta tu mano?, hasta quince y ahí sigue en la tuya, confiada y suave. Y mientras tanto ya no cae arena, un viento fresco sube desde el río, ven a *La Estrella del Norte,* Toñita, tomaremos algo y ¿qué brazo buscaba su mano?, ¿en quién se apoyaba para atravesar la Plaza?, tú el mío y no el de don Eusebio, en mí no en Chápiro, ¿entonces te quiere? Siente lo que sentías: la carne adolescente y tostada, el vello lacio de su brazo y, debajo de la mesa, su rodilla junto a tu rodilla, ¿rico el jugo de lúcuma, Toñita?, y su rodilla siempre, y entonces disimula y goza, así que van bien los negocios don Eusebio, así que la tienda que abrió en Sullana es la más próspera, así que Arrese se nos muere doctor Zevallos, qué desgracia para Piura, era el hombre más leído, y ahí, dichosamente el calorcito entre las venas y los músculos, una llamita en el corazón, otra en las sienes, dos minúsculos cráteres supurando bajo las muñecas. No sólo la rodilla ahora, el pie también, se verá breve e indefenso junto a la gruesa bota, y el tobillo, y el muslo esbelto paralelo al tuyo, tú Dios es grande pero tal vez no se da cuenta, ¿será casualidad? Haz otra prueba, empuja, ¿se retira?, ¿se mantiene pegada a ti?, ¿ella también empuja?, tú ¿no estás jugando, muchachita?, ¿qué sientes por mí? Ahí, de nuevo, el ambicioso deseo: estar solos alguna vez, no aquí sino en la torre, no de día sino de noche, no vestidos sino desnudos, Toñita, no te separes, sigue tocándome. Y ahí, la sofocante mañana de verano, los lustrabotas, los mendigos, las vendedoras, la gente que sale de misa, *La Estrella del Norte* con sus hombres y sus diálogos, el algodón, las crecientes, la pachamanca del domingo y, de pronto, siente su mano que busca, que encuentra y atrapa la tuya, atención, cuidado, no la mires, no te muevas, sonríe, el algodón, las apuestas, las cacerías, la carne dura de los venados y las plagas traicioneras y, entretanto, oye su mano en la tuya, su misterioso mensaje, descifra esa voz de secretas presiones y leves pellizcos, y todo el tiempo Toñita, Toñita, Toñita. Ahora basta de dudas, mañana más temprano todavía, escóndete en la Catedral y espía, escucha el minúsculo canto de la arena en las copas de los tamarindos, espera tenso, los ojos fijos en la esquina medio oculta por la glorieta y los árboles. Y ahí, de nuevo, el tiempo detenido bajo la bóveda y los arcos, las severas baldosas, las bancas despobladas y la implacable voluntad y una fría secreción en la espalda, el brusco vacío en el estómago: el piajeno, la gallinaza, las canastas, una silueta que avanza flotando. Que no llegue nadie, que se vaya pronto, que no salga el cura y ahora, rápido, corriendo, la luz exterior, el atrio, las anchas gradas, la pista, el cuadrilátero sombreado. Abre los brazos, recíbela, mira cómo su cabeza se reclina en tu hombro, acaricia sus cabellos, límpialos de arena rubia y a la vez, cuidado, *La Estrella del Norte* se abrirá y aparecerá Jacinto bostezando, vendrán los vecinos y los forasteros, adelántate. Nada de engaños, bésala y, mientras su rostro se acalora, no te asustes, eres bonita, yo te quiero, no vayas a llorar, siente tu boca en su mejilla y fíjate, su arrebato va pasando, su postura es otra vez dócil y así, como la superficie que cede bajo tus labios es de fragante la lluvia en el verano caluroso, así cuando el arcoiris ilumina el cielo. Y entonces róbatela: no podemos seguir así, vente conmigo, Toñita, la cuidarás, la engreirás, será feliz contigo, un tiempito y se irán lejos de Piura, vivirán a plena luz. Corre con ella, los aleros gotean arena todavía, las gentes duermen o se desperezan en sus camas, pero mira, observa el rededor, dale la mano, súbela al caballo. No la pongas nerviosa, háblale despacio: agárrate de mi cintura, fuerte, sólo un momentito. Y, de nuevo, el sol que se instala sobre la ciudad, la atmósfera templada, las calles desiertas, la furiosa urgencia y de repente mira cómo se prende, estruja tu camisa, cómo su cuerpo se adhiere al tuyo, mira esa llamarada en su rostro: ¿comprende?, ¿apúrate?, ¿que no nos vean?, ¿vámonos?, ¿quiero irme contigo?, tú Toñita, Toñita, ¿te das cuenta adónde vamos, para qué vamos, qué somos? Cruza el Viejo Puente y no entres a Castilla la madrugadora, sigue rápidamente los algarrobos de la orilla y ahora sí, el arenal, taconea con odio, que brinque, que galope, que sus cascos maltraten la lisa espalda del desierto y se alce una polvareda protectora. Ahí, los relinchos, la fatiga del animal, en tu cintura su brazo y a ratos el sabor de sus cabellos que el aire incrusta en tu boca. Taconea siempre, ya llegan, usa el látigo y, de nuevo, aspira el olor de esa mañana, el polvo y la loca excitación de esa mañana. Entra sin hacer ruido, cárgala, sube la angosta escalera de la torre, siente sus brazos en tu cuello como un collar vivo y ahí los ronquidos, la zozobra que separa sus labios, el destello de sus dientes, tú nadie nos ve, gente que duerme, cálmate Toñita. Dile sus nombres: la Luciérnaga, la Ranita, la Flor, la Mariposa. Más todavía: están rendidas, han bebido y hecho el amor y no nos sienten ni dirán nada, tú les explicarás, ellas comprenden las cosas. Pero sigue, cómo les dicen, habitantas. Cuéntale de la torre y del espectáculo, píntale el río, los algodonales, el pardo perfil de las distantes montañas y el relumbre de los techos de Piura al mediodía, las casas blancas de Castilla, la inmensidad del arenal y del cielo. Tú yo miraré para ti, le prestarás tus ojos, todo lo que tengo es tuyo, Toñita. Que imagine cuando entra el río: esas serpientes delgaditas que un día de diciembre llegan reptando por el cauce, y cómo se juntan y crecen, y su color, tú verde marrón, y va engordando y estirándose. Que oiga el repique de las campanas y adivine la gente que sale a recibirlo, los churres que revientan cuetes, las mujeres que rocían mistura y serpentinas, y las faldas granates del

Obispo que bendice las aguas viajeras. Cuéntale cómo se arrodillan en el Malecón y descríbele la feria —los quioscos, los toldos, los helados, los pregones—, nómbrale a los dichosos principales que se avientan con sus caballos a la corriente y disparan al aire y también a los gallinazos y mangaches que se bañan en calzoncillos, y a los valientes que se zambullen desde el Viejo Puente. Y dile cómo el río es río ahora, y cómo día y noche pasa hacia Catacaos, espeso y sucio. También quién es Angélica Mercedes, que será su amiga, y los platos que le hará, tú los que más te guste, Toñita, picantes, chupes, secos y piqueos, y hasta clarito, pero no quiero que te emborraches. Y no olvides el arpa, tú cada noche una serenata para ti solita. Háblale al oído, siéntala en tus rodillas, no la fuerces, ten paciencia, acaríciala apenas o mejor respírala sin tocarla, sin prisa, suavemente espera que busque tus labios. Y háblale siempre, al oído, con ternura, el peso de su cuerpo es leve y de su piel mana un perfume tibio, toca los vellos de sus brazos como las cuerdas del arpa. Háblale, murmúrale, descálzala con delicadeza, besa sus pies y ahí, de nuevo, claros y morosos, sus talones, la curva de su empeine, sus pequeños dedos ligeros en tu boca, su risa fresca en la penumbra. Ríe también, ¿te hago cosquillas?, bésala todo el tiempo, ahí sus tobillos tan delgados y sus rodillas duras y redondas. Tiéndela entonces con cuidado, acomódala, y muy lentamente, muy dulcemente, abre su blusa y tócala, ¿su cuerpo se endurece?, suéltala, tócala de nuevo, y háblale, la quieres, la mimarás como a una churre, vivirás para ella, no la estrujes, no la muerdas, cíñela apenas, guía su mano, hasta su falda, que ella misma la desabotone. Tú yo te ayudo, Toñita, yo te la saco, muchachita y tiéndete a su lado. Dile qué sientes, qué son sus senos, tú dos conejitos, bésalos, los quieres, los veías en sueños, en las noches entraban a la torre blancos y brincando, ibas a cogerlos y ellos escapaban, tú pero son más dulces y más vivos y ahí, la discreta penumbra, el aleteo de las cortinas, las borrosas siluetas de los objetos, y la tersura y el resplandor inmóvil de su cuerpo. Una y otra vez alísalo y dile tus rodillas son, y tus caderas son, y tus hombros son, y lo que sientes, y que la quieres, siempre que la quieres. Tú Toñita, muchachita, churre, y estréchala contra ti, ahora sí busca sus muslos, sepáralos con timidez, sé cuidadoso, sé obediente, no la apremies, bésala y retírate, vuelve a besarla, sosiégala y, mientras, siente cómo tu mano se humedece y su cuerpo se abandona y despliega, la perezosa modorra que la invade y cómo se activa su aliento y sus brazos te llaman, siente cómo la torre comienza a andar, a abrasarse, a desaparecer entre dunas calientes. Dile eres mi mujer, no llores, no te abraces a mí como si fueras a morir, dile empiezas a vivir y ahora distráela, juega con ella, seca sus mejillas, cántale, arrúllala, dile que duerma, tú seré tu almohada, Toñita, velaré tu sueño.

El Gobernador da tres suaves toques con los nudillos, la puerta de la Residencia se abre: el rostro rosado de la Madre Griselda porfía por sonreír a Julio Reátegui, pero sus ojos se desvían llenos de azoro hacia la Plaza de Santa María de Nieva y su boca tiembla. El Gobernador entra, la chiquilla lo sigue dócilmente. Avanzan por un sombreado pasadizo hacia el despacho de la Superiora y el vocerío del pueblo es ahora apagado y lejano, como el bullicio de los domingos, cuando las pupilas bajan al río. En el despacho, el Gobernador se deja caer en una de las sillas de lona. Suspira con alivio, cierra los ojos. La chiquilla permanece en la puerta, la cabeza gacha, pero un momento después, al entrar la Superiora, corre hacia Julio Reátegui, Madre, que se ha incorporado: buenos días. La Superiora le responde con una sonrisa glacial, le indica con la mano que vuelva a sentarse y ella queda de pie, junto al escritorio. Le había dado pena verla hecha una salvajita en Urakusa, Madre, con los ojos inteligentes que tenía, Julio Reátegui pensaba que en la Misión podrían educarla, ¿había hecho bien? Muy bien, don Julio, y la Superiora habla como sonríe, fría y distante, sin mirar a la chiquilla: para eso estaban ellas aquí. No entendía nada de español, Madre, pero lo aprendería pronto, era muy viva y no les había dado ninguna molestia en todo el viaje. La Superiora lo escucha con atención, tan inmóvil como el crucifijo de madera clavado en la pared y, cuando Julio Reátegui calla, ella no asiente ni pregunta, espera con sus manos enlazadas sobre el hábito y la boca levemente fruncida, Madre: entonces se la dejaba. Julio Reátegui se pone de pie, tenía que irse ahora, y sonríe a la Superiora. Había sido muy penoso todo esto, muy pesado, tuvieron lluvias e inconvenientes de toda clase, y todavía no podía ir a acostarse como le hubiera gustado, los amigos habían preparado un almuerzo y si no iba se resentirían, la gente era tan susceptible. La Superiora estira la mano y en ese instante el ruido aumenta de volumen, unos segundos resuena muy próximo, como si exclamaciones, y gritos no subieran desde la Plaza sino estallaran en la huerta, en la capilla. Luego disminuye y continúa como antes, moderado, difuso, inofensivo, y la Superiora pestañea una vez, se detiene antes de llegar a la puerta, se vuelve hacia el Gobernador, don Julio, sin sonreír, pálida, los labios húmedos: el Señor tendría en cuenta lo que hacía por esta niña, la voz apenada, ella sólo quería recordarle que un cristiano debe saber perdonar. Julio Reátegui asiente, inclina un poco la cabeza, cruza los brazos, su postura es a la vez grave, mansa y solemne, don Julio: que lo hiciera por Dios. La Superiora habla con calor ahora, y también por su familia, y sus mejillas se han encendido, don Julio, por su esposa que era tan buena y tan piadosa. El Gobernador asiente de nuevo, ¿no era un pobre hombre acaso, un infeliz?, el rostro cada vez más preocupado, ¿acaso había recibido educación?, su mano izquierda acaricia reflexivamente la mejilla, ¿sabía lo que hacía?, y han brotado unos pliegues en su frente. La chiquilla los mira de soslayo, entre sus pelos brillan sus ojos, asustadizos, verdes y salvajes: a él le dolía más que a nadie, Madre. El Gobernador habla sin levantar la voz, era algo que iba contra su naturaleza y contra sus ideas, con cierta pesadumbre, pero no se trataba de él que ya se iba de Santa María de Nieva, sino de los que se quedaban, Madre, de Benzas, de Escabino, de Águila, de ella, de las pupilas y de la Misión: ¿no quería que ésta fuera una tierra habitable, Madre? Pero un cristiano tenía otras armas para poner remedio a las injusticias, don Julio, ella sabía que él tenía buenos sentimientos, no podía estar de acuerdo con esos métodos. Que tratara de hacerlos entrar en razón, aquí le obedecían todos, que no hicieran eso con el desdichado. Iba a decepcionarla, Madre, lo sentía mucho pero él también pensaba que era la única manera. ¿Otras armas? ¿Las de los misioneros, Madre? ¿Cuántos siglos estaban aquí? ¿Cuánto se había avanzado con esas armas? Sólo se trataba de evitar lamentaciones futuras, Madre, ese forajido y su gente habían golpeado bárbaramente a un cabo de Borja, matado a un recluta, estafado a don Pedro Escabino y, de golpe, la Superiora no, niega con cólera, no, no, eleva la voz: la venganza era inhumana, cosa de salvajes, y eso es lo que estaban haciendo ellos con el desdichado. ¿Por qué no juzgarlo? ¿Por qué no a la cárcel? ¿No se daba cuenta que era horrible, que no se podía tratar así a un ser humano? No era venganza, ni siquiera era un castigo, Madre, y Julio Reátegui baja la voz y acaricia con la punta de los dedos los pelos sucios de la chiquilla: se trataba de prevenir. Lo entristecía irse de aquí dejando ese mal recuerdo en la Misión, Madre, pero era necesario, por el bien de todos. Él tenía cariño a Santa María de Nieva, la Gobernación lo había hecho descuidar sus asuntos, perder dinero, pero no se arrepentía, Madre, ¿cierto que había hecho progresar al pueblo? Ahora había autoridades, pronto se instalaría un puesto de Guardia Civil, la gente viviría en paz, Madre: eso no podía perderse. La Misión era la primera en agradecerle lo que había hecho por Santa María de Nieva, don Julio, ¿pero qué cristiano podía comprender que mataran a un pobre infeliz? ¿Qué culpa tenía él que nadie le enseñara lo bueno y lo malo? No iban a matarlo, Madre, tampoco lo mandarían a la cárcel, era seguro que él prefería también esto a que lo metieran preso. No le tenían odio, Madre, sólo querían que los aguarunas aprendieran eso, qué era bueno y qué era malo, si sólo entendían así no era culpa de ellos, Madre. Quedan en silencio unos segundos, luego el Gobernador da la mano a la Superiora, sale y la chiquilla lo sigue pero apenas da unos pasos, la Superiora la coge del brazo y ella no intenta zafarse, sólo baja la cabeza, don Julio, ¿tenía nombre?, porque había que bautizarla. ¿La niña, Madre? No sabía, de todos modos no tendría un nombre cristiano, que ellas le buscaran uno. Hace una venia, sale de la Residencia, cruza a trancos el patio de la Misión y baja muy rápido el sendero. Al llegar a la Plaza mira Jum: las manos atadas sobre la cabeza, cuelga como una plomada de las capironas y entre sus pies suspendidos en el vacío y las cabezas de los mirones hay un metro de luz. Benzas, Águila, Escabino ya no están allí, sólo el cabo Roberto Delgado, unos soldados, y aguarunas viejos y jóvenes reunidos en un grupo compacto. El cabo ya no vocifera, Jum está callado también. Julio Reátegui observa el embarcadero: las lanchas se balancean vacías, ya terminaron de descargar. El sol es crudo, vertical, de un amarillo casi blanco. Reátegui da unos pasos hacia la Gobernación, pero al pasar ante las capironas se detiene y vuelve a mirar. Sus dos manos prolongan la visera del casco y aun así los rayos agresivos hincan sus ojos. Sólo se divisa su boca, ¿está desmayado?, que parece abierta, ¿lo ve a él?, ¿va a gritar piruanos otra vez?, ¿va a insultar de nuevo al cabo? No, no grita nada, a lo mejor tampoco tiene la boca abierta. La posición en que se halla ha sumido su estómago y alargado su cuerpo, se diría un hombre delgado y alto, no el pagano fortachón y ventrudo que es. Algo extraño transpira de él, así como está, quieto y aéreo, convertido por el sol en una esbelta forma incandescente. Reátegui sigue andando, entra a la Gobernación, el humo espesa la atmósfera, tose, estrecha algunas manos, abraza y lo abrazan. Se oyen bromas y risas, alguien pone en sus manos un vaso de cerveza. Lo bebe de un trago y se sienta. A su alrededor hay diálogos, cristianos que transpiran, don Julio, les iba a hacer falta, lo iban a extrañar. Él también, mucho, pero ya era tiempo que volviera a ocuparse de sus cosas, tenía descuidado todo, las plantaciones, el aserradero, el hotelito de Iquitos. Aquí había perdido plata, amigos, y también envejecido. No le gustaba la política, su elemento era el trabajo. Manos solícitas llenan su vaso, lo palmean, reciben su casco, don Julio, toda la gente había venido a festejarlo, hasta los que vivían al otro lado del Pongo. Estaba cansado, Arévalo, dos noches que no dormía y le dolían los huesos. Se seca la frente, el cuello, las mejillas. A ratos, Manuel Águila y Pedro Escabino se apartan y, entre los dos cuerpos, aparece la rejilla metálica de la ventana, a lo lejos las capironas de la Plaza. ¿Están allí los curiosos todavía o ya los ahuyentó el calor? No se divisa a Jum, su cuerpo terroso se ha disuelto en chorros de luz o se confunde con la cobriza corteza de los troncos, amigos: que no se les muriera. Para que fuera un buen escarmiento, el pagano tenía que regresar a Urakusa y contar a los otros lo que había pasado. No se moriría, don Julio, hasta le haría bien asolearse un poco: ¿Manuel Águila? Que no dejara de pagarle la mercadería, don Pedro, que no se dijera que hubo abusos, sólo habían puesto las cosas en su sitio. Por supuesto, don Julio, les pagaría la diferencia a esos zamarros, Escabino lo único que pedía era hacer comercio con ellos, como antes. ¿Seguro que el tal don Fabio Cuesta era hombre de confianza, don Julio?:

¿Arévalo Benzas? Si no fuera, no lo habría hecho nombrar. Hacía años que trabajaba con él, Arévalo. Un hombre un poco apático, pero leal y servicial como pocos, se llevarían bien con don Fabio, les aseguraba. Ojalá que no hubiera más líos, era terrible el tiempo que se perdía, y Julio Reátegui estaba ya mejor, amigos: cuando entró se sintió como mareado. ¿No sería hambre, don Julio? Mejor ir a almorzar de una vez, el capitán Quiroga los estaba esperando. Y a propósito, ¿qué tal gente ese capitán, don Julio? Tenía sus debilidades, como cualquier ser humano, don Pedro: pero, en general, buena gente.

V
Historias de familia

La tía Julia y el escribidor

Dos historias discurren paralelas en esta novela en rigurosa concordancia con los dos elementos que enuncia el título: la historia de los amores del joven Vargas Llosa, 18 años —«Varguitas» en el texto—, y la historia de las aventuras, gradualmente delirantes, del escribidor Pedro Camacho, que consigue una enorme popularidad con sus seriales de radioteatro. El nexo de unión entre ambos elementos lo constituye el trabajo del futuro novelista en la misma emisora de radio para la que el escribidor urde sus seriales, sus «radioteatros», y a quien el escritor en ciernes llega a sustituir cuando aquél alcanza un deterioro mental irreversible, que es patente, por lo demás, en sus propias narraciones integradas en la novela. La misma estructura de ésta se rige por una construcción alternativa, en la que la crónica de los amores de «Varguitas» y su tía da, sucesivamente, paso a la voz del escribidor, cuyas demenciales (y divertidas) historias el lector puede leer risueñamente.

Si esta parte de la novela es puramente imaginaria, no sucede así con la otra, la de la tía Julia, que reproduce con bastante fidelidad las vicisitudes del noviazgo y boda de M. V. Ll. con Julia Urquidi Illanes, su tía. Estas relaciones encontraron la oposición familiar, que finalmente se rindieron ante la evidencia. El matrimonio duró algún tiempo. El último capítulo de la novela, situado años más tarde, refiere el encuentro, en los locales de una revista de información general, del escritor con el escribidor, que aparece ahora dedicado a la crónica de sucesos, convertido en el bufón del director de la publicación, lejana ya la efímera gloria que le proporcionaron sus seriales.

Textos seleccionados

(1) Primeros escarceos con la tía Julia.
(2) Trámites, gestiones y maniobras para el casamiento.
(3) Tras el matrimonio, celebrado en la alcaldía de un pueblo cercano a Lima, que obligó a falsificar la partida de nacimiento del escritor por

ser menor de edad y carecer de la autorización paterna, surge la oposición familiar, en especial la del padre, que está dispuesto a expulsar del país a Julia. Ésta marcha a Chile y «Varguitas» sobrevive con empleos varios, entre ellos el de sustituir a Camacho. Tensa entrevista con el padre y reconciliación. La tía Julia vuelve.

Elogio de la madrastra

El texto narra la relación amorosa que se establece entre un niño, apenas un adolescente, Fonchito, y su madrastra, doña Lucrecia, que destruye el matrimonio al enterarse el padre y marido, don Rigoberto. La narración propiamente dicha se concentra en ocho de los catorce capítulos del libro; los seis restantes ilustran la historia mediante la aproximación a la fábula, al mito, aproximación que cuenta además con el apoyo de seis obras pictóricas (que se reprodujeron en la primera edición), pertenecientes a diversos autores, de fra Angélico a Bacon.

Textos seleccionados

(Texto único) Conversación entre don Rigoberto y Fonchito. El padre descubre la relación existente entre su hijo y su mujer por un ejercicio escolar de composición del niño. El ejercicio se titula «Elogio de la madrastra».

(1)

Nunca había ido al Grill Bolívar y me pareció el lugar más refinado y elegante del mundo, y la comida la más exquisita que había probado jamás. Una orquesta tocaba boleros, pasodobles, blues, y la estrella del show era una francesa, blanca como la leche, que recitaba acariciadoramente sus canciones mientras daba la impresión de masturbar el micro con las manos, y a la que el tío Lucho, de un buen humor que crecía con las copas, vitoreaba en una jerigonza que él llamaba francés: «¡Vravoooo! ¡Vravoooo mamuasel cherí!». El primero en lanzarse a bailar fui yo, que arrastré a la tía Olga a la pista, ante mi propia sorpresa, pues no sabía bailar (estaba entonces firmemente convencido de que una vocación literaria era incompatible con el baile y los deportes), pero, felizmente, había mucha gente, y, en la apertura y penumbra, nadie pudo advertirlo. La tía Julia, a su vez, hacía pasar un mal rato al tío Lucho obligándolo a bailar separado de ella y haciendo figuras. Ella bailaba bien y las miradas de muchos señores la seguían.

La pieza siguiente saqué a la tía Julia y la previne que no sabía bailar, pero, como tocaban un lentísimo blue, desempeñé mi función con decoro. Bailamos un par de piezas y nos fuimos alejando insensiblemente de la mesa del tío Lucho y la tía Olga. En el instante en que, terminada la música, la tía Julia hacía un movimiento para apartarse de mí, la retuve y la besé en la mejilla, muy cerca de los labios. Me miró con asombro, como si presenciara un prodigio. Había cambio de orquesta y debimos regresar a la mesa. Allí, la tía Julia se puso a hacer bromas al tío Lucho sobre los cincuenta años, edad a partir de la cual los hombres se volvían viejos verdes. A ratos me lanzaba una rápida ojeada, como para verificar si yo estaba realmente ahí, y en sus ojos se podía leer clarísimo que todavía no le cabía en la cabeza que la hubiera besado. La tía Olga estaba ya cansada y quería que nos fuéramos, pero yo insistí en bailar una pieza más. «El intelectual se corrompe», constató el tío Lucho y arrastró a la tía Olga a bailar la pieza del estribo. Yo saqué a la tía Julia y mientras bailábamos ella permanecía (por primera vez) muda. Cuando, entre la masa de parejas, el tío Lucho y la tía Olga quedaron distanciados, la estreché un poco contra mí y le junté la mejilla. La oí murmurar, confusa: «Oye, Marito...», pero la interrumpí diciéndole al oído: «Te prohíbo que me vuelvas a llamar Marito.» Ella separó un poco la cara para mirarme e intentó sonreír, y entonces, en una acción casi mecánica, me incliné y la besé en los labios. Fue un contacto muy rápido pero no lo esperaba y la sorpresa hizo que esta vez dejara un momento de bailar. Ahora su estupefacción era total: abría los ojos y estaba con la boca abierta. Cuando terminó la pieza, el tío Lucho pagó la cuenta y nos fuimos. En el trayecto a Miraflores —íbamos los dos en el asiento de atrás— cogí la mano de la tía Julia, la apreté con ternura y la mantuve entre las mías. No la retiró, pero se la notaba aún sorprendida y no abría la boca. Al bajar, en casa de los abuelos, me pregunté cuántos años mayor que yo sería.

(2)

La primera persona a la que hablé de mi propuesta de matrimonio a la tía Julia no fue Javier sino mi prima Nancy. La llamé, luego de la conversación telefónica con la tía Julia, y le propuse que fuéramos al cine. En realidad fuimos a El Patio, un café-bar de la calle San Martín, en Miraflores, donde solían reunirse los luchadores que Max Aguirre, el promotor del Luna Park, traía a Lima. El local —una casita de un piso, concebida como vivienda de clase media, a la que las funciones de bar notoriamente irritaban— estaba vacío, y pudimos conversar tranquilos, mientras yo tomaba la décima taza de café del día y la flaca Nancy una Coca-Cola.

Apenas nos sentamos, comencé a maquinar en qué forma podía dorarle la noticia. Pero fue ella la que se adelantó a darme novedades. La víspera había habido una reunión en casa de la tía Hortensia, a la que habían concurrido una docena de parientes, para tratar «el asunto». Allí se había decidido que el tío Lucho y la tía Olga le pidieran a la tía Julia regresar a Bolivia.

—Lo han hecho por ti —me explicó la flaca Nancy—. Parece que tu papá está hecho una fiera y ha escrito una carta terrible.

Los tíos Jorge y Lucho, que me querían tanto, estaban ahora inquietos por el castigo que podía infligirme. Pensaban que si la tía Julia había ya partido cuando él llegara a Lima, se aplacaría y no sería tan severo.

—La verdad es que ahora esas cosas no tienen importancia —le dije, con suficiencia—. Porque le he pedido a la tía Julia que se case conmigo.

Su reacción fue llamativa y caricatural, le ocurrió algo de película. Estaba tomando un trago de Coca-Cola y se atoró. Le vino un acceso de tos francamente ofensivo y se le llenaron los ojos de lágrimas.

—Déjate de payasadas, pedazo de tonta —la reñí, muy enojado—. Necesito que me ayudes.

—No me atoré por eso sino porque el líquido se me fue por otro lado —balbuceó mi prima, secándose los ojos y todavía carraspeando. Y, unos segundos después, bajando la voz, añadió: —Pero si eres un bebe. ¿Acaso tienes plata para casarte? ¿Y tu papá? ¡Te va a matar!

Pero, instantáneamente, ganada por su terrible curiosidad, me acribilló a preguntas sobre detalles en los que yo no había tenido tiempo de pensar: ¿La Julita había aceptado? ¿Íbamos a escaparnos? ¿Quiénes iban a ser los testigos? ¿No podíamos casarnos por la Iglesia porque ella era divorciada, no es cierto? ¿Dónde íbamos a vivir?

—Pero, Marito —repitió al final de su cascada de preguntas, asombrándose de nuevo—. ¿No te das cuenta que tienes dieciocho años?

Se echó a reír y yo también me eché a reír. Le dije que tal vez tenía razón, pero que ahora se trataba de que me ayudara a poner ese proyecto en práctica. Nos habíamos criado juntos y revueltos, nos queríamos mucho, y yo sabía que en cualquier caso estaría de mi lado.

—Claro que si me lo pides te voy a ayudar, aunque sea a hacer locuras y aunque me maten contigo —me dijo al fin—. A propósito, ¿has pensado en la reacción de la familia si de verdad te casas?

De muy buen humor, estuvimos un rato jugando a qué dirían y qué harían los tíos y las tías, los primos y las primas cuando se enfrentaran a la noticia. La tía Hortensia lloraría, la tía Jesús iría a la iglesia, el tío Javier pronunciaría su clásica exclamación (¡Qué desvergüenza!), y el benjamín de los primos, Jaimito, que tenía tres años y ceceaba, preguntaría qué era casarse, mamá. Terminamos riéndonos a carcajadas, con una risa nerviosa que hizo venir a los mozos a averiguar cuál era el chiste. Cuando nos calmamos, la flaca Nancy había aceptado ser nuestra espía, comunicarnos todos los movimientos e intrigas de la familia. Yo no sabía cuántos días me tomarían los preparativos y necesitaba estar al tanto de qué tramaban los parientes. De otro lado, haría de mensajera con la tía Julia y, de tanto en tanto, la sacaría a la calle para que yo pudiera verla.

—Okey, okey —asintió Nancy—. Seré la madrina. Eso sí, si algún día me hace falta, espero que se porten igualito.

Cuando estábamos ya en la calle, caminando hacia su casa, mi prima se tocó la cabeza:

—Qué suerte tienes —se acordó—. Te puedo conseguir justo lo que te hace falta. Un departamento en una quinta de la calle Porta. Un solo cuarto, su cocinita y su baño, lindísimo, de juguete. Y apenas quinientos al mes.

Se había desocupado hacía unos días y una amiga suya lo estaba alquilando; ella le podía hablar. Quedé maravillado con el sentido práctico de mi prima, capaz de pensar en ese momento en el problema terrestre de la vivienda en tanto que yo andaba extraviado en la estratosfera romántica del problema. Por lo demás, quinientos soles estaban a mi alcance. Ahora sólo necesitaba ganar más dinero «para los lujos» (como decía el abuelito). Sin pensarlo dos veces, le pedí que le dijera a su amiga que le tenía un inquilino.

Después de dejar a Nancy, corrí a la pensión de Javier en la avenida 28 de Julio, pero la casa estaba a oscuras y no me atreví a despertar a la dueña, que era malhumorada. Sentía una gran frustración pues tenía necesidad de contarle a mi mejor amigo mi gran proyecto y escuchar sus consejos. Esa noche dormí un sueño sobresaltado de pesadillas. Tomé desayuno al alba, con el abuelo, que se levantaba siempre con la luz, y corrí a la pensión. Encontré a Javier cuando salía. Caminamos hacia la avenida Larco, para tomar el colectivo a Lima. La noche anterior, por primera vez en su vida, había escuchado completo un capítulo de una radionovela de Pedro Camacho, junto con la dueña y los otros pensionistas, y estaba impresionado.

—La verdad que tu compinche Camacho es capaz de cualquier cosa —me dijo—. ¿Sabes qué pasó anoche? Una pensión vieja de Lima, una familia pobretona bajada de la sierra. Estaban en medio del almuerzo, conversando, y, de repente, un terremoto. Tan bien hecha la tembladera de vidrios y puertas, el griterío, que nos paramos y la señora Gracia salió corriendo hasta el jardín...

Me imaginé al genial Batán roncando para imitar el eco profundo de la tierra, reproduciendo con ayuda de sonajas o de bolitas de vidrio que frotaba junto al micrófono la danza de los edificios y casas de Lima, y con los pies rompiendo nueces o chocando piedras para que se escucharan los crujidos de techos y paredes al cuartearse, de las escaleras al rajarse y desplomarse, mientras Josefina, Luciano y los otros actores se asustaban, rezaban, aullaban de dolor y pedían socorro bajo la mirada vigilante de Pedro Camacho.

—Pero el terremoto es lo de menos —me interrumpió Javier, cuando le contaba las proezas de Batán—. Lo bueno es que la pensión se vino abajo y todos murieron apachurrados. No se salvó ni uno de muestra, aunque te parezca mentira. Un tipo capaz de matar a todos los personajes de una historia, de un terremoto, es digno de respeto.

Habíamos llegado al paradero de los colectivos y no pude aguantar más. Le conté en cuatro palabras lo que había ocurrido la víspera y mi gran decisión. Se hizo el que no se sorprendía:

—Bueno, tú también eres capaz de cualquier cosa —dijo, moviendo la cabeza compasivamente. Y un momento después:— ¿Seguro que quieres casarte?

—Nunca he estado tan seguro de nada en la vida —le juré.

En ese momento ya era verdad. La víspera, cuando le había pedido a la tía Julia que se casara conmigo, todavía tenía la sensación de algo irreflexivo, de una pura frase, casi de una broma, pero ahora, después de haber hablado con Nancy, sentía una gran seguridad. Me parecía estar comunicándole una decisión inquebrantable, largamente meditada.

—Lo cierto es que estas locuras tuyas terminarán por llevarme a la cárcel —comentó Javier, resignado, en el colectivo. Y luego de unas cuadras, a la altura de la avenida Javier Prado:— Te queda poco tiempo. Si tus tíos le han pedido a Julia que se vaya, no puede seguir con ellos muchos días más. Y la cosa tiene que estar hecha antes de que llegue el cuco, pues con tu padre acá será difícil.

Estuvimos callados un rato, mientras el colectivo iba caleteando en las esquinas de la avenida Arequipa, dejando y recogiendo pasajeros. Al pasar frente al Colegio Raimondi, Javier volvió a hablar, ya totalmente posesionado del problema:

—Vas a necesitar plata. ¿Qué vas a hacer?

—Pedir un adelanto en la Radio. Vender todo lo viejo que tengo, ropa, libros. Y empeñar mi máquina de escribir, mi reloj, en fin, todo lo que sea empeñable. Y empezar a buscar otros trabajos, como loco.

—Yo también puedo empeñar algunas cosas, mi radio, mis lapiceros, y mi reloj, que es de oro —dijo Javier. Entrecerrando los ojos y haciendo sumas con los dedos, calculó:— Creo que te podré prestar unos mil soles.

Nos despedimos en la Plaza San Martín y quedamos en vernos al mediodía, en mi altillo de Panamericana. Conversar con él me había hecho bien y llegué a la oficina de buen humor, muy optimista. Leí los periódicos, seleccioné las noticias, y, por segunda vez, Pascual y el Gran Pablito encontraron los primeros boletines terminados. Desgraciadamente, ambos estaban ahí cuando llamó la tía Julia y estropearon la conversación. No me atreví a contarle delante de ellos que había hablado con Nancy y con Javier.

—Tengo que verte hoy día mismo, aunque sea unos minutos —le pedí—. Todo está caminando.

—De repente se me ha venido el alma a los pies —me dijo la tía Julia—. Yo que siempre he sabido ponerle buena cara al mal tiempo, ahora me siento hecha un trapo.

Tenía una buena razón para venir al centro de Lima sin despertar sospechas: reservar en las oficinas del Lloyd Aéreo Boliviano su vuelo a La Paz. Pasaría por la Radio a eso de las tres. Ni ella ni yo mencionamos el tema del matrimonio, pero a mí me produjo angustia oírla hablar de aviones. Inmediatamente después de colgar el teléfono, fui a la Municipalidad de Lima, a averiguar qué se necesitaba para el matrimonio civil. Tenía un compañero que trabajaba allá y él me hizo las averiguaciones, creyendo que eran para un pariente que iba a casarse con una extranjera divorciada. Los requisitos resultaron alarmantes. La tía Julia tenía que presentar su partida de nacimiento y la sentencia de divorcio legalizada por los Ministerios de Relaciones Exteriores de Bolivia y del Perú. Yo, mi partida de nacimiento. Pero, como era menor de edad, necesitaba autorización notarial de mis padres para contraer matrimonio o ser «emancipado» (declarado mayor de edad) por ellos, ante el juez de menores. Ambas posibilidades estaban descartadas.

Salí de la Municipalidad haciendo cálculos; sólo conseguir la legalización de los papeles de la tía Julia, suponiendo que los tuviera en Lima, tomaría semanas. Si no los tenía y debía pedirlos a Bolivia, a la Municipalidad y Juzgado respectivos, meses. ¿Y en cuanto a mi partida de nacimiento? Yo había nacido en Arequipa y escribirle a algún pariente de allá que me la mandara tomaría también tiempo (además de ser riesgoso). Las dificultades se levantaban una tras otra, como desafíos, pero, en vez de disuadirme, reforzaban mi decisión (desde chico había sido muy porfiado). Cuando estaba a medio camino de la Radio, a la altura de «La Prensa», de pronto, en un rapto de inspiración, cambié de rumbo, y, casi a la carrera, me dirigí al Parque Universitario, donde llegué sudando. En la Secretaría de la Facultad de Derecho, la señora Riofrío, encargada de hacernos saber las notas, me recibió con su expresión maternal de siempre y escuchó llena de benevolencia la complicada historia que le conté, de trámites judiciales urgentes, de una oportunidad única de conseguir un trabajo que me ayudaría a costear mis estudios.

—Está prohibido por el reglamento —se quejó, levantando su apacible humanidad del apolillado escritorio y avanzando, conmigo al lado, hacia el archivo—. Como tengo buen corazón, ustedes abusan. Un día voy a perder mi puesto por hacer estos favores y nadie levantará un dedo por mí.

Le dije, mientras ella escarbaba los expedientes de alumnos, levantando nubecillas de polvo que nos hacían estornudar, que si algún día ocurriera eso, la Facultad se declararía en huelga. Encontró por fin mi expediente, donde, en efecto, figuraba mi partida de nacimiento y me advirtió que me la prestaba sólo media hora. Apenas necesité quince minutos para sacar dos fotocopias en una librería de la calle Azángaro y devolverle una de ellas a la señora Riofrío. Llegué a la Radio exultante, sintiéndome capaz de pulverizar a todos los dragones que me salieran al encuentro.

Estaba sentado en mi escritorio, después de redactar otros dos boletines y haber entrevistado para El Panamericano al Gaucho Guerrero (un fondista argentino, naturalizado peruano, que se pasaba la vida batiendo su propio récord; corría alrededor de una plaza, días y noches, y era capaz de comer, afeitarse, escribir y dormir mientras corría), descifrando, tras la prosa burocrática de la partida, algunos detalles de mi nacimiento —había nacido en el Bulevard Parra, mi abuelo y mi tío Alejandro habían ido a la

Alcaldía a participar mi llegada al mundo— cuando Pascual y el Gran Pablito, que entraban al altillo, me distrajeron. Venían hablando de un incendio, muertos de risa con los ayes de las víctimas al ser achicharradas. Traté de seguir leyendo la abstrusa partida, pero los comentarios de mis redactores sobre los guardias civiles de esa Comisaría del Callao rociada de gasolina por un pirómano demente, que habían perecido todos carbonizados, desde el comisario hasta el último soplón e incluso el perro mascota, me distrajeron de nuevo.

—He visto todos los periódicos y se me ha pasado, ¿dónde la han leído? —les pregunté. Y a Pascual:— Cuidadito con dedicar todos los boletines de hoy al incendio. —Y a los dos:— Qué tal par de sádicos.

—No es una noticia, sino el radioteatro de las once —me explicó el Gran Pablito—. La historia del sargento Lituma, el terror del hampa chalaca.

—Él también se volvió chicharrón —encadenó Pascual—. Hubiera podido salvarse, estaba saliendo a hacer su ronda, pero regresó para salvar a su capitán. Su buen corazón lo fregó.

—Al capitán no, a la perra Choclito —lo rectificó el Gran Pablito.

—Eso nunca quedó claro —dijo Pascual—. Le cayó una de las rejas del calabozo encima. Si lo hubiera visto a don Pedro Camacho mientras se quemaba. ¡Qué actorazo!

—Y qué decir de Batán —se entusiasmó el Gran Pablito, generosamente—. Si me hubieran jurado que con dos dedos se podía hacer cantar un incendio, no me lo hubiera creído. ¡Pero lo han visto estos ojos, don Mario!

Interrumpió esta charla la llegada de Javier. Fuimos a tomar el consabido café al Bransa y allí le resumí mis averiguaciones y le mostré triunfalmente mi partida de nacimiento.

—He estado pensando y tengo que decirte que es una estupidez que te cases —me soltó de entrada, un poco incómodo—. No sólo porque eres un mocoso, sino, sobre todo, por el asunto plata. Vas a tener que romperte el alma trabajando en cojudeces para poder comer.

—O sea que tú también vas a repetirme las cosas que me van a decir mi mamá y mi papá —me burlé de él—. ¿Que por casarme voy a interrumpir mis estudios de Derecho? ¿Que nunca llegaré a ser un gran jurisconsulto?

—Que por casarte no vas a tener tiempo ni de leer —me contestó Javier—. Que por casarte no llegarás nunca a ser un escritor.

—Nos vamos a pelear si sigues por ese camino —le advertí.

—Bueno, entonces me meto la lengua al bolsillo —se rió—. Ya cumplí con mi conciencia, adivinándote el porvenir. Lo cierto es que si la flaca Nancy quisiera, yo también me casaría hoy mismo. ¿Por dónde empezamos?

—Como no hay forma de que mis padres me autoricen al matrimonio o me emancipen, y como es posible que tampoco Julia tenga todos los papeles que hacen falta, la única solución es encontrar un alcalde buena gente.

—Querrás decir un alcalde corrompible —me corrigió. Me examinó como a un escarabajo:— ¿Pero a quién puedes corromper tú, muerto de hambre?

—Algún alcalde un poco despistado —insistí—. Uno al que se le pueda contar el cuento del tío.

—Bueno, pongámonos a buscar ese cacaseno descomunal capaz de casarte contra todas las leyes existentes. —Se echó a reír de nuevo—. Lástima que Julita sea divorciada, te hubieras casado por la Iglesia. Eso era fácil, entre los curas abundan los cacasenos.

(3)

Javier nos llamó por teléfono desde Lima a las siete de la mañana. La comunicación era pésima, pero ni los zumbidos ni las vibraciones que la interferían disimulaban lo alarmada que estaba su voz.

—Malas noticias —me dijo, de entrada—. Montones de malas noticias.

A unos cincuenta kilómetros de Lima, el colectivo donde él y Pascual regresaban la víspera, se salió de la carretera y dio una vuelta de campana en el arenal. Ninguno de los dos se hirió, pero el chófer y otro pasajero habían sufrido contusiones serias; fue una pesadilla conseguir, en plena noche, que algún auto se detuviera y les echara una mano. Javier había llegado a su pensión molido de fatiga. Allí recibió un susto todavía mayor. En la puerta lo esperaba mi padre. Se le había acercado, lívido, le había mostrado un revólver, lo había amenazado con pegarle un tiro si no revelaba al instante dónde estábamos yo y la tía Julia. Muerto de pánico («Hasta ahora sólo había visto revólveres en película, compadre») Javier le juró y requetejuró por su madre y por todos los santos que no lo sabía, que no me veía hacía una semana. Por último, mi padre se había calmado algo y le había dejado una carta, para que me la entregara en persona. Aturdido con lo que acababa de ocurrir, Javier («qué nochecita, Varguitas»), apenas se fue mi padre decidió hablar inmediatamente con el tío Lucho, para saber si mi familia materna había llegado también a esos extremos de rabia. El tío Lucho lo recibió en bata. Habían conversado cerca de una hora. Él no estaba colérico, sino apenado, preocupado, confuso. Javier le confirmó que estábamos casados con todas las de la ley y le aseguró que él también había tratado de disuadirme, pero en vano. El tío Lucho sugería que volviéramos a Lima cuanto antes, para coger al toro por los cuernos y tratar de arreglar las cosas.

—El gran problema es tu padre, Varguitas —concluyó su informe Javier—. El resto de la familia se irá conformando poco a poco. Pero él está echando chispas. ¡No sabes la carta que te ha dejado!

Lo reñí por leerse las cartas ajenas, y le dije que regresábamos a Lima de inmediato, que a mediodía pasaría a verlo a su trabajo o que lo llamaría por teléfono. Le conté todo a la tía Julia mientras se vestía, sin ocultarle nada, pero tratando de restar truculencia a los hechos.

—Lo que no me gusta nada es lo del revólver —comentó la tía Julia—. Supongo que a quien querrá pegarle un tiro será a mí, ¿no? Oye, Varguitas, espero que mi suegro no me mate en plena luna de miel. ¿Y lo del choque? ¡Pobre Javier! ¡Pobre Pascual! En qué lío los hemos metido con nuestras locuras.

No estaba asustada ni apenada en absoluto, se la veía muy contenta y resuelta a enfrentar todas las calamidades. Así me sentía yo también. Pagamos el hotel, fuimos a tomar un café con leche a la Plaza de Armas y media hora después estábamos otra vez en la carretera, en un viejo colectivo, rumbo a Lima. Casi todo el trayecto nos besamos, en la boca, en las mejillas, en las manos, diciéndonos al oído que nos queríamos y burlándonos de las miradas intranquilas de los pasajeros y del chófer que nos espiaba por el espejo retrovisor.

Llegamos a Lima a las diez de la mañana. Era un día gris, la neblina afantasmaba las casas y las gentes, todo estaba húmedo y uno tenía la sensación de respirar agua. El colectivo nos dejó en la casa de la tía Olga y el tío Lucho. Antes de tocar la puerta, nos apretamos con fuerza las manos, para darnos valor. La tía Julia se había puesto seria y yo sentí que el corazón se me apuraba.

Nos abrió el tío Lucho en persona. Hizo una sonrisa que le salió terriblemente forzada, besó a la tía Julia en la mejilla y me besó a mí también.

—Tu hermana está todavía en cama, pero ya despierta —le dijo a la tía Julia, señalando el dormitorio—. Entra, no más.

Él y yo fuimos a sentarnos a la salita desde la cual se veía el Seminario de los jesuitas, el Malecón y el mar, cuando no había neblina. Ahora sólo se distinguían, borrosas, la pared y la azotea de ladrillos rojos del Seminario.

—No te voy a jalar las orejas porque ya estás grande para que te jalen las orejas —murmuró el tío Lucho. Se lo veía realmente abatido, con señales de desvelo en la cara—. ¿Al menos sospechas en lo que te has metido?

—Era la única manera de que no nos separaran —le repuse, con las frases que tenía preparadas—. Julia y yo nos queremos. No hemos hecho ninguna locura. Lo hemos pensado y estamos seguros de lo que hicimos. Te prometo que vamos a salir adelante.

—Eres un mocoso, no tienes una profesión ni donde caerte muerto, tendrás que dejar la Universidad y romperte el alma para mantener a tu mujer —susurró el tío Lucho, prendiendo un cigarrillo, moviendo la cabeza—. Te has puesto la soga al cuello tú solito. Nadie se conforma, porque en la familia todos esperábamos que llegarías a ser alguien. Da pena ver que por un capricho te has zambullido en la mediocridad.

—No voy a dejar los estudios, voy a terminar la Universidad, voy a hacer las mismas cosas que hubiera hecho sin casarme —le aseguré yo, con ímpetu—. Tienes que creerme y hacer que la familia me crea. Julia me va a ayudar, ahora estudiaré, trabajaré con más ganas.

—Por lo pronto, hay que calmar a tu padre, que está fuera de sus casillas —me dijo el tío Lucho, ablandándose de golpe. Ya había cumplido con jalarme las orejas y ahora parecía dispuesto a ayudarme—. No entiende razones, amenaza con denunciar a Julia a la policía y no sé cuántas cosas.

Le dije que hablaría con él y procuraría que aceptara los hechos. El tío Lucho me miró de pies a cabeza: era una vergüenza que un flamante novio estuviera con la camisa sucia, debería ir a cambiarme y bañarme, y de paso tranquilizar a los abuelitos, que estaban muy inquietos. Conversamos todavía un rato, y hasta tomamos un café, sin que la tía Julia saliera del cuarto de la tía Olga. Yo afinaba el oído tratando de descubrir si había llanto, gritos, discusión. No, ningún ruido atravesaba la puerta. La tía Julia apareció por fin, sola. Venía arrebatada, como si hubiera tomado mucho sol, pero sonriendo.

—Por lo menos estás viva y enterita—dijo el tío Lucho—. Pensé que tu hermana te jalaría de las mechas.

—El primer momento casi me pega una cachetada —confesó la tía Julia, sentándose a mi lado—. Me ha dicho barbaridades, por supuesto. Pero parece que, a pesar de todo, puedo seguir en la casa, hasta que se aclaren las cosas.

Me paré y dije que tenía que ir a Radio Panamericana: sería trágico que, precisamente ahora, perdiera el trabajo. El tío Lucho me acompañó hasta la puerta, me dijo que volviera a almorzar, y cuando, al despedirme besé a la tía Julia, lo vi que sonreía.

Corrí a la bodega de la esquina a telefonear a mi prima Nancy y tuve la suerte de que ella misma contestara la llamada. Se le fue la voz al reconocerme. Quedamos en encontrarnos dentro de diez minutos en el Parque Salazar. Cuando llegué al parque, la flaquita estaba ya allí, muerta de curiosidad. Antes de que me contara nada, tuve que narrarle toda la aventura de Chincha y responder a innumerables preguntas suyas sobre detalles inesperados, como, por ejemplo, qué vestido se había puesto la tía Julia para el matrimonio. Lo que le encantó y celebró a carcajadas (pero no me creyó) fue la ligeramente distorsionada versión según la cual el alcalde que nos había casado era un pescador negro, semicalato y sin zapatos. Por fin, después de esto, conseguí que me informara cómo había recibido la noticia la familia. Había ocurrido lo previsible; ir y venir de casa a casa, conciliábulos efervescentes, telefonazos innumerables, copiosas lágrimas, y, al parecer, mi madre había sido consolada, visitada, acompañada, como si hubiera perdido a su único hijo. En cuanto a Nancy, la habían acosado a preguntas y amenazas, convencidos de que era nuestra aliada, para que dijera dónde estábamos. Pero ella había resistido, negando rotundamente, y hasta derramó unos lagrimones de cocodrilo que los hicieron dudar. También la flaca Nancy estaba inquiera con mi padre:

—No se te vaya a ocurrir verlo hasta que se le pase el colerón —me advirtió—. Está tan furioso que podría desaparecerte.

Le pregunté por el departamentito que había alquilado y me sorprendió otra vez con su sentido práctico. Esa misma mañana había hablado con la dueña. Tenían que arreglar el baño, cambiar una puerta y pintarlo, de modo que no estaría habitable antes de diez días. Se me cayó el alma a los pies. Mientras caminaba a casa de los abuelos, iba pensando dónde diablos podríamos refugiarnos esas dos semanas.

Sin haber resuelto el problema llegué a casa de los abuelitos y allí me encontré con mi madre. Estaba en la sala y, al verme, rompió en un llanto espectacular. Me abrazó con fuerza, y, mientras me acariciaba los ojos, las mejillas, me hundía los dedos en los cabellos, medio ahogada por los sollozos, repetía con infinita lástima: «Hijito, cholito, amor mío, qué te han hecho, qué ha hecho contigo esa mujer.» Hacía cerca de un año que no la veía y, pese al llanto que le hinchaba la cara, la encontré rejuvenecida y apuesta. Hice lo posible por calmarla, asegurándole que no me habían hecho nada, que yo solito había tomado la decisión de casarme. Ella no podía oír mencionar el nombre de su recientísima nuera sin que recrudeciera su llanto; tenía raptos de furia, en los que llamaba a la tía Julia «esa vieja», «esa abusiva», «esa divorciada». De pronto, en medio de la escena, descubrí algo que no se me había pasado por la cabeza: más que el qué dirán la hacía sufrir la religión. Era muy católica y no le importaba tanto que la tía Julia fuese mayor que yo como que estuviera divorciada (es decir, impedida de casarse por la Iglesia).

Por fin conseguí apaciguarla, con ayuda de los abuelos. Los viejecitos fueron un modelo de tino, bondad y discreción. El abuelo se limitó a decirme, mientras me daba en la frente el seco beso de costumbre: «Vaya, poeta, por fin se te ve, ya nos tenías preocupados.» Y la abuelita, después de muchos besos y abrazos, me preguntó al oído, con una especie de recóndita picardía, muy bajito, para que no fuera a oír mi mamá: «¿Y la Julita está bien?»

Después de darme un duchazo y cambiarme de ropa —sentí una liberación al botar la que llevaba puesta hacía cuatro días— pude conversar con mi madre. Había dejado de llorar y estaba tomando una taza de té que le había preparado la abuelita, quien, sentada en el brazo del sillón, la acariciaba como si fuese una niña. Traté de hacerla sonreír, con una broma que resultó de pésimo gusto («pero, mamacita, deberías estar feliz, si me he casado con una gran amiga tuya») pero luego toqué cuerdas más sensibles jurándole que no dejaría los estudios, que me recibiría de abogado y que, incluso, a lo mejor cambiaba de opinión sobre la diplomacia peruana («los que no son idiotas son maricas, mamá») y entraba a Relaciones Exteriores, el sueño de su vida. Poco a poco se fue desendureciendo, y, aunque siempre con cara de duelo, me preguntó por la Universidad, por mis notas, por mi trabajo en la Radio, y me riñó por lo ingrato que era ya que apenas le escribía. Me dijo que mi padre había sufrido un golpe terrible: él también ambicionaba grandes cosas para mí, por eso impediría que «esa mujer» arruinara mi vida. Había consultado abogados, el matrimonio no era válido, se anularía y la tía Julia podía ser acusada de corruptora de menores. Mi padre estaba tan violento que, por ahora, no quería verme, para que no ocurriera «algo terrible», y exigía que la tía Julia saliera en el acto del país. Si no, sufriría las consecuencias.

Le contesté que la tía Julia y yo nos habíamos casado justamente para no separarnos y que iba a ser muy difícil que despachara al extranjero a mi mujer a los dos días de la boda. Pero ella no quería discutir conmigo: «Ya lo conoces a tú papá, ya sabes el carácter que tiene, hay que darle gusto porque si no...» y ponía ojos de terror. Por fin, le dije que iba a llegar tarde a mi trabajo, ya conversaríamos, y antes de despedirme volví a tranquilizarla sobre mi futuro, asegurándole que me recibiría de abogado.

En el colectivo, rumbo al centro de Lima, tuve un presentimiento lúgubre: ¿y si me encontraba a alguien ocupando mi escritorio? Había faltado tres días, y, en las últimas semanas, debido a los frustrantes preparativos matrimoniales, había descuidado por completo los boletines, en los que Pascual y el Gran Pablito debían haber hecho toda clase de barbaridades. Pensé, sombríamente, lo que sería, además de las complicaciones personales del momento, perder el puesto. Empecé a inventar argumentos capaces de enternecer a Genaro-hijo y a Genaro-papá. Pero al entrar al Edificio Panamericano, con el alma en un hilo, mi sorpresa fue mayúscula, pues el empresario progresista, con quien coincidí en el ascensor, me saludó como si nos hubiésemos dejado de ver hacía diez minutos. Tenía la cara grave;

—Se confirma la catástrofe —me dijo, moviendo la cabeza con pesadumbre; parecía que hubiéramos estado hablando hacía un momento del asunto—. ¿Quieres decirme qué vamos a hacer ahora? Tienen que internarlo.

Bajó del ascensor en el segundo piso, y yo, que, para mantener la confusión, había puesto cara de velorio y murmurado, como perfectamente al tanto de lo que me hablaba, «ah caramba, qué lástima», me sentí feliz de que hubiera ocurrido algo tan grave que hiciera pasar inadvertida mi ausencia. En el altillo, Pascual y el Gran Pablito escuchaban con aire fúnebre a Nelly, la secretaria de Genaro-hijo. Apenas me saludaron, nadie bromeó sobre mi matrimonio. Me miraron desolados:

—A Pedro Camacho se lo han llevado al manicomio —balbuceó el Gran Pablito, con la voz traspasada—. Qué cosa tan triste, don Mario.

Luego, entre los tres, pero sobre todo Nelly, que había seguido los acontecimientos desde la Gerencia, me contaron los pormenores. Todo comenzó los mismos días en que yo andaba absorbido en mis trajines prematrimoniales. El principio del fin fueron las catástrofes, esos incendios, terremotos, choques, naufragios, descarrilamientos, que devastaban los radioteatros, acabando en pocos minutos con decenas de personajes. Esta vez, los propios actores y técnicos de Radio Central, asustados, habían dejado de servir de muro protector al escriba, o habían sido incapaces de impedir que el desconcierto y las protestas de los oyentes llegaran a los Genaros. Pero éstos ya estaban alertados por los diarios, cuyos cronistas radiales se burlaban, hacía días, de los cataclismos de Pedro Camacho. Los Genaros lo habían llamado, interrogado, extremando las precauciones para no herirlo ni exasperarlo. Pero él se les derrumbó en plena reunión, con una crisis nerviosa: las catástrofes eran estratagemas para recomenzar las historias desde cero, pues su memoria le fallaba, no sabía ya qué había ocurrido antes, ni qué personaje era quién, ni a cuál historia pertenecía, y —«llorando a gritos, jalándose los pelos», aseguraba Nelly— les había confesado que, en las últimas semanas, su trabajo, su vida, sus noches, eran un suplicio. Los Genaros lo habían hecho ver por un gran médico de Lima, el doctor Honorio Delgado, y éste dictaminó en el acto que el escriba no estaba en condiciones de trabajar; su mente «exhausta» debía pasar un tiempo en reposo.

Estábamos pendientes del relato de Nelly cuando sonó el teléfono. Era Genaro-hijo, quería verme con urgencia. Bajé a su oficina, convencido de que ahora sí vendría cuando menos una amonestación. Pero me recibió como en el ascensor, dando por supuesto que yo estaba al corriente de sus problemas. Acababa de hablar por teléfono con La Habana, y maldecía porque la CMQ, aprovechándose de su situación, de la urgencia, le había cuadruplicado las tarifas.

—Es una tragedia, una mala suerte única, eran los programas de mayor sintonía, los anunciadores se los peleaban —decía, revolviendo papeles—. ¡Qué desastre volver a depender de los tiburones de la CMQ!

Le pregunté cómo estaba Pedro Camacho, si lo había visto, en cuánto tiempo podría volver a trabajar.

—No hay ninguna esperanza —gruñó, con una especie de furia, pero acabó por adoptar un tono compasivo—. El doctor Delgado dice que su psiquis está en proceso de delicuescencia. Delicuescencia. ¿Tú entiendes eso? Que el alma se le cae a pedazos, supongo, que se le pudre la cabeza o algo así ¿no? Cuando mi padre le preguntó si el restablecimiento podía tomar unos meses, nos respondió: «Tal vez años.» ¡Imagínate!

Bajó la cabeza, abrumado, y con seguridad de adivino me predijo lo que ocurriría: al saber que los libretos iban a ser, en adelante, los de la CMQ, los anunciadores cancelarían los contratos o pedirían rebajas del cincuenta por ciento. Para mal de males, los nuevos radioteatros no llegarían antes de tres semanas o un mes, porque Cuba ahora era un burdel, había terrorismo, guerrillas, la CMQ andaba alborotada, con gente presa, mil líos. Pero era impensable que los oyentes se quedaran un mes sin radioteatros, Radio Central perdería su público, se lo arrebatarían Radio La Crónica o Radio Colonial que habían comenzado a darle duro con los radioteatros argentinos, esas huachaferías.

—A propósito, para eso te he hecho venir —añadió, mirándome como si en ese momento me descubriera allí—. Tienes que echarnos una mano. Tú eres medio intelectual, para ti será un trabajo fácil.

Se trataba de meterse al depósito de Radio Central, donde se conservaban los viejos libretos, anteriores a la venida de Pedro Camacho. Había que revisarlos, descubrir cuáles podían ser utilizados de inmediato, hasta que llegaran los radioteatros frescos de la CMQ.

—Por supuesto, te pagaremos extra —me precisó—. Aquí no explotamos a nadie.

Sentí una enorme gratitud por Genaro-hijo y una gran piedad por sus problemas. Aunque me diera cien soles, en esos instantes me caían de maravilla. Cuando estaba saliendo de su oficina, su voz me atajó en la puerta:

—Oye, de veras, ya sé que te has casado. —Me volví y me estaba haciendo un ademán afectuoso—. ¿Quién es la víctima? ¿Una mujer, supongo, no? Bueno, felicitaciones. Ya nos tomaremos una copa para celebrarlo.

Desde mi oficina llamé a la tía Julia. Me dijo que la tía Olga se había aplacado algo, pero que a cada rato se asombraba de nuevo y le decía: «Qué loca eres.» No la apenó mucho que el departamentito no estuviera aún disponible («Total, hemos dormido tanto tiempo separados que podemos hacerlo dos semanas más, Varguitas») y me dijo que, después de darse un buen baño y cambiarse de ropa, se sentía muy optimista. Le advertí que no iría a almorzar porque tenía que meterle cuernos con una montaña de radioteatros y que nos veríamos a la noche. Hice El Panamericano y dos boletines y fui a zambullirme en el depósito de Radio Central. Era una cueva sin luz, sembrada de telarañas, y al entrar oí carreritas de ratones en la oscuridad. Había papeles por todas partes: amontonados, sueltos, desparramados, amarrados en paquetes. Inmediatamente comencé a estornudar por el polvo y la humedad. No había posibilidades de trabajar allí, así que me puse a acarrear altos de papel al cubículo de Pedro Camacho y me instalé en el que había sido su escritorio. No quedaba rastro de él: ni el diccionario de citas, ni el mapa de Lima, ni sus fichas sociológico-psicológico-raciales. El desorden y la suciedad de los viejos radioteatros de la CMQ eran supremos: la humedad había deshecho las letras, los ratones y cucarachas habían mordisqueado y defecado las páginas, y los libretos se habían mezclado unos con otros como las historias de Pedro Camacho. No había mucho que seleccionar; a lo más, tratar de descubrir algunos textos legibles.

Llevaba unas tres horas de estornudos alérgicos, buceando entre almibaradas truculencias para armar algunos rompecabezas radioteatrales, cuando se abrió la puerta del cubículo y apareció Javier.

—Es increíble que en estos momentos, con los problemas que tienes, sigas con tu manía de Pedro Camacho —me dijo, furioso—. Vengo de donde tus abuelos. Por lo menos, entérate de lo que pasa y tiembla.

Me lanzó sobre el escritorio, arrebosado de suspirantes libretos, dos sobres. Uno, era la carta que le había dejado mi padre la noche anterior. Decía así:

«Mario: Doy cuarenta y ocho horas de plazo para que esa mujer abandone el país. Si no lo hace, me encargaré yo, moviendo las influencias que haga falta, de hacerle pagar caro su audacia. En cuanto a ti, quiero que sepas que ando armado y que no permitiré que te burles de mí. Si no obedeces al pie de la letra y esa mujer no sale del país en el plazo indicado, te mataré de cinco balazos como a un perro, en plena calle.»

Había firmado con sus dos apellidos y rúbrica y añadido una posdata: «Puedes ir a pedir protección policial, si quieres. Y para que quede bien claro, aquí firmo otra vez mi decisión de matarte donde te encuentre como a un perro.» Y, en efecto, había firmado por segunda vez, con trazo más enérgico que la primera. El otro sobre se lo había entregado mi abuelita a Javier hacía media hora, para que me lo trajera. Lo había llevado un guardia; era una citación de la Comisaría de Miraflores. Debía presentarme allí, al día siguiente, a las nueve de la mañana.

—Lo peor no es la carta, sino que, tal como lo vi anoche, puede muy bien cumplir la amenaza —me consoló Javier, sentándose en el alféizar de la ventana—. ¿Qué hacemos, compañerito?

—Por lo pronto, consultar a un abogado —fue lo único que se me ocurrió—. Sobre mi matrimonio y lo otro. ¿Conoces a alguno que nos pueda atender gratis, o darnos crédito?

Fuimos donde un abogado joven, pariente suyo, con quien algunas veces habíamos corrido olas en la playa de Miraflores. Fue muy amable, tomó con humor la historia de Chincha y me hizo algunas bromas; como había calculado Javier, no quiso cobrarme. Me explicó que el matrimonio no era nulo sino anulable, por la corrección de fechas en mi partida. Pero eso requería una acción judicial. Si ésta no se entablaba, a los dos años el matrimonio quedaría automáticamente «compuesto» y ya no se podía anular. En cuanto a la tía Julia, sí era posible denunciarla como «corruptora de menores», sentar un parte en la policía y hacerla detener, por lo menos provisionalmente. Luego, habría un juicio, pero él estaba seguro que, vistas las circunstancias —es decir, dado que yo tenía dieciocho y no doce años— era imposible que prosperara la acusación: cualquier tribunal la absolvería.

—De todos modos, si quiere, tu papá puede hacerle pasar muy mal rato a la Julita —concluyó Javier, mientras regresábamos a la Radio, por el jirón de la Unión—. ¿Es verdad que tiene influencia con el gobierno?

No lo sabía; tal vez era amigo de un general, compadre de algún ministro. Bruscamente, decidí que no iba a esperar hasta el día siguiente para saber qué quería la Comisaría. Pedí a Javier que me ayudara a rescatar algunos radioteatros del magma de papeles de Radio Central, para salir de dudas hoy mismo. Aceptó, y me ofreció, también, que si me metían preso me iría a visitar y me llevaría siempre cigarrillos.

A las seis de la tarde entregué a Genaro-hijo dos radioteatros más o menos armados y le prometí que al día siguiente tendría otros tres; di una ojeada veloz a los boletines de las siete y de las ocho, prometí a Pascual que volvería para El Panamericano, y media hora después estábamos con Javier en la Comisaría del Malecón 28 de Julio, en Miraflores. Esperamos un buen rato y, por fin, nos recibieron el comisario —un mayor en uniforme— y el jefe de la PIP. Mi padre había venido esa mañana a pedir que me tomaran una declaración oficial sobre lo ocurrido. Tenían una lista de preguntas escritas a mano, pero mis respuestas las fue transcribiendo a máquina el policía de civil, lo que tomó mucho tiempo, pues era pésimo mecanógrafo. Admití que me había casado (y subrayé enfáticamente que lo había hecho «por mi propio deseo y voluntad») pero me negué a decir en qué localidad y ante qué Alcaldía. Tampoco contesté quiénes habían sido los testigos. Las preguntas eran de tal naturaleza que parecían concebidas por un tinterillo con malas intenciones: mi fecha de nacimiento y a continuación (como si no estuviera implícito en lo anterior) si era menor de edad o no, dónde vivía y con quién, y, por supuesto, la edad de la tía Julia (a la que se llamaba «doña» Julia), pregunta que también me negué a responder diciendo que era de mal gusto revelar la edad de las señoras. Esto provocó una curiosidad infantil en la pareja de policías, quienes, luego de haber firmado yo la declaración, adoptando aires paternales, me preguntaron, «sólo por pura curiosidad», cuántos años mayor que yo era la «dama». Cuando salimos de la Comisaría me sentí de pronto muy deprimido, con la incómoda sensación de ser un asesino o un ladrón.

Javier pensaba que había metido la pata; negarme a revelar el sitio del matrimonio era una provocación que irritaría más a mi padre, y totalmente inútil, pues lo averiguaría en pocos días. Se me hacía cuesta arriba volver a la Radio esa noche, con el estado de ánimo en que estaba, así que me fui donde el tío Lucho. Me abrió la tía Olga; me recibió con cara seria y mirada homicida, pero no me dijo ni palabra, e, incluso, me alcanzó la mejilla para que la besara. Entró conmigo a la sala, donde estaban la tía Julia y el tío Lucho. Bastaba verlos para saber que todo iba color de hormiga. Les pregunté qué sucedía;

—Las cosas se han puesto feas —me dijo la tía Julia, trenzando sus dedos con los míos, y yo vi el malestar que esto provocaba en la tía Olga—. Mi suegro quiere hacerme botar del país como indeseable.

El tío Jorge, el tío Juan y el tío Pedro habían tenido una entrevista esa tarde con mi padre y habían vuelto asustados del estado en que lo vieron. Un furor frío, una mirada fija, una manera de hablar que transparentaba una determinación inconmovible. Era categórico: la tía Julia debía partir del Perú antes de cuarenta y ocho horas o atenerse a las consecuencias. En efecto, era muy amigo —compañero de colegio, tal vez— del ministro de Trabajo de la dictadura, un general llamado Villacorta, ya había hablado con él, y, si no salía por propia voluntad, la tía Julia saldría escoltada por soldados hasta el avión. En cuanto a mí, si no le obedecía, lo pagaría caro. Y, lo mismo que a Javier, también a mis tíos les había mostrado el revólver. Completé el cuadro, enseñándoles la carta y contándoles el interrogatorio policial. La carta de mi padre tuvo la virtud de ganarlos del todo para nuestra causa. El tío Lucho sirvió unos whiskies y cuando estábamos bebiendo la tía Olga se puso de repente a llorar y a decir que cómo era posible, su hermana tratada como una criminal, amenazada con la policía, que ellas pertenecían a una de las mejores familias de Bolivia.

—No hay más remedio que me vaya, Varguitas —dijo la tía Julia. Vi que cambiaba una mirada con mis tíos y comprendí que ya habían hablado de eso—. No me mires así, no es una conspiración, no es para siempre. Sólo hasta que se le pase la rabieta a tu padre. Para evitar más escándalos.

Lo habían conversado y discutido entre los tres y tenían a punto un plan. Habían descartado Bolivia y sugerían que la tía Julia fuera a Chile, a Valparaíso, donde vivía su abuelita. Estaría allí sólo el tiempo indispensable para que se serenaran los ánimos. Me opuse con furia, dije que la tía Julia era mi mujer, me había casado con ella para que estuviéramos juntos, en todo caso nos iríamos los dos. Me recordaron que era menor de edad: no podía pedir pasaporte ni salir del país sin permiso paterno. Dije que cruzaría la frontera a escondidas. Me preguntaron cuánta plata tenía para irme a vivir al extranjero. (Me quedaba a duras penas para comprar cigarrillos unos días: el matrimonio y el pago del departamentito habían volatilizado el adelanto de Radio Panamericana, la venta de mi ropa y los empeños en la Caja de Pignoración.)

—Ya estamos casados y eso no nos lo van a quitar —decía la tía Julia, despeinándome, besándome, con los ojos llenos de lágrimas—. Es sólo unas semanas, a lo más unos meses. No quiero que te peguen un tiro por mi culpa.

Durante la comida, la tía Olga y el tío Lucho fueron exponiendo sus argumentos para convencerme. Tenía que ser razonable, ya había salido con mi gusto, me había casado, ahora debía hacer una concesión provisional, para evitar algo irreparable. Debía comprenderlos; ellos, como hermana y cuñado de la tía Julia estaban en postura muy delicada ante mi padre y el resto de la familia: no podían estar contra ni a favor de ella. Nos ayudarían, lo estaban haciendo en esos momentos, y me tocaba hacer algo de mi parte. Mientras la tía Julia estuviera en Valparaíso yo tendría que buscar algún otro trabajo, porque, si no, con qué diablos íbamos a vivir, quién nos iba a mantener. Mi padre acabaría por calmarse, por aceptar los hechos.

A eso de la medianoche —mis tíos se habían ido discretamente a dormir y la tía Julia y yo estábamos haciendo el amor horriblemente, a medio vestir, con gran zozobra, los oídos alertas a cualquier ruido— acabé por rendirme. No había otra solución. A la mañana siguiente trataríamos de cambiar el pasaje a La Paz por uno a Chile. Media hora después, mientras caminaba por las calles de Miraflores, hacia mi cuartito de soltero, en casa de los abuelos, sentía amargura e impotencia, y me maldecía por no tener ni siquiera con qué comprarme yo también un revólver.

La tía Julia viajó a Chile dos días después, en un avión que partió al alba. La compañía de aviación no puso reparos en cambiar el pasaje, pero había una diferencia de precio, que cubrimos gracias a un préstamo de mil quinientos soles que nos hizo nadie menos que Pascual. (Me dejó asombrado al contarme que tenía cinco mil soles en una libreta de ahorros, lo que, con el sueldo que ganaba, era realmente una hazaña.) Para que la tía Julia pudiera llevarse algo de dinero vendí, al librero de la calle La Paz, todos los libros que aún conservaba, incluidos los códigos y manuales de Derecho, con lo que compré cincuenta dólares.

La tía Olga y el tío Lucho fueron al aeropuerto con nosotros. La noche anterior yo me quedé en su casa. No dormimos, no hicimos el amor. Después de la comida, mis tíos se retiraron y yo, sentado en la punta de la cama, vi a la tía Julia hacer cuidadosamente su maleta. Luego, fuimos a sentarnos a la sala, que estaba a oscuras. Estuvimos allí tres o cuatro horas, con las manos entrelazadas, muy juntos en el sillón, hablando en voz baja para no despertar a los parientes. A ratos nos abrazábamos, juntábamos nuestras caras y nos besábamos, pero la mayor parte del tiempo la pasamos fumando y conversando. Hablamos de lo que haríamos cuando volviéramos a reunirnos, cómo ella me ayudaría en mi trabajo y cómo, de una manera u otra, tarde o temprano, llegaríamos un día a París a vivir en esa buhardilla donde yo me volvería, por fin, un escritor. Le conté la historia de su compatriota Pedro Camacho, que estaba ahora en una clínica, rodeado de locos, volviéndose loco él mismo sin duda, y planeamos escribirnos todos los días, largas cartas donde nos contaríamos prolijamente todo lo que hiciéramos, pensáramos y sintiéramos. Le prometí que cuando volviera yo habría arreglado las cosas y que estaría ganando lo suficiente para no morirnos de hambre. Cuando sonó el despertador, a las cinco, era todavía noche cerrada, y al llegar al aeropuerto de Limatambo, una hora después, apenas comenzaba a clarear. La tía Julia se había puesto el traje azul que a mí me gustaba y se la veía guapa. Estuvo muy serena cuando nos despedimos, pero sentí que temblaba en mis brazos, y en cambio, a mí, cuando la vi subir al avión, desde la terraza, en la principiante mañana, se me hizo un nudo en la garganta y se me saltaron las lágrimas.

Su exilio chileno duró un mes y catorce días. Fueron, para mí, seis semanas decisivas, en las que (gracias a gestiones con amigos, conocidos, condiscípulos, profesores, a los que busqué, rogué, fastidié, enloquecí para que me echaran una mano) conseguí acumular siete trabajos, incluido, por supuesto, el que ya tenía en Panamericana. El primero fue un empleo en la Biblioteca del Club Nacional, que estaba al lado de la Radio; mi obligación era ir dos horas diarias, entre los boletines de la mañana, a registrar los nuevos libros y revistas y hacer un catálogo de las viejas existencias. Un profesor de historia, de San Marcos, en cuyo curso había tenido notas sobresalientes, me contrató como ayudante suyo, en las tardes, de tres a cinco, en su casa de Miraflores, donde fichaba diversos temas en los cronistas, para un proyecto de una Historia del Perú en el que a él le correspondían los volúmenes de Conquista y Emancipación. El más pintoresco de los nuevos trabajos era un contrato con la Beneficencia Pública de Lima. En el Cementerio Presbítero Maestro existían una serie de cuarteles, de la época colonial, cuyos registros se habían extraviado. Mi misión consistía en desentrañar lo que decían las lápidas de esas tumbas y hacer listas con los nombres y fechas. Era algo que podía llevar a cabo a la hora que quisiera y por el que me pagaban a destajo: un sol por muerto. Lo hacía en las tardes, entre el boletín de las seis y El Panamericano, y Javier, que a esas horas estaba libre, solía acompañarme. Como era invierno y oscurecía temprano, el director del Cementerio, un gordo que decía haber asistido en persona, en el Congreso, a la toma de posesión de ocho presidentes del Perú, nos prestaba unas linternas y una escalerita para poder leer los nichos altos. A veces, jugando a que oíamos voces, quejidos, cadenas, y a que veíamos formas blancuzcas entre las tumbas, conseguíamos asustarnos de verdad.

Además de ir dos o tres veces por semana al Cementerio, dedicaba a este quehacer todas las mañanas del domingo. Los otros trabajos eran más o menos (más menos que más) literarios. Para el Suplemento Dominical de «El Comercio» hacía cada semana una entrevista a un poeta, novelista o ensayista, en una columna titulada «El hombre y su obra». En la revista «Cultura Peruana» escribía un artículo mensual, para una sección que inventé: «Hombres, libros e ideas», y, finalmente, otro profesor amigo me encomendó redactar para los postulantes a la Universidad Católica (pese a ser yo alumno de la rival, San Marcos) un texto de Educación Cívica; cada lunes tenía que entregarle desarrollado alguno de los asuntos del programa de ingreso (que eran muy diversos, un abanico que cubría desde los símbolos de la Patria hasta la polémica entre indigenistas e hispanistas, pasando por las flores y animales aborígenes).

Con estos trabajos (que me hacían sentir, un poco, émulo de Pedro Camacho) logré triplicar mis ingresos y redondear lo suficiente para que dos personas pudieran vivir. En todos ellos pedí adelantos y así desempeñé mi máquina de escribir, indispensable para las tareas periodísticas (aunque muchos artículos los hacía en Panamericana), y de este modo, también, la prima Nancy compró algunas cosas para acicalar el departamentito alquilado que la dueña me entregó, en efecto, a los quince días. Fue una felicidad la mañana en que tomé posesión de esos dos cuartitos, con su baño diminuto. Seguí durmiendo en casa de los abuelos, porque decidí estrenarlo el día que llegara la tía Julia, pero iba allí casi todas las noches, a redactar artículos y a confeccionar listas de muertos. Aunque no paraba de hacer cosas, de entrar y salir de un sitio a otro, no me sentía cansado ni deprimido, sino, por el contrario, muy entusiasta, y creo que incluso seguía leyendo como antes (aunque sólo en los innumerables ómnibus y colectivos que tomaba diariamente).

Fiel a lo prometido, las cartas de la tía Julia llegaban a diario y la abuelita me las entregaba con una luz traviesa en los ojos, murmurando: «¿de quién será esta cartita, de quién será?». Yo también le escribía seguido, era lo último que hacía cada noche, a veces mareado de sueño, dándole cuenta de los trajines de la jornada. En los días que siguieron a su partida fui encontrándome, donde los abuelos, donde los tíos Lucho y Olga, en la calle, a mis numerosos parientes y descubriendo sus reacciones. Eran diversas y algunas inesperadas. El tío Pedro tuvo la más severa: me dejó con el saludo colgado y me volvió la espalda después de mirarme glacialmente. La tía Jesús derramó unos lagrimones y me abrazó, susurrando con voz dramática: «¡Pobre criatura!» Otras tías y tíos optaron por actuar como si nada hubiera ocurrido; eran cariñosos conmigo, pero no mencionaban a la tía Julia ni se daban por enterados del matrimonio.

A mi padre no lo había visto, pero sabía que, una vez satisfecha su exigencia de que la tía Julia saliera del país, se había aplacado algo. Mis padres estaban alojados donde unos tíos paternos, a los que yo no visitaba nunca, pero mi madre venía todos los días a casa de los abuelos y allí nos veíamos. Adoptaba conmigo una actitud ambivalente, afectuosa, maternal, pero cada vez que asomaba, directa o indirectamente, el tema tabú, palidecía, se le salían las lágrimas y aseguraba: «No lo aceptaré jamás.» Cuando le propuse que viniera a conocer el departamentito se ofendió como si la hubiera insultado, y siempre se refería al hecho de que yo hubiera vendido mi ropa y mis libros como a una tragedia griega. Yo la hacía callar, diciéndole: «Mamacita, no empieces otra vez con tus radioteatros.» Ni ella mencionaba a mi padre, ni yo preguntaba por él, pero, por otros parientes que lo veían llegué a saber que su cólera había cedido el paso a una desesperanza respecto a mi destino, y que solía decir: «Tendrá que obedecerme hasta que cumpla veintiún años; luego puede perderse.»

Pese a mis múltiples quehaceres, en esas semanas escribí un nuevo cuento. Se llamaba «La Beata y el Padre Nicolás». Estaba situado en Grocio Prado, por supuesto, y era anticlerical: la historia de un curita vivaraz, que, advirtiendo la devoción popular por Melchorita, decidía industrializarla en su provecho, y, con la frialdad y ambición de un buen empresario, planeaba un negocio múltiple, que consistía en fabricar y vender estampitas, escapularios, detentes y toda clase de reliquias de la Beatita, cobrar entradas a los sitios donde vivió, y organizar colectas y rifas para construirle una capilla y costear comisiones que fueran a activar su canonización a Roma. Escribí dos epílogos distintos, como una noticia de periódico: en uno, los habitantes de Grocio Prado descubrían los negocios del Padre Nicolás y lo linchaban y en el otro el curita llegaba a ser arzobispo de Lima. (Decidí que elegiría uno u otro final después de leerle el cuento a la tía Julia.) Lo escribí en la Biblioteca del Club Nacional, donde mi trabajo de catalogador de novedades era algo simbólico.

Los radioteatros que rescaté del almacén de Radio Central (labor que me significó doscientos soles extras) fueron comprimidos para un mes de audiciones, el tiempo que tardaron en llegar los libretos de la CMQ. Pero ni aquéllos ni éstos, como había previsto el empresario progresista, pudieron conservar la audiencia gigantesca conquistada por Pedro Camacho. La sintonía decayó y las tarifas publicitarias tuvieron que ser rebajadas para no perder anunciantes. Pero el asunto no resultó demasiado terrible para los Genaros, quienes, siempre inventivos y dinámicos, encontraron una nueva mina de oro con un programa llamado *Responda Por Sesenta y Cuatro Mil Soles*. Se propalaba desde el cine Le Paris, y en él, candidatos eruditos en materias diversas (automóviles, Sófocles, fútbol, los Incas) respondían preguntas por cantidades que podían llegar hasta esa suma. A través de Genaro-hijo, con quien (ahora muy de vez en cuando) tomaba cafecitos en el Bransa de La Colmena, seguía los pasos de Pedro Camacho. Estuvo cerca de un mes en la clínica privada del Dr. Delgado, pero como resultaba muy cara, los Genaros consiguieron hacerlo transferir al Larco Herrera, el manicomio de la Beneficencia Pública, donde, al parecer, lo tenían muy bien considerado. Un domingo, después de catalogar tumbas en el Cementerio Presbítero Maestro, fui en ómnibus hasta la puerta del Larco Herrera con la intención de visitarlo. Le llevaba de regalo unas bolsitas de yerbaluisa y de menta para preparar infusiones. Pero, en el mismo momento que, entre otras visitas, iba a cruzar el portón carcelario, decidí no hacerlo. La idea de volver a ver al escriba, en este lugar amurallado y promiscuo —en el primer año de Universidad habíamos hecho allí unas prácticas de psicología—, convertido en uno más de esa muchedumbre de locos, me produjo preventivamente gran angustia. Di media vuelta y regresé a Miraflores.

Ese lunes dije a mi mamá que quería entrevistarme con mi padre. Me aconsejó que fuera prudente, no decir nada que lo violentara, no exponerme a que me hiciera daño, y me dio el teléfono de la casa donde estaba alojado. Mi padre me hizo saber que me recibiría a la mañana siguiente, a las once, en la que había sido su oficina antes de viajar a Estados Unidos. Estaba en el jirón Carabaya, al fondo de un pasillo de losetas a ambos lados del cual había departamentos y oficinas. En la Compañía Import/Export —reconocí algunos empleados que habían trabajado ya con él— me hicieron pasar a la Gerencia. Mi padre estaba solo, sentado en su antiguo escritorio. Vestía un terno crema, una corbata verde con motas blancas; lo noté más delgado que hacía un año y algo pálido.

—Buenos días, papá —dije, desde la puerta, haciendo un gran esfuerzo para que mi voz sonara firme.

—Dime lo que tienes que decir —dijo él, de manera más neutra que colérica, señalando un asiento.

Me senté en el borde y tomé aire, como un atleta que se dispone a iniciar una prueba.

—He venido a contarte lo que estoy haciendo, lo que voy a hacer —tartamudeé.

Él permaneció callado, esperando que continuara. Entonces, hablando muy despacio para parecer sereno, espiando sus reacciones, le detallé cuidadosamente los trabajos que había conseguido, lo que ganaba en cada uno, cómo había distribuido mi tiempo para cumplir con todos y, además, hacer los deberes y dar los exámenes de la Universidad. No mentí, pero presenté todo bajo la luz más favorable: tenía mi vida organizada de manera inteligente y seria y estaba ansioso por terminar mi carrera. Cuando me callé, mi padre permaneció también mudo, en espera de la conclusión. Así que, tragando saliva, tuve que decírsela:

—Ya ves que puedo ganarme la vida, mantenerme y seguir los estudios—. Y luego, sintiendo que la voz se me adelgazaba tanto que apenas se oía:— Te he venido a pedir permiso para llamar a Julia. Nos hemos casado y no puede seguir viviendo sola.

Pestañeó, palideció todavía más y, por un instante, pensé que iba a tener uno de esos ataques de rabia que habían sido la pesadilla de mi infancia. Pero se limitó a decirme, secamente:

—Como sabes, ese matrimonio no vale. Tú, menor de edad, no puedes casarte sin autorización. De modo que si te has casado, sólo has podido hacerlo falsificando la autorización o tus partidas. En ambos casos, el matrimonio se puede anular fácilmente.

Me explicó que la falsificación de un documento público era algo grave, penado por la ley. Si alguien tenía que pagar los platos rotos por eso, no sería yo, el menor, a quien los jueces supondrían el inducido, sino la mayor de edad, a quien lógicamente se consideraría la inductora. Después de esa exposición legal, que profirió en tono helado, habló largamente, dejando transparentar, poco a poco, algo de emoción. Yo creía que él me odiaba, cuando la verdad era que siempre había querido mi bien, si se había mostrado alguna vez severo había sido a fin de corregir mis defectos y prepararme para el futuro. Mi rebeldía y mi espíritu de contradicción serían mi ruina. Ese matrimonio había sido ponerme una soga en el cuello. Él se había opuesto pensando en mi bien y no, como creía yo, por hacerme daño, porque ¿qué padre no quería a su hijo? Por lo demás, comprendía que me hubiera enamorado, eso no estaba mal, después de todo era un acto de hombría, más terrible hubiera sido, por ejemplo, que me hubiera dado por ser maricón. Pero casarme a los dieciocho años, siendo un mocoso, un estudiante, con una mujer hecha y derecha y divorciada era una insensatez incalculable, algo cuyas verdaderas consecuencias sólo comprendería más tarde, cuando, por culpa de ese matrimonio, fuera un amargado, un pobre diablo en la vida. Él no deseaba para mí nada de eso, sólo lo mejor y lo más grande. En fin, que tratase por lo menos de no abandonar los estudios, pues lo lamentaría siempre. Se puso de pie y yo también me puse de pie. Siguió un silencio incómodo, puntuado por el tableteo de las máquinas de escribir del otro cuarto. Balbuceé que le prometía terminar la Universidad y él asintió. Para despedirnos, después de un segundo de vacilación, nos abrazamos.

De su oficina, fui al Correo Central y envié un telegrama: «Amnistiada. Mandaré pasaje brevedad posible. Besos». Me pasé esa tarde, donde el historiador, en la azotea de Panamericana, en el Cementerio, devorándome los sesos para imaginar cómo reunir el dinero. Esa noche hice una lista de personas a las que pediría prestado y cuánto a cada una. Pero al día siguiente trajeron donde los abuelitos un telegrama de respuesta: «Llego mañana vuelo LAN. Besos.» Después supe que había comprado el pasaje vendiendo sus anillos, aretes, prendedores, pulseras y casi toda su ropa. De modo que cuando la recibía en el aeropuerto de Limatambo, la tarde del jueves, era una mujer pobrísima.

La llevé directamente al departamentito, que había sido encerado y trapeado por la prima Nancy en persona y embellecido con una rosa roja que decía: «Bienvenida.» La tía Julia revisó todo, como si fuera un juguete nuevo. Se divirtió viendo las fichas del Cementerio, que tenía bien ordenadas, mis notas para los artículos de «Cultura Peruana», la lista de escritores por entrevistar para «El Comercio», y el horario de trabajo y la tabla de gastos que había hecho y donde teóricamente se demostraba que podíamos vivir. Le dije que, después de hacerle el amor, le leería un cuento que se llamaba «La Beata y el Padre Nicolás» para que me ayudara a elegir el final.

—Vaya, Varguitas —se reía ella, mientras se desvestía a la carrera—. Te estás haciendo un hombrecito. Ahora, para que todo sea perfecto y se te quite esa cara de bebé, prométeme que te dejarás crecer el bigote.

Las malas palabras

No está la madrastra? —preguntó Fonchito, decepcionado.

—Ya no tardará —repuso don Rigoberto, cerrando apresuradamente *The Nude,* de sir Kenneth Clark, que tenía sobre las rodillas. Con brusco sobresalto, retornaba a Lima, a su casa, a su escritorio, desde los vapores húmedos y femeninos del atestado *Baño turco* del pintor Ingres, en el que había estado inmerso—. Ha ido a jugar bridge con sus amigas. Pasa, pasa Fonchito. Conversemos un rato.

El niño le sonrió, asintiendo. Entró y se sentó a la orilla del gran confortable inglés de cuero aceitunado, bajo los veintitrés tomos empastados de la colección «Les maîtres de l'amour», dirigida y prologada por Guillaume Apollinaire.

—Cuéntame del Santa María —lo animó su padre, a la vez que, disimulando el libro con su cuerpo, iba a devolverlo al estante con vidriera y cerrojo donde guardaba sus tesoros eróticos—. ¿Van bien las clases? ¿No tienes dificultades con el inglés?

Las clases iban muy bien y los profesores eran buenísimos, papi. Entendía todo y mantenía largas conversaciones en inglés con el padre MacKey; estaba seguro de que este año terminaría también con el primer puesto de la clase. Le darían el premio de excelencia, tal vez.

Don Rigoberto le sonrió, satisfecho. La verdad, este chiquito no hacía más que darle alegrías. Un modelo de hijo; buen alumno, dócil, cariñoso. Se había sacado la suerte con él.

—¿Quieres una Coca-cola? —le preguntó. Se acababa de servir dos dedos de whisky y manipulaba la hielera. Alcanzó a Alfonso su vaso y se sentó a su lado—. Tengo que decirte algo, hijito. Estoy muy contento contigo y puedes contar con la moto que me pediste. La tendrás la semana próxima.

Al niño se le iluminaron los ojos. Una ancha sonrisa alborozó su cara.

—¡Gracias, papito! —Lo abrazó y lo besó en la mejilla—. ¡La moto que tanto quería! ¡Qué maravilla, papi!

Don Rigoberto se lo sacó de encima, riendo. Le acomodó los revueltos cabellos, en una discreta caricia.

—Tienes que agradecérselo a Lucrecia —añadió—. Ella ha insistido para que te compre la moto ahora mismo, sin esperar los exámenes.

—Ya lo sabía —exclamó el niño—. Ella es buenísima conmigo. Más buena todavía, creo, de lo que era mi mamá.

—Es que tu madrastra te quiere mucho, chiquitín.

—Y yo también a ella —afirmó el niño, al instante, con vehemencia—. ¡Cómo no la voy a querer si es la mejor madrastra que hay en el mundo, pues!

Don Rigoberto bebió y paladeó: un agradable fuego le recorrió la lengua, la garganta y ahora descendía entre sus costillas. «Amable lava», improvisó. ¿A quién había salido tan bonito su hijo? Su cara parecía circundada por un halo radiante y rebosaba frescura y salud. No a él, ciertamente. Tampoco a su madre, porque Eloísa, aunque atractiva y de buen ver, jamás tuvo esa finura de rasgos, ni unos ojos tan claros ni una transparencia de piel semejante ni esos rizos de oro tan puro. Un querubín, un pimpollo, un arcángel de estampita de primera comunión. Sería mejor, para él, que de grande se afeara un poco: a las mujeres no les gustaban los hombres con cara de muñequito.

—No sabes qué alegría me da que te lleves tan bien con Lucrecia —añadió, luego de un momento—. Era algo que me asustaba mucho cuando nos casamos, ahora te lo puedo decir. Que ustedes no congeniaran, que tú no la aceptaras. Hubiera sido una gran desgracia para los tres. Lucrecia también tenía mucho miedo. Ahora, cuando veo lo bien que se llevan, me río de esos miedos. Si ustedes se quieren tanto que, a ratos, hasta celos tengo, pues me parece que tu madrastra te quiere más que a mí y que tú también la prefieres a ella que a tu padre.

Alfonso se rió a carcajadas, palmoteando, y don Rigoberto lo imitó, divertido con la explosión de buen humor de su hijo. Un gato maulló a lo lejos. Pasó un automóvil por la calle con la radio a todo volumen y durante unos segundos se oyeron las trompetas y maracas de una melodía tropical. Luego, surgió la voz de Justiniana, canturreando en el repostero, mientras accionaba la lavadora.

—¿Qué quiere decir orgasmo, papá? —preguntó de pronto el niño.

A don Rigoberto le sobrevino un acceso de tos. Carraspeó, mientras reflexionaba: ¿qué debía responder? Procuró adoptar una expresión natural y se mantuvo sin sonreír.

—Bueno, no es una mala palabra —aclaró, prudentemente—. Desde luego que no. Se relaciona con la vida sexual, con el placer. Podría decirse, tal vez, que es la culminación del goce físico. Algo que no sólo experimentan los hombres, también muchas especies de animales. Ya te hablarán de eso, en el curso de biología, seguramente. Pero, sobre todo, no pienses que es una lisura. ¿Dónde te encontraste con esa palabra, chiquitín?

—Se la escuché a mi madrastra —dijo Fonchito. Con una expresión muy pícara, se llevó un dedo a los labios en signo de complicidad—. Me hice el que sabía lo que era. No le vayas a decir que tú me la explicaste, papi.

—No, no se lo diré —murmuró don Rigoberto. Tomó otro sorbo de whisky y escudriñó a Alfonso, intrigado. ¿Qué había en esa rubicunda cabecita, detrás de esa frente tersa? Vaya usted a saberlo. ¿No decían que el alma de un niño era un pozo insondable? Pensó: «No debo averiguar nada más.» Pensó: «Debo cambiar de conversación.» Pero el morbo de la curiosidad o la atracción instintiva del peligro fue más fuerte, y, como quien no quiere la cosa, preguntó—: ¿Le oíste esa palabrita a tu madrasta? ¿Estás seguro?

El niño asintió varias veces, con la misma expresión entre risueña y pícara. Tenía las mejillas arreboladas y en sus ojos refulgía la gracia.

—Me dijo que había tenido un orgasmo riquísimo —explicó, con cantarina voz de ruiseñor.

Esta vez, a don Rigoberto el whisky se le escapó de las manos; paralizado por la sorpresa, vio rodar el vaso sobre la alfombra de arabescos plomizos del estudio. El niño se precipitó a recogerlo. Se lo devolvió, murmurando:

—Menos mal que estaba casi vacío. ¿Quieres que te sirva otro, papi? Ya sé cómo te gusta, he visto cómo lo hace mi madrastra.

Don Rigoberto dijo que no con la cabeza. ¿Había oído bien? Sí, por supuesto: para eso tenía las orejas grandes. Para oír bien las cosas. Su cerebro había comenzado a crepitar como una hoguera. Esta conversación había ido demasiado lejos y era preciso cortarla de una vez y para siempre, so pena de algún imponderable gravísimo. Por un instante, tuvo la visión de un hermoso castillo de naipes que se desbarataba. Tenía una lucidez total sobre lo que debía hacer. Basta, se acabó, hablemos de otra cosa. Pero también esta vez el canto de las sirenas de los abismos fue más poderoso que su razón y que su sensatez.

—Qué invenciones son ésas, Foncho —hablabla muy despacio pero, aun así, su voz temblaba—. Cómo vas a haberlo oído a tu madrastra semejante cosa. No puede ser, hijito.

El niño protestó, airado, con una mano en alto.

—Claro que sí, papi. Por supuesto que se la oí. Si me la dijo a mí, pues. Ayer nomás, en la tarde. Te doy mi palabra. ¿Por qué te iba a mentir? ¿Te he mentido nunca, yo?

—No, no, tienes razón. Tú siempre dices la verdad.

No podía controlar la incomodidad que había tomado posesión de él como una fiebre. El malestar era un moscardón estúpido, se daba encontrones contra su cara, sus brazos, y él no podía abatirlo ni esquivarlo. Se puso de pie y, caminando despacio, fue a servirse otro trago de whisky, cosa más bien insólita, pues nunca bebía más de una copa antes de la cena. Cuando regresó a su asiento, se dio con los ojos glaucos de Fonchito: seguían sus evoluciones por el estudio con la dulzura de costumbre. Le sonrieron y, haciendo un esfuerzo, también le sonrió.

«Ejem, ejem», carraspeó don Rigoberto, luego de unos segundos de ominoso silencio. No sabía qué decir. ¿Sería posible que Lucrecia le hiciera confidencias de esa índole, que le hablara al niño de lo que hacían ellos por las noches? Desde luego que no, qué tontería. Eran fantasía de Fonchito, algo muy típico de su edad: descubría la malicia, afloraba la curiosidad sexual, la libido naciente le sugería fantasías a fin de provocar conversaciones sobre el fascinante tabú. Lo mejor, olvidar todo aquello y disolver el mal momento con banalidades.

—¿No tienes tareas para mañana? —preguntó.

—Ya las hice —contestó el niño—. Sólo tenía una, papi. Composición de tema libre.

—¿Ah, sí? —insistió don Rigoberto—. ¿Y qué tema escogiste?

Al niño se le volvió a encender la cara con una alegría candorosa y don Rigoberto repentinamente sintió un miedo cerval. ¿Qué pasaba? ¿Qué iba a pasar?

—Sobre ella, pues, papi, sobre quién iba a ser —palmoteaba Fonchito—. Le he puesto como título: «Elogio de la madrastra». ¿Qué te parece?

—Muy bien, es un buen título —contestó don Rigoberto. Y casi sin pensarlo, con una risotada falsa, añadió—: Parece el de una novelita erótica.

—¿Qué quiere decir erótica? —averiguó el niño, muy serio.

—Relativo al amor físico —lo ilustró don Rigoberto. Bebía de su vaso, a sorbitos, sin darse cuenta—. Ciertas palabras, como ésta, sólo cobran su sentido con el tiempo, gracias a la experiencia, algo que importa más que las definiciones. Todo eso vendrá poco a poco; no hay ninguna razón para que te apresures, Fonchito.

—Como tú digas, papi —asintió el niño, abriendo y cerrando los ojos: sus pestañas eran enormes y sombreaban sus párpados con una irisación violácea.

—¿Sabes que me gustaría leer ese «Elogio de la madrastra»?

—Claro, papacito —se entusiasmó el niño. Se puso de pie de un salto y echó a correr—. Así, si hay una falta, me la corriges.

En los pocos minutos que tardó Fonchito en volver, don Rigoberto sintió que el malestar crecía. ¿Demasiado whisky, tal vez? No, qué ocurrencia. ¿Indicaba esa opresión en las sienes que caería enfermo? En la oficina, había varios griposos. No, no era eso. ¿Qué, entonces? Recordó aquella frase de Fausto que lo había conmovido tanto de muchacho: «Amo al que desea lo imposible.» Él hubiera querido que fuera su divisa en la vida, y, en cierta forma, aunque de manera secreta, alentaba la sensación de haber alcanzado aquel ideal. ¿Por qué tenía ahora la angustiosa premonición de que un abismo se abría a sus pies? ¿Qué clase de peligro lo amenazaba? ¿Cómo? ¿Dónde? Pensó: «Es absolutamente imposible que Fonchito haya oído decir a Lucrecia "Tuve un orgasmo riquísimo".» Le sobrevino un ataque de risa y se rió, pero sin la menor alegría, haciendo una mueca lastimosa que le devolvió el cristal del estante libidinoso. Ahí estaba Alfonso. Tenía un cuaderno en la mano. Se lo alcanzó sin decirle nada, mirándolo fijamente a los ojos, con esa mirada azul tan sosegada y tan ingenua que, como decía Lucrecia, «hacía sentirse sucia a la gente».

Don Rigoberto se calzó los lentes y encendió la lámpara de pie. Comenzó a leer en voz alta los claros caracteres caligrafiados en tinta negra, pero a la mitad de la primera frase enmudeció. Siguió leyendo en silencio, moviendo levemente los labios y pestañeando con frecuencia. Pronto, sus labios dejaron de moverse. Se le fueron abriendo, descolgando, hasta imponer a su cara una expresión alelada y estúpida. Una hebra de saliva se descolgó de entre sus dientes y manchó las solapas de su saco pero él no pareció notarlo pues no se limpió. Sus ojos se movían de izquierda a derecha, a veces rápido, a veces despacio, y por momentos retrocedían, como si no hubieran entendido bien o como si no pudiesen aceptar que aquello que habían leído estaba efectivamente escrito allí. Ni una sola vez, mientras duró la lenta, infinita lectura, se apartaron los ojos de don Rigoberto del cuaderno para mirar al niño, quien, sin duda, continuaba allí, en el mismo sitio, espiando sus reacciones, aguardando que terminara de leer y dijera e hiciera lo que debía decir y hacer. ¿Qué debía decir? ¿Qué debía hacer? Don Rigoberto sintió que tenía las manos empapadas. Unas gotas de sudor resbalaron de su frente al cuaderno y extendieron la tinta en unos manchones amorfos. Tragando saliva, atinó a pensar: «Amar lo imposible tiene un precio que tarde o temprano se paga.»

Hizo un esfuerzo supremo y cerró el cuaderno y miró. Sí, ahí estaba Fonchito, observándolo con su bella cara beatífica. «Así debía ser Luzbel», pensó, mientras se llevaba a la boca el vaso vacío, en busca de un trago. Por el tintineo del cristal contra sus dientes advirtió que el temblor de su mano era muy fuerte.

—¿Qué significa esto, Alfonso? —balbuceó. Le dolían las muelas, la lengua, la mandíbula. No reconocía su propia voz.

—¿Qué cosa, papi?

Lo miraba como si no entendiera qué le ocurría.

—Qué significan estas... fantasías —tartamudeó, desde la espantosa confusión que le atenazaba el alma—. ¿Te has vuelto loco, chiquito? ¿Cómo has podido inventar unas suciedades tan indecentes?

Se calló porque no sabía qué más decir y se sentía disgustado y sorprendido por lo que había dicho. La carita del niño se fue apagando, entristeciendo. Lo miraba sin comprender, con algo de dolor en las pupilas y también de desconcierto, pero sin sombra de miedo. Por fin, luego de unos segundos, don Rigoberto le oyó decir lo que, en medio del horror que helaba su corazón, estaba esperando que dijera:

—Pero qué invenciones, papi. Si todo lo que cuento es verdad, si todo eso pasó así, pues.

En ese momento, con una sincronización que imaginó decidida por la fatalidad o por los dioses, don Rigoberto oyó que se abría la puerta de calle y escuchó la melodiosa voz de Lucrecia dando las buenas noches al mayordomo. Alcanzó a pensar que el rico y original mundo nocturno de sueño y deseos en libertad que con tanto empeño había erigido acababa de reventar como una burbuja de jabón. Y, súbitamente, su maltratada fantasía deseó, con desesperación, transmutarse: era un ser solitario, casto, desasido de apetitos, a salvo de todos los demonios de la carne y el sexo. Sí, sí, ése era él. El anacoreta, el santón, el monje, el ángel, el arcángel que sopla la celeste trompeta y baja al huerto a traer la buena noticia a las santas muchachas.

—Hola, hola, caballero y caballerito —cantó desde el umbral del escritorio doña Lucrecia.

Su nívea mano lanzó al padre y al hijo unos besos volados.